P9-AOD-614

人間コク宝
サブカル伝
吉田豪

TENTS★

人間コク宝 サブカル伝

ON

カバーデザイン■中田薫／EXIT
本文デザイン■中田舞子
写真撮影■
古澤聖三（穂積隆信／安岡力也）
松沢雅彦（安東弘樹）
浅野誠司（清水健太郎'06）
鈴木長月（清水健太郎'12）
梅木麗子（YOU THE ROCK★）
辰巳ちえ（それ以外）

編集■坂本享陽

初出■『BREAK Max』
2003年9月号～2013年4月号

新規収録■
品川ヒロシ
町山智浩 with 水道橋博士

観ただけでやりがいが得られちゃうのが、ももクロの危ないところだと思います

諫山創

ISAYAMA HAJIME/2012年8月31日収録

1986年生まれ。大分県出身。漫画家。2006年、講談社のMGP(マガジングランプリ)にて『進撃の巨人』で佳作受賞。2008年、『週刊少年マガジン』の新人マンガ賞にて『orz』で入選、同作にて『マガジンSPECIAL』によりデビューを果たす。2009年、『別冊少年マガジン』にて『進撃の巨人』の連載を開始。同作は2011年に第35回講談社漫画賞少年部門を受賞。2013年4月にテレビアニメ化され、実写映画化も決定している。

父親からのディープキス

諫山 (『BREAK Max』の最新号を見て) すみません、昨日これ見たはずなんですけど、ももクロの記事だけ読んじゃいました。吉田さんの連載、気づかなかったです。

――ダハハハハ! 気づいてくださいよ! このインタビュー連載にはボクと同世代の、いわゆる面倒くさい側の漫画家さんが山ほど出てくれたんですけど、若い世代の面倒くさい人はどんな感じなのかを今日は確認しに来た感じです。

諫山 あ、僕は面倒くさい側ですか……。

――自分でも中2病って言ってますよね。

諫山 そうですね。自分ではだいぶ正気だとは思ってるんですが……。僕もTBSラジオとかよく拝聴させていただいてて、ほかの多くの漫画家さんのエピソードを聞いてたんですけど、そういうのに憧れてるひとりです。

――漫画家さんはみんなラジオ好きですけど、ラジオの影響をこんなに隠さない人も珍しいと思ったんですよ。ブログで『タマフル(ライムスター宇多丸のウイークエンド・シャッフル)』愛をアピールしていたこともありましたけど、『進撃の巨人』にしてもフード理論が関係してくるってことだったりとか。

諫山 いろいろ舞い上がっちゃって……。たしか、先に『タマフル』を聴いてたら、福田里香先生がいまイチ推しのフード漫画として『進撃の巨人』の名前を出してくれて、それで舞い上がってブログで書いたりしました。

――「悪人は食べものを大事にしない」っていう、理論上は合ってたわけですよね。

諫山 そうですね、それを聴いて完全に「なるほど!」って。だから、巨人がお腹いっぱいになったら吐くとかの設定にしました。

――ラジオはもともと好きだったんですか?

諫山 19歳ぐらいからネットラジオをよく聴いてまして。そのときはオタクのピークだったんですけど。『君のぞらじお』っていうエロゲーがやってるネットラジオがあって、それでちょっとハマりまして。そのときまだ福岡にいたんで、『たかじんのそこまで言って委員会』とか好きになって、勝谷誠彦さんの右翼芸がおもしろいなと思って、それで『ストリーム』って番組もやってるんだって知って、そこからTBSラジオにいって。

――あ、勝谷さんきっかけだったんですか!

諫山 そうですね。で、なんでも勝谷さんをディスってるヤツがいる、と。それで……。

――『ストリーム』のレギュラーで勝谷さんと不仲だった町山智浩さんの存在を知って。

諫山 そうですね。どうせしょうもねえ左翼だと思ってたら、うわっおもしろいと思って。完全に心を奪われたって感じで。いちばん漫画に影響を受けてるのも町山さんですね。わからない人にもわかりやすく伝える天才というか。映画の話を聴いてるだけでいろんなことが身についてくるような気がして。自分が初めて連載した『進撃の巨人』の1話とかでも、まんまセリフをパクッたりしてて。町山さんの『ダークナイト』評で『失楽園』の話をして。「飯だけ食ってりゃ生きてられるけど、それじゃ家畜だよ」みたいなことを言ってたので、それをそのまま使ってます。

――またストレートに影響が出ますよね(笑)。

諫山 そうですね。それも町山さんからの影響で。タランティーノとかはいろんな映画からの影響をそのまま取り入れているけど、

『BREAK Max』 コアマガジン発行のアイドル芸能ゴシップ誌。連載だった吉田豪インタビューをまとめたのが、この『人間コク宝サブカル伝』。13年3月に休刊。

ももクロ 08年に結成したアイドルグループ。11年、メンバー早見あかりの脱退に伴い「ももいろクローバーZ」に改名。全力パフォーマンスとプロレス心のあるプロモーション展開で、芸能人やサブカル文化人などから熱狂的に支持された。ファンはモノノフと呼ばれている。

『進撃の巨人』 『別冊少年マガジン』(09年10月号)から掲載されている、諫山創の初連載作品。11年に第35回講談社漫画賞の少年部門を受賞するなど、各方面から高い評価を受けている。12年にはテレビアニメ化され、こちらも大きな話題となった。15年に東宝系にて、樋口真嗣監督によって実写化されることが決定。

ちゃんとそう言えばいいんだよ、みたいな。

——ああ、なるほど。元ネタを隠すと問題が出るけど、ちゃんとリスペクトしてそっちもちゃんと再評価されるようにすれば問題ないってことですね。

諫山 そうですね。そういうことを隠してたら、これ町山さんが嫌いなヤツになっちゃうなと思って。そうはなりたくないので。

——そうなるとあの人は潰しにきますから（笑）。

諫山 そうですね。でも、そこまで構ってもらえたらすごいですけどね（あっさりと）。

——あ、そこには憧れるんですか（笑）。

諫山 町山さんで困ったことでよくあるのは、実際の映画よりおもしろく話してしまうっていう。『ダークナイトライジング』もそうでしたし、『ミッション：8ミニッツ』も、そんなシーンあったかなって（笑）。でもまあ、そのへんがまた魅力的というか。

——人間的にはそのへんで大きく変わった感じなんですかね。もともと体が弱くてあまり立場がないような人生を送ってきたみたいですけど。

諫山 そうですね。小学生のときサッカー少年団みたいなのに入ってて、そこで自分が心底体力ないんだなって思って、自分に暗示をかけることによってその場を乗り切ろう、みたいに考えたんです。いちばん決定的に役立たずだから、笑っちゃいけないなとか。

——役立たずには笑う権利もない（笑）。

諫山 そうですね。こんなに役に立たないのに笑うなんて調子に乗ってるみたいな。それが人格形成の上では大きかったと思います。

——大分出身ですよね？ チビッ子相撲の強い土地柄だから大変だったみたいですけど。

諫山 そうですね。小学生で70キロぐらいの全国7位とかの子がいる中で親に無理矢理大会に出されちゃって……。いまもそうですけど、常に人より10キロぐらい痩せてて。

——当然、それで勝てるわけもなくて。

諫山 だから、集団の中で劣ってるんだなっていう認識が、物心ついたときから強烈にあったんで。そんな中で唯一自信があったのは、絵が人よりうまいらしいってことで。それは保育園の頃、恐竜の絵とか描いてたら、先生に誉められたっていうそれだけのことで、いまになってそんなに絵がうまくないことに気づいたんですけど……。いざプロになってみたら、そうでもなかった（笑）。

——子供の頃は体力の問題は大きいですよね。スポーツが決定づける部分があまりにも多すぎて。

諫山 そうです、足が速いとか。

——町山さんが意外なのはそこなんですよね。あの人は足が速い側だったっていう。

諫山 町山さんはなんとなくは知ってるつもりなんですけど、こじらせたというか、鬱屈してたはずなのに、なんだか強いですよね。

——強いですね。自分は弱いと思います？

諫山 弱いですね、いろんな意味で……。

——精神的にも肉体的にも。

諫山 そうですね。集中力とかないですね。

——勉強もダメだったみたいですね。

諫山 そうですね。漫画も結構勉強が必要だと思うんですけど、それすらも。特に算数的なものはもう霞みがかかってフワッとなっちゃって……大丈夫ですかね、こんな話で。

——大丈夫です、このぼんやりした感じで。この連載のゲストとしては最年少なんで。

諫山 えーっ！ そうなんですか！

©諫山創／講談社

フード理論
料理研究家の福田里香が指摘した、映画やマンガに登場する食べ物の扱い方に関する法則論。「1善人はフードをうまそうに食べる」「2正体不明者はフードを食べない」「3悪人はフードを粗末に扱う」という「フード三原則」を提唱。

『君のぞらじお』
アダルトゲームブランドのアージュがリリースした『君が望む永遠』のテレビアニメ化作品に出演していた声優がパーソナリティを務めるラジオ番組。03〜05年はTBSラジオなどで放送されていたが、以降はインターネットラジオ番組として07年末まで続いた。

勝谷誠彦
出版社・文藝春秋で記者を務め、フリーランスに。紙媒体では評論家・コラムニストとして、テレビやラジオでは辛口コメンテーターとしてタブーの限界まで挑むような持論を展開している。

――現在26歳（当時）ですけど、20代は初めてですよ。
諫山 あぁ、ちょっと……。並べますかね、このシリーズに……。もっとこういう話をすれば、みたいなのは何かありますか……?
――基本的にみなさんに初体験の話は聞いてるので、さっそく踏み込みますけど、諫山先生もたぶんモテない側だったわけですよね。
諫山 それはもう。そうなんですよね……。僕もあけすけに自分を守らない人をカッコいいと思いますし憧れるんですけど……。
――自分は隠したくなっちゃうタイプなんですね。
諫山 そういう意味でホント自分を守っちゃうなっていう。特に性関係とかは恥ずかしくて自分を守っちゃうところがあって。
――エロゲー好きとは言えるわけですよね。
諫山 それは大丈夫なんですけど。
――リアルな話は逃げたくなる。
諫山 そうです。
――それでも聞きますけどね（笑）。
諫山 ……はい。
――モテないのをこじらせた感じが大きいんですか? もっとコミュニケーション全般?
諫山 でも、思春期あたりは、これはっていうことがあったんですよ。ある女子がぶつかってきて、俺がキョドッてるのを見て笑ってるのとか、そういうことがあって。絶対コロッといってはなるものか、って。
――全然「これは」でもないですよ（笑）。
諫山 中学のときも同級生が付き合ったりとかはあったんですけど、理解できなくて。人口4000人ぐらいの町で、1学年1クラスで。中学になって、小学校ふたつぐらいが集まって2クラスになるんですけど、ほとんど幼なじみで兄弟みたいな意識なのに、その中でよくそんなことできるよなって。
――近親相姦的なものに思えるわけですね。
諫山 そうです。高校も、すごい田舎で、あとは親に食わせてもらってるときに付き合うとか、「えっ?」ていうのがあったんです、自信ないっていうか、恥ずかしくないのかなって。
――まだ自立もしてないのに。
諫山 そうです。だからそのときは恋愛に対しての憧れみたいなものはなかったですね。
――むしろ高校を出てからのほうが深刻で。
諫山 そうですね。高校を出て専門学校に2年行かせてもらったときも親に食わせてもらってるんで、そのあと上京してからは自由だってことになって。だから、俺も1回ぐらいはと思って、そこであんまりいい結果が残せなくて……。もうこれはちょっと嫌だなと思って……。
――……一体、何があったんですか?
諫山 僕が自分を病気だなと思ったのが、好意を寄せてくれるものに対して嫌悪感があるっていうか……。たとえば3歳ぐらいの子供がなついてきて、最初は可愛いなと思ってよしよしとかするんですけど、だんだんずっとついてくるようになって抱きつかれたりすると居心地の悪さがあるっていうか、ちょっと気持ち悪いなっていう感じになってきて。
――信頼されすぎると怖くなってくる?
諫山 そうですね。あとチワワとかも遊んでたらなついてきたんですよ。それも可愛いんですけど、だんだん気持ち悪くなってきて。そんなんでちょっと、好意をストレートに受けると拒絶反応が出るなと思って。これはちょっと社会と適合できない感じがしてきて。

『ストリーム』
01年～09年までTBSラジオで放送されていた生放送ワイド番組。「コラムの花道」という人気コーナーでは、曜日ごとにコラムニストが出演。勝谷誠彦は水曜日担当、町山智浩は火曜日担当だった。ちなみに、吉田豪は月曜日担当。

『ダークナイト』
08年に公開されたクリストファー・ノーラン監督による大ヒット映画。アメコミヒーロー作品ながら、ジョーカーを演じたヒース・レジャーの一世一代の演技と、重厚なストーリーは評論家にも絶賛された。

タランティーノ
ビデオ屋の店員をしながら、あらゆる映画の知識を蓄積。92年に『レザボア ドッグス』で監督デビュー。自身が敬愛するジャンルに対する愛情を隠さず、大胆な引用を用いた作風を得意としている。

――漫画のファンにもそれやったら大変ですよ。「ファンです」って来た人を拒絶したりし。

諫山 漫画家とかそういう肩書越しの接触のときは大丈夫です。

――それってなんのトラウマだと思います？

諫山 親父のスキンシップとかが強烈だったんですよ。ディープキスとかされてて。

――ダハハハ！『おぼっちゃまくん』のお父さんみたいな感じなんですね（笑）。

諫山 いま思うとそれかもしれないです。

――家族仲が悪いわけではないんですか？

諫山 父親は自分と対照的というか、ものすごく人との距離が近い感じで。それゆえに、『冷たい熱帯魚』でいうでんでんさんの感じで、あれを観たときホントに思いました。でんでんが親父で、吹越満が俺だなって。

――そういうお父さんからしてみたら、息子さんがそういう性格だと、「お前、もっとちゃんとしろよ！」みたいにズケズケ言ってきてウンザリしてたんじゃないですか？

諫山 そうです。それで子供の頃、相撲とか強制的にやらされて。俺がそれでどんどんふさぎ込んでいくのがまったく理解できなかったと思います。でも、いまとなっては憧れもありますね。どんだけ楽なんだろう、このクソが、みたいな。そういう恨みはあります。

――ダハハハ！ じゃあ、こじらせ始めた原点って小学生ぐらいから始まってるんですか？

諫山 小学生のときはまだ能天気だったんですけど。よく友達には「中学になっておもしろくなくなったよね」って言われて。小学校の頃は、おもしろいことを言うときは笑わないほうがいいって聞いて、それ以来、笑顔が消えた感はあるんですけど。中学になってそれを意識し始めて。小学生のときは、まだ痛くなかったんですけど、中学からいまに至るまで、ずっと痛々しさっていうんですか、それは漫画でもなんでもですけど、絶対その痛々しさが消えないっていうのはありますね。

――自意識過剰のスイッチが中学で入って。

諫山 はい。パニック状態でしたね。

――どうしたらいいのかわからないまま。

諫山 なんでみんな5コぐらい精神年齢上なんだっていう感覚は常にありますね。

溢れるももクロ愛

――当時はアニメ好きの頃ですか？『ゼロの使い魔』にハマってたような時代。

諫山 それは18～19歳で、高校のときはひたすらエロゲーとエロ小説と漫画ですね。

――学校とかでうまくいかなくて、家でエロゲーやってだと、相当悶々としますよね。

諫山 いや、でも結構発散できてましたね。ひとりで自己完結してました。小説とかで。いまの自分は見ないことにして、この世界に入ることで、自分だけとは限らないじゃん、みたいな。妄想で結構楽にしてましたね。

――ただ、いくら現実を見ないようにしてても、どっかで見ざるをえない時期が来ますよね。それは上京してからになるんですか？

諫山 上京する前ですかね。高3のとき初めて漫画を投稿したんですけど、そのときは強烈で、初めてペンで描いたらヨレヨレの線

『冷たい熱帯魚』
園子温監督による実際に起こった犯罪を元にしたサスペンス映画。不気味な狂気をたたえた殺人鬼役・でんでんの演技は絶賛され、第36回報知映画賞の最優秀男優賞や、第35回日本アカデミー賞の最優秀助演男優賞などを受賞した。

『ゼロの使い魔』
ヤマグチノボルによるライトノベル作品。1作目は04年にリリースされ、20巻まで刊行されたが、作者のヤマグチノボルが急逝したため絶筆となった。06年にはテレビアニメ化され、4期までシリーズ化される人気作となった。

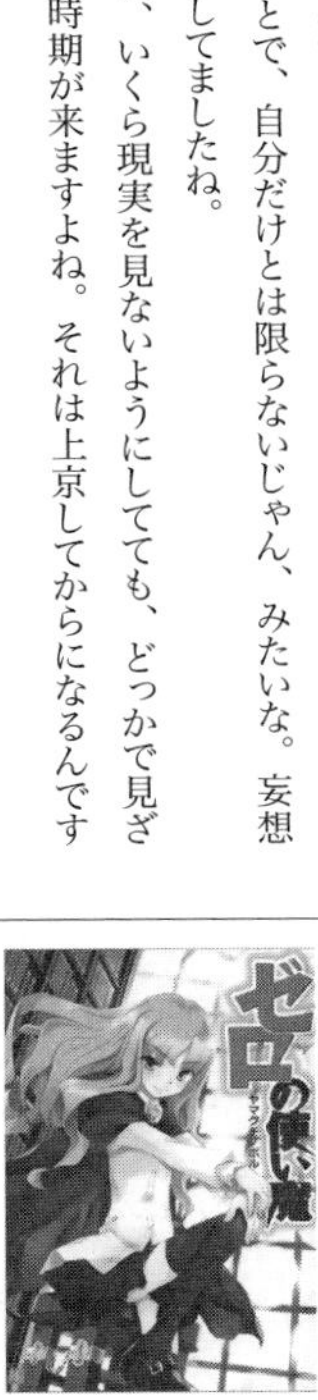

©メディアファクトリー

で、いま絶対に引けないんですけど、ホント機械みたいに小刻みにグワーッて線が震えてるんですよ。それで一応『ジャンプ』に投稿しまして。次の賞の発表までのあいだに自信満々で、友達とかに「次の発表でビックリすると思うよ」みたいなことを言ってまして。

――ああ、それは痛々しいですねえ……。

諫山　で、いざその発表があって、見たらどこにも名前が載ってなくて。あとちょっとっていう名前だけ載ってるところにも載ってなくて。瞬間的に、「あ、そっか。郵送の手違いで届いてないんだ」と本気で思ってて。微塵もダメだとは思ってなかったんです。あのときは怖いですね、いま思うと。それで専門学校に行ってから、またちょっと変わって。

――漫画の専門学校に行ってみたら、周りのレベルの高さをそこで知るわけですよね。

諫山　そうですね。そこで本格的に絶望感を味わったというか、すごい石垣があったら、自分はその中の下の1個の石でしかなくて、てっぺんになれる確率がホントに低いんだなっていうのが肌感覚でわかってきて。で、ちょっと人生ダメっぽいな、勉強もしてこなかったしなって。でも、上京は絶対したいから、30歳ぐらいまでバイトして、実家に帰る感じかなっていうのは思ってました。

――そうやって絶望した頃、ネットを知ったことで視野が広がっていったわけですか。

諫山　そうです。19歳ぐらいのとき。その頃はまだテレビの言ってることは正しいんだって思ってて。だから社会問題とかあるたびに、「なんで謝罪しないんだ！」とか思ってたりして。それでネットで右の方向のことを知って、こういうのがあるんだって。

――ネット右翼的な文化に感化されて。

諫山　いまどきの若者というか。吉田さんも最初そうだったって聞いたことありますよ。

――ボクはもっと左寄りでしたね。反天皇制を掲げるパンクバンドにハマッてたんで。

諫山　ああ、左方向にどっぷり浸かって。僕が憧れてる宇多丸さんにしろ、町山さんにしろ、そんな極端ではないにしろ、どっちかっていうとバックボーンはそっちみたいな。

――そういう状態のとき勝谷さんにハマッたっていうのは、すごいわかりますけどね。

諫山　そうですね。とりあえずテレビが言ってることは正しいっていう段階から、一歩入っていった感じで。権威主義みたいなものが嫌いなんだなってことがわかるようになって。

――性格的にはおとなしいですけど、基本そういうデストロイな感じはありますよね。

諫山　妄想の中では自由っていうのがありますね。妄想と現実の線引きはあると思うんですけど、妄想なら何してもいいっていう。

――ちなみに最初に彼女ができたのは？

諫山　連載前なんで20歳から21歳とか22歳ぐらいですね。……やっぱり圧倒的にこのへんになってくると言葉が少なくなってくるんですけど……。結局、恋愛不適合というか、恋愛に限らず人間関係というか、友達関係というか……。ホントに唯一、幼なじみが、何を話しても恥ずかしくないっていうのが4〜5人いるんで、そこだけはセーフな感じですね。

――じゃあ上京してからはなかなかそこまで入り込める関係の人は作れてないんですか？

諫山　そうですね。簡単に映画を観に行くぐらいのことはあっても、やっぱり自宅にいるのが楽だなっていうことになりますね。

――昔、ネットをやりすぎて原稿を描けないレベルになったり

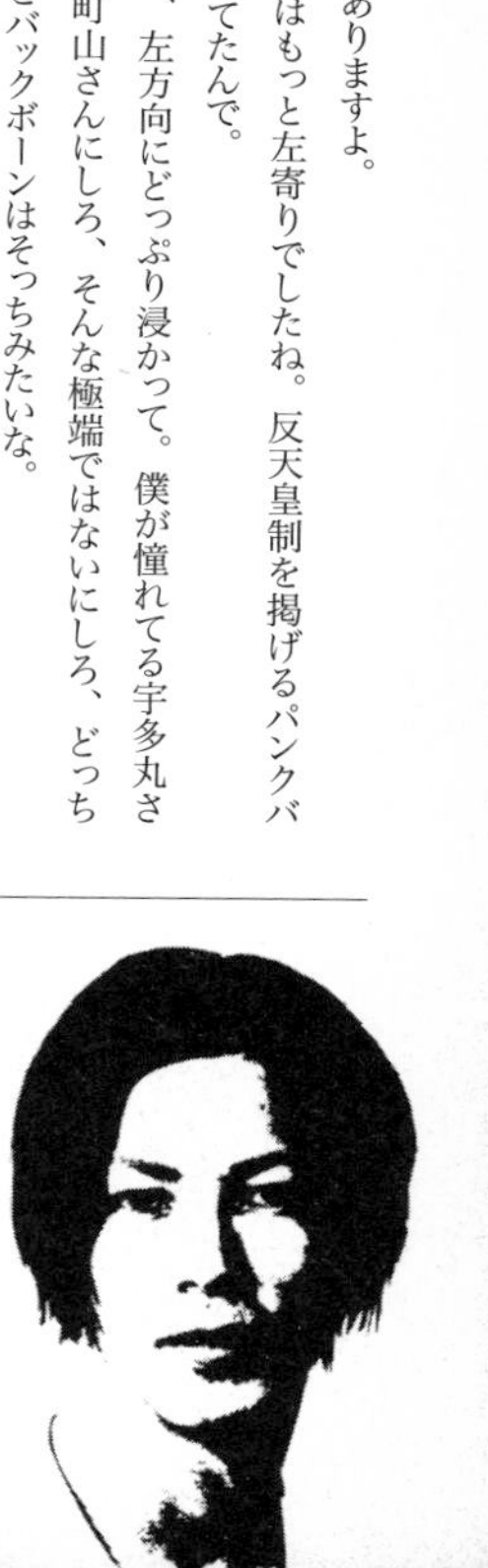

禁煙

したらしいですよね。

諫山 いまもネットはそうですね。いろんな危機感とかが見えなくなってきます。次の情報、次の情報ってひっきりなしに情報が出てくると、つらいことも忘れられる状態みたいな。だから、ネット環境がないところに長時間いるとが狂っちゃいますね。

――主に何を見てるんですか?

諫山 いまは総合格闘技の最新情報とか、ももクロ関係とか、ツイッターとかですかね。

――ももクロはどこでハマったんですか?

諫山 なんとなくテレビとかで観てて、おもしろそうな世界だなっていうのは知ってたんですけど。それが2年前で。本格的にハマッたのが今年の4月とか5月とか、全然新規なんです。次のきっかけが吉田さんが『キラ☆キラ』でももクロの話をしたことで。

――ああ、小島慶子さんとピエール瀧さんが一切興味を示さなかった回ですかね(笑)。

諫山 あれはなんでなんですかね。僕はメチャクチャおもしろくて。「えっ、そんなのなの?」って。で、情報を漁るようになりましたね。初めて観たのが、神聖かまってちゃんにずっとハマッてて、ニコ動で対バンやったときなんで。そのとき初めてライブ観て。

――あのライブを見たらやられるでしょうね。

諫山 そうですね。やっぱりきっかけは、「なんか様子がおかしいぞ?」っていうところから、正体を知りたいってなって。で、マネージャーさんがコンセプトを作ってるんだっていうのを吉田さんの話で知って。よくいろんな偶然の連続であんなおもしろい世界ができ上がったなって思いますね。

――事務所がとことん自由にさせてるのと、あと自由にさせたところに百田夏菜子っていう本当に自由な人がいたっていうことは大きいでしょうね。

諫山 じゃあ夏菜子、しおりん以外は、じつはほかのAKBとかのグループに入ってたら結構同じになっちゃうんじゃないかなって。

――特に子役キャリアのある有安、あーりんは順応できちゃった可能性はあると思うんですけど。それがあの独特な、裏表のない自由すぎる場に入ったことで変わりましたよね。

諫山 吉田さんのいまのももクロに対する感じっていうのは、西原理恵子さんとニコ生をやったときにも話してましたけど……。

――そんなのまで観てるんですか! 要は、昭和プロレスの前座みたいなスタイルだったバトラーツが、ビッグマッチの頃から方向性が変わっていった感じとか、PRIDEとかK-1に出ていた格闘家がプロレスをやるようになった感じとか、地上波のゴールデンタイムでプロレスをやるにはハッスルやレッスル1的なものにするしかなかった感じとか、そういう寂しさはあるんですよね。

諫山 いま地上波でも観ますけど、変顔と、出欠が中心ですもんね。演出の佐々木敦規さんですか?『ゴッドタン』みたいなのとか、あとこの前、UFI(ももクロの変名ユニット)だけで出てくる番組があったんですけど、それとかでは魅力を出せてたとは思うんですけど、ほかでなんでそんな演出をするかなっていう悔しさはあるんですよね。

――ただ、そうしなきゃいけないんだろうなって事情を考えちゃうんですよ。たとえばZepp TOKYOで2時間ライブを3本連続やったことがあったんですけど、そのときに肉体的な限界を百田夏菜子が訴えて、初めてスポーツトレーナーをつけたんですよ。で、ライブの合間にマッサージとかしてもらってたんですけど、3回目のライブが終わってから挨拶に行ったら、まずその時点で有安の目が飛んでてフラッフラで、その状態で挨拶するから

総合格闘技
93年に開催された「UFC」によってジャンルが形成。97年に日本で「PRIDE」が開催された頃から、世界的な格闘技ブームが巻き起こり、テレビ放送なども頻繁に行われた。10年代には日本では人気が下火となり、ファンは情報をネットで得るしかなくなってしまった。

『キラ☆キラ』
『ストリーム』の後番組として09年から放送開始されたラジオ番組。メインパーソナリティは小島慶子。コラムコーナーも受け継いでおり、金曜日には町山智浩、木曜日には吉田豪が出演していた。12年に放送終了。

神聖かまってちゃん
08年に結成された4人組バンド。11年2月25日に、HMV主催のライブイベント「HMV THE 2MAN ~みんな仲良くできるかな?編~ももクロとかまってちゃん」で、ももいろクローバーと対バンライブを行った。

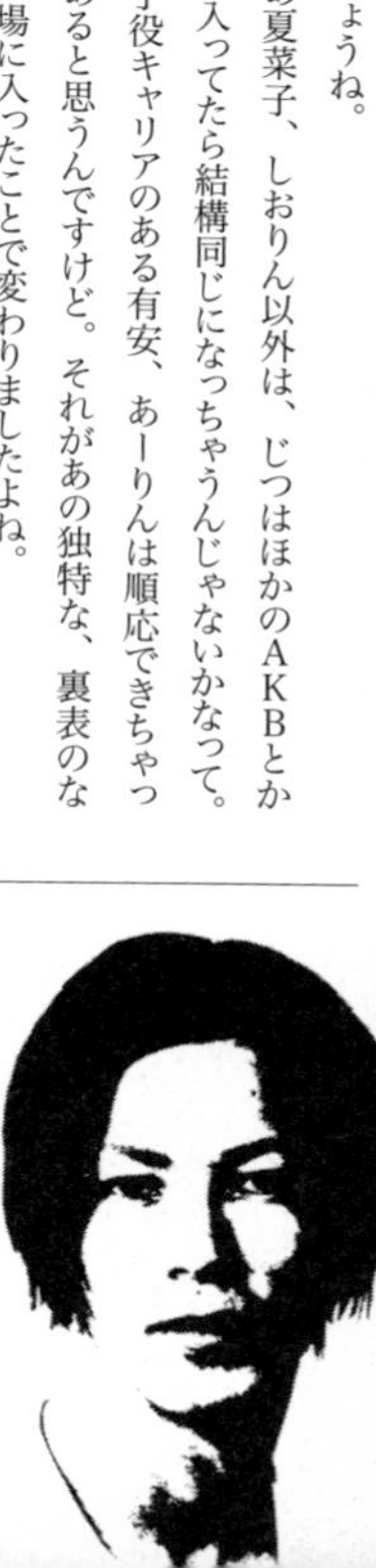

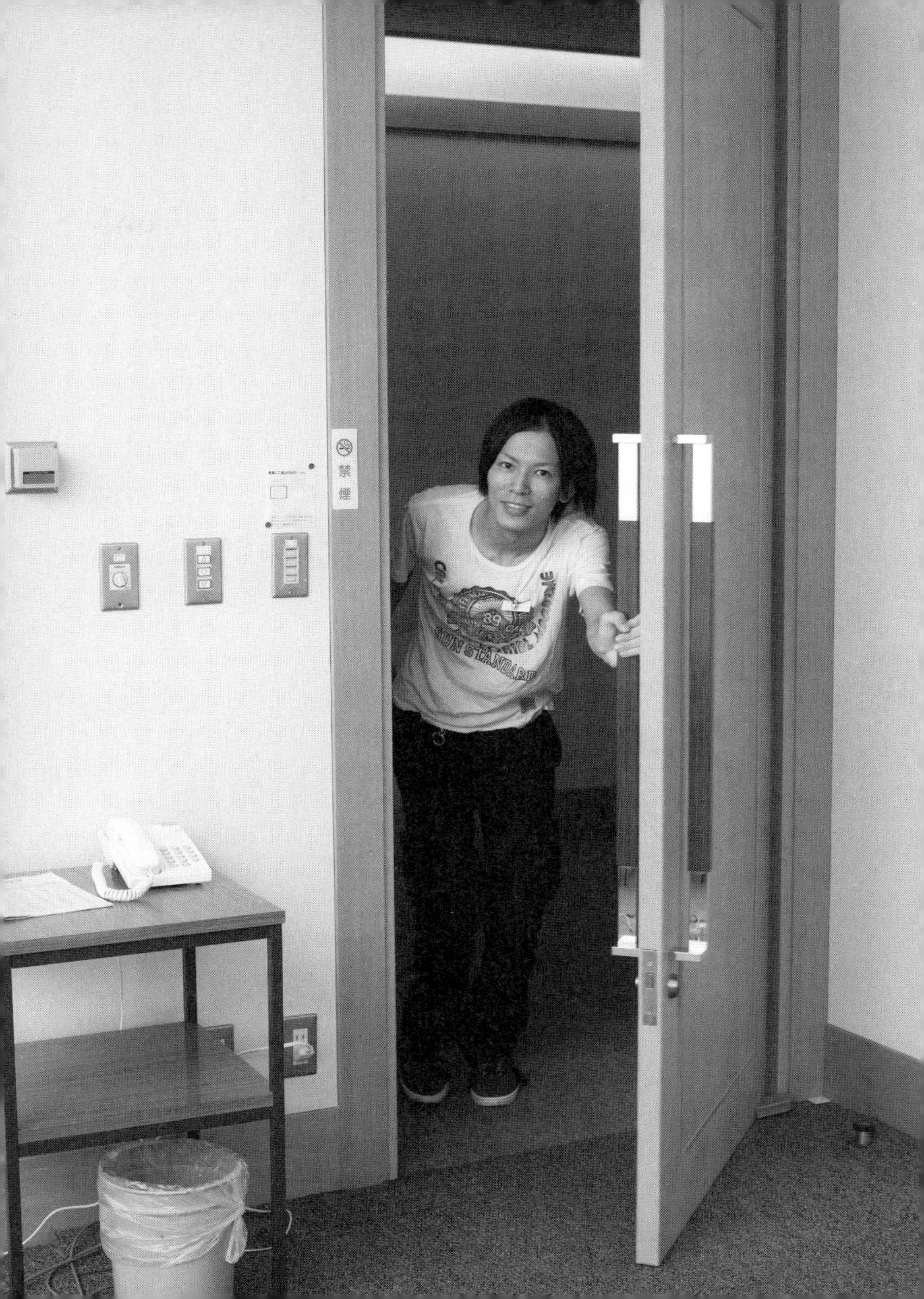
禁煙

「ヤバいですよ、休んだほうがいいですよ！」って言ったら、「だ、大丈夫です」って言いながらバタンッて倒れる状態で、これは大変だと思って。ほかのメンバーは汗だくだけど大丈夫だったんでちょっと話してたら、ボクらが離れた瞬間にまたバタンッて音がしたから見たら、今度は百田夏菜子が倒れて。要は佐々木さんはK-1とレッスル1をやってた人だから、最初はK-1的な感じでやってたと思うんですよ。ワンデートーナメントで極限まで肉体を追い込む路線でやろうとしたら、このままだと肉体的に限界がくるなと思ってレッスル1的なエンターテインメントに針振ったのかなって。

諫山 その舞台裏、AKBだったら見せますよね。最近の『飛び出す5色のジュブナイル』ってDVDボックスでもその回があったんですけど、吉田さんが最後、前山田さんと挨拶に来てコメントする、あのあとですか？

——あの前ですね。っていうか、『ももクロChan！』まで観てるんですね（笑）。

諫山 そうです。そこを見せないのは作り手に好感が持てますね。体力面で過酷な現場っていうだけじゃなくて、売れなくてキツいところとかもカメラさえあれば現状が撮れて、エンターテインメントにできるんですかね。

——AKBがあそこまで裏側を見せて、AKBはそこにちょっと切なさっていうか、追いつめられてる感が出るじゃないですか。裏側を見せてダメージ受けないドキュメントがももクロなら作れるんじゃないかと思ってて。

諫山 彼女たちがすごいはしゃいでるときに、はしゃぎすぎちゃって振付の先生に「コラ！」とか怒られてシュンとなる瞬間とか、それでも結構肝を冷やすっていうか、ウワーッてなっちゃうんですよ。その程度のショックでも嫌だっていうか。自分もシュンとしちゃうんで（以下、ももクロのメンバーが恋愛するのが心配だとか、そんなことばかり熱く語り続けるが省略）。なんかもっと聞きたいこととかあったはずなんですけど……。

ネットで叩かれたい

——インタビューとか苦手ですか？

諫山 会話が苦手です。この前、ニコ生に出たんですけど、女子高生の作家さんがいて、その人のほうがよっぽどしっかりしてて、僕はずっと「あ、あわわわ……」ってずっと言ってて。「こいつアレだな」みたいな、ずっとコメントが流れてるような……。

——基本、ホントに自信ないですよね。

諫山 やっぱり小学生のときの自己暗示っていうのが強烈にあると思います。だから、家族で茶の間でテレビ観てるときも、目立たないようにちゃぶ台の下に隠れてたりして。

——自分の家だったらいいじゃないですか（笑）。

諫山 逃げ場がない状態でした。

——エロゲーがいい逃げ場になって。

諫山 そうですね、ホント救われました。べつに現実世界じゃなくていいんだっていう。

——特に漫画家さんは調子に乗れない人が多いわけじゃないですか。『進撃の巨人』がこれだけ売れていろいろ取り上げられても、ネガティブなことばっかり言ってますもんね。

諫山 やっぱり「本物を知ってるぞ、俺は。おまえらわかってないだろ」的な。やっぱり新井英樹先生の『キーチVS』だって、こんな過激なことやってるのになとか、全然すごいのに。人が描いてると幻想を持ちやすいっていうのはあると思うんですけど、自分

西原理恵子
マンガ家。ギャンブルや旅行記などの無頼派ルポと、家族などをテーマにした叙情派作品のどちらも評価され、熱い支持を受けている。MXテレビの『五時に夢中』にレギュラー出演していたが、女性器発言により降板している。

佐々木敦規
ディレクターとして、バラエティ番組やK-1中継など、様々な番組を演出。ももクロが出演するテレビ番組や、ステージ演出、ライブ映像の監修も手がけている。

『ゴッドタン』
05年からテレビ東京でレギュラー放送されているバラエティ番組。おぎやはぎ、劇団ひとりなどがレギュラーを務め、斬新で悪ふざけに満ちた独創的な企画を次々と生み出している。

『飛び出す5色のジュブナイル』
テレ朝動画で配信されている『ももクロChan ～Momoiro Clover Z Channel～』の

だとゼロですからね。底はわかりきってるんで。

――でも、外から見てると幻想を持たれやすいと思いますよ。絵がヘタだって自分でもよく言ってますけど、デッサンの狂いによってちゃんと不安を感じさせる絵になってますからね。

諫山 それもなんか、神聖かまってちゃんとかもクロとかを見て、技術的な完成度の高さじゃないところでやれる感があることに気付いた、みたいな。何かそれゆえに読んだ人が幻想を持ってくれないかな、みたいな。最初から絵がマズいっていうのは自分も知ってたんで。いまでもキツくなったら全部が歪んで見えちゃうんですよ。自分がちゃんと整えて描いてるつもりだけど歪んでる感じです。

――心の病レベルにはいってないですよね？

諫山 心の病レベルっていう意味では、最近すごい好きなのは古谷実先生なんですけど、どんどん突き詰めていってますよね。『ヒメアノ～ル』がいちばん好きなんですけど、青春がバスケとかサッカーだったらいいけど、人の首を絞め殺すことしかないんだっていう人の話とか、興味深いです。好意を寄せられたら、普通は幸せになれるのに、俺はなれないんだなっていう、そのへんで人間の失敗作としてはすごい共感できますけどね。

――少しリハビリしたほうがいいですよ！

諫山 僕ですか？　僕はこういう世界ばっかり見てるからかわからないですけど、馴染めなくてもいいんじゃないかと思って。でも、吉田さんの『サブカル・スーパースター鬱伝』、まだ拝読してないんですけど、漫画っていってもスポーツ選手みたいに、あきらかにピークとそれ以降があると思うんで。将来どうなるのかなっていうのをあれを読むことでいま知っておいたほうがよさそうですね。

――26歳ですでにその悩みがある、と。

諫山 はるかぜちゃんとか見てて思うのは、ネット世代はあらゆる人生の失敗を事前に知ることによって、何か別のものになっちゃうっていう現象がはるかぜちゃんで起きてるのかなっていうのはあります。

――小学生に絡んでいく大人がことごとくバカに見えるっていう、あの状況ですよね。

諫山 すごいですよね、あの精神年齢の差って。なんではるかぜちゃんに絡む人はあそこまで変なのかなって。ああいう人をあぶり出す機械として、ものすごい精度だなっていうのは感じますね。すごいしっかりしてる子だとしても、小6相手に傷つけるようなことを言える……まあ、何万人もいたら、ひとりぐらいいるのは当たり前だと思うんですけど、あれ見るとゾッとしますね。

――そういうのが怖いからツイッターは匿名でやるだけ、みたいなのがあるんですか？

諫山 僕は絶対に対応できないですね。傍から見たらおもしろくなるかもしれないですけど、とてもその勇気はないです。町山さんとか、自分をまったく守らない人にすごい憧れるんですけど、僕はロックンローラーじゃねえし、普通の人だしなっていうのがあって。

――町山さんみたいにやるのは無理ですよ。

諫山 選ばれたロックスターですよね。ただ、町山さんにお会いしたときも、世代差を感じてすごい寂しくなりました。ラジオとかでのキャッキャみたいな感じに俺は絶対なれないなっていうのがわかったといいますか。

――みんなでチンコの話をキャッキャするような感じの輪には入れないんだな、って。

諫山 そうですね。なんにも町山さんの記憶に俺は残らなかった

映像をまとめたDVDボックスの第2弾。12年7月発売。ももクロメンバーによるさまざまなチャレンジ企画や、ライブの舞台裏映像などが収録されている。

『キーチVS』
新井英樹のマンガ作品。数奇な運命をたどる少年を描いた『キーチ』の続編で、成人した主人公の染谷輝一が仲間とNPO法人を立ち上げて、独自の活動をはじめる。13年に完結し、単行本は全11巻。

古谷実
93年のデビュー作『行け！稲中卓球部』が大ヒットし、ギャグ漫画界の新星と期待される。だが、次作以降はギャグの比率が下がった内省的な作風にシフトし、『ヒミズ』『ヒメアノ～ル』などでは陰鬱とした暴力や心理を描いている。

『サブカル・スーパースター鬱伝』
「サブカル男は40歳を超えると鬱になる」という仮説を確かめるべく、大物カルチャースター11人への取材を敢行した吉田豪によるインタビュー集。徳間書店より発行。

はるかぜちゃん
春名風花。子役として活動をはじめた3歳の頃から自分でブログを更新していたという天才少女。ツイッターでの発言が炎上することもあるが、常に抜群のリテラシースキルを発揮して沈静化させている。そうした活動が評価され、ネットトラブルについてコメントを求められることも多い。

だろうなと思います。

——ダハハハ！　そこまでなんですか！

諫山　でも、あとでブログとかで『もしドラ』の話とか町山さんが言った話を書いたら、町山さんがツイッターで「今度飲みに行きましょう」とか「漫画賞おめでとうございます」とか、虚空に叫ぶ感じで言ってくれたんで、おっと思って。覚えてるんだって。

——そりゃあ覚えてますよ！　でも、実際飲みに行ったら行ったで、どうしようって悩みますよね。

諫山　なんとかしたいですね、その機会があったら。前に『真夜中のハリー&レイス』ってラジオに出たときも、酒を飲んで行って。そしたら30分はテンションが持ちましたね。30分以降はシラフになっちゃって。

——飲まなきゃ話せない。

諫山　そうですね。結構、飲んだら親父側の人間になりますね。でも、冷めたあとがちょっと沈んじゃう感じなんですけど……。

——大変ですねえ……。

諫山　コーヒーとか飲んだらそうなるんですよ。コーヒーですごい沈んじゃうんです。カフェインは大丈夫なんですけど、コーヒー豆がアレルギーみたいで、ひどいときはベッドから起き上がれなくて、トイレとかもその場でしちゃえばいいや、みたいな感じで。

——そのレベル！

諫山　もうトイレ行くとかどうでもいいや、みたいになっちゃうんですよ。でもそれはすごい短時間で終わって、12時間ぐらいしたら、「はぁ、危ねえ……」ってなります。

——まだ身体は弱いんですかね。

諫山　弱いですね。消化器官が弱くて、ものが食べられないっていうのはひどいですね。ずっと減量みたいな感じで、1日1食とか。食べられて素うどんとかぐらいなので。

——おにぎり1個で1日持つとか。

諫山　そうですね。原稿を描いてる最後らへんになるとアドレナリンが出てるんで、なんとかなるんですけど。普通に燃費というか、得たエネルギー以上は出せない感じですね。

——生命力には欠けてる気がしますもんね。

諫山　欠けてます（キッパリ）。

——そんな人が生命力に満ち溢れた側の人たちの輪に入って立ち向かうのは大変ですよ。

諫山　無理ですね。

——イベントで町山さんがすごい勢いでしゃべってるとき、横からどう入るかとか考えたら。

諫山　ああ……やっぱり見てるほうがいいです。……今日の取材は価値がありますかね？

——ダハハハ！　大丈夫ですよ（笑）。悩んでたピークはいつぐらいなんですか？

諫山　『進撃の巨人』の連載が始まって1～2巻の評価がすごい高かったんですよ。それは人類が巨人という化け物に滅ぼされて、そういうファイナルレジェンド的な、さあどうなるっていうのが見たかったと思うんですけど、僕がいままで描いた漫画って全部変身ヒーローものなんですよ。なので、『進撃の巨人』のプロトタイプの読み切りも変身ヒーローものとして描いてたんですけど、2巻終がわったあたりで、「えっ、これ変身ヒーローものだったの？」ってなったときの、「じゃあどうでもいいよ」っていう反応が……。まあ、事前にわかってたんですよ。

——そうなるであろうことも。

諫山　はい。2巻以降の方向を変える選択肢がそのとき3ヶ月ぐ

『真夜中のハリー&レイス』　ラジオ日本で10年から放送されているプロレストーク番組。実況パーソナリティの清野茂樹が、毎回ゲストを招いてトークバトルを繰り広げる。最後はいつも「時間切れドロー」で引き分けとなり、清野がベルトを防衛する。

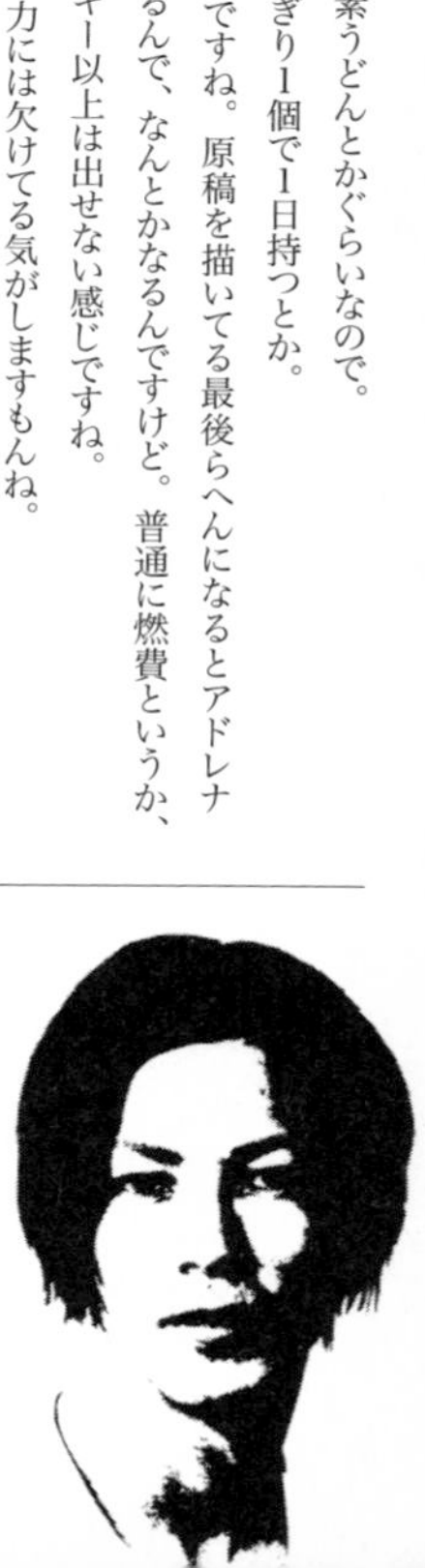

らいあったんですけど、そこで「読者に合わせてやりたいもの変えるぐらいだったら読むのやめます」ってブログのコメントに結構救われて、「俺もそう思ってたよ！」と思って、じゃあ売れなくていいじゃんっていうか、もう十分夢見たから好きなことやったほうがいいよねと思って、3ヶ月だけ悩んで、もう解消されたんですけど。

——ネットの反響はかなり見てるんですね。

諫山　新世代って言われるかもしれないですけど、叩きがないとやる気が出ないんです。

——あ、そうなんですか！

諫山　アマゾンレビューとか結構キツいんですけど。誉められてても、あんまり誉められたらこのままでいいんだっていうか、これ以上になろうっていう気にはならないんですよね。やっぱり「こいつはクソだ」とか「ホントどうしようもねえヤツだ」とか言われたほうが、「いや、そうじゃねえよ！」って感じで発奮できるんで。そうやってすごい怒りに支配されて、頭グラングランなったりとか、そういうのがあるだけでうれしいんです。

——生きてる実感があるんですか？

諫山　そうですね、それさえどうでもよくなったら、ホントにもう何もなくなるっていうか。漫画さえ描かなくてよくなるっていうか。そういうのをどんどん見ていかないとやる気が出ないんですけど、最近それにも慣れちゃって。正直、自分の漫画にあんまり興味なくなってて（あっさりと）。だから、いま次のこととか別のことばっかり考えてます。

——次回作は何にしようかなとか（笑）。

諫山　そう、飽きっぽいんですね。もうすぐ話を畳んだほうがよさそうな感じがして。

——これからですよ！　普通なら、ヒットしていろいろビジネス的な展開も含めて考えていかなきゃいけない時期じゃないですか。

諫山　でも結構、ここからこう畳めばいいなっていうのが見えてきたんで、3年以内とかに終わると思います。ただそれはダラダラ続けるよりも潔いし、また1からスタートしたいなっていうのもあるんで、そうしていきたいなっていう感じです。いまはできるだけ貯金して、夢はネオニートなんですけど。

ももクロでこじらせる

——基本、何もしたくないんですか？

諫山　もし肺気胸が治ったら、寝技とか習いたいですけどね。でも、最近マズいなと思うのが、漫画に興味が薄れてきたのはももクロが原因なんですよ。漫画とか描くことによって得るような快感っていうのが、ももクロのDVD観てるだけで得られちゃうというか。

——その高揚感みたいなものが。

諫山　ドーピング的に得られちゃうんで。

——それで代償行為ができちゃう、と。

諫山　なんか頑張った感が。

——「俺が全力尽くした」みたいな（笑）。

諫山　そうです。青春というか。観ただけでやりがいが得られちゃうみたいなところがももクロの危ないところだなって思います。

——それはかなりヤバいじゃないですか！

諫山　困りますね……。でも、あの夏菜子の無邪気感みたいなものはホント奇跡的だし、いつまであれがあるのかなと思うと、ホントいまだけかなっていうのはあるんで。そういう寂しさも含めて見てる感じですね（また熱くももクロを語りはじめたので、以下略）。

——アイドルにハマると大変ですよ。

諫山　そうですね。傷つくこともあるでしょうし。あの神戸事件（ライブ中に客席通路を移動するお馴染みのパフォーマンス中、玉井詩織がファンに触られまくったとされる騒動）とか、ファンが増えるとこうなるのかなって考えさせられたっていうか……。

――でも翌日から修正するのはさすがだと思いましたけどね、着席システムにしたりで。

諫山　あの1日、その答えが出るまでの時間がすごく嫌でした、不安で。もうメンバーもみんな、ファンのこと嫌いだってなるんじゃないかなとか、絶望するんじゃないかとか。

――音楽に関しては、かまってちゃんがいちばん好きだったぐらいの感じなんですか？

諫山　そうですね、ものすごくしっくりくるのがかまってちゃんで。過激なパフォーマンスばっかり目立ってますけど、曲の幅も広いし、なんとかかまってちゃんはそっちの魅力が出ないかなって思ってます。ももクロとの絡みも、本来なら絶対に相容れない感じで。だって闇と光っていうか、性善説、性悪説みたいな。解明できないですね、の子さんは。

――面識はあるんですか？

諫山　いや、それはもう全然。尊敬してるから会いたくないっていう病気で。好きな作家さんとかいたら、自分のことを認識されたくないっていうか、俺がこの世にいるっていうことを知られたくないっていう、そういう病気は一般的にあると思うんです。僕も最後に講談社が帝国ホテルで謝恩パーティーやったとき、吉田さんを見て、「ラジオ聴いてます」って言って逃げたんですけど……。

――え！　逃げたんですか？

諫山　そうです、逃げたんです。「うわ、見てる！」って思って怖くなっちゃって。かまってちゃんの現場は、いま自分が知り得るだけでも結構壮絶なものを感じるんです。

――の子さんの女性問題が出てきたりで。

諫山　あれちょっとショックでした。また魅力がちょっと伝わりにくくなったかなって。

――『鬱伝』のテーマもそこですけど、モテなかった側の人が脚光を浴びてモテだしたときにいろいろおかしくなっていくっていう。諫山先生もこれからモテだしておかしなことになっていく可能性があるわけですよね。

諫山　その段階を味わってみたいもんですけどね。ホント外にも全然出ないんで。

――だけど、とりあえずビジュアル的には全然モテの側にいける人だと思いますよ。

諫山　ホントですか（笑）。見た目を意識するようになったのは20歳とかで、それ以前はすごい天パで、メガネの度も合ってなくて。コンプレックスはずっと抱えてました。

――モテてはみたいんですか？

諫山　モテはしたいですけど、そのあとどうにかはなりたくないです（キッパリ）。そこまでがピークっていうか。そこから先は嫌ですね。この先のことはまったく想像できないですね。いわゆる社会的に関わって、人と結婚して、親戚ができてとか。そういうつらさっていうのが想像を絶するんですよね。

――つらさ（笑）。

諫山　とても正気でいられないと思います。彼女と付き合ってるときとか、俺はもうひとりじゃないんだって思うだけで髪がすげえ抜けていくんですよ。もう嫌だと思って。

――ダハハハハ！　そんなストレスが！

諫山　はい。このままいくのもキツいだろうけど、結婚して相手と関わっていくほうがキツいんじゃないかっていうのがあって、ちょっと不安なんですよ。漫画家としては、1回売れたってなると次がダメでも食っていけるんじゃねえかな、みたいなのはあるんですけど。

――そこはちょっと楽観的な。

諫山 まあ、食っていけさえすればいいなっていうのはありますけど。あとは体力の問題ですね。肺気胸で何ヶ所も肺に穴が空いて、それが肺の壁とくっついたりで。しかも病院に行ったら、「悪くなったときに来てください」って言われて。悪いときっていうのはだいたい原稿がピークで追い詰められてるときで、それを越えて休むと治っちゃうんで、タイヤのパンクみたいに、穴が空いてないとどこかわからないんですって、だから治せないんです。……こんな話で大丈夫でした？ 僕も考えたんですよ。吉田さんは『キラ☆キラ』みたいに20分とかで、この人に会った話をしますっておもしろい話をされますけど、いざ自分がその題材になったとき、話すことないだろうなっていう。俺はつまんねえなっていうコンプレックスっていうんですかね。

――ちゃんと面白さはありますよ。やっぱりこじらせ方の世代差をすごい感じましたね。

諫山 特殊性があるとしたらそこですかね。……あ、自分に何か特殊な性癖とかがあるとしたら、新井英樹先生の『宮本から君へ』を読んで目覚めたと思うんですけど、寝取られって、あれは興味深いと思って。二次元限定ですが、興奮しますね。

――現実になったら面倒くさいだろうけど。

諫山 現実では許されないことですし、とても耐えられないですね……。このままじゃちょっと申し訳ないんで、それぐらいは最後に言っておかないとと思って。

――言い残したことはないですか？

諫山 今日この取材が終わったらたぶん、現実感がなくなると思います。ええと……あとは色紙持ってきたんですが、サイン下さい。

『宮本から君へ』
新井英樹の初連載作品。文具メーカーの営業部員である宮本浩の不器用な恋愛模様と熱い生き様を描く。作中には、泥酔して寝込んでしまった宮本の隣で恋人が犯されてしまうというシーンがある。

© 新井英樹／講談社

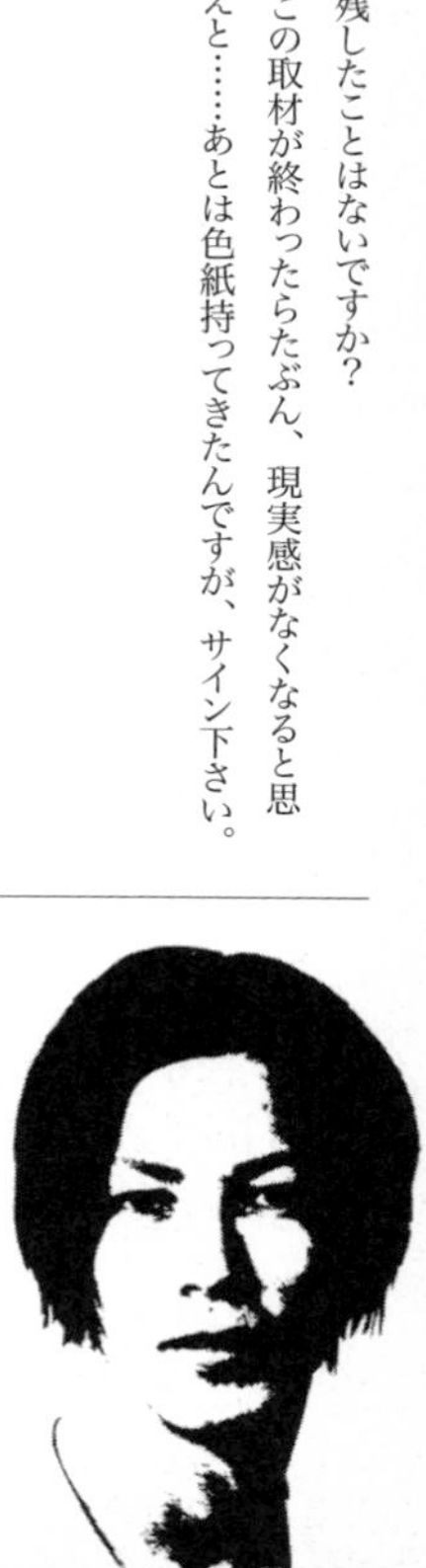

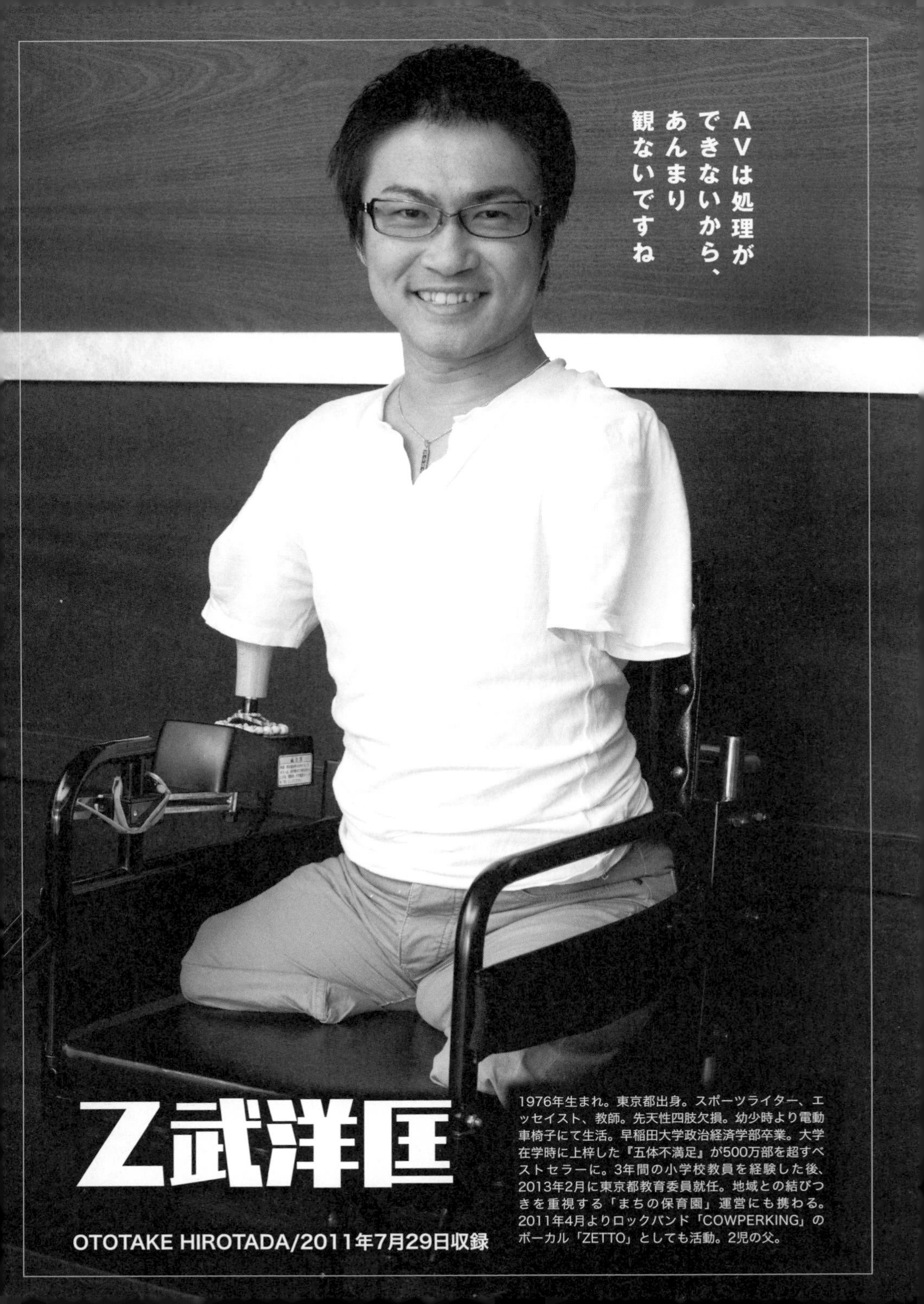

AV は処理ができないから、あんまり観ないですね

乙武洋匡

OTOTAKE HIROTADA/2011年7月29日収録

1976年生まれ。東京都出身。スポーツライター、エッセイスト、教師。先天性四肢欠損。幼少時より電動車椅子にて生活。早稲田大学政治経済学部卒業。大学在学時に上梓した『五体不満足』が500万部を超すベストセラーに。3年間の小学校教員を経験した後、2013年2月に東京都教育委員就任。地域との結びつきを重視する「まちの保育園」運営にも携わる。2011年4月よりロックバンド「COWPERKING」のボーカル「ZETTO」としても活動。2児の父。

ブラックでエロな性格

乙武 豪さんにインタビューしてもらうのは何年振りですかね？

――最初は02年に『小学3年生』で取材して、06年に『男気万字固め』の文庫版で取材したから、ほぼ5年ペースなんですよ。

乙武 今日もよろしくお願いします。

――今回はいきなりツイッターでハードルを上げられましたからね。乙武さんが「僕がツイッターを始める十年以上も前から、僕の『ブラックさ』『エロさ』に気づき、記事にしてくれていた人物がいた。インタビュアーとして評価の高い、吉田豪さんだ。彼の取材対象に対する膨大な情報量と、表面にとらわれない観察眼には、心底驚かされた」「今日は、夕方から数年ぶりに豪さんのインタビューを受けます。今回は、僕のどんな側面を描いてくださるのか。僕自身いまからとても楽しみにしています」とかつぶやいて（笑）。

乙武 いや、でもホントに感謝してるんですよ。僕のことをずっとそういう目線で伝えてくれる人は豪さんだけだったと思うんで。

――ツイッターを始めてから、正直みんな驚いてましたもんね。「え、乙武君がこんな危険なギャグ飛ばしていいの？」みたいな（笑）。

乙武 そうそう（笑）。そうなんです。まあ、僕のスタンスはなにも変わらないんで。

――ちなみに、ボクが持ってるいちばん古い乙武さんの記事は98年のものなんですけど、「両手両足のない早大生が書いた『五体不満足』に感涙感動ッ」っていう、すごいザックリした見出しで（笑）。だけど、この頃から記者に「爪の垢を煎じて飲みたい」って言われると「残念ですが、その爪がないんですよ（笑）」と返したりのブラックなギャグを言い続けたり、「『日本のマザー・テレサみたいな人になってほしい』とかよく言われるんですけど、絶対に嫌です！」とか言ってたりで、全然ブレてないんですよね。

乙武 （記事を見て）ホントですね。やりますね、乙武君（笑）。13年前から同じこと言ってる。成長がないといえば成長がないけど、ブレないといえばブレないんですよ。

――昔からそうだったんですけど、それが伝わってないからみんな驚いて。ただ、そんなギャグを言い続けることで浸透しましたからね。

乙武 いままでは「これ笑っていいの？」みたいな人が7割、「面白いじゃん」っていうのが3割だったのが、いまは続けることによってだんだん五分五分になり、逆転して笑ってくれる人が7割になりっていう感じかな。

――当たり前の話なんですけどね。聖人君子だと思われてるような人でも中身は普通なのは。ただ、乙武さんの場合はブラックでエロな面もあるって言い続けてきたのに、それを報道する側がスルーしてきたのが不自然で。

乙武 そうなんですよ。だからツイッターを始めてホントに気持ちよかったです。やっぱりこれまではそういう部分を出したいと思っても、あまり取り上げてもらえなかったり。

――あれだけブラックなギャグを言ってるのに！

乙武 まあ、載せた媒体が責任を取らなきゃいけないっていう

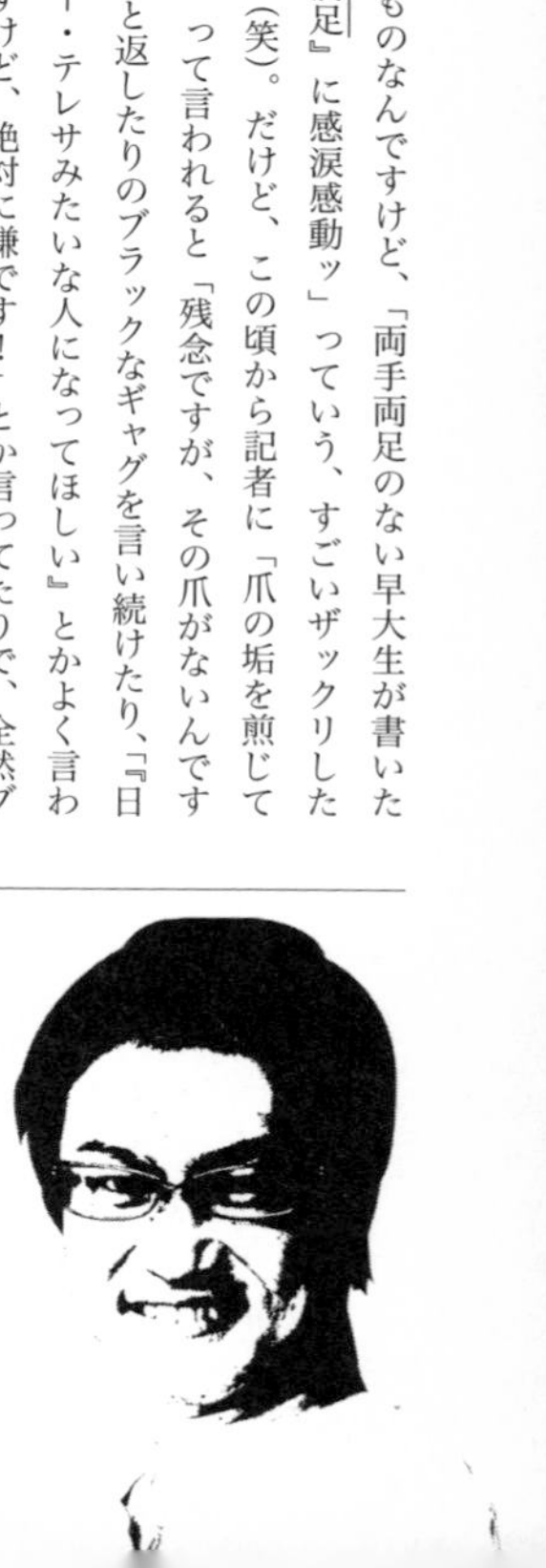

『小学3年生』 小学館から発行されていた学習雑誌。02年に吉田豪の連載がはじまり、第1回のゲストに乙武洋匡が登場。その内容が反響を呼び、編集長と担当編集が更迭、連載は7ヶ月で終了となった。『小学3年生』は、売上げ低迷のため、12年に休刊となった。

『男気万字固め』 吉田豪が雑誌『テレビチョップ』に連載していた原稿をまとめた、初のインタビュー集。01年にエンターブレインから単行本化され、07年に幻冬舎文庫から文庫化される際に、乙武洋匡との対談が新たに収録された。

『五体不満足』 98年に講談社から刊行された、乙武洋匡の初著作。「障害は不便です。しかし、不幸ではありません」などの率直なメッセージが感動を持って受け入れられ、550万部を超える大ベストセラーとなる。

部分もあると思うんで。

――『笑っていいとも！』の『テレフォンショッキング』で仕掛けたら、タモリさんは笑ってたけどお客さんがドン引きしたみたいに、テレビだったら言うことはできても。

乙武 ハハハハ！ そうですね（笑）。だからある意味仕方ないのかなと思う部分はあったんですね。だからツイッターを始めて徐々にそういうことを言い出したときのみんなのドン引き感みたいなのも、ある意味……。

――慣れてはいるわけですよね。

乙武 そうです。講演会の会場でそういうことを言うと、みんな「え、ここ笑っていいの？」みたいな空気になって。でも、何度か言ってるうちに、「あ、笑っていいんだ！」って。去年の6月からツイッターを始めたんですけど、その中でだんだんと、特に長くフォローしてくださってる方であればあるほど、「乙武さんはこれ笑ってほしいと思ってやってんだ」ってわかってるし、「もうここ笑うしかないな」みたいな感覚になってくれてるのがよかったかなと思いますね。

――「しょうがねえな」って感じなんですか（笑）。ニコニコ動画でホリエモンの番組に乙武さんが出たときも、「これはボクも同席したい」ってツイッターでつぶやいたらおふたりから誘われて、乙武さんのブラックなギャグを拾う係としてサポートしに行って。

乙武 あれ、面白かったですね。

――完全にやられましたよ！「車椅子に乗ってるとガンタンク、降りるとジオングになります。足なんか飾りですよ。偉い人にはそれがわからないんですよ」っていう、乙武さんの使い慣れたガンダムギャグには（笑）。

乙武 いちばんおかしかったのが、堀江さんに「最近は手足を伸ばすみたいな技術も発達してて、そういうオファーとかあるんじゃないの？」って聞かれて、「たしかに『五体不満足』って出した当初はいくつかそういうお話いただきましたね」って言ったら、堀江さんが「え、なんでそのとき受けなかったの？」って聞いてきたんで、「いまさら手足が生えてもおいしくないじゃないですか！」って言ったらコメントが「おいしくない」「おいしくない」ってブワーッて弾幕になって（笑）。

――ガンダムギャグのときも弾幕になってましたけど、あの反応のよさがいいですよね。

乙武 あれが普通の地上波だったら「それはおいしくない」とか絶対言えないですよね。

――無理ですよ（笑）。ツイッターでの交流も、不思議な路線じゃないですか。峰なゆかさんとやり取りしてるのを見てまず笑って。

乙武 ハハハハ！ 結構皆さん逆に心配してくださっちゃって。なゆちゃんとかも「私とかフォローして大丈夫なんですか？」みたいな感じだから、「え、マズいの？」とか言って。たまに一緒にご飯食べたりもするんですけど、僕なんか逆に気ぃ遣っちゃって、「一緒に歩いたりして大丈夫なのかな？」とか。

――変な噂が立たないかって。

乙武 向こうは向こうで、「私なんかと一緒に歩いちゃって大丈夫なんですか？」って、すごく気ぃ遣ってくださるんですけど……。

――乙武さんは、もともと彼女のことがブログを見てから好きだったみたいですよね。

ニコニコ動画
07年より本格的にサービスを開始した、動画共有サイト。動画視聴者がコメントを書き込めることが特徴で、生放送では放送者と視聴者のリアルタイムなコミュニケーションが可能。大量のコメントが画面を埋め尽くすことを「弾幕」という。

ホリエモン
堀江貴文。2006年に証券取引法違反容疑で逮捕され、11年に懲役2年6ヶ月の実刑判決が確定、収監される。13年に仮釈放。入所時には95キロあった体重が出所時には65キロにまで落ちていた。

ガンタンク
アニメ『機動戦士ガンダム』に登場するモビルスーツで、上半身は人間型で下半身は戦車という形状になっている。ちなみに「ジオング」は完成前に出撃したという設定のため、両脚が無い。

峰なゆか
トーク番組『恋のから騒ぎ』に第11期生として出演後、05年に『恋のエロ騒ぎ』でAVデビュー。女優を続けながら、雑誌などでライターとしても活躍。09年にAVを引退するが、ライターや漫画家としての活動は継続。代表作は『アラサーちゃん』。

乙武 はい。ホントにあの人の文章めちゃくちゃ面白いと思うんですよね。最近は漫画も描いてて、それもすごい面白いし。そのあとまた違う絡みでAV女優さんと何人か友達になって、いま3〜4人ツイッターでフォローしてるんですけど、全然気にしてないです。

——峰さんが最初は気にして「乙武さんにフォローされたら不健全なことが書けなくなります」って言ったときに、乙武さんが「いや、僕は五体不健全ですから」って返したって聞いて、さすがだと思いましたよ（笑）。

乙武 ハハハハ！ それで豪さんが説明してくれたんですよね。「あの人、そういう人じゃないから大丈夫だよ」って豪さんに言われました」って。彼女もグロ好きですからね。

——そんな感じでAVの女の子とは交流あるけど、AVはそんなに観るわけではないんですか？

乙武 だって、観てもね、溜まる！

——ダハハハハ！ なるほど（笑）。

乙武 処理ができないから、あんまり観ないですね。だから、なゆちゃんも文章から入って。最近、なゆちゃんに「乙武さんがこんな人だと思わなかった。AV男優として出てきたらめちゃくちゃ売れると思うよ。出てくれる？」とか言われて、「面白そうだね！」とか言ってたら「わかりました。3人ぐらいで絡んだほうが売れると思うんで、声かけてみます」とか、くだらない会話してました。

——で、峰なゆかさんとやり取りした直後に中村うさぎ先生とやり取りしてたじゃないですか。それまで面識もなかったのに、一緒にホストクラブに行こうとか盛り上がってて。

乙武 ハハハハ！ だから、なんだろうなあ……。

——結局、両方あるって話じゃないですか。当然真面目な面もあって、そういう面もあるのに、真面目な部分だけ拾われすぎちゃったから。

乙武 べつにツイッターでもふざけてる部分だけツイートしてるわけでもなく、僕なりに考えたことを熱く連続ツイートすることもあれば柔らかい部分を出すこともあり、僕の中では意図的にバランスを取ってるわけでもないんでしょうけど、特にどっちのサイドだけ書こうっていうのはなくて。まんべんなく自分を出せるようになったことでストレスがずいぶん減ったなっていうのは感じてますね。

——誤解が減ったというか。

乙武 うん。だからエロネタをつぶやいたりするとフォロワーがグッと減ったりするんですけど、それもいいかなと思って。たぶんそういう方は、僕を最初に思ってたような清らかな人っていうイメージでフォローしてくださっていて、「うわ、こんな人じゃないと思ってた」っていうことで離れていくぶんには、それはある意味虚像の僕を好んでくださっていたわけですから。それで素の自分を知って離れていくのは当然のことだと思うし、仕方ないことだと思うし。それでも「あ、こいつ面白いじゃん」と思ってくださる方々にメッセージを伝えていくしかないというか、それがいいのかなと思いますよね。

ゲイバーで出産を迎える

——中村うさぎ先生とホストクラブ行くって盛り上がってたとき、最終的にはボクも混ざって新宿のゲイバー『ひげガール』に行ったわけですけど、これは絶対つぶやくのマズいだろうな

中村うさぎ
ゲーム雑誌でライターとして活躍後、91年にライトノベルを執筆し、作家デビュー。買い物依存症や、全身整形、風俗嬢体験などを赤裸々に書いたエッセイを発表。13年には体調が悪化し、一時は心肺停止に陥るも、奇跡的に復帰した。

ひげガール
新宿は歌舞伎町で営業している、笑いあり、ダンスあり、ネクストレベルの超メジャー級のオカマバー。美人ニューハーフからキャラの濃いオカマさんまで揃っている有名店。

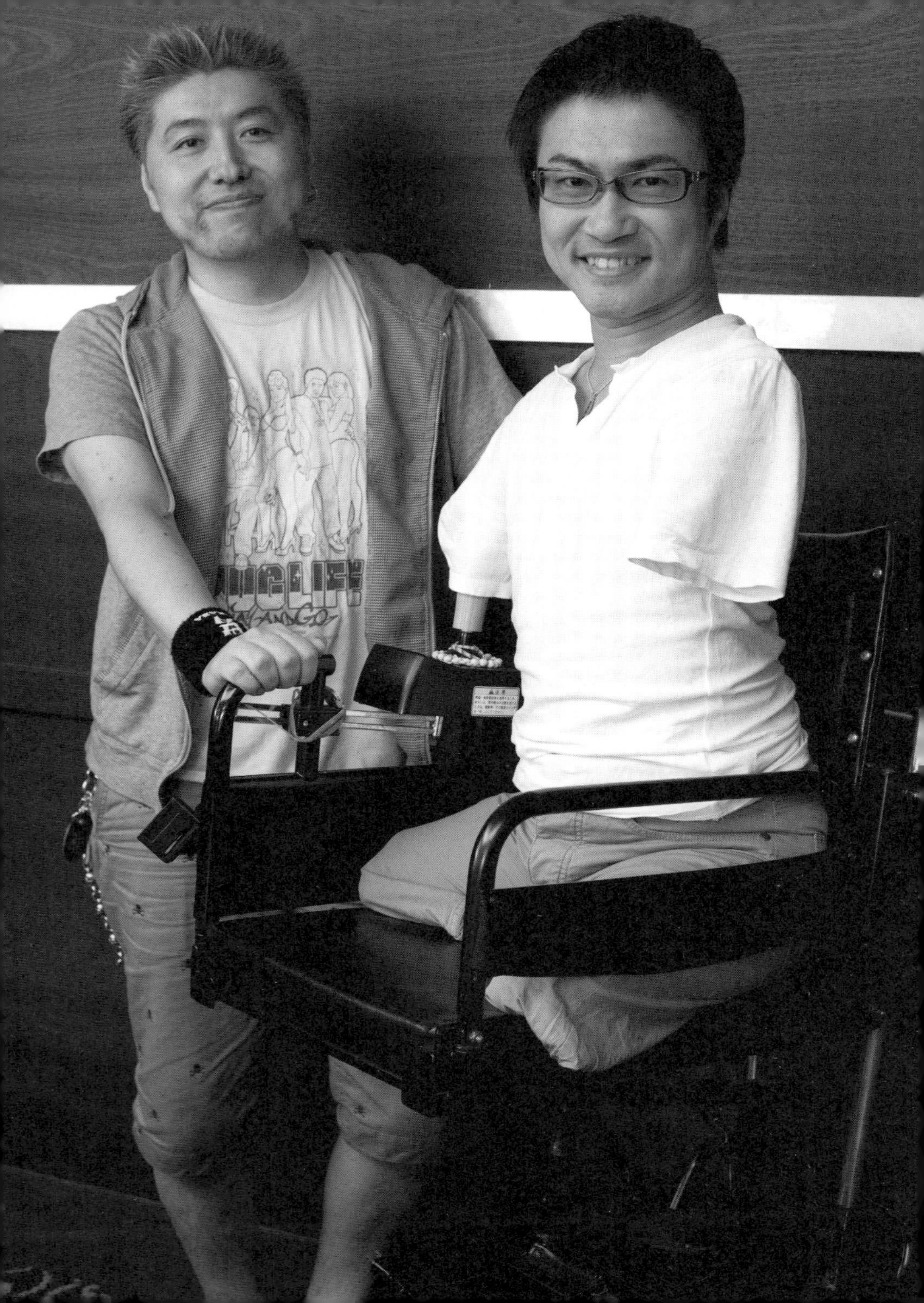

と思って乙武さんのツイートを見たら、「中村うさぎなう。ゲイバーなう」ってつぶやいててビックリしました（笑）。

乙武 ハハハハハ！　そうです、そしてその数時間後に次男が生まれるっていう（笑）。

――その流れはホントにビックリしたんですよ。解散した数時間後に「妻が陣痛なう」ってつぶやいてたから、「そんなタイミングでゲイバーに行ってたんだ！」っていう（笑）。

乙武 なんかね、油断してたんですよね。予定日がもう1週間ぐらいあとだったんで。あの日ですよ、まさにみんなで朝まで飲んだじゃないですか。もうベロッベロになって。

――ボクが爆笑したのが、泥酔して車椅子が蛇行運転になってたことですね（笑）。

乙武 ハハハハハ！　友達の目撃情報によると、僕が初めてお酒を飲んだ日なんて、蛇行運転でそのまま電信柱にぶつかって「すいません」って謝っていたらしいです（笑）。それであの日、みんなで朝まで飲んでベロベロになって家でシャワー浴びて、まさに寝ようとして電気を消してカーテン閉めた瞬間に電話が鳴って。義理の妹に「陣痛が始まった」って言われて、「うわーっ！」と飛び起きて。

――しょうがないから、酒の匂いをさせたまま産婦人科に向かったわけですか（笑）。

乙武 「ゲイバーなう」ってつぶやいた時点ではなんの後悔もなかったんですけど、「陣痛始まった」って連絡が来た時点で、「あれつぶやかなきゃよかった」ってさすがにちょっと思いました（苦笑）。でも、もうしょうがないと思って。あれはやっちゃったな。

――あれはボクがいちばん驚きました。しょうがないですね、予定日はもっと先だったんだし。

乙武 しょうがない！　楽しかったし。

――乙武さんはゲイバーでも相当楽しんで。

乙武 ウチの相方（親友のホスト・手塚真輝）は全裸でゲイと抱き合ってましたから。

――ゲイバーでの出来事がどこまで話せるのか、探り探り進めていきますけど、乙武さんが素敵なニューハーフ系の人に、すっかりメロメロになってたのは忘れられないですね。

乙武 ……え、どの話？

――中村中さんです。

乙武 ああ、中はニューハーフじゃなくて、僕のなかでは「女性」なんです。

――ボクも中村中さんのイメージが変わりましたね。ショートカットの森ガール風な感じで、とにかく普通にいい女だったっていう。

乙武 友達との間でハッキリ意見が分かれるのが、僕は本人が女性であるという意識を持っていて、とにかく外見を、内面も含めて素敵だなと思ったら、僕はイケるんですよ。でも周りの友達は、戸籍的、肉体的に男性だという事実だけで、もう有り得ないって。

――手術してればいいと思うんですけどね。

乙武 いや、みんなダメって言ってました。僕は全然いいんですけどね。さすがにマッチョな男だったら、それはゲイになるから、そういうのはないしノンケなんですけど。

――本人がちゃんと見た目も気持ちも女性になってたら乙武さんは何の問題もない、と。

乙武 でも僕の友人はひとりもそれに賛同する人はいないです

手塚真輝
中央大学理工学部中退後、歌舞伎町のホストクラブで働き始める。13年現在「Ｓｍａｐｐａ！」など6店舗を経営。ボランティア団体「夜鳥の界」を立ち上げ、ホストの社会的貢献を目指して深夜の街頭清掃活動などを行っている。著書に『自分をあきらめるにはまだ早い　人生で大切なことはすべて歌舞伎町で学んだ』がある。

中村中
06年にエイベックスからシングル『汚れた下着』でメジャー・デビュー。性同一性障害であることを公表し、06年には性別が男性であるにもかかわらず、紅組として『第58回ＮＨＫ紅白歌合戦』に出場。音楽だけでなく、舞台などでも活動を続けている。

ね。あ、真輝はイケるか。

――ホストの親友は。

乙武 はい。彼はボーダレスですからね。

――乙武さん、ゲイバーでモテてましたね。

乙武 いやいやいや。モテてました？

――乙武さんがトイレに行こうとしたとき、「私が連れて行く！」「いや、私がチンコ持つ！」って、ゲイの人たちが大騒ぎして（笑）。

乙武 ああ、言ってた言ってた！ 最近僕、ゴールデン街でしょっちゅう飲んでて、週イチぐらいでいるんですよね。そしたらすごく艶やかな容姿のオネエさんというかオニイさんに「あ、乙武さん！ 私、ひげガールなの」って言われて、周りの人がギョッとして振り返ってました（笑）。

――「通ってんの？」みたいな（笑）。ホストクラブにはよく行ってるみたいですけど。

乙武 うん、しょっちゅう行ってますね。

――実は乙武さん自身もホスト経験があるっていう噂をちょっと聞いたんですけど……。

乙武 僕、年に1回ぐらい働いてたんですよ（あっさりと）。真輝がホストクラブでオーナーを務めていて、18歳の頃から15年ぐらいホストをやってるから、お客さんの年齢もだんだん上がってくるんですよ。彼のバースデーイベントになると、ほとんどの卓が彼のお客さんになるので、もちろんきれいな男の子と話したいとは思うんでしょうけれども、いつも以上に会話が要求されるんですね。もちろん真輝のバースデーを祝いに来てるから真輝と飲みたいんですけど、全部で8卓あったら要は一緒に過ごせるのは8分の1の時間じゃないですか。その間は退屈なので、多少しゃべれる人間が必要なんです。

――それで乙武さんの出番になった、と。

乙武 若いホスト君たちも頑張るんですけど、なかなか年齢が上の女性相手に気の利いたトークで場を回せる子がそこまで多くないので、真輝から「ちょっと働いてよ」って言われて、ちゃんと源氏名もいただいて。

――どんな源氏名なんですか？

乙武 ホストの世界っていろんな営業の仕方があって。王道は色恋っていう、恋愛をしてるように見せかけてお客さんに来てもらうものと、あとは友達営業、友営っていって、「さあ今日も楽しく飲もうね！」みたいなテンションでやるのと、あとはオラオラっていって、上から出られることでキュンと来るような女の子に対して、「なんだよおめえ、また来たのかよ、うぜえな」みたいな態度をわざと取るとかっていう中で、当然キャバクラの世界でもあるように枕営業っていうのもあって。それで僕についた源氏名が「枕」。

――ダハハハハ！ そうだったんですか！

乙武 「それだけで面白いよ！」って言われて。だから僕がテーブルについて、「この人が新人の枕です」って言っただけでドカンとウケるっていう（笑）。僕のイメージにないじゃないですか。まさかあの乙武がホストとして自分の席につくってこともお客さんとしては想定外の上に、源氏名が枕って！ みたいな（笑）。

――そのときはビシッと決めてるんですか？

乙武 普通にワイシャツと黒スーツで。

――それは指名もしたくなると思いますよ（笑）。

乙武 だからヘルプでつくと結構喜ばれますね。気に入ってい

ゴールデン街
新宿の花園神社に隣接している飲食店街。かつてはアングラな業界人や作家、ジャーナリストが集う「文壇バー」が軒を連ねていた。現在はゆるやかに新陳代謝が行われ、古くから経営している店と、新世代による個性的な店が混在している。

ただきます。その場でワインとか入れていただいたり、シャンパン入れていただいたりとか。1年に1回やります。

――シャンパンコールやったりとか？

乙武 シャンパンコールは若い子に任せて。練習しないとタイミングがズレちゃうんで。

――しかし自由度が高いですよね、ホント。

乙武 そうですね。だから、ホントに妻には感謝です。頭が上がらない（笑）。

「カタワ」は差別語でない

――奥さん的にはなにか線引きはあるんですか？ ここ以上はやっちゃダメ、みたいな。

乙武 ないですね、自由です。

――さすがにふたり目の子供が生まれるときにゲイバーに行ってたのは怒られました？

乙武 いや、べつになかったですね（あっさりと）。よく「ケンカしないんですか？」って言われるんですけど、結論から言うとしないんですよ。どの場面でも言ってることが向こうのほうが100パーセント正しいんで。だから、もうケンカにならないんですよね。

――明らかに自分に非がある。

乙武 だから「ですよねえ」って（笑）。

――やっぱり乙武さん＝正しいっていうイメージが強すぎたんでしょうね。実際に接してると正しくない部分も多いわけですけど。

乙武 ハハハハハ！ だらしなかったりね。そういうのを自分で言えばいうほど、「謙虚ですね」みたいに言われて。違うのに！ 「そうやって自分を落とすなんて、本当にできた人ですね」みたいな感じで（笑）。

乙武 そうそう！ だから、周りに「あいつダメだよ」って言ってもらわないと。

――ボクも乙武さんのダメなところを拾って10年前に取材したわけじゃないですか。それを載せるのがいかに大変なのかっていう苦労を味わったわけですよ。まあ、『小学3年生』って媒体じゃ当然なんですけど（笑）。

乙武 まあね（笑）。

――乙武さんのブラックなギャグを全部拾った結果、『小学3年生』の編集長が飛ばされたって前に言いましたけど、即座に担当編集から「違いますよ、僕も飛びました！」って電話が入って（笑）。正確には、担当編集と編集長が飛んで連載が7ヶ月で終わったんですけど、実はあれ担当編集もおかしくて、最初に「無茶しましょうよ！」って言ってきたんですよ。「吉田さんが『小学3年生』で連載するっていうのも無茶だし、乙武さんと絡んだら面白くなりますよ！」って言ってきて。

乙武 それが、そういうのを載せてもOKそうな雑誌だったら、つつがなく面白いことができたんでしょうけど、『小学3年生』っていうのは……ヤンチャしましたね（笑）。

――その後、また乙武さんのブラックさを誰も拾わなくなるのもわかるっていうことですよね。ここをイジッたらヤバいぞっていう。

乙武 だからホントにいろんな壁っていうのを感じながら発信し続けていて。たとえば僕がわざと「カタワ」っていう言葉を頻発するのにはすごく理由があって。いま、カタワという言葉は障害者を差別する言葉だって言われて身体障害者っていう言葉になって、それがまた今度は「害」の字がよくないっていうことで「障がい」になって。でも、そんなことしてたら、また何十年後かに「障」の字は差し障りがあるっていう意味だから「しょうがい」になるのは目に見えてるんですよ。

――どんどん不自然になっていきますよね。

乙武 そうなんですよ。それって障害がある人に対する見方、意識の中に、「差別してんじゃないの?」っていうものが残ってるから言葉だけをいじってると思うんですよ。

――触れさえしなければセーフって感じで。

乙武 その意識さえちゃんとフラットになったら、もともとのカタワという言葉だってべつに使っていいんじゃないの? ってメッセージを込めてあえて僕は使ってるんです。ただ、そこまで伝え切れてない僕のせいでもあるのかもしれないですけども、「乙武さんがそうやってカタワって使うのは障がい者をバカにしてるんですか」みたいな捉え方をしてる方もやっぱりいらっしゃいますね。

――そういう反応も含めて、ツイッターは面白いけど面倒なこともあるツールじゃないですか。ボク、フォロワーが3万人ぐらいいて、3万でもそういうことを感じるのが、乙武さんは30万人を超えてるから、単純に考えて面倒なことも10倍あるわけですよね。でも、いちいちちゃんと闘うじゃないですか。

乙武 うん。やっぱりそのあたりは曖昧にしたくないし、自分のスタンスっていうのはきちっとその都度明確にしていきたいなっていう思いがあって。まあ、面倒くさいとは思うんですよ。でも、僕は小学校で教員を3年間やってたときにも、面倒くさいことから逃げちゃダメだなって思っていて。たとえば最初に担任してまずビックリしたのは、子供たちが休み時間になると、「先生、トイレに行っていいですか?」って聞いてくるんですよ。

――当然いいに決まってますよね。

乙武 でも、僕はあえて「いいよ」とは言わないで、「いまなんの時間?」って聞いてたんです。「休み時間です」「それはトイレに行っていい時間? よくない時間?」「いい時間です」「じゃあ自分で考えな」って。そんなの、「先生、トイレに行っていいですか?」「いいよ」で済ませたほうがこっちも楽なんですよ。だけどそれをやったら……。

――毎回聞かれるかもしれない。

乙武 それもあるし、子供が自分で考えて自分で判断する力が養われないなと思って、僕はずっと半年ぐらい続けてたんですよ。それと一緒で、面倒くさいからなあなあで終わらせていいやって、自分がそこを曖昧にしてしまうのは、せっかくこういうツイッターっていうメディアを使ってメッセージを発信しようと決めてるのにもったいないかなっていう思いがあって。だから割と主張してますね。

――そのおかげで、順調にというか定期的に騒ぎが起きてる感じがしますけどね(笑)。

乙武 ハハハハハ! よく皆さんが言うのは、「変な絡み方をしてくる人になんで対応するんだ」って。たとえば前もいきなり「バーカ」って言われて、「カ、カ、カメラ!」って尻取りで返したりしたんですけど(笑)。やっぱり真面目な方は「なんでそうやって乙武さんのことをバカにしたり、しつこく絡んでくる人に対してあえて対応するんですか? それは見てる私たちも気分悪い。どうかスルーしてください」って言うんですけど、僕はそれはできなくて。そこがもしかしたら教師気質な

のかもしれないですけど。

――基本くだらない返しをしてますよね。

乙武 常にどんな意見でも、なんでこの人はこういうことを言ってるのかなって考えちゃうんですよ。そう考えたときに、もしかしたら中にはホントに僕のこと嫌いで、なんか言ってやろうって思ってる人もいるのかもしれないですけど、でもそれ以上に寂しいのかなとか、本人の中で抱えてるものがあるのかなとか、そんなふうに考えてしまうタイプで。だから面白い返しをして、要は『北風と太陽』じゃないですけど、その対象の人に対して無視をするなりバッサリ切り捨てるなりっていう北風を使う方法もあるのかもしれないですけど、僕は「おもしれえじゃん」ってニコッと返してあげることでその人が救われた気持ちになったり、心が開かれたりしたらいいな、と。それが結局は僕の捉え違いで、全然そういうことがなかったとしても、べつにその人にとってマイナスにはならないと思うんですよね、僕がただミスをしたっていうだけで。だからなるべくああいう返しをして。そうするとビックリするほど、僕がひと言返しただけで手の平を返したように「ホントはすごくファンなんです」とか、「ごめんなさい」とか言う人が多いんですよね。

――ああいうくだらない返しをするたびに、乙武さんは腕あるなと思いますもんね。

乙武 腕ないのにね（笑）。

――やるなと思いますよ（笑）。唯一面倒なのは、いつも障害者の代表的な捉えられ方をされちゃうっていうことなんでしょうけど。

乙武 そうですね。結構、障害のある方もたくさんフォローしてくださって。そういう方はほとんどが……わかんないですよ、そう思ってない方は僕をフォローしてないからそう思うのかもしれないですけど、「同感です。もっとやってください」っていうふうに言ってくださって。逆に障害のない方が、「やりすぎじゃねえか」「障害者バカにしてんのか」みたいなことを言ってこられる場合が多いですね。それって被災者のことを考えるときも同じで、自粛だ不謹慎だっていう議論が起こってた時期も……。

――言ってるのは被災地の人じゃなかったりして。

乙武 そうなんですよね。自分なりのヒューマニズムを発揮しようとしてる方々の「そういうこと言ったら被災地の方がかわいそうじゃないか」っていう意見と、僕が障害者に対するフラットな目線を作っていきたいと思うがゆえの発言を「不謹慎だ」とかっていう声はすごく似たものがあるなって感じますね。

――乙武さんが被災地に行ったときのことをインタビューで「僕なんかが行っても足手まといになると思った」って言ってて、ここはツッコむとこなのかなと思いました（笑）。

乙武 ハハハハハ！ ツイッターを始めて感じるようになったのは、手や足を使った慣用句があまりに多いんですよ。だからホントにボケたいときにはあえてそういうのを使うんですけど、普通の文章のときにそういう言葉が出てきちゃったとき、あえて違う表現を探したりすることが多いんです。そこツッコまれちゃったら本旨がボケると思って。ホント多いんですよ、手や足を使った言葉が。それだけ手足って重要なんだなと思って（笑）。

――そうやって被災地に行った直後にこういう馬鹿話ばかりの取材を受けたりっていう振り幅が、乙武さんらしいなと思いますけど。

乙武 そうですね。ツイッター始めてから特に意識するようになったのは、ホントにいいピッチャーって、どんなに速い球が投げられても、ストレートしか投げなかったらだんだんバッターは目が慣れてきて打てるようになってくる。つまり速く感じなくなってくると思うんですよね。いいミュージシャンのライブに行っても、激しい曲ばっかりやってたり、バラードばっかりやってても、だんだん飽きてきてお腹いっぱいになっちゃうので。

――そこは緩急つけないといけない。

乙武 そういう意味で、僕も伝えたいと思うメッセージを発信していく一方で、なにかクスッと笑えたり「こいつ、くだらねえな」っていうものを挟んでいくことで、それぞれをより際立たせることができるのかなと思っていて。いままで僕がメディアで登場するところだけを切り取っていくと、ストレートしか投げさせてもらえてなかったと思うんです。

――これだけ変化球を投げてるのに（笑）。

乙武 それがツイッターは編集責任は自分にあるので、ようやくキャッチャーのサインを無視して、自分で変化球を投げたいときに投げるっていう、そういう実感はありますね。

カウパーキング結成！

――バンド活動を始めて、カウパーキングとバンド名を付けた時点で、ホントにどうしようもない人だなと思いましたけどね（笑）。

乙武 これね、ここで語ったら本邦初ですよ。豪さんだから今日は初めてメディアで語りますね。ウチのリーダーはギターな

んですけど、とにかく聞き間違いが多いヤツなんですよ。ただ、8年間ずっとアメリカとカナダに留学していたので英語はペラペラなので、前に僕とふたりで一緒に海外旅行したとき、現地でドライバーを雇って、そのやり取りは彼に任せてたんです。そしたら、首かしげながら戻って来て、「カウパーキングって言ってるんだけど、なんなんですかね?」「それ、どう考えてもカー・パーキングじゃない? 駐車場でしょ?」「ああっ!」って。

――そりゃそうだって話ですね(笑)。

乙武 で、バンド名を決めるとき、なぜかその話が出て、「もうカウパーキングでよくね?」ってなって。あえてカウパーとキングを離さず続けて書くことで、「これなんなんだろ?」って思ってくれたら面白いんじゃないっていうことでカウパーキングになって。

――牛を停めるための場所なのか、カウパー氏腺液の王なのかは知らないけどっていう。

乙武 さすがにマズいんじゃないかって言うヤツもいたんですよ。なので、きちんと調べたら、カウバー液のカウパーはもともとイギリスのウィリアム・カウパー教授が……。

――カウパー氏が発見したんですよね。

乙武 よくご存知ですね! さすが豪さん! だから人の苗字だからべつに卑猥じゃないし、これはNHKも出られるだろ、と。NHKにクレームが来たら、「人の苗字をなんだと思ってるんだ!」と。だって俺がもし発見してたら乙武液なわけだから。カウパーの子孫って、「あいつカウパーだって」って言われてるんだろうなと思ったら不憫でならないですけど(笑)。まあ、あとはポルノグラフィティさんの存在が心強かったですね。だって可愛い女の子たちが「ポルノが大好き!」って普通に言ってるじゃないですか!

――あれ、どうかと思いますよね(笑)。

乙武 じゃあ俺らも人気出たら「カウパーが大好き!」って言ってくれるんじゃないかって。しかもTシャツとかタオルとかグッズを作るときのために、デザインも考えてて。三つ又の王冠の先からピュッと出てるのとか。

――ダハハハ! ホントしょうもない!

乙武 そのTシャツを可愛い女の子たちが着てくれるっていうのを目標に頑張ってます!

――カウパータオルで汗拭く感じの(笑)。

乙武 はい、乾くんだか濡れるんだか。

――ダハハハ! 自由度高いですよね。真面目に保育園のこととか考えながらも……。

乙武 はい。……クレーム来るかな?

――大丈夫だと思います!

乙武 そんなことでバンドは去年の4月から組んでます。僕は歌がうまいわけじゃないんですけど、「おまえ楽器が弾けないんだから歌でも歌っとけ」と。なのでボーカルで。ツインギターにベースにドラムの5人編成で。

――乙武さん、『五体不満足』の頃から「次はCD出したい」とか言ってましたもんね。

乙武 そんなふざけたこと言ってました? 実現しちゃいましたね。ファンキストと2月に出したんで、夢叶っちゃいました。……いま「夢叶っちゃいました」って言ったけど、嘘です。夢だったことないから流れですね。

ウィリアムス・カウパー
イギリスの外科医・解剖学者。1702年に尿道球腺の詳細な解剖図を描いた功績により、その部位がカウパー腺と名付けられる。カウパー腺から湧き出す尿道球腺液も一般的にカウパー腺液と呼ばれ、医学のことなどまったく詳しくない日本の男子たちにもその名を呼ばれ続けている。

ポルノグラフィティ
99年にメジャー・デビューしたロック・バンド。バンド結成時に「インパクトのある名前がないとダメなんだ!」という理由で、エクストリームのオリジナルアルバム『PORNOGRAFFITTI』からバンド名を取ったとされている。グラフィティのつづりは本来「graffiti」であるが、由来となったアルバムタイトルに倣って、彼らも「graffitti」としている。

多彩な芸能人との交遊録

――あと、ホリエモンの番組では、秋元康さんとか林真理子さんとかのイベントに行ったときの話で、林真理子さんがAKBのコスプレしてカラオケやったらうしろからご本人登場っていう奇跡の状況の話をしてたとき、乙武さんが「マリコ様違いで」って言ってたのも、さすがだと思いました（笑）。

乙武 あれは驚愕の光景でしたね。AKBのホントの衣装を作ってる衣装部が、ちゃんとコスチュームを作ってるんですよ。それがトリで、前半で勝間和代さんがセーラー服で『センチメンタルジャーニー』を歌って。

――その時点で相当な暴力ですよ（笑）。

乙武 それがかなり飛ぶぐらいのインパクトでしたからね。もう黒船か野村サッチーの写真集かっていうぐらいの衝撃が……って、こんなこと言ってたら怒られますよ（笑）。

――乙武さんはアイドルに興味ないですか？

乙武 そうですね。僕の仲いい友達のひとりがももクロちゃんオタクで、「豪さん、かなりのももクロオタクだぜ」ってメッセージが来てましたけど、僕はあんまり……。

――乙武さんも、ももクロもZですからね。

乙武 あ、そうだ（笑）。

――乙武さんは交友関係が謎なんですよね。

乙武 うん、謎って言われます。昨日は伊勢谷友介君と会ってたし、この前は千秋さんとご飯食べさせていただいたり、バラッバラですね。ツイッターを見てて、考え方とか言葉の使い方とか活動とかで興味を持ったらだんだんつながってくって感じで。僕がとにかく面白いなと思う人はどんどんツイッターでフォローしていって。そうすると結構向こうにビックリされることが多くて。この前もファンキーモンキーベイビーズの加藤さんとご飯に行って、その翌日の彼のブログを見たら、「僕は乙武さんの本を読んですごく元気や勇気をもらったし、どんな人なんだろう、いろいろお話を伺いたいと思って行ったんですが……残念ながら彼はただのエロいお兄ちゃんでした」って書いてあって（笑）。

――最近、とあるライブハウスに行った乙武さんが「キノコホテルのボーカルがいい」ってつぶやいてたことにも衝撃を受けました！

乙武 ハハハハハ！　キノコホテル、面白いですよね。もともとGLAYのTERUさんの誕生日会で出会って、すごい意気投合したギタリストの人がいて、そのあとゴールデン街で明け方まで飲んだりしてて。「ライブあるからおいでよ」って言われて行ったら、その対バンでキノコホテルが出てたんですよ。いちばん面白かったのは、ボーカルが……ボーカルじゃなくて支配人って言わなきゃいけないんですよね。支配人が一生懸命ああいう空気感を出そうと作り込んでるのに、真後ろのドラムがニコニコしながら溌剌と叩いてて（笑）。あれがものすごいツボでしたね。僕がそうやってつぶやいてたら、僕をフォローしてるキノコホテルのファンの方が伝えてくれたみたいで、「ありがとう」みたいなメッセージが来て、そのあと一緒にご飯食べに行くことになったんですよ。で、「キノコホテルと僕で、明日はカタワホテルですね」みたいなやり取りをしました（あっさりと）。

――……受け身取りづらいですよ（笑）。

勝間和代
経営コンサルタントやアナリストとして勤務し、07年に独立後は著述活動を活発化。『お金は銀行に預けるな』などの著作がヒットする。その勉強や仕事のスタイルを真似た「カツマー」と呼ばれるフォロワーを生み出し、話題となった。

伊勢谷友介
モデルとして活動をスタート、俳優として様々な作品に出演。「リバースプロジェクト」という会社を設立し、衣食住をはじめ、水・エネルギー・教育・メディアといった分野での社会活動も行なっている。

キノコホテル
07年から活動している4人組ガールズバンド。歌と電気オルガン、そしてすべての作詞・作曲を手がけているマリアンヌ東雲のビジュアルとカリスマ性が注目を集める。10年にアルバム『マリアンヌの憂鬱』でメジャーデビューを果たした。

乙武　ハハハハハ！　会ってもないのにね。

――ツイッターでこういうキャラが伝わってないままそれやったらホント大事故ですよ。

乙武　異常ですよね（笑）。

――でも、本当にツイッターを始めて良かったですよね。乙武さんがミクシィをやってたのは教師時代でしたけど、あの頃はすごいしんどそうに見えたんですよ。理想と現実のギャップでボロボロになっていく感じで。

乙武　そうですね、あの時期がたぶん人生で一番しんどかったですね。赴任してからの半年ぐらいっていうのは日記にほとんど書いてなかったと思うんですけど、家から一歩出るのさえ億劫で、誰ともしゃべりたくなくて。週末に真輝がウチの近所まで来てくれて、飯を外に食いに連れ出してくれるのがやっとっていう感じでしたね。半ば鬱でした……。

――その後もやることは変わり続けて。

乙武　そうですね。たとえばこの数年間だけでも小学校教師をして、その経験をまとめた小説を書いて、ファンキストと音楽活動をして、今年の4月からは保育園の経営を始めて、バラバラなことをしてるように思われると思うんですけど、僕の中ではやっぱり「みんな違ってみんないい」っていうメッセージをとにかく伝えたいというのが一番の芯の方向にあって、それを伝えるためにいろんな手段を使ってるんですよね。だからホントにこの先の僕の人生ってすごく僕自身がワクワクしていて。逆に僕の中でも読めないので。

――確実に10年後ぐらいには、また新しいなにかを始めてそうな気がしますからね。

乙武　だと思うんですよね。

――『五体不満足』当時に「次はCDなんか出しちゃったりして」って言ってたとき、もうひとつ言ってたのが映画主演なんですよ。

乙武　ああ。あのときCDをまったく想定してなかったわけですから、絶対にありませんとは言えなくなっちゃうかもしれませんね（笑）。

――自分の小説『だいじょうぶ3組』が映画化になったら、主演はしっくりきますけどね。

乙武　他にいないですからね、手足ない人がね（笑）。これはブラックすぎるから書けないかもしれないですけど、前に仲間内でそんな話をしたときに……（以下、自粛）。

――それはさすがに黒すぎてアウトですよ（笑）。最後に、前に乙武さんから握手を求められたとき、これはこっちの反応を確かめてるんじゃないかって一瞬思ったんですけど。

乙武　そんな意識はなかったですけどね。

――「さあ、どう出る？」って言われてる気がして、戸惑ったら負けだなって（笑）。

マネージャー　そういう顔をされる方は多いですね。で、豪さんみたいに「俺は動じないぞ」っていう顔をしてる方もいます（笑）。

乙武　そういう意味で昨日の伊勢谷君は面白かったです。「握手？　え、どうしたらいいの？　どうしたらいいの？」って（笑）。

『だいじょうぶ3組』

乙武が07年から小学校の教師を務めた時の経験を小説化。インタビューの時点では笑い話だったが、実際に映画化され、乙武が俳優デビューを果たすこととなった。共演に国分太一、監督は廣木隆一が担当し、13年に公開。スマッシュ・ヒットとなった。映画版のキャッチコピーは「ボクらの教室に、手も足もない先生がやって来た」。

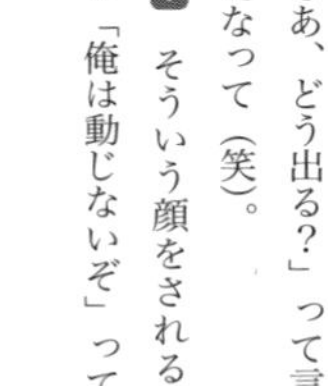

©乙武洋匡／講談社

結婚相手にストーカー
呼ばわりされて……

枡野浩一

MASUNO KOUICHI/2009年5月25日収録

1968年生まれ。東京都出身。歌人。広告会社勤務、フリーライターなどを経て1997年、短歌絵本『てのりくじら』で歌人デビュー。短歌小説『ショートソング』、詩集『くじけな』、写真短歌集『歌』など著書多数。歌壇に所属せず、2011年に明石家さんま氏によって授与された「踊る！ヒット賞」が唯一の賞。2013年春より高校国語教科書に短歌代表作が掲載中。2013年秋、お笑い芸人コンビ「詩人歌人」を結成、ソニー・ミュージックアーティスツ所属。

離婚をひきずる男

枡野 昨日、藤井良樹さんの家の飲み会があったんですけど、僕が短歌の話をしようとしても、藤井さんが「枡野の離婚話はもういい！」とか言うんですよ。学生で短歌の研究をしてる人がいたから話してただけなのに……。

――ダハハハハ！「また南Q太との間に生まれた、別れた子供に会えない話か！」と（笑）。しかし、中森明夫先生率いる『中森文化新聞』の人たちは仲いいですよね。藤井さんとタイプは全然違うから、それが意外でしたけど。

枡野 全然違うんですけど、藤井さんは頭いい人なので、この面倒くさい枡野にどう接すればいいかわかってるんじゃないですかね。何度も意見が合わないこととかもあるし、何度も一緒に何かやろうとして頓挫したりもしてるんですけど。ほら、とんでもない人とも付き合う人っているじゃないですか。まあ、吉田さんもそうですけど、人との距離感の取り方がうまいんじゃないですかね。僕、そういうのがすごく……人より心が狭いので。

――ダハハハハ！ そこはよく知ってます（笑）。

枡野 だからよくファンの人とも会いたくなくなっちゃったりするんですよね。あ、こんなこと言ってるとファンがドンドンまた……。

――でも、それぐらい正直に申告しておいたほうがいいじゃないですか。変な誤解を持って近寄られて、「ここまで心が狭い人だとは思わなかった！」とか後で言われるよりは。

枡野 でも、最近はそれが変に伝わってて、また面倒くさいことになってるんですけどね。僕、第一印象がものすごく良いか悪いか極端みたいで。第一印象だけよくて、あとダメなときもあるんですよ。だから、パーティーなんかですごくうまくトークできたときはみんな寄って来るんだけど、二度目に会うとたいして面白くない人に見られたりするし……。

――「騙された！」って感じで（笑）。

枡野 「初めて会ったとき、なんてひどい人だろうと思って、もう二度と会うまいと思ってたよ」とか、よくそういうこと言われるんで、よっぽどなんだと思いますよ。毎年、年賀状には「枡野君はこうしたほうがいい」って説教が書かれてて。きっと年に一度、僕の顔を思い出すと説教したくなるんでしょうね。結構当たってるんですけど、それが。

――そこは素直に認めるんですね。

枡野 結構当たってること言われると腹も立たないタイプで、「その通りだな」って思っちゃうんですよ。自分が何でも受け入れるほうだから、みんなもそうだと思うじゃないですか。だから自分もつい人に対して正直に言っちゃうと、人には怒られてしまうんですけど。みんなはなんでホントのこと言われると怒るんだろうって思ってて。それが、すごい年食ってからやっとわかりましたね。

――その発想が独特で面白いんですよ。

枡野 僕、アスペルガー症候群じゃないかと真面目に思ってて。調べてみたら、あまりにも当てはまるんですよ。顔を覚えないとか、あと方向音痴がものすごいとか。前に西武新宿駅からJRの新宿駅まで1時間かかったことがあるんですね。そういうのを集約させてみると、なにか一種の発達障害だと思うと腑に落ちることが多すぎますね。それだったら、そもそも結婚もし

藤井良樹
90年代からルポライターとして活動を始め、雑誌『SPA！』などに寄稿、ライターを養成する私塾「ライターズ・デン」も主催していた。97年には宮台真司、中森明夫との共著『新世紀のリアル』をリリース。いわゆるサブカル文化人としても活躍した。また、漫画原作者として『ガキ警察』（画・旭凛太郎）などの作品がある。

中森明夫
82年にミニコミ誌『東京おとなクラブ』を発行して注目を集め、ライターとして活動を開始。サブカルチャー界の黒幕・仕掛け人として数々のブームを作り出す。『東京トンガリキッズ』など、小説家としても活躍。近年はドラマ『あまちゃん』評論家としても注目を集めている。

南Q太
90年に講談社の漫画新人賞である「アフタヌーン四季賞」に佳作入選、92年には連載デビューを飾る。代表作に『さよならみどりちゃん』

なかったかもしれない。

――そこから間違えていた、と。どこか自分はおかしいかもとは思っていたんですか？

枡野 思ってましたよ。それこそ吉田さんも書いてらした『BD』ってミニコミの頃から、「自分はエラーを起こしやすい」みたいなエッセイ書いてますし、自分は人の顔を覚えないタイプだなとは思ってたけど……。

――色盲とかと同じようなものっていう。

枡野 そうなんですよ。正確には色弱といいまして。それはある時期に気づいて面倒くさいと思ってましたけどね。茶色だと思って買ってる靴下とか、みんなホントは緑で。それは自分で怖くなりますよね。……まあ、それはエッセイに書いたこともあって、元妻が漫画にもして……パクられたんですけど（笑）。こげ茶のコート着てると思ってたらホントは緑だったっていう事件があって。それはかなりショックでしたね。

――自分が見えているものが真実とは限らないっていうのは、かなり怖いですよね。

枡野 怖いですね。だから、わりとそういうことを絶えず思ってるんで、いしかわじゅんさんみたいに自分の感じた美意識とか価値観を堂々と言える人って、なんか憧れなんですね。あんなに堂々と生きていけたらいいだろうと思うんですけど、僕の場合、なにを見て、なにに感動しても、「でも自分はちょっとズレてるからな」って意識はどっかにあって。わりと誉めたりするときも、「でも自分はズレてるからな」ってどっかで思ってるんですよ。それはもう基本的な姿勢ですね。

――いしかわさんは押しが強くて頑固なイメージですけど、枡野さんって人当りが柔らかいのに頑固だったりするじゃないですか。

枡野 そうなんです。面倒くさいですよね、そこが。

――わかりづらいんでしょうね、そこが。

枡野 ホント、もっと最初からコワモテだったりＥＸＩＬＥみたいだったらよかったんですよね。特に女性の編集者の方とかと接したときに、最初は優しそうに見えるから、すごいフレンドリーに接してくれるんだけど、揉めごとが起きたときは怖いらしくて。家にまで押しかけられたことも何度もあるし……。

――えっ？ なんですか、それ？

枡野 具体的には2回ですけど。あんまりひどいから、怒って「もう仕事を降ります」って言ったときに、自分の部屋が2階で、下が大家さんなんですね。そしたら下から「枡野さん、すいません！」とか若い女性編集者が言ってるから激怒したんですけど。まるで別れた女性が追いかけてるみたいじゃないですか。大変気まずかったですね。ちなみにそれは『通販生活』だったんですけど、すべての文字がしゃべってないことだったっていう。まあ最終的には修正されましたが。

――そういうこと、たまにありますよね。

枡野 ええ、ビックリしましたね。自分が女性に手加減をしないのは病気だと思います。

――ボクは女子には怒らないですからね。

枡野 そこが、やっぱり生理的なものだったんですよ、きっと。姉と妹がいて、母が強い人で、父は単身赴任でずっといなかったんで、わりと父親がいない系の家だったこともあるんでしょうけど。ウチの女たちはおっかないんで、そのイメージしかないんですよ。だけど、結構女性って強く見えてもホントは傷ついてたりとか、男社会だから、男性社会に恨みを持ってたりす

など。03年に枡野浩一と結婚（南は再婚となる）。枡野の離婚後には再々婚を果たしており、その顛末は09年に発行されたエッセイ『今日も夫婦やってます』などで披露された。5人の子供がいる。

アスペルガー症候群
知的障害が見られない発達障害。ぱっと見は一般の人と変わらないため発見されにくく、特異な感じ方をもとに行動するため、対人関係に障害が起こりやすいとされる。特徴は「相手の心境を想像することが困難」「言葉の裏の意味に気づかず、文字通りに受けとめる」「急な予定の変更に異常なストレスを感じる」など。極端な「方向音痴」、人の顔が覚えられない「相貌失認」などを併発しやすいとの説もある。
枡野注※2013年に病院で相談してみたところ、アスペルガーではない別の発達障害なのではないかと言われました。いずれにせよ治らないので、自分の感じ方のくせを徹底して自覚し、対処していくしかありません。

いしかわじゅん
75年にマンガ家としてデビュー。様々な雑誌で作品を発表する傍ら、マンガ界、出版界に幅広い人脈を築く。徐々にエッセイなどの文筆業を手がけることが多くなり、現在はマンガ評論家としても精力的に活動している。

るじゃないですか。

――それは結婚で学んだんですか？

枡野 そうなんですよ。まあ、僕の結婚相手は特別そのスペシャリストでしたけど。漫画が支持されてるのも、そこだと思うんです。強く見えて、実は繊細だったりする女性を描いてるから。まあ、でもそういうところに惹かれてしまって結婚したんだからしょうがないなと思おうとはしてるんですけどね。（デビュー当時の記事を見て）このときの自分の、何も知らない表情が悲しいですね……。

――ダハハハ！　心に傷を負う前（笑）。

枡野 （結婚当時の記事を見て）……ああ、これが子供です。デカいんですよ。そしたら「子供はもっと軽そうに持つものですよ」って読者からクレームが来たんです。「子供、重いんです」ってメールで返事したら、「たとえ重くても軽そうに持つのが父親です」って読者の方から叱られたんですよ。このときがピークでしたねえ……（しみじみと）。

――枡野さんを見てると、ホントによく結婚したなって、いまとなっては思いますけど。

枡野 思いますよね、アスペルガーなのに。

――ダハハハハ！　またその話（笑）。

枡野 昔からそれと気づいていたら結婚をためらっただろう、という意味で。でも、そうでもなかったら子供も作らなかったかもしれないんで。子供さえ元気でちゃんと成長してくれるなら、結婚もそう悪かったとは思ってないんですけど……。

――結婚と離婚が転機になりましたよね。

枡野 まあね。書くものもほとんどそうですから。いま思うと結婚や離婚がなかったら、あんまり自分は書くことない人間なんで。

――伝えたいことがないんですか？

枡野 そんなにないですね。ただ、わりとちまちましたことを書くライターなんですよ。短歌なんてそういうジャンルじゃないですか。それが、わりと長いものを書くようになったのは、やっぱり離婚が大きかったですね。そう思うとお互いに……彼女も彼女で、やっぱり男と別れては漫画描いてるようなところがあるから、無自覚にね。もの書きだからしょうがないのかもしれないですけど。

――お互い自分のことを書くタイプだし。

枡野 そのへんは僕はお互い様だと思ってるんですけど、彼女には「お互い様って言うな！」って言われたことあるから。ボコボコに殴られながら（笑）。ちなみにDV法って男にしか適用されなくて、女性が男に暴力振るってもなにも適用されないんですよ。

――あ、そうなんですか。

枡野 すごい不公平な法律で……（以下、恒例の離婚話が続くが大幅に省略）。（離婚直前の記事を見て）……痩せてますね、この頃。自分のもともとあったダメな資質は離婚後に全開したようなところがありますね。もうちょっとちゃんとしてたと思いますよ、昔は。

EXILEプレイとは？

――ただ、離婚によって愛おしさが出てきたっていうか、わかりやすくなった部分はあると思うんですよ。ある意味、頭よすぎた感じがあったのが、適度な隙が出たというか。

EXILE
HIROを中心としたダンス＆ボーカルユニットとして01年にデビュー。05年にリリースしたベスト・アルバムが大ヒット。メンバーの加入を繰り返しながら日本を代表するグループとして絶大な人気を誇る。メンバーは基本的にダークな服装に、日焼け、細マッチョ、ヒゲというイメージが強い。

『通販生活』
株式会社カタログハウス発行。通販カタログでありながら、独自企画による記事や読み物が充実しており、雑誌のような愛読者を生み出している。記事のなかには、反原発など、社会的、政治的な主張が含まれることも。

枡野 いや、ものすごい隙だらけですよ！

——そういう可愛げは出ましたよね。

枡野 でも怖いって取る人もいっぱいいるんじゃないですかね。特に女性には怖がられて、僕はますます女性嫌いになってきて。

——ますます新宿2丁目に通うようになり。

枡野 そう、でもまたそこにも問題があって。……どうしたらいいんでしょうね？ 男の子と付き合っても全然うまくいかないんですよ。特に性的なことが。もともと僕、自分は女の子っぽいと思ってて、ホモっ気があるという自覚はあったんですけど、でもやっぱりダメですね。男性とホテルまで行ってみたんですけど、全然できなくて。経験が足りないだけかもしれないとも思うんですが、ちょっと残念なことになって。だから、いまホテルまで行った人とは友達になろう宣言をして。

——性的にも複雑みたいですよね（笑）。

枡野 そうなんですよ。一番望ましいのが、女の子ひとりに男がたくさんいるっていうのが、わりと自分の性的ファンタジーで一番ピッタリきて。いまはEXILEプレイっていう妄想をしてるんですよ。まったくそんなことはあり得ないという前提ですけど、僕がEXILEの下っ端メンバーになるんです。

——新メンバーも入りましたからね（笑）。

枡野 いま人数が増えて多すぎますけど、前のEXILEに僕が下っ端のメンバーとして入って、EXILE先輩に呼び出されて、行ってみると乱交が始まってて、「お前も入れ」って言われるんですよ。それで「えっ、僕はいいですよ……」って言いながら、嫌々参加するんです。それで最後に女の子に「君だけはこんなことやらないと思ってたのに……」って軽蔑されて、すごく後悔してションボリするっていうところまでがプレイ。

——そこで興奮はしてるんですか？

枡野 してるしてる。だから、その切なさとか後悔とか込みで興奮するんですよ！

——ダハハハハ！ なるほど（笑）。

枡野 ポイントは自らイケイケで行くというよりは、嫌々、先輩方に「お前もヤレよ」って言われて、「いやいや、いいッス」と言いながらヤるところで。それを自分で分析すると、自分の男性性に自信がなくて、EXILE先輩たちに便乗すればヤレるんじゃないかっていう。で、自分がそういう体育会系の輪に一度もいたことがないんで、不謹慎ですけど、体育会系でレイプ事件とか京大ラグビー部鍋パーティー事件とかあったじゃないですか。ああいうのを聞くと、あの鍋パーティーに自分もいたら……とか思うんですよね。

——いたらヤってたのかなって（笑）。

枡野 そうそう。実際にはそんなことしないし、女性に対しては紳士に接しちゃうんですけど、頭の中ではそういうことを考えてて。

——そういう屈強な人の中に枡野さんが混ざってるのは、それだけで楽しいですよね。

枡野 でも、そのときは自分はこういう枡野じゃなくて、ダンスができる、運動ができる枡野なんですよ。妄想ですから。結局、自分が運動できないことにすごいコンプレックスがあるんだと思うんですよね。なぜEXILEかっていうと、ダンスがうまそうで、セックスがうまそうじゃないですか。そういうのがファンタジーとしてあるんですけど。だから、男性のゲイの人と付き合ってそれが満たされるわけでは全然なくて。2丁目

新宿2丁目
同性愛者に向けたバーや飲食店が立ち並び、世界でも屈指のゲイ・タウンとして名高いエリア。昔ながらの本格的なゲイバーが残る一方、世代交代や不景気の影響で、近年は一般客も受け入れる観光地が進んでいる。

でゲイの人に相談しても、やっぱり笑われちゃうし。

——なかなか共感はされないですよね。

枡野 うん。で、もう4年間2丁目に通ってて、全然モテなかったんですね。行く店が悪かったとは言われましたけど。僕の行ってた店が、太った人がモテる店だったらしくて。

——なんでそっちの店に行くんですか！

枡野 たまたま最初にデートした人が、そういうちょっと太った子だったんですよ。最初から話すと、離婚直後に、当時まだ仲よかった河井克夫さんが「枡野浩一と二晩コミュニティ」っていうのをmixiに作ってくれて。それは枡野の恋人を募集してくれるコミュニティだったんですよ。男女どっちでもいいし、一晩じゃわかんないから二晩ぐらいデートしてみようよっていう提案で。もしホントにいい人がいたらホントにデートするつもりで募集したら、10人ぐらい入ってくれて、ほとんど女の子だけど2人だけ男が入って。そしたら女の子のアプローチが嫌な感じだったんですよ。女の子ってまず自分を守らなきゃならないし、ヘタなこと言って傷つきたくないから、すごく遠回しだったり、照れなのかもしれないけど、「ホントは松尾スズキがいいけど枡野で我慢しとく」的なものが見え隠れするんですよ。「松尾さんとも交流がある枡野さんで我慢しとくか」みたいな。

——直接そうは言わないけれども、「私、大人計画が大好きなんです〜！」みたいな。

枡野 そう。その人のmixiのプロフィールとか見ると、あきらかにそうなんですよ。金紙&銀紙も、枡野でも河井でもいいや、みたいなノリで。すごいショックで。あと、どうしてもそうなんだけど、女性は名前とか仕事とかに興味を持つから。僕は自分の仕事に興味を持たれるのはもう飽き飽きで、もっと顔とか体に興味持ってほしいんですよ！

——ダハハハ！ カラダ目当てっていう人は、なかなかいないじゃないですかね（笑）。

枡野 だけど結婚相手はある意味、体目当てで、それがすごい嬉しかったんです。僕の仕事にはまるで興味なくて。もちろん僕は肉体的にたいしたことないですけど、彼女が大好きで、彼女の誘いに尻尾を振ってついていくところがあったから、たぶんカラダが……いい意味で。いい意味じゃないかもしれないけど。

——人としての部分を見てくれたというか。

枡野 そうそう。顔がタイプだったかどうかは別として、カラダ目当てだったことは、どっかで真実で。それがものすごく自分にとっては嬉しかったし、だから彼女と結婚までしちゃったと思うんですよね。それまで自分は文章とかはちっちゃいときから誉められてきたから、そんなに自分ではすごいとはホントは思ってないけど誉められても誉められ慣れてるんですよ。

——そこを誉められても全然嬉しくない。

枡野 嬉しいですよ。だけど、それは別に性的に関係なくてもつながることじゃないですか。恋人はそうじゃなくて、もっと生物的な部分でつながりたかったんですね。だから、もし女性で「枡野さんの顔が好き」とか「カラダ目当てだ」って人がいたら、全然すぐ付き合うし、でもそういうことをトークで言うようになったら、またそれをみんなが言うようになってきて、それも嫌なんですよねえ……。

——ダハハハ！ ややこしすぎますよ！

枡野 なんか変な短歌を送ってきたなと思って無視してたら、

河井克夫
マンガ家、俳優。代表作に『クリスチーナZ』、『女の生きかたシリーズ』など。松尾スズキとのコンビ『チーム紅卍』として『ニャ夢ウェイ』など、多数の著書がある。
枡野注※朝ドラ『あまちゃん』にも出演した河井さんは先日、枡野の誕生日イベントの司会を担当してくださいました。また最近お世話になっております。

松尾スズキ
劇団大人計画を主宰。俳優、演出家、脚本家、作家として活動。『ファンキー！ 宇宙は見える所までしかない』で第41回岸田國士戯曲賞受賞。04年には『恋の門』で映画監督デビュー。10年には小説『老人賭博』が芥川賞候補となった。

金紙&銀紙
金紙（枡野浩一）と、銀紙（河井克夫）によるユニット。顔が似ているという理由で「ニセ双子」というギミックになっている。命名は松尾スズキ。金紙&銀紙の著作としては『金紙&銀紙の 似てい

「枡野さんの顔が好き」とか追伸メールがあったりして、もうホントに嫌だと思って。その子が短歌作ってなかったらまだいいのね。「枡野さんの顔をCMで見てすごく惹かれてしまったんですけど、まだ本とか読んでなくて申し訳ないです」とか言われたら、すぐデートしちゃうんですけど。で、ゲイの人はすぐにそういうことを言うんですよ。ゲイの人はストレートにそういう興味で来てくれるから、すっごい嬉しくて。

――男として認められた気がする、と。

枡野 うん、なんかこう……人生でそういうことがあまりにもなかったんですよね。で、男の子でも面白いと思ってデートしてみたのが太った子で、ちょっとゲイ界で有名な人なんですよ。その彼のせいで太った人がモテる店ばっかりに行ってたから4年間ほぼ縁がなかったんだけど、最近ゲイライターの伏見憲明さんの店に行くようになったらちょっとモテて。その日って、僕のために接待で用意したかと思うほど僕のことを知ってる人がいっぱいいて、「枡野さんのあれ読んでました」とか「枡野さんに前から興味があって」とか、もう引っ張りダコだったんですよ！ それで一生懸命話してたら、隣にいたゲイ初心者の男の子が「もしかしてM君って知りませんか？」って、僕の友人の名前を言って。なぜだか聞いたら、「こないだ僕、初体験をしたんだけど、その相手なんです。しかもヤリ捨てされたんです」とか言ってて（笑）。

――ダハハハハ！ そうなんですか！

枡野 そのM君は僕が2丁目に連れてってゲイデビューさせた子なんですよ。そういうこともあって夢中でしゃべってたら淋しそうにしてる顔のいい子がいて。なんか僕に話しかけたかったらしくて、帰ろうとしたら「すいません、アドレス交換してください」って言うから嬉しくなっちゃって。「そんなの初めてだよ！」とか言って、すぐデートしちゃったんですけど。それあんまり詳しく話すと彼に失礼だから詳しくは話さないけど、ホテルに行ってちょっといろいろ試みて……。そのことをトークイベントで古泉智浩さんにしゃべったら、「枡野さんがそこまでホモだったとは……」って絶句されちゃって。

――ネタだと思ってたんですかね（笑）。

枡野 素で絶句して本気で顔が青ざめてる感じだったから、僕もちょっとショックで。僕、その相手とホテルまで行った経験って自分の中では大事件で、「人生でこんなことがあるなんて！」と思ったんですよ。結果的には僕が勃たなくて、ちょっといじり合いしたぐらいなんですけど。その話を飲み屋で友達にしたら、ひとりが元ヤンキーの男で、14歳が初体験で、15歳のときに男にチンチンをしゃぶらせてたって人だったんですよね。

――ヤンキーとか体育会って上下関係が絶対だから、意外とそういうのあるんですよね。

枡野 そうなんですよ。僕がせっかくそういう冒険の話をしたのに、「俺もそういうことありますよ」ってサラッと言うから、すごくショックで。もっとビックリしてくれると思ったから。で、もう一人も「僕は男のチンチンしゃぶったことありますよ」とか言うの。その人は女子高生好きなんだけど、なんかすごいガッカリしちゃって、「なんだ、たいした経験じゃないんだ」と思ってたから、トークイベントではもっと面白がらせなきゃってサービスでいっぱいしゃべっちゃったんですよ。そしたらドン引きされて……。

――そういうことだったんですか（笑）。

枡野 たぶん、女性ファンとかみんな消えたと思いますね。結

るだけじゃダメかしら?』がある。

伏見憲明
91年に『プライベート・ゲイ・ライフ ポスト恋愛論』を発表、同性愛やジェンダー、セクシュアリティの論客として活動。また雑誌『クィア・ジャパン』編集長としても活躍。03年には『魔女の息子』で小説家としてデビューを果たした。

古泉智浩
93年にヤングマガジンの「ちばてつや大賞」を受賞して漫画家としての足がかりを掴む。以降、『ガロ』『アックス』などの漫画誌で作品を発表している。代表作に『青春☆金属バット』『ワイルドナイツ』など。吉田豪によるインタビューが『人間コク宝まんが道』（コアマガジン）に掲載されている。

構満員だったんですけど。で、そのホテルに行った相手とは、その後もデートしてみて映画行ったりしたんですよ。すごく話は合うし、面白い人なんですけど、たぶん僕は性的なことはできないから。

――ホモじゃなかったってことなんですか？

枡野 いや、ホモっ気は明らかにあるけど、そのホモっ気にもいろいろあって。たぶん僕のホモっ気はゲイの人とふたりでくっつくようなことではなく、間に女の子がいるといい。で、女の子は女の子で好きなんですよ。おっぱいも好きだし。だから、一番したいのは3Pとか輪姦とかで（キッパリ）。でも、なかなかそれはできないじゃないですか。3Pは一度だけしたことがありますけど。

――え！ あるんですか！

枡野 うん。それは、ものすごく頑張っていろんな人に声かけてやっとできたから、もう二度とできないかなと思ってるんですけど。

――1回でもやればすごいですよ！

枡野 だって僕、離婚して何年になるのかな？ 人生で、まともなセックスをした相手は数えるほどで、そのうちのひとつだから。一般的な男のセックス数にしたらものすごく少ないんですよ。彼女（元奥さん）を含めて、多く数えても5人ぐらいしかしたことがなくて、ひどい経験の少なさでしたね。離婚後も何年もインポっぽくなっちゃって、誰とも付き合えなくて。そこからいろんなセッティングして、やっと3Pができたんです。それは自分は、そうでもしなきゃ死んでしまうと思って。

――3Pしなければ死ぬ！

枡野 自分へのご褒美のつもりで一生懸命人を集めて。でも女の子でなかなかそういうことしてくれる人いないし、男でもいなくて。で、2年ぐらい前にやっと3Pができた。でも、それっきりたいしたことしてないから。

――そのときも満足感はどれぐらいでした？

枡野 ものすごく幸せでしたねえ……（しみじみと）。終わったあとの帰りなんか、いま死んだほうがいいかもしれないぐらいの。

――ダハハハ！ 3Pできても死ぬ！

枡野 うん。僕は結構すぐ満足しちゃって、相手の男の人が結構長くやってたんですけど。だから、その男の人とカラみたいとかじゃなくて、人がしてるのを見てて楽しんだり、ふたりで責めたり、男同士で目配せし合ったりっていうのが興奮するんですよ。……これ、あんまり具体的に話すと当事者が悲しむのかなあ？ ものすごく感謝してるんですよ、その男女ともに。最初にヤるはずだった男の人が途中で逃げちゃったりとかしたので。

――逃げる気持ちもわかりますよ。

枡野 そうなんですよ。僕の友達がもっとヤリチンっぽい人だったらいいけど、みんな真面目だから、自分の願望を叶えるのはあまりにも無茶だったなと思って。たとえば2丁目にウリセンってあって、ゲイじゃない人が体を売ってるって聞いたから、そういうバーに行ってみたんですよ。で、「僕と、女の子連れて来るから、君と3人でできないか？」って言ったら、「すいません、ホントはゲイなんですよ」とか言われたりとか。まあ、それは暗に断られたのかもしれないけど、そのときもダメで。なにかっていうと、こういう話ばかりしてたんですよ、3Pしたいしたいって。

――そんなに3Pがしたかった（笑）。

枡野 そしたら、ちょっと乗ってくれる人がたまにいて、そういう人にはすかさず連絡先を聞いて頼み込んだりして。「いまできるから、すぐ吉祥寺に行くから」って言われて、そのときすごい忙しかったけど、ちょっと期待して待ってたら、女の子に逃げられちゃったりして。しかも、よくよく聞いたらその女の子は河井さんのファンで、僕は顔が似てるから、まあいいやってことだったらしいっていうのを聞いて、ホントにショックでしたね。

ストーカー顔

――……もしかして枡野さん、初体験で性的なトラウマができた部分とかあるんですか？

枡野 ……僕、初体験について嘘を言ったことがあって。昔、美人女性ライターがインタビュアーだったんで……初めての経験ってすごく早かったんですけど、ちゃんとできなかったんですよ。チンチンいじられただけで射精しちゃったのに、そのことを初体験と言い張っちゃって。それからすごく間があって、実際最後までちゃんとしたのって23歳とかかなあ？ 初めて射精させられたのが中1の終わりぐらいなんですけど、そのことがすごいトラウマになってるっていうか、大きくて。いまだに口でされるのが好きなんですけど、その経験が大きいんだと思いますね。

――変な刷り込みがあるわけですね。

枡野 うん、だから普通のセックスより……こういうこと言うとアレですけど（笑）。そういう生理的に変なところも、女性と付き合うと相手が困るんだと思うんですよね。でも、ゲイの人って口でするのが好きな人いっぱいいるから、それもいいかなって思ってたんですけど、そう簡単ではなかったですね。

――いちいち難しいですよね。3Pが一番好きだっていう人を探すのも難しいだろうし。

枡野 そうなんです。mixiでも「自分の彼女を違う男に抱かせるのが好き男コミュ」とかがあって、スワッピング的なのは結構あるんですけど、普通の男がしたい3Pは女の子ふたりで男ひとりの3Pなんですよ。僕みたいに男のほうが多い3Pって、ちょっとないんで。……今日はこんな話をするインタビューじゃないんですよね、きっと。もともとはなんの目的のインタビューなんですか？

――目的はないですよ（笑）。初期は男らしい人がギラギラした話をする感じだったんですけど、最近は古泉智浩先生や福満しげゆき先生みたいに性的なトラウマがある人がモヤモヤした話をする感じになってきてますね。

枡野 福満さんなんて大変幸せじゃないですか？ 羨ましくてしょうがないですよ。あんな素敵な奥さんがいて。でも、大変なんですかね、あの人はあの人で。だってストーカーみたいなことをして結婚したわけでしょ？

――すごいですよね、それも（笑）。

枡野 ストーカーって立派なことですよね。僕、ストーカーってそんなにいけないことかなって……自分はしたことはないですけど。

――福満先生もそう言ってましたよ。

枡野 昔の恋愛なんて、ストークしてナンボ、みたいなのがあったと思うんですよね。そんなにストーカーがダメとか言ってた

福満しげゆき
02年に発表した『僕の小規模な失敗』が話題となり、自虐的なコミックエッセイ路線で、人気作家となる。10年には『うちの妻ってどうでしょう？』で第14回文化庁メディア芸術祭マンガ部門奨励賞を受賞。吉田豪インタビューが『人間コク宝まんが道』に掲載。

ら、恋愛なんてできないじゃないですか。あと、少なくとも付き合ってた人と別れにくくてこじれるのはしょうがないじゃないですか、ある程度は。……僕、ホントに結婚相手にストーカー呼ばわりされちゃって。ストーカーっぽい気質であることは認めますけど、実際にはなにもしてないんですよ。1回家に行ったらパトカー呼ばれちゃったぐらいですから、ホントにそのへんは腹立たしいですね。顔がストーカー顔らしいんですけど。

――そうなんですか（笑）。

枡野 でも僕、離婚してから仕事は意外とうまくいってるので。グチグチ言ってるわりには離婚話なしだと自慢話しかない、みたいなところがあって。だから感謝するべきなのかなって思っちゃうんですけどね。あと僕がもし子供に執着がなくて、もっと男らしくて、すぐ新しい彼女を作って、みたいな人だったら全然問題ないっていうか。奥さんが全部やってくれて、子供に会う面倒がなくてラッキー、みたいに思えただろうし。そう考えられたらどんなにいいかと思うんですけど、どんなに言われてもダメですね。ちょっと治ったかと思ったら、またぶり返しちゃいますね……。

――しょうがないですよね、それは。

枡野 そういう意味では僕はある種切り替えちゃってて、ある時期で諦めかけてるんですけど、子供に会うという目的よりは、自分がもの書きとしてやるべきことをやろうって決めてるところがあって。だから、こういうことを書けば書くほど子供と会えなくなるような気もするんですけど、でもどっちかっていったら仕事として書いていくべきだって思ってるんで。どうやっても南さんの気持ちは変わりっこないって気がしてきたので。

――書けば書くほど頑なにもなるだろうし。

枡野 でも、書かなければ心が緩むかっていうと、そうとも思えないから。それなら自分は書こう、と。ただ、遠慮してることはいっぱいあって、ホントは僕の性格だったら、相手を追い詰めていいんだったらいくらでも言えるし、ものすごい怖いんですよ、僕。

――ダハハハハ！ それも知ってます（笑）。

枡野 だから、結婚中に知ったこともいっぱいあるし、彼女を心から貶めたかったら、ものすごいこと言えるんだけど、それはちょっと……。子供の母親だし、稼いでほしいし。子供に会わせてくれないことだけは怒ってるけど、あとはしょうがないじゃないですか。僕だって結婚したら自分が面倒くさい男だってわかってきましたし。だから彼女も僕のこと全然描いてくれていいと思うんですけどね。勝手に彼女目線で、嘘でもいいから。でも、描いてくれないんで。そこが僕よりもっとトラウマなんじゃないですか？（以下、離婚の話をたっぷり話すが、大幅に省略）

とめどない愚痴

――ボクが枡野さんと最初に会ったのは、ちょうど結婚した直後だったんですよね。

枡野 ああ……。僕、そのときはどんな感じでした？ 浮かれてました？ 当時を知ってる編集者の人に、「枡野さん、南Q太と結婚したって自慢気だったもん」とか言われて。

――年賀状に奥さんとの写真を使うぐらいでしたからね。大好きだった漫画家と結婚すれば、それは浮かれて当然なんでしょうけど。

枡野 でもダメですね、離婚したら……。ただ、なかなかそんなに好きだった人と結婚できたりしないと思うんで、あの瞬間だけ取り出せばかなり幸せでしたよ。あんまり妥協とかできないタイプなんで、人生でかなりしたいことをしてきてるから、これで不満を言ってたら罰が当たるのかもしれませんよね。

——だけど、不満を言わなくなったらそんなの枡野さんじゃないって気もしますからね。

枡野 ホントにね。でも、自分では面白い話と思ってしてることが、みんなは愚痴に聞こえるみたいで。よく言われるんですよね。

——愚痴っていうよりはボヤキ漫談的な感じなんですよ。完成度が高すぎますもん。

枡野 自分でも半分は面白がってもらえると思って話してるんだけど、合わない人はただの愚痴と思うみたいで。漫画家の川崎タカオさんとかは、初対面のときから「あの人、愚痴ばっかり言ってるね」って河井さんに言ってたらしくて、そう思われてたんだなって。一緒にバリ島旅行に行ったんですよ。そのとき僕が、「布団が湿ってるよね。乾燥機でも導入すればいいのに」って延々と言ってたんですよ。そしたら「愚痴っぽいねえ」って。僕としては、乾燥機を導入すればっていう前向きな提案をしてるつもりだったんですけど。

——川崎先生も比較的愚痴側の人ですよ。

枡野 だから嫌なのかな、自分もそうだから。僕、愚痴以外は素敵な人間なんですよ。

——いいフレーズですね（笑）。新宿2丁目で枡野さんが職務質問されてるのを偶然目撃したとき、「みんなわかってくれない！ 結婚のときもそうだった！」って警官相手に愚痴をこぼしてるのを見て感動しましたもん。「ここでも離婚ネタなんだ！」って（笑）。

枡野 でもあれよかったですね、吉田さんに見ていただけて。あのときホントにクスリ持ってなくてよかった。別にやってないですけど、2丁目ってクスリを持ってる人多くて。

——やっぱりゲイカルチャーと重なってて。

枡野 ゲイの人って……僕の偏見ですけど、社会的ルールと合わないからルール破ることにあんまりためらいがないんですよね。特にラッシュみたいに、途中まで合法だったけど、途中で非合法になったものとか、みんな持ったままだから。なので、僕の親切な友達が「枡野、元気ないからクスリでもあげよう」ってバッグに入れててもおかしくないんで。でも、「みんなわかってくれない！」っていうのは、ホントそうだったんですよ。結婚のとき、パトカーを呼ばれて警察に囲まれたことがあって。最初は警察官が僕の話を聞いてくれたんだけど、引っ込んで当時の奥さんの話を聞いて戻って来たときには、もう僕を犯人扱いで目が怖いの。当時、彼女が世帯主だったから彼女しか保険証を持ってなかったんですよ。それで別居中に保険証が必要になったとき、お土産を持って取りに行ったらちょうど留守で、帰って来るの待って「保険証ちょうだいよ」って言ったら、「帰って！ 帰って！」とかボコボコに殴られて。

——より保険証が必要な状態になり（笑）。

枡野 でも当時から警戒してたから、嘘つかれちゃうんでテープレコーダーを持ってたんですよ。ちょっと録音しとこうと思って。

——枡野さんは理詰めな人で、彼女は感覚的な人だから、そこも難しかったんですかね。

川崎タカオ
マンガ家、イラストレーター。04年に初単行本『へたれチキン』をリリース。吉田豪インタビューが例の本に収録されている。
枡野注※これは私の記憶ちがいで、川崎タカオさんに雰囲気が似ている別の方の発言でした。いくら人の顔をおぼえないからといって、すみませんでした。この記事の雑誌掲載時、記憶ちがいを指摘してくれたのは河井克夫さん。川崎さんには私が監督する短編SF映画に出演していただいたり、お世話になっております。

枡野 あと、最近いけないって言われたのが、そういうときにあんまり熱くならないんですよ、僕。冷静だから、向こうが怒れば怒るほど冷静になっちゃって、淡々としゃべるから、より怒らせちゃうみたいなんですよ。メールなんかのやり取りも、向こうがすごく怒ってても、こっちは冷静に文章を書いてるから、ものすごく腹立たしいみたいで。それがいけないって友達に言われましたね。「枡野とケンカしてると、こっちは熱いのに枡野は冷めてるのがわかるから、ホントに殺したくなる」って。自分はケンカしてても、理屈を言われると「あ、そうか」って納得しちゃうほうなんですよ。そういう意味では、結論はアスペルガーだったと思うと納得で（笑）。言葉通りに受け止める体質らしいですから。で、自分のしてほしいことをしちゃうし、自分のしてほしくないことはしないけど、それが結構喜ばれないことがわかってきました。

——そのルール自体は正しいと思うんですけどね。ただ、その自分が周りとは違ったっていう。

枡野 うん。だけど、もの書きやったり短歌作ったりしているおかげで、それが許容されたり共有されたりしてるのはラッキーといえばラッキーで。生身だったら大変なんでしょうね。生身じゃなくて文章だから誤解されたりして仕事になってるんだと思いますよ。

——短歌ぐらい言葉が少ないと、読者との間にはより誤解を生みやすいんでしょうね。

枡野 そうでしょうね。それでいいように誤解されて。だから向いてたんです、短歌が。

——エッセイとかだとちゃんと書くから、読者の側からの反発も出てくるだろうけど。

枡野 出るし、好きな人は好きだけど嫌いな人はものすごく嫌いって分かれるんですよ。

ネット論争が趣味

——枡野さん、ネットで自分の名前で検索して、そこにコメントを残して論争したりするじゃないですか。あれは何故なんですか？

枡野 そうしたほうが楽しいと思って。

——それは向こうにとって？ 自分の中で？

枡野 世界にとって。もちろん、どうでもいいものは無視してるんですよ。「あ、この人バカだな」って思ったりとか、「あ、同じ歌人で嫉妬してるんだな」とか、わかりやすいときは。コメントしたら面白いかなってときに面白がってコメントすると、いいように転ぶときとダメなふうに転ぶときがあって。

——その結果、ものすごい大論争に発展しちゃうことも多々あるわけじゃないですか。

枡野 あれは僕が引かなかったからですね。そのときの反論が、可愛げがなかったりして、僕ちょっとサドっ気があるんで、「俺様にこんな口を？」とか思っちゃって（笑）。

——これは追い詰めなきゃっていう（笑）。

枡野 うん。で、「あなたのダメなところを徹底的に炙り出してやる！」とか思ってやっちゃうんだけど。でもホント言うと、悪いけど僕はそっちにはホントは興味がなくて、自分に興味があるだけだから。向こうがこっちに興味持ってくれてるんだから、ありがたい話なんですけどね。ただ僕の一番のポイントとなるのは、そういうこと言っていい筋合の人とダメな筋合の人

がいると思ってて。その内容のことは当事者なら言っていいけど、関係ないあなたに言われたくないよってことがあるじゃないですか。あとは、そういうポジションのあなたは言えるんだろうかっていうところがある。たとえば短歌がヘタな癖して僕の短歌のことをとやかく言ってるんだったら、「あなた、その短歌でよく言えるね」って言いたくなっちゃうじゃないですか。

——相手にもレベルを求めるわけですね。

枡野 そう。あなたなら言ってもいいやって人は言ってもいいと思うんだけど。「それ言える筋合ですか？」って鏡を見せるような気持ちで、ときどきちょっかいを出したくなってしまって。だから毎日自分検索してるから、ほぼ毎日自分のことを見つけるんですけど、それ全部に反論してるわけじゃなくて。反論してるのは、結構僕が面白がったものだから、ある意味、接点があったということで。接点があったということは、なにかの縁なので、接触しようと思って。僕にとっては文章を書く仕事と、自分への文句に反論するのがかなり地続きの、とっても重要な仕事なんですよ。金にはならないですけどね。やっぱり人は自分の身に降りかかってくるものとしか闘えないから。あとはあんまり書きたいこともないから、あと10年ぐらい生きられたら十分で。万が一、すぐ死んじゃっても悔やまないかもしれませんね。自分からわざわざ死のうと思ってるわけじゃないんですけど。

——でも、たとえば離婚のショックで自殺しようとしたことはなかったんですか？

枡野 かえってなかったですね。ただ、もし1錠飲んだら眠るように死ねる薬があったら、すぐ飲んじゃうかもしれないですけど。

——ベストな瞬間に死にたいって思いとかはないんですか？3Pの最中に死のうとか。

枡野 ありますよ。3Pのときだったら死んだって構いませんでしたね。3Pをした帰りの電車はすべてが輝いて見えて、「こんなに世界は輝いてたんだ！」って思いましたよ。

——それなら「もう1回3Pしないと死ねに死ねない！」とかにはならないんですか？

枡野 まあ、毎日だったら飽きるでしょうしね。そのときはすごい久しぶりだったんで、もうホントに幸福でしたよ。でも、なかなか幸福は続きませんからね、どんなことも。

——結婚生活も含めて。

枡野 うん。まあ、一瞬ですよ、幸福って。

——結婚直後の記事を見ても、「とにかく結婚生活が不安で」って言ってたんですよ。

枡野 そうなんですよ。楽しいときも不安がってるところもあるかもしれない。逆に、『週刊朝日』で毎週「子供に会いたい」って書いてたときも、他人事のように読むと面白い生活してるじゃんって思うんですよね。だから、少なくとも2ちゃんねらーとかで僕のこと書いてる人と比べたら、絶対に楽しい人生を送ってると思うんで。僕、もう2ちゃんねるはほぼ見ないんで。でも結婚する前まではよく見てて、結婚するときに僕を貶めようとする書き込みを見て。「枡野ってすごいヤリチンで、私の周りの人みんなヤラれちゃってるんだよ」って書き込みがあったんですよ。

——それ、もはや誉めてますよ（笑）。

枡野 これは絶対僕のこと知らない人が貶めようとして書いてるけど、悪いけどそんなに僕カッコよくないよと思って。こん

『週刊朝日』
離婚後の枡野浩一は『週刊朝日』に連載していたエッセイで子供に会わせてもらえないという思いを綴っていた。この連載は05年発行された単行本『あるきかたがただしくない』にまとまっている。

なバカなことを書く人たちがいっぱいいるんだと思って、心からバカにして見なくなったんですよ。

――2ちゃんに反論しだしたら、その性格だったらキリがないでしょうからね。

枡野 そう。結局、ブログとかの人に反論するのは、まだ人格を認めてるからなんです。だから、もし女性のことも人格を認めてなかったら優しくできるんだと思いますよ。

――認めてるからこそ同じ立場で……。

枡野 ケンカしちゃうんですよ。女ったらしの男って、女性を女性と思ってないところがあるじゃないですか。かわいそうで、守ってあげなきゃならないから優しくする、みたいな。そういうことができる人は女性にモテるんだと思いますね。女性は女性で、男って可愛いとか思ってて、お互いうまいこと誤解し合ってるんですよ。僕はダメな意味で正直者なので、そういう関係性は保てませんね。

――河井克夫先生が枡野さんを「正直じいさん」にたとえた漫画を描いてましたけど、あれもとんでもないリアリティでしたからね。

枡野 河井さんはさすがですよ。あの漫画も全部嘘なのに、当たってるから全然嫌じゃなくて。でも、河井さんが最近冷たいのが残念ですよね。あんなに仲よかったのに。一緒に何度も旅行に行ったし。たぶんそれですっかり枡野致死量を超えちゃったんでしょうね。

――あ、そういうことなんですか（笑）。

枡野 蜂に何度も刺されたら死ぬみたいに、もう枡野と一緒にいたら耐えられないっていうのがあって。読者の方も、遠くで見てるぶんには面白いところもあるけど、あんまり近づかないほうがいいと思いますね。一晩ぐらい付き合うのはいいのかもしれませんけど。

――二晩はよくない。

枡野 だから、もうダメかもしれません。……これからどうしていくんでしょうね、僕。あまり未来のイメージがないんですよ。

――順調じゃないですか、仕事的には。

枡野 小説とかもホントに向いてないんですよね。こうやってクヨクヨしながら書いて、意外と売れたりするから腹立たしいのかもしれませんけど。……ホントに向いてないと思います。嫌で嫌でしょうがない。短歌とかはもっとウットリして書いてるところもあって、「おっ、我ながら上出来！」とか思ってるんですけど、小説は「うわ、ヘタクソ！」とか、悪口言ったらどんなひどいレビューでも書けます。匿名で書こうかと思うぐらい。だから、たまに2ちゃん見ても甘いと思う。

――もっとヒドイのに（笑）。

枡野 そう、もっとダメなここを突けばいいのにとか、すごく思いますよ。……なんか、こんな話しててよかったんですかね？

――まったく問題なしです！　3Pの魅力が読者の人にもたっぷり伝わったと思います！

枡野 そうですか。……みんな、もっと3Pをしたらいいんじゃないかな（ポツリと）。

小説とかもホントに向いてないんですよね
枡野注※最後に出した短編小説集『すれちがうとき聴いた歌』（リトルモア）は、新宿二丁目経験をいかした一冊です。2013年はお笑い芸人コンビ「詩人歌人」を結成し、ソニー・ミュージックアーティスツに所属しました。コンビでやっているネタは「BL短歌コント」で、ピンでやっているネタは「本当にあった職務質問シリーズ」です。お金はなくて武蔵野市役所の差し押さえにあったりしてるし、童貞みたいな毎日ですが、この十年で最近がいちばん健やかかもしれません。テレビ『アウト×デラックス』で話したらカットされてしまった話が、このインタビューには全部載っていて、久々に読み返したら新鮮でした。仕事ください。

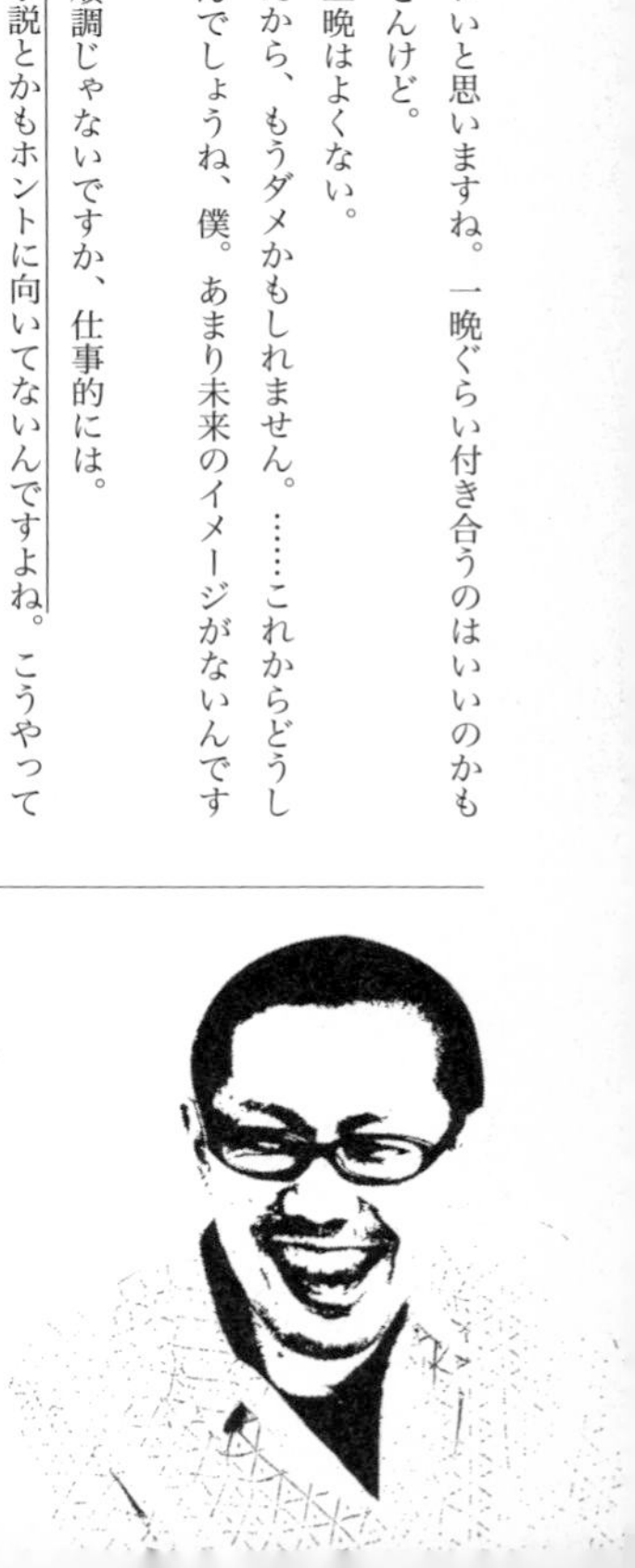

『積木くずし』で
2億ぐらい損して、
前の女房は自殺し、

娘の由香里も
35歳で死んでいった

穂積隆信

HODUMI TAKANOBU/2006年4月19日収録

1931年生まれ。静岡県出身。俳優、声優。俳優座養成所第3期生。テレビ・舞台・映画・アニメなどでこれまで多数出演。個性的な声を活かし、声優として吹き替えを担当する事も多い。実の娘でタレントだった故・穂積由香里との家庭内での葛藤の記録をまとめたノンフィクション『積木くずし』が300万部を突破し、同タイトルのドラマでは45.3%という記録的な視聴率（民放で放送された連続ドラマでは過去最高）をあげた。

闇ドルは稼げる

――穂積さんについて調べたら、血液型や出身地のデータがバラバラだったんですよ。

穂積 そうですか。最近はインターネットですごい詳しく出ますからね。僕はほとんど知りませんけど、忘れちゃって。貴乃花のお母さん（花田憲子）が松竹で一番最初に女優さんやったときの相手役が僕だったって言われたけど、全然記憶にないの（笑）。

――これだけ出てたらわかんないですよね。

穂積 ねえ。僕は大した仕事じゃなくてたくさん出てるから。主役の人みたいにピシッとした仕事なら記憶に残りますがね。昔の脇役は台本も全部読まなかったんですから。

――役作りするほどのものでもなく（笑）。

穂積 ハハハハハハ！　ホントに（笑）。

――だから、デビュー作も『ひめゆりの塔』説と『にあんちゃん』説があったんですよ。

穂積 いやいや、『ひめゆりの塔』は、その他大勢の兵隊役だったの。で、『にあんちゃん』は吉行和子さんの相手役で、これは当時の新人賞候補になったりして、ちゃんとした役でしたよ。だから、一番最初が一番いい役だったんじゃないですかね（笑）。

――学歴が静岡県立韮山高等学校卒になってたんですけど、卒業されてるんですか？

穂積 僕はしてないんですよ。途中で家出してるから。僕の家は先祖に高名な医者がいるんです。それで親父に「慶應の医学部を受けろ」「お前は医者になれ」ってって言われて。

――お父さんも高校の校長だから厳しいし。

穂積 そうそう。また慶應の医学部はものすごく難しかったですから。当時、文学部とか、あんなのは全部金で入れたんですよ。

――ダハハハハ！　そうだったんですか！

穂積 でも。医学部だけはそうはいかなかったんで、とても受からないだろうと思って僕はそのまま家出して東京の進駐軍の将校クラブで1年ぐらいボーイをやってたんですよ。ここが全部治外法権でしたから、クラブの中は人殺しがあったって何があったって、日本の警察は立ち入れないわけです。そこで殺されたってまったく文句言えないわけでしょ。だから滅茶苦茶でしたよ。

――死ぬような思いをしてきたんですね。

穂積 だけど僕も闇ドルでは、ずいぶん儲かったんですよ（あっさりと）。当時は1ドル360円でしょ。進駐軍の連中は軍票を日本円に替えないと日本じゃ使えなくて、それを替えるとき360円が480円ぐらいに高くなるんですよ。だから、僕らは換金するだけで120円儲かるわけ。100ドル替えるなんてザラにあったんだから。

――それ、完全な違法行為なわけですよね。

穂積 もちろん（キッパリ）。毎日、当時で1万円ぐらいになったんじゃないのかな？

――その若さでそれだけ稼いでると……。

穂積 だから、そこにいたボーイは、みんな店の下にあった日本のキャバレーの女の子を彼女にしてさ（笑）。だってお金を使いようがないんですよ。当時、着るものだって食うものだって闇の物資しかないわけだからね。僕は下の女性を妾にはしなかったけど、吉原にはよく通ってた（キッパリ）。

――ダハハハハ！　お金は持ってるし（笑）。

穂積 当時、吉原が泊まりで1500円だったんですよ。それで

『ひめゆりの塔』 沖縄戦の悲劇を描いた、今井正監督による映画作品。53年公開。83年には同脚本、同監督によるリメイク版も製作された。

『にあんちゃん』 59年に公開された、今村昌平監督による日本映画。当時10歳の少女が書いたベストセラーを原作に、滅びゆく炭鉱を舞台に、健気に生きる兄妹たちを描いた名作。

将校クラブ 米軍の基地内や占領地で接収した建物などに設置された軍の将校クラスのための社交場。現在でも、横田基地内には将校クラブが存在している。

闇ドル 第二次大戦後、占領下の日本では一般人による円とドルの両替は制限されていたなかで、違法に入手したドル紙幣は「闇ドル」と呼ばれた。また、進駐軍などを相手に両替を行う行為そのものを「闇ドル」と呼ぶこともあった。

僕がなぜ東京に行ったかっていうと、伊豆にある詩人が疎開に来てて。僕はわりかし文学青年だったもんだから、その人と一緒に雑誌を出してたの。

——学校をサボッて同人誌を作ったり映画を見たり酒を飲んだりしてたんですよね（笑）。

穂積 そうそうそう（笑）。

——いわゆる文学系の不良だったというか。

穂積 いまでこそ文学系っていうけど、当時そんなことするのは絶対に不良でしたからね。映画を見に行ったり芝居が好きっていうのは不良ですから。それで雑誌を作ったりなんかしてたら、その人がちょうど僕を訪ねて来て、僕が「実はこういうわけで金があってしょうがない」って言ったら「よし、週刊誌を作ろう」ってことになったの。

——また話がデカいですねえ、それ（笑）。

穂積 それで『芸能ウイークリー』ってストリップの新聞を作ろうって話になって。

——ストリップの新聞ですか！

穂積 ええ。タブロイド新聞をね。それでそれで僕の自分の目黒の家を事務所にして、僕は夜にはボーイやってますから、「だったら、お前は昼間に記事を集めて来い」って言われて、僕がストリップ劇場に行ってさ。

——記者として裸を見まくって（笑）。

穂積 うん。当時なんかそんなもん、名刺1枚で記者になれましたからね（笑）。それでストリッパーの写真を撮って、いろいろ話聞いて記事を書いてね。『芸能ウイークリー』は週刊で5冊ぐらいは出てるんですよ。

——あ、ちゃんと出てるんですか！

穂積 だけど、彼が新聞を各駅へ置かせてもらうようにするって言ってたんだけど、それができなかったもんだから、しょうがないんで結局そのへんの本屋に置いて。売れやしないわけ、そんなもの。だから5回ぐらいで潰れたんです。僕はそのときオーナーだったんですよ。いまでも忘れません、15万円出したんですから、当時のお金で。

——吉原の泊まりが1500円の頃に（笑）。

穂積 それで、まだ新聞をやってたとき彼に「俳優座の養成所ができたから、そこへ記事を取りに行け」って言われたんですよ。

——あ、最初は取材だったんですか！

穂積 そうですよ。そこで授業内容を聞いて写真を撮ったりなんかして、帰りに入口を見たら生徒募集の張り紙がしてあったんですよ。で、当時働いてた将校クラブは女の子が50人ぐらいいて、これが全部売春してたんですよ。だから将校が来るとボーイが「一晩いくらだ」とか言って、みんな連れて行く。つまり売春クラブなんですよ。それで向こうの連中はすごいんですよ、ケンカすると年中銃を撃ち合ったりしてね。

——ダハハハハ！ 緊張感あるなあ！

穂積 で、銃を撃ち合ったりすると、すぐMPが来て、いきなり自動小銃ババババーンッて撃つから。またこれもすごくて、いまでもときどきそれに追っ掛けられてる夢を見るの。あと、一番嫌だったのは連中がヘド吐くんですよ。当時は朝鮮事変のときで、ものすごくアメリカの兵隊が荒れてたんですよ。黒人が第一線で戦って白人が後ろにいたとかで、滅茶苦茶飲んでたもんだから、ものすごいヘド吐くんですよね。そのヘドってね、汚い話だけど、日本人みたいな草食動物のヘドと違うんだよ、肉食っつうのは。だから塊がすごいんですよ。

——それを掃除させられるわけですね。

穂積 これが大変だったんですよ……。みんなが帰った後にモップで拭いて、上にモップ干しに行くと、建物の前が朝日新聞でね。目の前に文化の仕事をしてる人たちがいるわけですよ。それを見て「ああ、俺はなんてことをしてるんだろう。こんなことしてたら俺はダメになる」って、ものすごいセンチメンタルなものを背負ってて。

——だから新聞を作ったんですかね、朝日新聞に対抗してストリップの新聞を（笑）。

穂積 そうそう。そんなことがあったから新聞もそうだし、とにかくなんとかしなきゃいけないっていう思いがあったから、俳優座の募集を見て「よし、入ろう」と思って受けてみたんですよ。そしたら、取材で会った先生が試験官だったの。「お前、どっかで見たことあるな」って言われて（笑）。それで、合格して俳優座に入ったんですよ。

怪しいバイト

——愛川欽也さんと同期なんですよね。

穂積 そうそう。欽也がよく話すんだけど、僕は家出だからアルバイトしなきゃいけない。当時は兵隊のヤツって400円ぐらいの酒が月に1本しか配給がなかったから、いくらでも売れたんですよ。それで酒をババアが500円ぐらいで買ってきて1000いくらで売ってたんです。タバコだってなんだって、その婆さんが闇で持ってきたのを僕が俳優座時代にアメリカ人に売ってたの。そういうルートがあったから。

——シンプルに言うと闇屋をやってた、と。

愛川欽也
54年に俳優座養成所に入所。当初は洋画の吹替や、ラジオのパーソナリティとして人気を獲得。菅原文太と共演した『トラック野郎』は、東映のドル箱シリーズに。最初の妻と離婚した翌日にうつみ宮土理と再婚。吉田豪によるインタビューが『続・人間コク宝』（コアマガジン）に掲載されている。

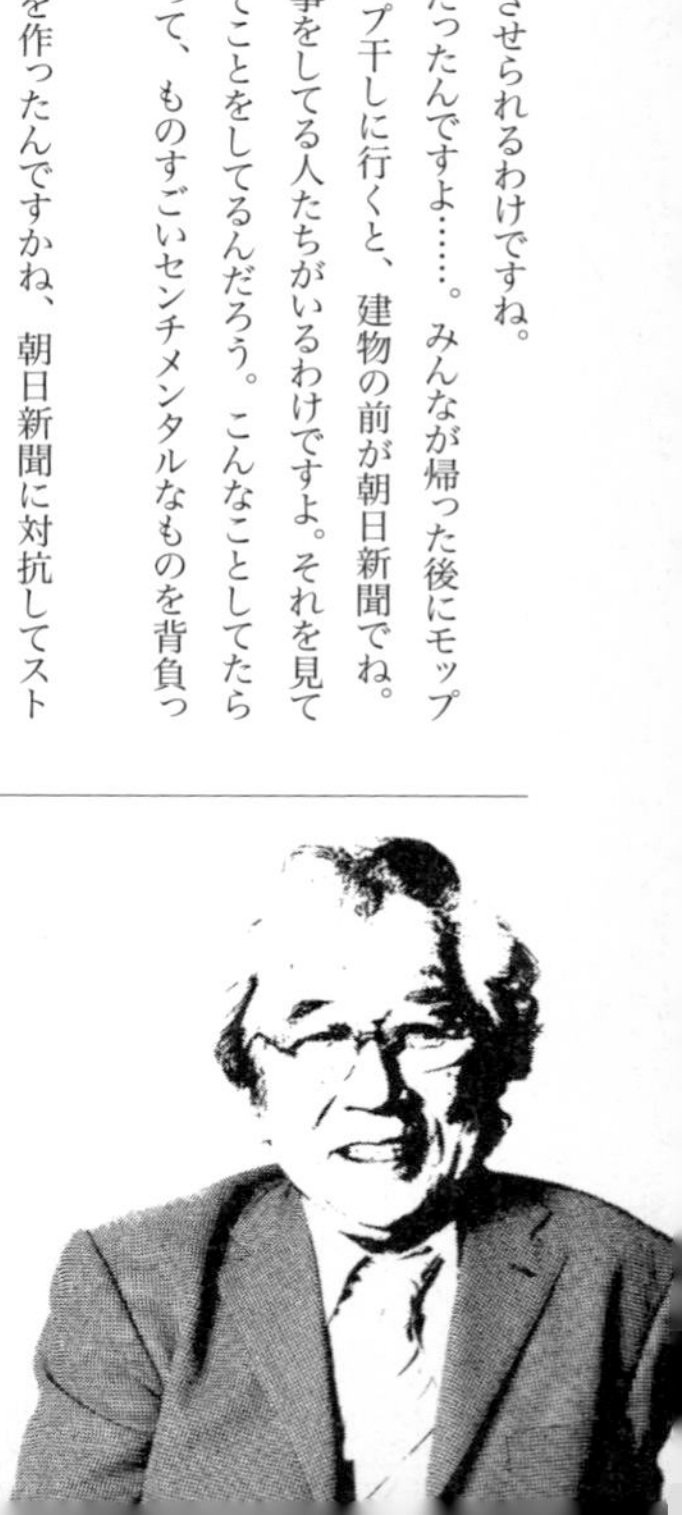

穂積 そう、闇屋。それで僕は「貿易商・マイク穂積」っていう名刺を作ってね。

――ダハハハハ！　日系二世っぽく（笑）。

穂積 そうそう（笑）。あの頃はみんなにラッキーストライクとかウイスキーとかを買っては倍ぐらいで売りつけて、それで結構儲かってたんですよ（あっさりと）。そんな感じで俳優座の3年間はやってたんですよ。そしたら欽也が名刺を探し出して、「なんだ、このマイク穂積ってのは！」「こいつは儲けてる、こいつは闇屋だ！」って大騒ぎされて（笑）。

――まあ、普通は騒ぐでしょうね（笑）。

穂積 あと当時、僕は死体運搬もやったんですよ（あっさりと）。知り合いのアメリカ人に「アルバイトがある」って言われて。当時、1日行って3千円かな？　それならやるって言ったら、「朝何時に品川駅のどこどこにいろ」って言うわけですよ。それで行ったら、進駐軍のトラックが迎えに来て、黙って連れて行かれたら羽田なんです。

――まだ何をやるか聞いてないんですか？

穂積 なんにも知らないわけ。「とにかく来たものを飛行機から降ろしてこっちのトラックに積み替えろ」って言われて、袋に入ってるからわかんなかったんですよ。ただ、やたら臭えなってって思ってたら、「うわっ、これ死体だ！　おい、逃げようか？」って仲間に言われて。でも、周りには自動小銃を抱えた怖いのがいるわけですからね。

――逃げたら撃たれるかもしれない（笑）。

穂積 そうそうそう。だから、それを5時間ぐらいやって、もう逃げられないから。で、死体もまた外人だからデカいし、いまは死体は全部ドライアイスに包んでるけど、当時はそのままだからね。あと、毎日養成所の掲示板にバイトの貼り紙が出るんですけど、そこに上野の絵描きのとこでモデルの仕事があったんですよ。「モデルって裸になるの？」って聞いたら「そりゃそうだよ、チンポコ出すに決まってるだろ」って。だけど、結構いい値段だったから「よし、俺が行ってやる」ってことで行ったら、芸術家みたいな人に「脱いでそこに座ってなさい」って言われて。そしたらその人が女を連れて来て、目の前でヤリ始めたのよ！

――え〜っ！　ホントですか！

穂積 これにはビックリしたねえ……（しみじみと）。芸術家って変なのがいるじゃないですか。ああいう人もいるんだね。人が見てないと興奮しない性癖っていうかさ。それで何千円か貰って帰ってきたことがありましたけど、あれはもう難行苦行でした。

――あ、難行だったんですか？

穂積 そりゃあ若いもの（キッパリ）！

――「だったら混ぜてくれよ」ってことですね（笑）。その人は絵は描いたんですか？

穂積 絵なんか描きませんよ！

『積木くずし』裏話

――ちなみに当時はモテました？　俳優になるぐらいのビジュアルがあって、金回りも良かったわけですよね？

穂積 それはもう！　僕があんなに金があってモテたっていうのは、まず死ぬまでないんじゃないですかね。だってまだ他になんにも背負ってないじゃないですか。たとえば僕が大人になって『積木くずし』で何億って金が入っても、その金は全部人んとこに行っちゃったんだけど、お金があっても社会的に地位があるから面白くない

『積木くずし』
穂積隆信が82年に発表した、非行に走る娘との日々を描いた書籍『積木くずし　親と子の二百日戦争』は、テレビドラマ化、映画化、舞台化され、社会現象ともいえるヒットを記録。その後、続編となる書籍が何冊も書かれ、何度もドラマ化された。12年には完結編となる『積木くずし　最終章』がリリースされた。

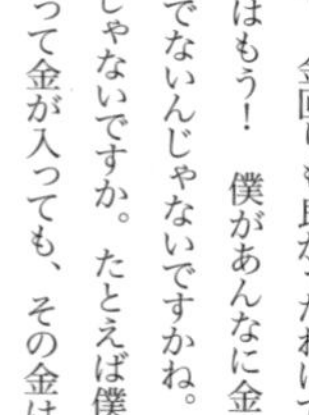

©桐原書店

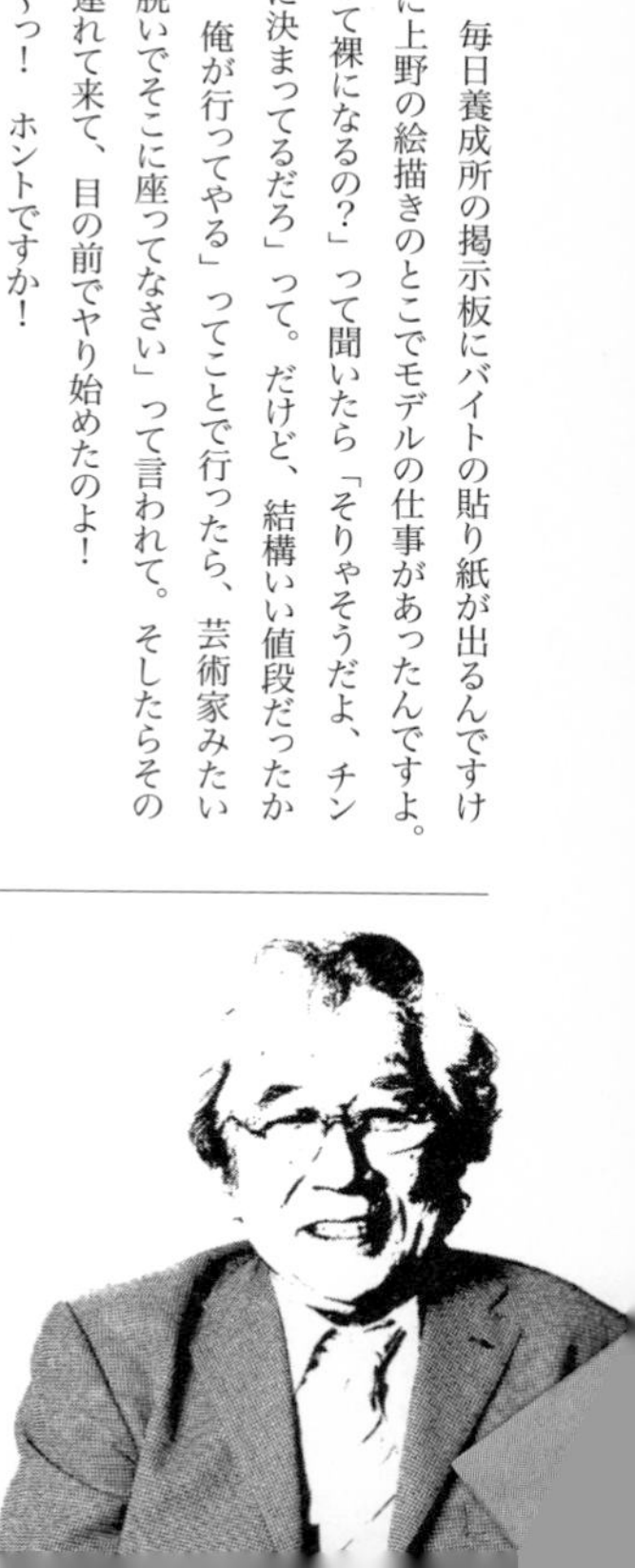

じゃないですか。

――また、あの本のせいでものすごい教育的なイメージがついちゃいましたからね。

穂積 こういう本で稼いだ金なんだからってことで、子供をヨーロッパに連れてって学校やったりしたわけじゃないですか。それもまたインチキなんて言われたんだけども、その金を持ってキャバレーで遊んで女をなんていうわけにはいかないですから（笑）。

――そしたら確実に叩かれますからね（笑）。

穂積 だから、お金が快楽だとはちっとも思えなかったんですよ。ただ入ってきて、その入ってきたものを人が持ってって、女房が持ってっちゃった、目の前をスーッと何億が通ったっていう感じで。別に妾を作れるわけじゃないし（笑）。だけど、デビュー当時は楽しかったですよ！　顔は売れてないわ、キャッシュは入ってくるわで。爺さんが持ってるんじゃなくて若いヤツが持ってるんだから、モテるわけですよ。あれが僕の青春のすべてですね（しみじみと）。ああいうことがあったから、全部おかしくなっちゃったんでしょうけど……。

――ダハハハハ！　そうだったんですか！

穂積 僕が本を書いたときは俳優として結構売れてて食べられてたから、本の印税なんて頭の中に入ってこなかったんですよね。当時、印税が3億何千万入って、それを全部持ってかれて、そのとき残った税金と、僕が持ってた1億何千万の土地を全部知らない間に売られたときの税金を17年かかって去年、全部完済したんですよ。元本だけ。

――つまり、まだ利息はあるんですか？

穂積 その利息が３７００万円。で、こないだも税務署が来たから、「税金を払ってくれって言うけど、もう元本払って、もうこれ以上払えっていうなら俺は死ぬ！」って言ったら、「それじゃあ、すいませんけど5万ずつ毎月分割で払ってもらえませんか？」って（笑）。向こうは僕の収入がわかるから、ゼロっていうわけにはいかないわけですよ。

――でも、それって完済不可能ですよね。

穂積 延滞金には利息がつかないんですけど、考えてみりゃ月に5万だから1年で60万、10年で６００万……とても終わらない（笑）。こんなに税金にイジメられてる人間は恐らくいないですよ。税務署の人間が同情するんですから。人が持ってってちゃった金の税金ですから。それを前の女房が全部僕の名前で残してってちゃったわけですから。

――ある日、家に帰ったら奥さんも子供もいなくて土地も売られてたみたいですよね。

穂積 ……いやあ、ひどい目に遭いましたね。この1冊の本のお陰で、僕は2億ぐらい損したんじゃないですかね？　だけど、そうは思ってても、そのために前の女房は自殺し、由香里も僕がこれを書いた狭間で、いろいろあって35歳で死んでいった。だから僕が殺したみたいなもんなのよ。由香里は本がなければ、もっと平凡な人生を……。

――注目を浴びた結果、おかしくなっちゃったっていうのもあったみたいですからね。

穂積 そうでしょ？　恐らく、それがなければ麻薬で捕まるまでいかなかったかもしれないし。だからいま思うのは由香里が僕に命を与えてくれてるな、と。僕はなんてったっていま元気だから、お金を取られたとか、3億なくなったとか、死んだ女房に対しても恨みつらみが見事に消えてますね。

――最初に『積木くずし』が出るときって、まず版元から出版の話があったんですか?

穂積 これはね、僕が由香里のことで悩んでたら「警視庁の少年課の竹江さんって優秀な人がいるから相談に行け」って言われて、行ったらこの人の言うことは素晴らしいなと思ったんですよ。で、黒田さんっていうプロデューサーに「これテレビにしたら面白いね」って言ったら、「テレビにする前に本を書け」って言われて。そこで赤坂に2ヶ月ぐらい閉じこもって書いたわけ。

――じゃあ、版元も決まる前にまず書いて。

穂積 ええ、そしたらクロちゃんが知ってる出版社に原稿を渡して、「これは面白いから是非出そう」ってことになったんですよ。売れるなんて思わなかったんですけど、ちょうど朝日放送で知ってる朝のワイドショーに出て本を宣伝させてもらったら、朝日放送に夕方まで途切れないぐらい電話かかってきたんですよ。ものすごい反応だった、と。それからこの本が売れ始めたんですよ。

――つまり、ドラマ化されることが最初から決まっていて本にしたわけなんですか?

穂積 全然! この本が出て「テレビにしたい」ってクロちゃんが言ったわけですよ。そのときに由香里に「ドラマにするのどうだ?」って聞いて、「娘がいいって言ったから書く」みたいに僕は言ってたけど、当時のこと考えれば「書けば?」ってぐらいのもんだよ。娘にすれば、自分のことを親父が本に書くのがどういうものなのか想像もつかないんだから。当時、中学生だしね。

――ましてや300万部も売れることになるなんて想像もしてないわけですからね。

穂積 そんなの想像もしてないし、僕だってどうなるかもわかんないで書いちゃったからね。この本で有名になっちゃったもんだから、由香里はもうパニックで破れかぶれだったんだな。だって日本中に知れ渡っちゃったんですから。それでテレビになったら日本の不良が全部由香里んとこに手紙書いてきたりして、不良のヒーローになっちゃったわけですよ(笑)。大人だって、もしこんなふうになったら、どうしていいかわかんないよね。そんな有名になったら。

――なにしろ45・3%っていう史上最高視聴率のドラマのモデルですからね。

穂積 いまでも破られてないはずですよ。考えてみたら由香里っていうのは偉い女だなって、尊敬するんですよ。当時あれだけのものを1人で背負って、そのために自暴自棄になったり鑑別所に入れられたりして。結局、親は助けなかったんですからね。お母さんが自殺したときだって僕には「来るな」って言って、自分で処理して。一昨日もお墓参りに行って、「やっぱりお前、偉いよ」って語りかけてたんだけどね。……なんか神様がいるような気がするんですよ。

――どういうことですか?

穂積 この子は僕のためにこうなったけど、結局は僕を救っていったんですよね……。由香里が最後まで変なドラッグやって荒んだ生活を送って疲れて死んでったら、そりゃ僕は生きてられなかった。でも、最後に彼女は真面目に生きたから、僕は『積木くずし』を書いてよかったって思えたんです。

――一時は悪魔の本だとさえ思ったけど。

穂積 それに、この本を僕が書いたことで何人かの人が救われてると思うんです。だから確かに娘を殺したって言われりゃそうかもしれないけど、この本を書いたことは後悔してませんね。このお陰で破産もしたし、税務署にはイジメられたけど(笑)。僕は最後、女房に「俺が死ぬときはこの本を棺桶に入れろ」って言うと思うんです。

——思い入れもある、と。実際、何度か死を考えたこともあるんですよね。

穂積 お金持ちかと思ってたら、気が付くとあちこちに借金があったときとかね（笑）。あのときは警視庁に対して自分の借金じゃないと実証するために、結局前の女房を刑事訴訟しなきゃならなくなったんですよ。そうしないとグルだと思われちゃうから。

——偽装離婚してどうのこうのとかですね。

穂積 で、警視庁に行ったら「私、警視庁に何年もいるけど、これほどひどくやられた人間は初めてだ」「死にたくなっても私は何もできないけども、私のとこに愚痴を言いに来てくれ」って言われて、その人の前で泣いた覚えがあるんですよ。それぐらい、もうどうにもならないとこまで来てたね。

——ホントに廃人同然だったっていうか。

穂積 税金はあるし借金はあるしで。しかも、いいときに破産だったらまだいいけど、あのときは底まで落ちてたしね……。役者なんてイメージで仕事が来るから、ほとんど仕事がなくなっちゃうじゃないですか。

——その頃、廃人状態で寝てたらゴキブリに食料と見なされて体中に群がられたって話は、本を読んで衝撃を受けましたよ！

穂積 そうそう。とにかくすごかった！　よく生きてられたね。そのとき僕は高圧電流の鉄塔の上まで登って飛び降りたらいいかなとか、あそこまでどうやって行ったらいいかとか毎日考えてたんだけど、結局僕は意気地がないんだな。それだったら浮浪者になりゃいいやって。でも、浮浪者になれないってことは見栄とかメンツとか誇りとか、いろんなものがあるんだろうけど。

——そこまで落ちる必要はないですしね。

穂積 それで、俳優として原点に戻ってなんでもやってみよう、と。いままで生意気言って断ったことでも、安くすれば仕事は来るから、知ってるプロデューサーに「俺はなんでもやる。お金もいくらでもいい。俺を使ってくれないか」って頼んで歩いてるうちに、「あいつはバカだけど悪いヤツじゃないから」って使ってくれてたんですよ。だから僕は完全に生かされたっていうかな。

——それだけ本が売れて知名度が高まると、しんどいこともあったんじゃないですか？

穂積 いま、家では僕が全部料理作るんですけど、それは当時は外食できなかったからなんですよ。だって、どこ行っても『積木くずし』だ」って言われるから、電車に乗るときもいつも帽子被って。スターを見る目つきならいくら見られてもいいけど、犯罪者みたいに見られるわけだから（笑）。

日景忠男との不思議な仲

——ドラマ版の主役・高部知子さんのニャンニャン写真騒動とかはどう思いました？

穂積 あのときは困ったとかそういうことじゃなくて……なんか不思議な因縁なのかなと思ってね。高部さんだって由香里を演じなければ、ああいう事件も起きなかったのかもしれないと思ったし。だけど僕は、もうその頃は自分のことが大変で（笑）。

——さらに、あの頃は元愛人によるバッシング記事とかもあったじゃないですか。

穂積 その頃は、まだ家族がダメになってないときだから我慢できたんですけどね、人間なにが一番大変かっていうと、家庭が破壊されて金がないっていうのは最悪ですね。金がなくても、まだ家庭があればさ。

高部知子
80年にドラマデビュー。82年にバラエティ番組『欽ちゃんのどこまでやるの!?』に出演して人気沸騰。83年に『積木くずし』に出演して評判となるが、直後にベッドで喫煙している写真が週刊誌に掲載され、謹慎を余儀なくされる。現在は、精神保健福祉士。

――もしくは仕事が順調だったりすれば。

穂積 そうですよ！ 家庭がバラバラでも仕事があれば人間っていうのは生きていけるけど、あのときは全部敵だもん。ただ、由香里がだんだんわかってきたんですよね。この親父は金を取られちゃったんだなって。

――基本的にはお母さんと仲良かったから、誤解されてた部分があったみたいですよね。一時は生卵をぶつけられたりもしたわけで。

穂積 そうそう。お父さんが悪い、お父さんがお金を全部使っちゃったって思ってるわけだから。で、由香里が最初はトルエンだったけど、今度は麻薬で捕まって拘置所に入ってるときに、由香里にすまないって気持ちが出てきたんですよね。それまでは「この野郎！」って思ってるわけですよ。由香里がいろんな事件を起こしたために僕が全部ダメになってくわけですから、「死んじまえ！」って思ったことも何回もあったけど、「可哀想だな、全部俺のせいだな」と思えてきてね。そうすると今度は由香里も優しくなってくる。金はないけれども親子の間でいい回転をし始めて。それから由香里は、ああいうことしなくなったんですよ。

――愛人問題で奥さんと揉めたとき、なぜか二人の間に入ったのが沖雅也さんのマネージャー・日景忠男さんだったんですよね。

穂積 そうなんですよ。だから、あのとき日景さんのとこに僕ずっといたんですから。

――何もされなかったんですか？

穂積 僕は大丈夫、沖がいましたから（笑）。沖の事務所に、僕の高校の先輩がいたったんですよ。そんなことがあって、日景さんとは4年ぐらい一緒にいましたね、事務所に。日景さんは由香里のことも可愛がってたから、由香里が死んだときも来てくれましたよ。「俺、いま金がねえから」って1万円香典もらったの。結局あの人もそれからシャブかなんかで捕まっちゃったけど、沖の話なんか僕が一番知ってるな。一緒にいましたから。日景さんは料理の名人だしね、あの人、もう女だから美味かったですよ。

――ダハハハハ！ じゃあ、あの2人の関係も間近に見てきたってわけなんですね。

穂積 結局、こういうことなんですよ、言っていいかどうかわかんないけど……（以下、物騒なので大幅に省略）。だけど沖が当時、マホガニーかなんかの高いテーブルを僕にくれたんですよ。僕は全部捨てて歩いてるけど、そのテーブルだけは、いまでも使ってますよ。過去のいろんな写真とか本とかは、死ぬつもりで全部燃やしちゃったから、きれいサッパリなんにもないんです。

――一時はそれだけ覚悟していたんですね。

穂積 でも、いまは何も恨んでないですよ。『由香里の死そして愛』（04年／アートン）は僕は書くつもりなかったんだけど、自分の鎮魂のつもりで書きましたから。だから売れるとか売れないとか全然考えてなくて。

――そしたら05年に安達祐実主演のドラマ版（穂積役は舘ひろし）が製作された、と。

穂積 それも、フジテレビの制作の部長さんかなんかの机の上に本が乗ってて、読んだら「これは面白いな」ってことで企画されたらしいんですよ。だから僕はついてるんです。「またお前、テレビで……」なんて言われたけども、やっぱりテレビで由香里っていう人間を非常によく伝えてもらえたのが、ものすごくありがたかったですね。

――おかげで税金も払えたわけだし。

穂積 いや、フジテレビがくれるのは原作料だけですから。『積木』

沖雅也
68年に映画デビュー。76年に『太陽にほえろ！』のスコッチ刑事役で大人気となり、数々のドラマに出演。しかし、その影で心身のバランスを崩し、83年に「おやじ、涅槃でまつ」との遺書を残し、京王プラザホテルの屋上から飛び降り自殺。享年31歳。

日景忠男
若き日の沖雅也と出会い、彼のために芸能プロダクションを設立。養子縁組で沖の養父となり、共同生活を続けながらマネージャーとして活躍した。沖の死後は、ゲイのキャラを全面に押し出したタレントとしても活躍。05年には覚せい剤取締法違反で逮捕されている。

『由香里の死そして愛』
04年に出版された『積み木くずし』の続編。この書籍を原作として、舘ひろし、安達祐実が出演したドラマ『積み木くずし真相〜あの家族、その後の悲劇』が05年に放送された。

で作った財産を全部取られて、その税金を残してったわけだしね。土地まで入れたら全部で4億何千万ですよ！　だから、前の女房がどっかに隠してるに違いねえって思ったけど、それを「お前、隠してるだろ」なんて言うのも、もう僕はあんまり近寄りたくねえなって思って諦めてたからやらなかったんだけども。ホントになかったんですよね。いくらバカでも多少は残してたと思ってたんですよ。

――ところが夫婦共にお金はなかった、と。

穂積　でも、もし僕にお金があったらどうなのかなとか、ときどき考えますよ。僕、年金もないですから。前の女房が払ってなかったから「もう失格だ」「いまさら払っても手後れだ」って区役所に言われて。だけど結局、由香里が僕に丈夫な体だけ残してくれたのかなって気はするんですよね。

――元気そうですもんね。これだけ過酷な人生を送ってるとは思えないぐらいに。

穂積　そうなんですよ、ホント丈夫なんですよね。病気なんかしたことないですから。

――普通、胃を壊したりとかしますよね。

穂積　たいていそうだし、それでみんな悲惨に死んでっちゃうんですよね。でも、僕は来年の4月に沖縄で演劇学校を開校しますから、あと5年は死ねないんです。最後に、いくらかお給料くれるだろうから（笑）。そこで最後のご奉公っていうかね。僕は食べていけりゃいいわけですから。いまさらお金があったってどうにもなんないんだし。でも、あと5年ぐらいじゃないですかね？

――とりあえず、その残り5年間で、もう『積木くずし』シリーズは書かないですか？

穂積　そうです。いま僕が一番書きたいのは、私の昭和史ですね。戦後のドタバタの。

――『私の積木くずし』って感じで（笑）。

穂積　僕は、これだけ娘のことにずっと執着して書いてたけど、他になんにも書かなかったから、いま俳優の教則本を一生懸命書いてるんですけどね。もう『積木くずし』はないと思ってますから。娘と一件落着とまではいかなくても『終章』でもう終わって、これからの人生は沖縄の学校でね。

――沖縄だと、また進駐軍にいた時代のことを思い出すかもしれないですよね（笑）。

穂積　そうそう（笑）。僕は12月から向こうに住むんですけど、「いいとこあるよ」って言われたのが進駐軍の将校が住んでた家で（笑）。俺、進駐軍に縁があるのかなあ……。

アニメに盲目的な業界人はくたばればいい

山本寛

YAMAMOTO YUTAKA/2011年12月29日収録

1974年生まれ。大阪府出身。アニメーション監督・演出家・実業家。京都大学文学部卒業。アニメ制作会社Ordet代表取締役社長。アニメーション作品として『らき☆すた』『かんなぎ』『フラクタル』をそれぞれ監督。2006年に『涼宮ハルヒの憂鬱』のシリーズ演出として参加。実写映画として『私の優しくない先輩』を監督し、2010年度TAMA映画賞最優秀新進監督賞を受賞。2014年に監督作品『劇場版Wake Up, Girls！七人のアイドル』が上映。同時にテレビ東京系列でも放映された。

ライムスター宇多丸との確執

――今日はなんでヤマカンさんにこうして会いに来たかっていうと、そもそもボクはライムスターの宇多丸さんと友達なんですけど……。

山本 ハハハハハハ！　そうですか（笑）。

――ただ、ボクは作品としてはホントにヤマカンさんの実写デビュー作『私の優しくない先輩』が大好きなんですよ。宇多丸さんはＴＢＳラジオ『ウィークエンド・シャッフル』の『ザ・シネマハスラー』で『～先輩』のことを批判して、ヤマカンさんとバトルに発展したわけですけど、ボクは敵じゃないです！

山本 ああ、そうですか（笑）。宇多丸さんは決して『～先輩』のことを完全否定してるわけじゃないっていうのはわかってるんですけど、イラッとする言い方するなと思って。でも、それはあの人の話芸なんですよね。

――最近、宇多丸さんに対して冷静になってきたとはツイッターでも書いてましたよね。

山本 いや、批評というよりも話芸なんだと思ったんですよ。この人はなんというか、受ける言葉というか、求められてる言葉を探すんだな、と。最初はこの人、ホントに本心で言ってるのかなと思って。僕は批評もやってた頃もあるんですけど、なんか批評家独特の「俺の全存在を懸けてこれを書かなくては！」みたいな想いが伝わってこなかったから、僕は『～先輩』の評価もイラッとしたんですよ。

――それでブログで反論したんですね。

山本 でも、あの人はつまり、自分の感想よりもリスナーやネットの住民がこういう答えが欲しいんだろうなっていうのを懸命に探る人なんだと思った。だから当たり前のように受けるんです。猛烈にディスるときも、あの人が「おまえ、よくもディスりやがって！」と猛バッシングされたのを聞いたことがない。逆に、「俺の思ってたことを言ってくれた、その通りだ！」っていう感想がネットにバーッと流れる訳ですよ。それがなんか気持ち悪いしファッショ臭いな、カルト臭いなと思って（笑）。その気持ち悪さをずっと考えてたんですけど、ああ逆なんだ、と。そもそもユーザーが「俺の言いたいことを言ってくれた！」って思えるような解だけを探してるんですよね。

――ボクはあんまり映画とか観ないタイプなので、映画を観ないで宇多丸さんの映画評を聞いてると「そうなんだろうな」と思うんですけど、『私の優しくない先輩』をあとから観たらボクも反論したくなったんですよね。

山本 もちろん『～先輩』も傷はあるし、触れられるとヤバいなっていうところもいっぱいあるんですよ。ただ、そこを完全に通り越して、宇多丸さんは「あれは川島海荷のアイドル映画じゃなくて、ヤマカンのアイドル映画だ」って言い出したんですね。ちょっと待て、と。俺はそんなに有名じゃないし、実写は初監督で、アニメでもコアなオタクが知ってるくらいで、僕の名前っていうのはたいして売りになってないんです。でも突然結論がそこにポーンといっちゃったので、どこ向いて評論してんだと思ったんだけども、種明かしすると彼はヤマカンという存在で賑わっている界隈に向けて言葉を発信したんですね。するとネットが過剰に騒ぐから、受けが良く見えるんです。

――ネット上で賛否両論巻き起こしがちなヤマカンさんの作品としてイジッたからこそ。

宇多丸
ヒップホップグループ「ライムスター」のMC。ラジオ番組『宇多丸のウィークエンド・シャッフル』内の「ザ・シネマハスラー」というコーナーでは、歯に衣着せぬ映画批評を展開し、絶大な支持を得ている。（「ザ・シネマハスラー」は白夜書房より書籍化）。13年4月より「週間映画時評 ムービーウォッチメン」としてリニューアル。

『私の優しくない先輩』
日日日（あきら）のライトノベルを原作にした、山本寛の実写映画初監督作品。10年7月に公開。出演は川島海荷、金田哲など。その特徴であるダンスシーンなどが一部の映画関係者から酷評され、山本監督が反論するという展開がみられた。

川島海荷
06年にデビュー。アイドルグループ「9nine」のメンバーとしても活躍。西表耶麻子役で主演を

山本 そのイメージにちゃんと便乗して嗅ぎ取って、そこを煽る、つっつくという形で評論したら受けるに決まってるという計算が、たぶんあの人の中であったと思う。ツイッターにも書いたんですけど、山本寛という存在を知らない人が客層のほとんどなのに、なぜそこを突くんだ、と。あれは松江（哲明）監督が誉めてくれたんですけど。

――あの人はアニメ詳しくないですからね。

山本 そうです。あの人、僕のこともちろん知らないですし。渋々試写会に行ったらしいんですよ。試写状が来たんで、時間も空いてるし暇潰しでもするかってことで観に行ったら、偶然ハマッたって言ってましたから。……だからもうあんまり相手にするのもバカバカしくなったし、あれはそういう噺家なんだと思って。映画の三題噺をしてるようなノリで聴いてるとすごく面白いんだろうな、と。『スペース・バトルシップ・ヤマト』なんてディスッたもん勝ちじゃないですか。

――あれは叩き放題ですからね（笑）。

山本 どれだけ的確に叩けるか、みたいな。技の見せ合いで。それはもちろん上手に叩いてるわけですよ。だから、ひとつの話芸としては面白いのは認めるし納得もしたんだけど、批評っていうのは、僕にとっては「この映画と共に生き、共に死ぬんだ！」ぐらいの病的な思い込みっていうものが必要なんだと思うし。で、僕が影響を受けた批評というのは、やっぱりそういうのを必ずやってるんじゃないかなと思うんですよ。まぁ命賭けで語れとまでは言いませんけども、自分のある部分を賭けて批評しないのは、ちょっと卑怯なんじゃないかなと思ったんですが、宇多丸さんがそっちに行きたいんだったらどうぞご勝手にと思ってて。だって宇多丸さんが、映画じゃないですけど、ついになんか出すんでしょ？

――『ウィークエンドシャッフル』の絡みで『サイタマノラッパー』の入江悠監督を起用して、短編映画みたいなDVDを作るらしいですね。

山本 よくやるなと思って（あっさりと）。

――それを観て批評してみますか？

山本 いや、バカバカしいし、やるだけ損なんで完全にスルーしようかなと思って。そういうモチベーションで映画に関わってる人間とはちょっと距離を置きたいなと思って。変に利用されるのも嫌だし。

アニメ業界のバカな奴ら

――ヤマカンさんは本気だからこそ反応しやすいわけじゃないですか、いろんなことに。

山本 うん、全部本気です。計算も打算もない状態です。青臭いと思われるかもしれないですけど。やっぱりこういう業界に入った以上は……去年、ウチの母校の講演で、「あなたにとってアニメはなんですか？」って質問に「商売です」って答えて。あとはそれをどう捉えるかですよね。生きる術なんで、だからこそ全存在を賭けて表現してやっていかなきゃいけないっていうことです。「アニメは私のすべてなんだ」とか、宗教めいたことをよく言うんですよ、アニメ業界人は。「アニメさえあれば、ほかは何もいらない」って。冗談じゃない、勘弁してくれって感じで。そんな発想は絶対に持ってはいけないと思ってて。

――むしろアニメ以外が重要だし、アニメしか知らない人って好きじゃないですよね？

務めた『私の優しくない先輩』では主題歌『Maji で Koi する5秒前』を「ウミカ・アズ・ヤマコ」名義で歌い、ソロ歌手デビューも果たしている。

松江（哲明）
映画監督。99年に日本映画学校の卒業制作として撮られた『あんにょんキムチ』が多くの賞を受賞。07年に発表したドキュメンタリー『童貞。をプロデュース』が話題に。近作に『フラッシュバックメモリーズ3D』『SAWADA』などがある。

『スペース・バトルシップ・ヤマト』
『宇宙戦艦ヤマト』を20億円もの予算をかけて実写映画化した作品。主演は木村拓哉、黒木メイサ。監督は『ALWAYS 三丁目の夕日』などで有名な山崎貴。キムタクの熱演はまだしも、ハリウッド作品と比べると見劣りしてしまうCGやアクション描写が賛否両論を呼んだ。

入江悠
長編2作目の『SR サイタマノラッパー』が「ライムスター宇多丸のシネマランキング2009」の1位を獲得。その縁もあり、ラジオのメンバーが総出演した『タマフル THE MOVIE～暗黒街の黒い霧～』を監督する。

山本　うん、バカですね（キッパリ）。ホント、くたばればいいのにと思ってます。……なんか宮崎駿さんっぽいですけど、自然があって人間があって生業があって社会があって国があって地域があって。で、衣食住足りてこそ、そのあとにアニメがあるもんだっていう、それぐらいの常識的な感覚がないと。もちろんアニメが好きでしょうがないっていう思いはわかるんだけど、商売としてやってる以上は、そういった冷静な感覚を持たなきゃいけないですね。母校の講演にちょうど僕の大学時代の同期で大阪市役所に勤めてる人間がいたから、ちょっとたとえ話で言ったんですけど、大阪市役所の職員が「大阪市役所さえあればほかに何もいらない！」って言ったらどう思う？ってのと同じだよって。

――「市役所がすべてです」って（笑）。

山本　経済産業省のやつが「経済産業省がすべてです、ほかは何もいらない」って言ったら、ふざけんなって話になるでしょ。それと同じことを平気で言ってるんですよ。だから「ノーミュージック、ノーライフ」みたいなことも、いやいや、そんなことない。それぐらいはもうちょっと冷静になろうよって。

――ある程度、アニメで実績を残した人ほどそういう方向に行きがちな気がするんですよね。富野由悠季さんもそうですけど、「アニメだけ好きな人間はおかしい」的な発想に。

山本　宮崎さんもさんざん言ってますね。庵野秀明さんもそうかな？　彼らのインタビューで類推するだけなんですけど。実績はともかく、ホントに勝負を賭けてるからこそ、できるだけ冷静にというか誠実に、流されることなく溺れることなく、変な打算や計算で割り切ることなくビジネスを全うするって言ってるつもりなんです。どっちに転ぶのも嫌なんですよ。だからどっちからも味方されないという（笑）。もっと客を楽しませてなんぼ、客が楽しめれば制作者の考えなんてどうでもいいっていう発想もあるし、その一方、アニメがあればなんにもいらない、と。どっちにも僕は入らないので。

――それって得しないですよね。

山本　そうです。でも、それがこの世に生きて働いてお金を稼いで生活をする者として、当然の考え方だって僕は思ってるんで。

――ネット上の立ち居振る舞いも、得しないほうにばかりいくタイプじゃないですか。

山本　僕、それが特殊だと思ってないんですよ。だから周りがおかしくてしょうがないんですよね。なんでそんなバカなことが言えるんだろう、なんでそんな常識外れなことが言えるんだろうって。自分は自分の常識に従って生きてるんだけど、それがすごく非常識だと叩かれるっていう。一昨年それですごく悩んだんですよ。あまりにも発想が違うから。

――『フラクタル』絡みですか？

山本　『フラクタル』の前ですね。こんなヤツらに俺は何を作って何を語ればいいんだろうということで非常に迷ったし、悩んだし、自分を疑った時期でした。その迷いが『フラクタル』に出ちゃってるんですよ。これは猛烈に反省してるんですが、迷いをそのまま出すっていうのも表現手段としてはありかなと思ったんですよ。正直にやろうと思って。それは完遂したつもりなんだけど、その一方で……こういう例は音楽にも映画にもあるうんだけど、それが全然通じなかったので。

――その結果として業界に対するモヤモヤみたいなものまで出ちゃったわけですか？

宮崎駿　日本を代表するアニメ監督。政治や社会問題についても発言することがあり、その言動は常に注目を集める。13年に監督作『風立ちぬ』をもって、長編アニメ監督を引退すると宣言した。

富野由悠季　『機動戦士ガンダム』などを作りあげたアニメ／映像監督。独自の思想をふまえたメッセージを作品に込めることでも知られており、信奉者は多数。いわゆる「アニメファン」を揶揄する言動も多い。

庵野秀明　『新世紀エヴァンゲリオン』などで知られるアニメーター／映画監督。実写作品も『ラブ&ポップ』や『キューティーハニー』などを監督している。宮崎駿監督の『風立ちぬ』では、主役の声優を務めた。

山本 うん、それも含めて出ましたね。自分の価値観やものの見方であったりとか、生き方も含めて表現し尽くしたつもりなんで、そこにもちろん今のアニメ業界に対する想いみたいなものも込められてますけど。ホントに迷ったんです、『フラクタル』が終わるまでは。『フラクタル』が終わって、完全に開き直った。あれは僕にとって、やっぱりやってよかったと思ってます。非常にやってスッキリした。自分のモヤモヤが晴れたんですよ。つまり、いままではどこかで「みんな口ではそう言ってるけども、ホントはこう思ってるに違いない」とか、僕は変に期待してるところがあったんです。でも、これは期待してもしょうがない、違うものは違うんだ、とハッキリとわかった。『フラクタル』をやって、『フラクタル』の反応を見て、これはちょっとやそっとじゃ変わらないし、自分が変に気を遣ったりとか、変なポーズを取ったりして解決する問題じゃないな、と。

——基本的には、もっとわかってもらえるはずだっていう思いがあったわけですね。

山本 もうちょっとは行くかなと思ったんですよ。もちろん大ヒットではないと思ったけど。流行に完全に背を向けて作ったんで、去年を代表する大ヒットまで行くつもりはなかったんですけど、もうちょっと共感してくれる人、わかってくれる人がいるかなと思ったら、見事にいなかったので（笑）。ゼロではなかったですけど、でも明らかに少ない。その数字が出た瞬間に、「あ、要は俺と同じ発想の人間は、この日本にはこれだけなんだ」と。まあ、世界中探してもそうですけど。

——そこで一度、絶望して……。

山本 じゃあ、そこからスタートするしかないと思って、『フラクタル』後にもう宣言しちゃいましたけど、啓蒙してやる、と。啓蒙というよりも、洗脳と言ったほうがいいですね。アニメでどっちが正しい、間違ってるかなんて、語るのもバカバカしいくだらないことなんで。そこまで開き直ったんですよね。正しい、間違ってるは抜きにして、俺の言ってること、表現することは面白いと思ってくれればいいし、面白いと思ってくれるような土壌を作るしかないな、と。これは1年2年の小手先の細工でなんとかなるもんじゃないから、5年、10年、ヘタすりゃ20年単位でやってくしかないなと思って。その開き直りができたというか、覚悟ができたっていう感じですかね。

——……つくづく真面目な人ですよね。

山本 うん、だからいつも周りがバカに見えるんです。「なんでおまえたち、そんなバカなの？」ってツイッターでさんざん言ってるんだけど、その都度叩かれるんですよね。

——そんなときも、またいちいちネット上で真面目に相手しちゃうわけじゃないですか。

山本 クソ真面目なんですよね。さっき言ったように、誠実に取り組むというのが僕の仕事、それが商売であり職業だと思うんです。

——ネット上のノイズに関しては、普通はスルーしたほうがいいはずなんですよね。

山本 ああ、そのほうが絶対賢いですよね。

——でも、そこにも誠実に対応しちゃう。

山本 うん。去年からより積極的にやってます。ひとりひとりに対して話しかけないとダメだと思ったんで。だから講演もやってて、去年は6ヵ所回ったんですけど、アニメ監督が1年に6ヵ所も回ることはまぁないと思うんですが、ホントに来た依頼全部受けちゃって。ということで、あちこち行きました。

『フラクタル』
11年1月から放送されたアニメ作品。22世紀、「フラクタル・システム」管理された世界を舞台に、少年と少女の出会いや冒険などを描いたSFファンタジー作品。監督は山本寛。原案に作家／現代思想家の東浩紀がクレジットされている。東宝よりDVDが発売中。

©フラクタル製作委員会

アメリカにも行きましたし。これも草の根運動なんです、ドブ板選挙。ひとりひとりに握手して、「お願いします」って言って周るのと一緒。

――そうやって「会ってみたらイメージが変わった」って言わせるしかない（笑）。

山本 そうです。「あ、ネットよりいい人じゃん」と（笑）。で、「俺も思ってたことをちゃんと言ってくれた」って人もいましたし。質問コーナーは必ず設けたんで、その質問を受けてちゃんと答えるっていう形でやっていくしかない。それはツイッター上の冷やかしに関してもそうなんですよ。ひとりひとり話しかけていくしかないな、と。どれだけ「間違いだ」と言われようが、「僕はこの方針なんです、わかってください」とやるしかないですね。

――地道な洗脳活動ですね。アニメの世界が大変なのは、ほかのジャンルと比べてあきらかにネットとの親和性が高いから、賞賛もされるだろうけどアンチも湧きやすい。反応があからさまにデカいわけじゃないですか。

山本 大変ですけど、楽をして、自分を曲げて、「間違ってるのはわかるけど、こっちのほうが儲かるよね」なんてことをしてでもやる価値のあるものだとは思ってません。そんなことをするぐらいなら俺は転職するって、もうさんざん言ってますけども。アニメという表現をやるからには……これもやっぱり一緒ですよね、生活のためだと思って役所で汚職にまみれて、「みんなやってるし」ってことができないだけです、僕は。そういうことをやってる人もいるんだろうけど、やっぱりダメでしょ。それに同乗してはいけないと思うんで、間違ったことは間違ってる、と。

――そういう人は組織で煙たがられますよ。

山本 煙たがられるんですね。でも、徹底してやるしかないかなと思ってます。だから当然の結果ですよね、いまの僕の立ち位置っていうのは。ただ、それをアニメの中で誰かがやらないと、誰かひとりぐらいとんでもない悪者がいないと、やっぱりズルズルいくだけだから。ズルズルいっちゃいけないよ、と。特に東日本大震災以降、やっぱりちょうどいいタイミングでしたね。『フラクタル』が終わったのと東日本大震災が起こったのと、ちょうどいいタイミングだったんで。

――放送終了の20日前に震災が起きて。

山本 今後の日本というのを考えたときに、こうやってなあなあな感じで、いろいろ裏でいかがわしいことしてるけど、間違ってるとわかっていながらズルズルといってもなんとかなるんだっていう日本の姿はもうないと僕は思ってます。だからなおさら現実を見据えて、アニメも同じように、このままズルズルと何も起こらない日常をダラダラーッと描いていけば、みんなが「ワーッ、萌え萌え」って言ってくれるような時代ではもうないと思ったし。それが去年、確認できただけでもずいぶんいいかなと思ってるんですよ。去年流行ったものって、結局そっちに行っちゃったんですよね。「何も起こらない日常、最高!」っていう話はちょっと陰を潜めたというか、勢いがなくなっていった。その代わり、『まどか☆マギカ』あたりが受けたというのは、たぶん変わったんだと僕は思うんですよ。この流れはたぶん当分続く。だから、僕にとってこれは始まりなんです。これもホントに見栄とか意地で半分言ってるんですけど、『フラクタル』は早すぎた、と。ちょっとタイミングがズレちゃったんですよね。ズレたがゆえに、僕の中でもちょっと磨ききれ

『まどか☆マギカ』 11年に放送され、大きな話題となったアニメ作品。ニトロプラス所属の虚淵玄がシリーズ構成および全話の脚本を担当。監督は新房昭之。13年にはテレビシリーズのその後を描く『劇場版 魔法少女まどかマギカ【新編】叛逆の物語』が公開された。

なかった部分があるし、観てるほうも理解してくれなかった部分があるんだろうなと思って。

――ホント負けず嫌いですよねえ（笑）。

山本 いや、自分も『フラクタル』はあまりにも準備、用意した内容が足りなかったんで、もっと冷静に、謙虚に今後をとらえ、アニメというものを考え、……だからさっきの宇多丸さんじゃないけども、受けのいい答えを探す必要があるのかなと思いますね。もうちょっと戦略的に、商売なんだからさすがにお金の絡んだ動き方をしなければいけないなっていうのが今後10年の僕の課題だと思ってます。

――こうして話してると、宇多丸さんの発言に怒ったのもすごいよくわかりますよね。

山本 「ああ賢いですねぇ、賢い賢い」って（笑）。宇多丸さんはホントに、みんなが共感するんで逆に気持ち悪いんですよ。そうなるとディスりたくなるんですよね、僕がひねくれて。

――ボクが引っ掛かったのは、ヒロインがあんなに性格悪い意味がないし、あれなら配役が違う、みたいなことを宇多丸さんが言ってたじゃないですか。あの適度な中2病感がいいし共感出来るのに、とボクは思ってて。

山本 ああ、『～先輩』に関しては、そこに引っ掛かるのは仕方ないなと思ってたんですよ。それが『～先輩』の本当の魅力だと思ってたんで、そのへんを批判されてるのはしょうがないなって思ってます。実際に女性スタッフの中でもいたんですよ、「どうしても耶麻子に共感できない」「ただのワガママなバカな子じゃん。中2病じゃん」って。

――だからいいのに！

山本 そう、あれがリアルなんですよ。リアルであるがゆえに、やっぱり受け付けられない。「リアルにそんな子がいたらウザいでしょ。自分の中で受け入れるキャパシティはない」っていうのはわかりますね。生理的に嫌っていう部分まで人間描写で踏み込んだなと思ったんで、それで拒絶反応が出たら、それはしょうがない。だからいいんです。それが『～先輩』だと思ってますから。でも、まさにおっしゃったように、それがあの作品の魅力じゃないかっていう人も少なからずいます。

――川島海荷のことが全然好きじゃなかったのが、これで好きになれましたからね。そして「先輩もはんにゃの金田じゃないだろ、むしろ、そういう気持ち悪い先輩はオードリー春日のほうが合ってる」って宇多丸さんが言ってたじゃないですか。それは「読み方変えたらハルヒだから」みたいに言うんだったらわかるけど、ただ「春日ぐらい気持ち悪くなきゃダメじゃん」じゃ違うなと思って。

山本 まあ、それも「ツッコミ」としては面白いんじゃないかなと思ってて。あの人の意見を真に受けるんじゃなくて、漫談だと思って受け取りました。だから春日っていう名前を持ってきたほうが、やっぱりドカンとくるでしょ。言ってしまえば、ナイツのネタを聴いてるような感覚で聴くしかないんだな、と。ナイツも結構映画ネタとかで、意図的に誤読するじゃないですか。だから春日っていうのがポンと出たのも、春日が適役じゃなくて、春日っていう名前を出した瞬間に面白いって思うだけですよね。いいんじゃないですか？

オタクの恋愛事情

――それぐらい本気だと疲れないですか？

山本 ああ……疲れました。さすがに、ずっとこれで突っ走ってきて、最近すごく疲れてきて、どうしようかなと思ってるんだけど、やっぱり本気じゃないと面白くないんですよね。最近になって、絶対に俺は俺でいるしかないんだと思ったのは、迷いに迷った一昨年、もう映像を一切受け付けないところまで行ったんです。

——観るのも無理ってことですか？

山本 観れなくなったんです。映画はおろかアニメも当然観ない、ドラマもダメ、バラエティもキツくなってきて、ニュースも観れないって状態だったんです。本も読めなくなったし、ヤバいと思ったんですよ。かろうじて、僕は松本人志さん大好きなんで、松っちゃんの『放送室』、ラジオだけ聴けたんですよ。そしたら宇多丸さんにぶつかって。

——あ、そういうことだったんですね（笑）。

山本 視覚情報が目から入ってこなくなったんですよ。だから、「ヤバい、俺どうなってんだろう？ ホントにやっちまったか？」と思って非常に怖かった記憶があります。やっぱり、それは自分の軸がブレてたんですよね。ずっとブレて迷いに迷った1年間だったんで、それで去年、「ああ、もう俺は俺でしかない。どれだけ狂人呼ばわりされようが、中2病呼ばわりされようが、これを持っていなければ俺はおかしくなるんだ」と腹を括って。

——狂人呼ばわり、中2病呼ばわりについては、ご本人としてはどうなんですか？

山本 そう言われるんだったらべつにいいです。俺はもう狂人でいい、でも俺は真実を見てるんだ、と。これが真実でなければ俺は狂人呼ばわりされても構わないっていう、ある種、そこまで行き切っちゃったかなとは思ってます。もう、とことんやってやろうと思って。そこまで開き直った瞬間に、いろんなものが去年になってやっと入ってきたんですよ。だから大震災に関しても、積極的に被災地にも行きましたし、情報もガンガン仕入れてるし、いろんな人といろんなことをしゃべってっていうのも、去年だからできたんですよね。そういう意味では、タイミングとしては非常にラッキーだったなって。東日本大震災に対してラッキーというのは不謹慎なんですけど、あれは僕にとっては非常に背中を押してくれる瞬間でしたね。

——迷いから抜けられたということですね。

山本 治世の能臣、乱世の奸雄で言うんだったら、俺は乱世の奸雄なんだなとは思いました。何もない状態、平時の状態で活躍できる人間ではたぶんないだろうな、と。有事、非常時に自分の力を発揮できるような気がします。それは今後の結果次第ですけどもね。

——もともとモテたくて映像の世界に入ってきた的な発言もありましたけど、そういう人がよくその境地にたどり着きましたよね。

山本 モテたくてではないですね。モテようがないジャンルだなとは思ったんです。ちょうど宮崎勤事件とオタクバッシングが中学、高校時代にどっと押し寄せて。アニメを手放して別のところに行ったほうがモテたんですよ。僕は高校時代、全然ダメだったんで。

——ボクも中2までガチなアニオタで、このままじゃモテないと思ってやめたんですよ。

山本 だからモテたいと思ったらそっちに行ってるんです。僕はそれを歯を食いしばって我慢して我慢して、いつか花が咲く

『放送室』
松本人志と、その幼馴染で放送作家でもある高須光聖の2人によるトークをメインとしたラジオ番組。TOKYO FMをキーステーションに01年から09年まで放送されていた。書籍化や音源のCD化もされている。

ときも来るだろうと思って。アニメオタクにとってモテるモテないって10数年前は大テーマだったんですけど、やっぱり時代が変わったんですかね。「アキバ系」が出てきた頃から、なんとなくアニメを観るイコール気持ち悪い、モテないっていうイメージが薄れてきた。

――ヲタの女の子に可愛い子が増えてきて、恋愛も普通にしてたりする時代ですもんね。

山本 いろんな契機があったと思うんですよ。もちろんジブリさんとかがずっと長期に渡って活躍してるのもあるし、『エヴァンゲリオン』はオタクカルチャーとサブカルチャーの壁がブチ破られた瞬間かなと思ってます。そうやって徐々に徐々に変わっていったんだな、と。ただ僕はホントにアニメオタクで、大学時代はアニメーション同好会で、そのままアニメ業界に入ったもんだから。

――完全にモテないコースですね（笑）。

山本 そのど真ん中を行ったんですけど。まあ、意地でやりましたね、それでもモテてやるんだと思って、大学時代から結構モテ始めたんですよ。まぁそれはアニメど真ん中でモテたっていうことではなく、高校で吹奏楽部をやってたから部活の先輩としてで、そういう意味ではちょっと逃げたんですけど（笑）。そのへんは『アインザッツ』という僕の小説に詳しいです。そこで自分に自信をつけ始めて。やっぱり最後は自信ですよね。自信のあるヤツがモテるんですよ。アニメオタクであるかないかは関係ないですね。アニメ業界に入ってからも、もちろん女性とつき合いましたし。僕の代のアニメーションサークル、いちばんアニメにコンプレックスを感じてる世代ですからね。上もそうですからみんな結婚してませんよ（笑）。僕ともうひとり結婚したぐらいで、あとはみんな売れのこっちゃってるから。

――宮崎勤事件世代のオタクと、サブカルチャーとの壁が崩れてからの世代のオタクの違いはかなり大きいですよね。やっぱり前者はモテるモテないを真剣に考えたはずだし。

山本 そうです。恋愛論というのをやたらぶつけ合うんですよね。論もへったくれもないだろって（笑）。「愛とはなんだ」みたいなことを真剣に考えてましたね。遊びでつき合うとか真剣につき合うとかね、それを分けたがるんですよね。だから一夜の恋とかアバンチュールとかね、まずセックスが先だとかね、そういう発想が許せない、みたいな。

――ヤマカンさんも許せなかったんですか？

山本 僕は途中から変わりました。大学入るまでその発想はあったんですね。それを実際の交際に結びつけていたんですけど、そんなことやっても全然上手くいかないんですよ。

――自分の思いが強すぎても空回りするし。

山本 そうです。それが強すぎるんで、ボコボコ振られたんですよ、簡単に言うと。立て続けに振られたんで、これも一瞬にして開き直った時期がありまして。これは同じことやってても振られっぱなしだな、と。しかも1年以内で必ず振られるんですよ。この周期なんとかしたいなと思って、ちょっと楽になろう、と。逆に1年周期で振られるっていうのが俺の天命だったら、それを受け入れるしかないと思って、二股かけたりとか（笑）。気分的に軽めの恋愛にしたんですよ。

――1年ごとに新しい彼女とつき合ってるって考えたら、普通にリア充なんですけどね。

山本 当時はキツかったんですよ、「3人連続で1年足らずで振られちゃった。どうしよう？ 俺のアイデンティティが

『エヴァンゲリオン』
庵野秀明監督によるSFアニメ作品。本放送後から人気が高まり、社会現象ともいえるブームを生み出した。07年からは物語や設定を新たにリビルドした「新劇場版」4部作が製作、公開されている。

『アインザッツ』
雑誌『アニメディア』で連載された、山本寛による「青春部活小説」。学生指揮者の主人公が、まとまらない吹奏楽部でコンクール金賞を目指す姿を描く。10年には学習研究社より単行本が発売。

©学習研究社

「……」みたいなね（笑）。まあ、そうなるんですよ。そのときは僕の価値観すべてぶつけてるわけですから。誠心誠意を込めて。それを否定されたら大変ですよ。なので、そこまで何もかもぶつけちゃうのはよくないなと思って。そうすることによって気が楽になったというか、ちょっと遊びがちになっちゃったんですね。

――と言いながら、恋愛に関してもなんでも真面目ですよ。ちゃんとそうやって考えて。

山本　それがベースにあるのは間違いないですね。岡田斗司夫さんがオタクの第一世代と考えると、第三世代特有のメンタリティなのかもしれないです。そのあとの世代はそこまでいってないんですよ、リア充になりつつあって。アニメに対する見方も、そこまで真剣に考えてないなっていうのは感じました。オタクならではのダサさとか、人とのコミュニケーションが上手くいかないのとかはまだあるんですけど、ちょっと垢抜けてるな、と。俺らの頃はもっともっとひどかったし、背負ってるものが全然違う。俺らよりもちょっと自然体に育ってるなっていうのは思いました。

――そこはネットの存在が大きいですよね、団結しやすいじゃないですか。ネット上でヲタ同士がつながり合えるわけで。昔はもうちょっと孤独に闘わざるをえなかったけど。

山本　そうです。だからこそ、やっぱり僕らオッサン世代は「もっと賢明になろう」って、去年のひとつのテーマとして、メッセージとして、キャッチフレーズとして伝えてるんですけども、ひょっとしたら通じないのかな。僕らが真面目すぎて、彼らにとっては暑苦しいだけかもしれない。「たかがアニメなのにさ」みたいな。「流行に乗るな」って言ってるんですけど、「流行に乗って何が悪いんだよ」みたいなね。ファッションとしてアニメを観ることも、たしかに間違いではないし、それを言われたら僕も立つ瀬がないんですけども。だから僕はそう言われた瞬間には、こう切り返すしかないなと思ってるんです。「そうしたらもっと面白いはずだから」って。

――もっと真面目に接したほうがいいと。

山本　そう観たほうがもっと面白いし、もっと自分の人生にとって役に立つとまでは言いませんけど、糧になる。そのためにもっとアニメを観る意識を変えてもいいんじゃないか、としか言えないですよね。いまはそこまでしか言えないんじゃないかっていう不安と、でもそうしないと商売上がったりだっていう危機感と、どっちつかずの中で綱渡りをしてる状態ですね。ただホントに今年、来年で変わるものではないし、こういう現状は仕方ないから、ファッションでアニメを観てる人間を、俺たちみたいな真面目にアニメを考えるメンタリティに引き込むしかないんですよ。だから僕は洗脳だって言ってるんです。

――それ、アイドルとかでも同じですよね。ピンチケ的な軽い感じで入ってる若い子たちに、「いや、アイドルはもっと面白い楽しみ方があるよ」って教え込んでいくような。

山本　うん、だからこれは10年かけて、ひとつの実験をやってみようと思って。成果があるかもしれないし、ないかもしれない。「10年かけて成果ゼロでした」っていうのも、それは「廃業しました」と同じなので。

――また引退宣言になりますね（笑）。

山本　もう引退どころか「廃業しました、仕事がありません」で終わっちゃうので、こちらとしてもあんまり頑なにはならずに、今後どういう作品を出していくかに関しては、いまの世代

岡田斗司夫
同人活動を経て、「ガイナックス」を設立するなど、アニメカルチャーに深く関わる。そのかたわら、自称「オタキング」として様々なメディアで活躍。07年にはダイエット本『いつまでもデブと思うなよ』をリリースし、ベストセラーとなる。

にどうやったら口当たりのいいもの、耳当たりのいいものになるのかなっていうのは考えてますね。ホントはここまで考えてないんだけど、こんな発想ではないんだけども、このほうが受けるよねっていう要素は入れていかないとダメなのかな、と。

モー娘。になくてAKBにあるもの

――そこまで真面目にものごとを考えてる人が、アイドルをどういうふうに楽しんでるのかなっていうことにも興味があったんですよ。

山本　女好きであることは否定はしないんで（笑）。スケベであるっていうのがまず第一だと思うんですよ。あと、自分ならではのアイドル観があって。ひとつ大きな特徴なのは、アイドルDVDとかグラビアアイドルにはほとんど興味がないんです。写真集もそんなに買わないし、どういうことかっていうとガワだけでは嫌なんですね、おそらく。アイドル冬の時代とかあって、あれはおニャン子クラブが大きく影響してるんだと思いますけど。

――秋元康さんが、キョンキョンとおニャン子でアイドル界を破壊し尽くしたんですよね。「アイドルなんてこんなもんですよ」と手の内を明かした結果、冬の時代が訪れて。

山本　そうです！　あれをやっちゃった結果、訪れた冬の時代に僕は思春期を迎えたんですよ。いちばん女に対して興味がある、なくてはならない時期に、現実ではさっき言ったように自信がない、オタクならではのコンプレックスがある。じゃあアイドルに逃げようと思っても逃げられない。めぼしい子がいないっていう。そういう悶々とした時期があったから、広末涼子にはすがりつきましたね。やっと来たと思って。可愛いだけじゃなくて、芝居もできて歌もできてっていう、やっぱりパフォーマンスとしてのアイドルが僕にとってのアイドル像であって。そのあとにモーニング娘。が出た瞬間、まさにあれはつんく♂さんも言ってる通りアイドルじゃなくてアーティストだ、と。最初はおニャン子クラブと変わらないんだけど、それを鍛え上げて磨き抜いてプロ集団にしていくっていうのが僕にとってひとつの大きな衝撃であり、シビれましたね。それを秋元康さんが見て、「なるほど、いまはこういう流れなのか」と思ってAKBにつながっていくっていう。

――そして夏まゆみ先生も引っ張ってきて。

山本　そうです、振付師の夏先生をハンティングして（笑）。だからおニャン子でいったんメチャクチャにした秋元さんがAKBで再構築してる。今度は焼け野原にはならないと思うんですね。劇場を作っちゃったから。あの人も本気らしいんで、「この劇場を元に30年も50年も続けていくんだ」って明言してるのは、絶対に嘘じゃないと思ってるんで。

――長いスパンで商売しようとしてますよね。おニャン子は2年半で終わったけど。

山本　だから、この流れっていうのは破壊から復興へ、みたいな美しい物語を描いてるな、と。ただ、アイドル戦国時代までいっちゃうと乱立しすぎなので、それはいったん大きく落ち着くんだろうなとは思ってます。

――と言いながらも、ヤマカンさんは東京女子流とかも気にはなってるみたいじゃないですか（笑）。

山本　女子流、あとももクロね。昨日もスタッフの女の子がも

おニャン子クラブ
テレビ番組『夕やけニャンニャン』から誕生した女性アイドルグループ。秋元康の作詞による楽曲群はいずれも大ヒットし、一世を風靡する。番組終了と共に解散。実質的な活動期間は2年半ほどだった。

広末涼子
94年デビュー。数々のCMに出演し、一躍トップアイドルとなる。97年には『MajiでKoiする5秒前』で歌手デビュー。男性スキャンダルや奇行などでも話題になるが、現在も女優として第一線で活躍中。

モーニング娘。
98年にメジャーデビューした女性アイドルグループ。デビューした当初は5人組だったが、メンバーの脱退、加入を繰り返しており、13年現在、11期メンバーまで含めた10人体制で活動中。ほとんどの楽曲をつんく♂（シャ乱Q）が手掛けている。

もクロのファンで、ももクロのよさをさんざん伝えてくるんですけど、悪くはないんですよ、その方向、コンセプトはありだけど、ちょっとやりすぎかなっていう。

――最近その傾向はありますよね。

山本 酔っ払いサラリーマンの格好して歌ってるっていう、意味がよくわからないっていうとこまで行っちゃってるんで。ただし、そこのニッチなところの席は空いてるなとは思ったんで、そこに見事に収まってるのはいいと思いますよ。それでも偉そうに言っちゃうと、アイドルは物語だっていうのが僕のテーゼなんです。アニメに応用しようと思ってアイドルを徹底的に研究してた時期があって。まずはキャンディーズから始めたんですよ。

――またちゃんと勉強しますねえ!

山本 徹底してキャンディーズのことを調べ尽くして。だからスーちゃんが亡くなったときはきちんと葬儀に行きました。そこで全キャン連を目の当たりにして、「これか!」と思って。僕にとっては伝説のような存在だったんで。ファンクラブのはしりですよね。それがもうお爺ちゃんなんですよ。もう引退した役員クラスの人間がハチマキしめてハッピ着て、旗立てて「スーちゃーん!」って紙テープ投げてるんですよ。これはシビれましたね、歴史を見ました。まあ、それはいいんだけど。

――キャンディーズ解散のガチぶりとかすごいですよね。メンバーが自分たちの意思で幕を引いて。

山本 デビューから下積み時期、そしてブレイクして解散するまでの物語が完璧にでき上がってて、いまだにキャンディーズを超える物語はできてないと思います。あまりに完璧すぎて。そういうものがないとアイドルっていうのは成立しないんじゃないか、と。

――山口百恵の物語も完成してましたね。

山本 山口百恵もそうです!

――松田聖子も、大物はみんなそうですね。

山本 だから、アイドルっていうのは歌や踊りもできなきゃいけないんだけど、それをもっと大きく象徴すると自分の物語を持ってる人たちではないかと僕は思っています。

――モーニング娘。しかり、AKBしかり。

山本 そうですね、だから僕がAKBにハマッたのは、よくよく考えてみると劇場から始めてるので、物語の起点がちゃんと作られてるんですよね。で、去年になってAKBのドキュメンタリー映画を観て、なるほどな、と。物語がちゃんとできてるなと思って感心したと言うと変ですけど。秋元康さんを少し警戒しすぎて、またおニャン子でしょ、みたいなのがどうしてもあったんですけど、今回は戦略変えてきたと思って、そこからはAKBに対しては、ベタ惚れではないですけど、いまは頂点にいて当然だとは思ってます。

――ボクも楽曲的には興味はないけど、物語としてはものすごい面白いと思いますね。

山本 それがモーニング娘。と全然違うところで。モーニング娘。は楽曲でグイグイ押していったんですけど、秋元康さんはあくまでアイドルは物語だっていうのをやっぱり知ってたんですね。だからAKBの曲ってあんまりカラオケで歌いたくならないんですね。

――歌いやすいんですけどね。

山本 歌ってスッキリしないんですよ。何曲か歌ったことあるんですけど、なんかスッキリしねえなと思って。ハロプロはスッ

夏まゆみ
振り付け師、演出家。92年頃から、若手芸人のユニット「吉本印天然素材」のダンス指導を行う。その後、「モーニング娘。」の代表曲の振り付けを手がけ、アイドルファンからも認知される。「AKB48」の立ち上げから関わる。映画『私の優しくない先輩』のダンスシーンの振り付けも担当した。

東京女子流
エイベックスが手がけた5人組ガールズ・ダンス&ボーカルグループ。デビューは10年。12年12月には日本武道館での単独ライブを開催。年齢も解禁した。

キャンディーズ
ラン・スー・ミキの3人組アイドルグループ。75年にリリースした『年下の男の子』が大ヒットし、トップアイドルとして活躍。全国にファンクラブが結成され、その一部は「全国キャンディーズ連盟」として組織化されていく。人気絶頂期に突然「普通の女の子に戻りたい」と解散を発表した。

山口百恵
オーディション番組『スター誕生!』で見いだされ、73年にデビュー。歌手、女優として時代を代表する存在となる。80年に婚約発表し、芸能界引退すると宣言。日本武道館で開催されたファイナルコンサートの最後でマイクを置いて以降、一切のメディア出演をしていない。

キリするんですけどね。こんな話をしてたら、中森明夫さんにバカにされるっていうか笑われるかもしれないですけど。最近、中森明夫さんと知り合いまして、ゴールデン街で偶然バッタリ会って。「あーーーっ、元祖だ！」と思って興奮して、そこで宇多丸さんをふたりでさんざんディスったんですよ。「あいつはホントに全然わかってない！」って（笑）。

――中森さんも宇多丸さんのこと嫌いですからね（笑）。ヤマカンさんは「女子流の年齢非公開の設定はそろそろ止めたほうがいい」みたいなことをツイッターでつぶやいてましたけど。

山本 そこでもう物語の可能性が消えるわけじゃないですか。もっと裏を見たい、この子のすべてが知りたい、もちろん年齢も知りたいってファンはなるはずなんだけど、そこを閉じちゃってるんで、もったいないな、と。

――もう解禁してもいいですよね。最初は若すぎるからっていうのがあったと思うんですよ。小学生にがっつくのはヤバい、みたいな部分で隠すことになったんでしょうけど。

山本 2年以内にはやめたほうがいいですね。そうしないと伸びないですよ。モーニング娘。のあと、Ｂｅｒｒｙｚ工房に一時期ハマッたんだけど、Ｂｅｒｒｙｚ工房は、やっぱり年をとるにつれ、「うーん……つらいな」と思えてきた部分があって。そっちに行きそうだなって、ちょっと危惧してます。

――Ｂｅｒｒｙｚに流れたんですね。

山本 うん、一時期のＢｅｒｒｙｚ工房はホントに好きで、これはあちこちで言ってるんですけど、『ハルヒ』のときのエンディングに大きく影響を与えているユニットですね。

――夏まゆみ先生の影響が大きいんですね。

山本 大きいです。夏まゆみ先生の振付でＢｅｒｒｙｚ工房がダンスを踊っていて、これだと思ったんで。で、Ｂｅｒｒｙｚ工房の研究をすると同時に夏まゆみ先生の研究もするようになって、それも自分の仕事に応用したりして。だからそういう歌って踊れるだけではなくて、やっぱりバックに何か大きな物語がないと飽きちゃうんですよね、結局。Ｂｅｒｒｙｚ工房も飽きちゃったし、モーニング娘。も正直飽きちゃったんですよね……。

――物語性を途中で重視しなくなったせいで。

山本 うん。で、最近になって慌てて深夜にハロプロの番組とかやって、物語を補足しようとしてる。結局、『ＡＳＡＹＡＮ』があってこそのモーニング娘。だったっていうことに最近気づいて、やらなきゃと思って。ＴＯＫＹＯ ＭＸで『つんつべ♂』とかやってるじゃないですか。ちょっと遅いなとか思いつつ、盛り返すかもしれないと期待しながら。頑張ってほしいですね。ハロプロ、ＡＫＢが上手く両立するんであれば、アイドルはちょっと今後は安泰だな、と（その後も指原莉乃や渡辺麻友、前田敦子の魅力について熱く語るが、文字数の都合で残念ながら省略）。

――前田敦子さんに関しては、日本一有名なアイドルグループのトップに立つことの苦悩とか、尋常じゃないレベルだと思うんですよ。ちょっと検索すればみんな自分の悪口を言ってる。握手会に来た人も自分の悪口を言ったりする。それは確実に病みますよね。

山本 それに対していろいろ自分と重ね合わせる部分もあるんですけど、総選挙の1位と2位がいい顔しないんですよ。ぶりっ子しないんです。これもツイッターで書いたんですけど、去年はホントに大きな分岐点になるんじゃないか、と。

Berryz工房
04年に結成されたアイドルグループ。ハロー！プロジェクトに所属し、つんく♂が楽曲プロデュースを手がけている。タイやバンコクでも人気あり、海外ツアーも行っている。

『ハルヒ』
谷川流のライトノベルが原作のアニメ『涼宮ハルヒの憂鬱』（06年版）。エンディングテーマの『ハレ晴レユカイ』は、通称「ハルヒダンス」と呼ばれる軽快な振り付けも含めて大ヒットとなった。この振り付けはBerryz工房などのアイドルのダンスを参考にしている。

『つんつべ♂』
11年よりTOKYO MXで放送されている、つんく♂がメインパーソナリティを務める音楽バラエティ番組。放送済みのアーカイブ映像はYouTubeでも視聴することができる。

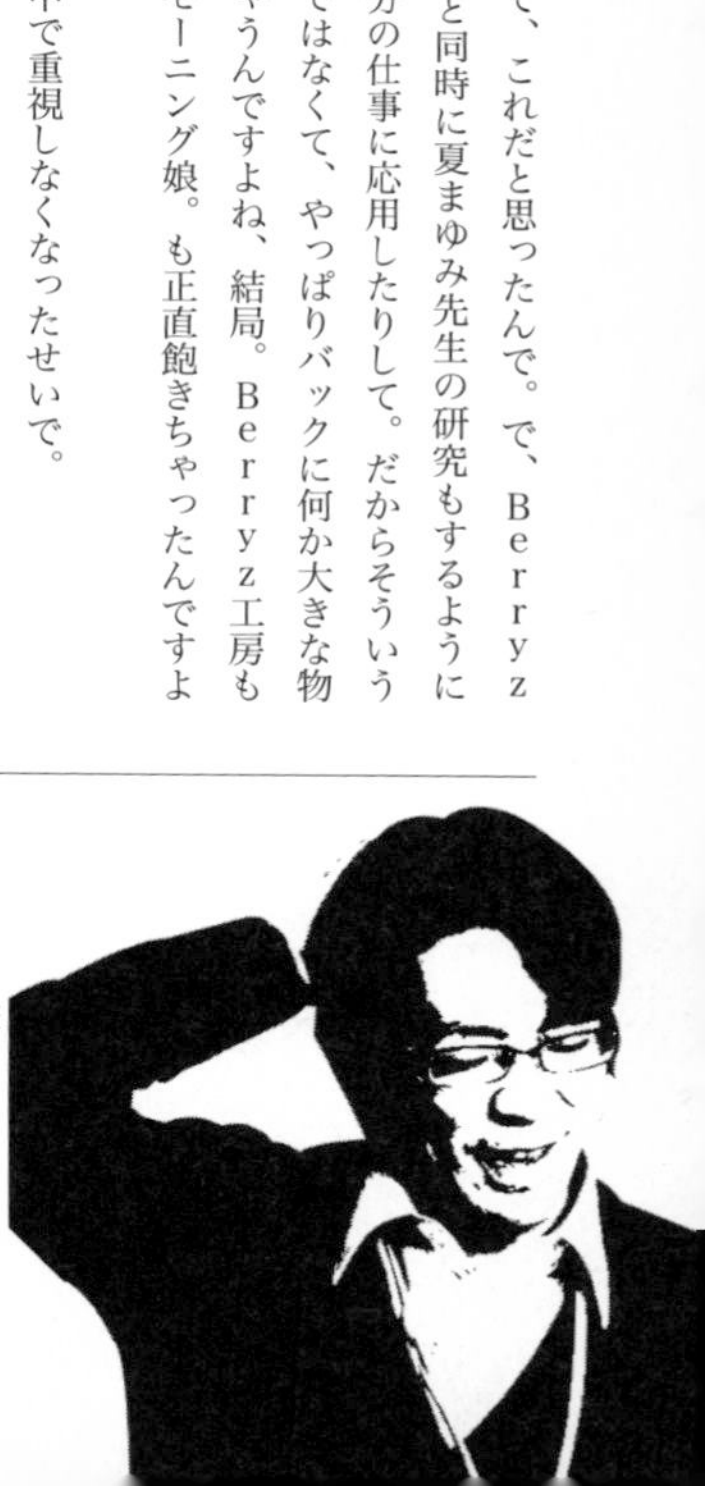

してものを言った瞬間なんですよ、ＡＫＢのトップと2位が。僕は前田敦子と大島優子が総選挙で放ったあのひと言というのは、芸能界、エンタメ界全体を変えていくと思っています。僕はそれにうまく乗っかれればいいなと思うんですけど。僕は全然違うところで、高岡蒼佑的な立ち位置でグチャグチャやってるんですけど（笑）。

――お騒がせな方向で（笑）。

山本　彼女たちが俺たちの希望だって思ってますね。ネットにもの申した瞬間、風評にもの申した瞬間。「それでも私たちはやっていくんだ。自分はこういう主張でやっていくんだ」って力強く言った瞬間。それに気がついてほしいというか、ネットというのは受け手と作り手のバランスをもう一度整理しなきゃいけない時期に来てるんじゃないかと僕は思っているので。べつに作り手の言うことを一方的に聞けなんて、そんなことを言った記憶はまったくないんです。ただし、間違ってると思ったら主張はするぞ、と。それはお互いに話し合っていけばいいじゃないかって。

――本気でやり合おうよってことですね。

山本　議論はやっていいし、ケンカになってもいい。それがいけないっていうのは今後のエンターテインメントとしては、面白みとしてもうないんじゃないかな、と思ってます。

――ＡＫＢがここまで盛り上がっているのは、世間やネットに叩かれることも込みで物語を転がしているからだと思うんですよね。

山本　だからこそ、ＡＫＢのあの上手いやり方を僕は学ばなきゃいけないんですよ。これも去年なんですよね。２０１１年という年はホントに迷った自分に対していろいろな教えを授けてくれたいい年だったと思います。

――たしかに、あのふたりの発言はヤマカンさんと同じで、要は本気の発言ですよね。

山本　シビれましたね……。ずっと観てたんですけど、まず大島優子が「ＡＫＢ商法は間違ってない。ＡＫＢはその愛の上に成り立ってる。なんか文句あるか」ってことを言った上で、ガタガタ震えた前田敦子が、そのトップとしてすごいプライベートな話をして。

――すごいよくできたドラマでしたよね。

山本　あれは仕組んでも仕組めないでしょ。物語ができた瞬間ですよね。……すごいです！　だからホントにＡＫＢにはこれからもどんどん勉強させてもらおうと思ってて。

――ちなみに、まゆゆのアニオタぶりとかはアニメ業界の人間としてどう見てますか？

山本　……まゆゆはじつは1回某所でお会いしたことがあるんですよ！　それでハマって。アイドルサイボーグだしアニオタだしっていうことで、そこには張っておかないとしょうがないっていう部分もあるんですけど（笑）。

――あの忙しさではとても考えられないぐらいにアニメも観てるらしいですよね。

山本　観てますね。『フラクタル』も観てるって言ってました。「あれはアリだ」って言ってくれたので感謝してます（笑）。

――しかし、何にハマッても研究する人なんですね。

山本　うーん……プロ野球も好きなんですけど、プロ野球に関してここまで研究したことはあるかな、ないかな。落合監督が解任になって、すごく好きになったんだけど。

――ああ、いまの落合さんにヤマカンさんが感情移入するの

高岡蒼佑
映画『パッチギ！』の李安成役で注目を浴びる。07年、宮﨑あおいと結婚。ツイッターでの発言が物議を醸すことが多く、過去にはフジテレビの韓国偏向を批判したり、妻の宮﨑と岡田准一との不倫を暴露したりなどした。11年に離婚。改名を繰り返しており、現在の名は「高岡奏輔」。

落合監督
中日ドラゴンズの監督を8年間務め、その間にリーグ優勝3回、さらに53年ぶりの日本一に導くなど、目覚ましい活躍を続けていたが、11年に突如として解任。フロント陣との不和があったのではないかとウワサされている。

もすごいわかりますけどね。

山本 そうですね。２０１１年は不思議な年だなってつくづく思うんだけど。勝ってるのに解任されてしまうっていう。結局、自分の仕事の参考にしてるんですよね、知らず知らずのうちに。アイドルを見てても、芸人を見てても、松本人志さんなんかまさにそうなんだけど、野球にしても。

――ちなみに松本人志さんの実写映画を宇多丸さんは常に酷評してますけど、ヤマカンさん的にはどう思ってるわけなんですか？

山本 『さや侍』まで観てわからんかっていう。あんなにわかりやすくしたのに。僕は『さや侍』観て泣いたんですね。ちゃんと映画してるし、立派な映画だ、と。あの野見さんを演出できた時点で認めないとバカでしょ。それは意固地にならずに認めようよ。たしかに『大日本人』と『しんぼる』に比べると、だいぶ噛み砕きすぎかなっていう部分はあって。

――叩かれ、歩み寄るっていうことで、またヤマカンさんがそこに共感するわけですね。

山本 これも去年なんですよね。去年はいっぱい勉強になりました、ホントに。なるほどねと思って。『しんぼる』のあとは『さや侍』か、俺も『フラクタル』のあとはちょっと噛み砕いて提供していかないとなっていうことですね。かと思うと、松本人志が今度『ＭＨＫ』でコントやるじゃないですか。そうやってバランス取ってるんだなと思って。で、全然視聴率が振るわないってＪキャストニュースでボコボコに叩かれてて。あそこもよく目の敵にするなと思って。ことあるごとに松本人志をディスる記事を書くんですよね。なんの恨みがあるんだろうと思って。

――たしかに最近、松本さんの扱いはかなりデリケートな感じになってますよね。下手に擁護したら「目が腐ってる！」ぐらいの叩かれ方をするような時代になってるというか。

山本 そうですね。『ＭＨＫ』はたしかにあんまり面白くなかった（笑）。でもそういった「とことんまでやるんだ、俺はまだジャックナイフを持ってるぞ」ってうそぶける松本人志も好きですね。まあ、それも含めて、去年はいろいろと考えさせられる1年で。

――いや～、この連載じゃないぐらいちゃんとしたインタビューになりました（笑）。

山本 ごめんなさいね、真面目で。面白い話もしようと思えばできるんだけど（笑）。

――じゃあ最後に、いまの宇多丸さんに対して思うことを聞いて終わりにしましょう。

山本 そのままの君でいて。もうこちらとしては興味がないんで。終わり！（その後、『ＢＵＢＫＡ』や『サイゾー』や『ナックルズ』も取り込むＡＫＢのマスコミ戦略がいかに上手いのかという雑談になり）……僕も宇多丸さんを味方につけるべきなのかなあ。

『さや侍』
松本人志、3作目の映画監督作。刀を捨て鞘のみを持つようになった脱藩浪人・勘十郎の生き様を描く。主演を務めた野見隆明は松本の番組に出演していた一般人で、この映画に出るまで演技未経験だった。

『ＭＨＫ』
正式タイトルは『松本人志のコント ＭＨＫ』。松本人志が久しぶりに本格的なコント番組を手がけるということで話題となったが、視聴率はそれほど高くなかった。最初にパイロット版が製作され、その後、月イチのレギュラー番組として5回放送された。

『サイゾー』
98年に創刊。発行元を変えながら、現在もタブーに切り込む硬派な記事やスキャンダルネタ満載で発行を続けている。

高校生バンドの頃、
黒色エレジーの前座で、借りたベースを
ボーカルの小人の肛門に差しこんだ

宇川直宏

UKAWA NAOHIRO/2009年2月20日収録

1968年生まれ。映像作家／グラフィックデザイナー／VJ／文筆家／京都造形芸術大学教授。そして"現在美術家"……幅広く極めて多岐に渡る活動を行う全方位的アーティスト。既成のファインアートと大衆文化の枠組みを抹消し、現在の日本にあって最も自由な表現活動を行っている自称「MEDIA RAPIST」改め「MEDIA THERAPIST」。ライブストリーミングスタジオ兼チャンネル「DOMMUNE」は、国内外で話題を呼び続ける"文化庁メディア芸術祭推薦作品"。現在、宇川の職業欄は「DOMMUNE」。

幼き日のハウリング体験

宇川 ところで、これどんなシリーズなんですか？　豪ちゃんにインタビューされるなんて思い当たる節が無い。

――単行本で言うと『人間コク宝』ですね。つまり、裕也ファミリー側です（笑）。

宇川 え！　マジ（笑）。恐れ多いですな。俺、そこまでコクないよ！

――いや、そんなこともないと思いますけどね。よく言うじゃないですか、両親のセックスを見るとおかしくなるとか。

宇川 そこまで遡る？　そう、最古の記憶が、「膣から出てくるときの生まれて初めての現世の光を僕は記憶している」って人たまにいるけど、俺は幼少期の最古の記憶が両親のセックスなんですよ。でも、別によくあることでしょ。豪ちゃんも両親の性交渉見たことあるでしょ？

――ないですよ、さすがに（笑）。

宇川 え！　マジで？　逆に不自然じゃない？

――ボクの友達でも、両親のセックスを見たヤツは順調に悪の道に落ちてますね。

宇川 それ、なんでしょうね。でも、お陰さまで俺は別にクラッシュせずに生きてますよ……。生命誕生の神秘に立ち会う器が出来ていない、ましてや自我も確立されていない段階で、そんな一糸まとわぬオトナの儀式見せつけられたら、「えす・いー・えっくす」の3文字が、インストール間もないＤＮＡに上書きされて後にバグを引き起こすんでしょうかね。そのときの状況も話さないといけないんですか？

――たっぷり聞きましょう（笑）。

宇川 ハハ、聞くんだ（笑）。当時は高度成長経済も安定してた時代で、うちは絵に描いたような昭和の家庭だったんじゃないですかね。だって毎日、2階の一番奥の寝室で3人で布団を敷いて、お父さんとお母さんが双璧になって、まさに川の字で寝てたんです。それが恐ろしいことに、ある日、川の真ん中のちいさな俺の布団が、宙に浮かぶわけですよ。『ウルトラQ』の幽体リリーみたいにね。怖いでしょ。恐怖で怯えながら薄目を開けたら、実は自分はリリーでも何でもなくて、パジャマ姿の両親が布団の両端を引っ張って持ち上げているという、ちょっとしたファミリー奇術というか（笑）。家元がマギー司郎か、ゼンジー北京かって状況で。そしてそのまま襖を隔てた隣の部屋に空中に浮かんだ状態で、親ゼンジーに運ばれて、そのまま放置されたんですよ……。おっそろしかったー。やっぱりね、3、4歳の子供にとって、両親のね、人肌の温もりに挟まれて眠る安堵感って、もうかけがえのないものじゃないですか。その究極の安全地帯の双璧がベルリンの壁のごとく崩壊するんですよ！　子供ながらに『ワインレッドの心』って感じで。「♪忘れそうな思い出を、そっと抱いているより、忘れてしまえば」どれだけ楽かってことですね。

――捨てられるぐらいの恐怖というか。

宇川 そうそうそう！　「♪透き通った瞳のままで」捨てられるかもしれない恐怖ね。その頃から俺、根っからの『仮面ライダー』ヲタだったんで、これは絶対に今から改造手術が始まるんだと思って。

――さらわれたらそれですよね（笑）。

宇川 そう。当時の発展途上のちっぽけな脳ミソでは、確実に改造手術しか思い浮かばないでしょ！　しかもこっちは無抵抗で闇

『ウルトラQ』
円谷特技プロダクションによる特撮番組。ほとんどの回が視聴率30％を超える大人気番組で、66年1月2日〜7月3日まで放送された。怪獣のソフトビニール人形がヒット商品となり、レコードもミリオンセラーを記録。ウルトラシリーズの第1作目。

マギー司郎
茨城なまりの口調でコミカルな手品でお馴染みのマジシャン。最近はその独特なキャラクターと人生哲学にも注目が集まっている。弟子たちはマギー一門と呼ばれ、それぞれ活躍中。

の中で布団に寝転がって、手術台ごと運ばれているワケだから、改造するには持ってこいみたいな状況だし。まさにこれ以上ない「いい改造日和」ってワケですよ。ショッカーにとっては！　で、襖を閉められてね、ショッカーの戦闘員どもは、となりのアジトで、何かゴソゴソ活動してるわけですよ。これはやっぱり改造手術を施す為のメスとフラスコとプレパラートを用意してるに違いない、と。んで、そのプレパラートの中に昆虫の遺伝子が入ってて、何を融合させられるのかわかんないんだっていう。

――どの昆虫かもわからないし（笑）。

宇川　そうそうそう、バッタやカブトだったらその先正義に転べるんだけど、蜘蛛とかカマキリだったらショッカーの手先にねじ伏せられるしかないっていう、まさにあの状況。つか、ここまでくればもう逆に蜘蛛とか全然アリで、男だけど蜂でも我慢できる！　って切羽詰まった状態！　蜂だったら改造でも手術違い！　トランスジェンダー！（笑）。その場合、俺は、きちんと蜂男に命名されるんだろうか？　果たして世論はそれを許すだろうか？とか。でもね、オケラやカマドウマとかだったら最悪じゃないですか！

――もう暗闇に生きるしかない（笑）。

宇川　ねー！　カマドウマ男に改造された日にゃ！　そんな最悪の事態も念頭に置きながら、夜の深い時間帯に入ってったんですけど、これが、いつまで経っても改造が始まらないんですよ。もしかして助かった？　って一瞬思ったの！そしたらね、俺が改造されるんじゃなくてね、両親のほうが獣の性を剥き出しにして、闇の中でキメラ的な発展を遂げていったワケですよ。皆様のご期待どおり（笑）。これ余談ですが、そのあと、中学校1年のときに『ハウリング』って映画を観たんですけどね。

――ああ、狼男の映画ですよね。

宇川　そう。それを観たとき俺のトラウマは決定的！　って感じましたよ。忘れもしないジョー・ダンテの『ハウリング』って月の光を浴びながら男と女がセックスをして意識が高揚していくにつれて、ガルルルーッて絶叫しながら、男女の狼に変身してゆくシーンあるじゃないですか。まさにあのトランスフォームだったんですよ。勿論、当時は『ハウリング』観てないんで、両親が聞いたことない雄叫びを上げてたって憶えしかない。もっと恐ろしいのが、うちの2階は、その当時、洋間を通過した和室の2部屋を仕切る襖の上の欄間が龍の彫りものだったんですけど、その龍の彫りものの奥から光が漏れてくるんですよ。こっちは暗闇で、ショッカーのアジト側は、薄明かりがついていたから。悪の秘密結社のCIがシルエットで浮かんでるなんて、絵に描いたようなアジト！でしょ。要するに、欄間がまさに幻灯機の役割を偶然果たしていてね、自分が運ばれた襖とは逆側の壁に龍のシルエットが拡大投影されて、その龍のあいだに狼男と狼女のシルエットが一つに溶けては離れ、縺れてるんですよ！　この光景、かなりオプティカルでしょ。まるでオスカー・フィッシンガーとか、レン・ライの実験映像！　しかもシルエットのアウトラインは狼男と狼女と龍との3Pにもみえた。

――どうも親は人間じゃないらしい、と。

宇川　絶対人間じゃない！　と。そう確信しながらも、両親が獣に変容していく恐怖の一夜をどうにか乗り越えて、不覚にもそのまま気絶するように眠ってしまったわけですよ。そして、朝を迎えたら何事も無かったかのように、川の字の真ん中にいて、いつものように川の一筋の流れの一部になってるわけ。で、左右の流れは既に一階に下っていて、朝御飯に呼ばれたんですね。「直ちゃん、ご飯よ～」と。けど、食べなかったんですよ。その朝ご飯を食べ

オスカー・フィッシンガー
抽象アニメーションの元祖といえる作家。立体とカラーを織り交ぜたアニメーションなど、あらゆる先駆的な実験を行う。ドイツ在住だったが、ナチスによって抽象芸術が「退廃的」とレッテルを貼られ、アメリカに亡命した。

レン・ライ
抽象映画の草創期に活躍した映像作家。彼のフィルムに直接ペイントしたり引っかいたりする手法は、後の多くの映像作家に影響を与えることに。

なかった出来事が、生まれて初めてのアンチ表明っていうか、両親に短い中指立てた行為（笑）。

――ハンストですよね（笑）。

宇川 アハハ、そうそう。で、その直後、通園しなきゃってことで、ウチのオカンの自転車のうしろに乗って幼稚園バスが到着する所まで送ってもらっているときに聞いたんですよ、昨日の一夜の意味を。そしたら親が逆ギレして、「あなたが生まれた理由もあの行為があったからなのよ！」ぐらいのことを包み隠さず言われてね（笑）。

――性教育には早すぎますよね（笑）。

宇川 ちょっとしたセックスエデュケーショナルな対話を自転車のうしろと前で交わしてね、畑中葉子って感じで。その日一日幼稚園でも自分はなんか上の空だったらしく、先生に怒られたりしながら。で、家に戻ってからもやっぱり態度がおかしいから母親にまた聞いたんですよ。何て聞いたか！ たとえば『アマゾン』だったらモグラ獣人とかカニ獣人とかで、『仮面ライダー』だったら何々男とか何々女じゃないですか。『バロム1』なら、なんとかゲルゲ！ 『イナズマン』だったらバンバラで、その時期『イナズマン』が放映開始されたばっかりだったから、勝手にうちの両親はバンバラに違いないって思い込んで「お母さん！ ずばり何バンバラなの？」って聞いたんですよ、これが運悪く晩御飯の仕度をしているタイミングだったから、聞かれた親が「え、なに南蛮？」って聞き返してきたの。ヤバいでしょ。そこで鴨って言われてたら、昨夜の雄叫びは、鳥のDNAなのか？ とか、カレーって言われてたら、えっ？ 世界初のスパイス怪人？ って妄想を膨らませただろうに（笑）。だから結局、未だに闇の中っていうか、まだ両親が何バンバラか、息子は知らないんだよね。あと、青年期以前のトラウマと言えば、ジョージ秋山ですね。いま『銭ゲバ』実写版ドラマやってますけど。

――いま、みんなハマッてますよね。

宇川 あれ、かなりヤバいよ！ 松ケン、あまりにも鬼気迫る演技なんで、『デスノ』も『DMC』も『人のセックスを笑うな』も見直しちゃった。松山ケンイチとならヤレるっつーか、なんつうか（笑）。とにかくジョージは『ばらの坂道』から『生きなさいキキ』まで手当たり次第読んでますよ。要するに人間のダークサイドが一番の畏怖の対象なんだってわかるまで、小5のジョージ体験を待つしかなかった。俺は『銭ゲバ』よりも『ギャラ』派なんだけど。当時『少年キング』でリアルタイムに読んでましたからね。

――子供版の『銭ゲバ』ですよね。

宇川 そう。友達と一緒に小学校5年のとき、新天海直樹（女装もする美少年）と山田亜左未（蒲郡風太郎似のブサイク）の役をお互い奪い合いながら『ギャラ』ごっこをやってたんですよ。かといって、女の先生にお金貸して裸にひん剥いて校庭10周させるわけでも、鉄アレイで親を殺す訳でもないんですけど（笑）。『ギャラ』のいいところって、若気のホモセクシャルを描けてる部分でしょ。小学校の頃の、性差を意識していないがゆえの、男同士のフレンドシップが自然に同性愛に熟すあの感じは、『ギャラ』を読んで再認識した部分はありますよね。

――宇川君は、根にバイセクシャルな部分があるとか言ってるじゃないですか。

宇川 ありますよ。豪ちゃんないですか？

――ないです。新宿2丁目在住なのに。

宇川 ハハ。マジで？ 俺、全然ありますよ。だから『ギャラ』でも、直樹と亜左未がお互いナイフで傷つけながら血をなめ合って友情の確認するんだけど、あれは薔薇族どころの騒ぎじゃない

『銭ゲバ』
70年から71年まで『週刊少年サンデー』誌上で連載された漫画。著者はジョージ秋山。極貧生活から蒲郡風太郎という青年が富と名誉を掴むストーリー。「銭ゲバ」とは「金のためなら何でもする奴」と作中で説明。その言葉の通り、主人公が殺人を繰り返し成功していく。09年に松山ケンイチ主演で、日本テレビよりドラマ化。

『ギャラ』
ジョージ秋山の漫画。79年から81年にかけて少年キングにて連載。「顔が醜い」と罵られてきた少年が「紅子」という少女（＝新天海直樹）と相思相愛になり、今まで自分のことを馬鹿にしてきた人間を奴隷化していくという話。全8巻。

っていうか。男性の根底にある同性間のフレンドシップって、究極にはたぶんあれだと思うんですよ。傷をなめ合うのが証。同期の桜の一節の「同じ兵学校の庭に咲く 血肉分けたる仲ではないがなぜか気が合うて別れられぬ」って心情。ただ、恐ろしいのが、直樹役を奪い合ってたにも関わらず、キャラがふたりとも山田亜左未だたっていう。一緒にやってた友達は、そのあとジャニーズに入ったんですよ。結局芽が出ずに、トシちゃんのヘルメット磨かされるのが嫌になって辞めた。「メチャクチャ蒸れてる、あのヘルメット！」って臭がってたよ。

——宇川君は、『ギャラ』ごっこの前後から、すでに焼酎を飲んでたらしいんですよね。

宇川　うん、あのころ流行ってた宝焼酎『純』。よくそんなこと知ってますね（笑）。それは小学校4年。クラスメートにアル中の小学生がいたんですけど、そいつがずっと酒飲んでて仕込まれたんですよ、学校で。初アルコール体験は、凄まじいものでしたね。もう完全に純トリップして、体育館の屋上から隣の田んぼの干した稲藁にダイブして、そのまま藁まみれで動けなくなった。余談ですけど、同時期に痴漢映画の方の『純』も公開されるんですけど、ウチの田舎、併映が『ミラクルカンフー阿修羅』だったの。ヤバいでしょ。昼間にウチのお母さんがその2本立て観に行ったんですよ。

——なんで！　手のない人と足のない人が合体して闘うカンフー映画ですよ！

宇川　痴漢と合体フリークス！　もう全然オーガナイザーの意図がわかんないでしょ。その2本で何を想えっつーの！（笑）。で、うちの親が家に帰って来て『純』がいかにつまらなくて『ミラクルカンフー阿修羅』の合体が素晴らしかったかっていう話をしてくれてね。さすが、バンバラって思いましたね。ライオン館、その後『典子は、今』を上映するんですが、今度は『典子は、今』と『マッドマックス2』の2本立てだったんですよ。

——またフリークスじゃないですか！

宇川　サリドマイド&ヴァイオレンス（笑）。ウチの田舎のライオン館、センス狂ってるでしょ。まあ、その話は置いといて宝焼酎の方の『純』に戻りましょう。アシッドテストと同じで、セットとセッティングってやはり重要じゃないですか。心の状態と外部環境ね。じゃ焼酎にとって、どういうセッティングが心地よいのかを友達と探求して、ね。結局『鶴光のオールナイトニッポン』を聴きながら焼酎飲むのが完璧だって結論に至ったんですよ。「わんばんこぉ～つるこうでおまぁ～」「ええか？　ええのんかぁぁ～？」っていう鶴光の声を聴きながら土曜の夜から朝まで勉強部屋で飲む。

——あのリバーブに合わせて酒を飲むのが一番飛べるっていうことですか（笑）。

宇川　そうそう！　おまぁ～おまぁ～ぁ～つぁ～つぁ～つ。だから裸のラリーズや不失者以前のサイケデリック体験が、なにを隠そう笑福亭鶴光！「乳頭の色はぁ～？」で蒸留酒トリップですから。大麦の力を借りてね。そうそう、後にパーソナリティになるあの松本明子さんは、うちの中学の2つ上の先輩なんですよ。屋島中学。四文字熟語発言の時期はうちの田舎騒然でしたよ。スタ誕のスカウトでナベプロ入りした先輩が、公共の電波で「おまんこ」なんて、松本先輩リアルハードコアだな～と。ともあれ、当時は普通に『GORO』を読みながら『鶴光のオールナイトニッポン』聴きつつ『純』を飲むっていうセッティングがベストでしたね。いま考えると大学生みたいな小学生だな。なのに普通に勉強は出来たんで、学級委員長やらされてました。ちなみに

『純』
恋人の手さえロクに握れない優柔不断な漫画家志望の青年が、通勤電車の中で痴漢行為に耽ける姿を描いた作品。80年製作。脚本、監督は横山博人、撮影は高田昭。

『ミラクルカンフー阿修羅』
両腕を失った人と両足が無い人が、合体して空手の妙技を見せる香港のクンフー映画。製作はレイモン・シュエイ。監督はロー・ツゥー。日本でも81年の4月から劇場公開されたが、短期間で上映終了。

『典子は、今』
実在する生まれつき手のないサリドマイド病患者「典子」の一生を描いたドキュメンタリー日本映画。81年製作。典子が本人役で出演。日本中が感動し大ヒットを記録した。松山善三監督。妻の元・女優の高峰秀子が助監督。

『マッドマックス2』
映画『マッドマックス』の続編。石油危機を迎え荒廃した世界が舞台。改造バイクにまたがったモヒ

『GORO』の増刊号はデヴィ夫人のヌード公開されてるし。

四国がハードコア大陸に

——オナニーには目覚めてたんですか?

宇川 精通は小学校5年ですね。その1年後で。鶴光がイマジネーションを与えてくれた乳頭の色が、パンパンに腫れた精巣の扉を開いてくれたんだと思うんですよ、知覚の扉じゃなくて。オルダス・ハクスリー、ドアーズ、いろんな意味でのね(笑)。だからいまのところ疑似改造人間体験、プチホモセクシャルな『ギャラ』体験、鶴光&純の蒸留酒トリップで、その翌年がパンクですかね。ウチの従兄弟がフリージャズとパンク好きだったんですよ。

——サン・ラを聴かされたんですよね。

宇川 詳しいね! 忘れてたわ。サン・ラとアルバート・アイラー。それからはどっぷりパンク/ハードコア、ノイズ/アヴァンギャルドで。中3の冬休みの童貞喪失を挟んで。当時ね、吉祥寺のマイナーってフリーインプロのライブハウスや、ピナコテカレコードを主宰していた佐藤さんが、先輩だったんですよ。その時期、ピナコテカのVA『なまこじょしこうせい』にも収録されているビニール解体工場っていうノイズユニットが地元にいて、そこのDEKUさんという先輩に影響を受けるんです。こんどはその人経由でスロッピング・グリッスルを聴かされたり、ジャーマンロック聴かされたりしたのが中学校3年から高1にかけてで、ちょうどその時期にジャパコアが盛り上がって。たぶんそこは豪ちゃんも同時体験なんじゃない?

——ボク、そこは後追いなんですよ。

宇川 あ、ホント? 俺は高校受験のとき、カムズとギズムを聞きながら関数を覚えたから。

——そしてカムズでオナニーして(笑)。

宇川 そうそうそう、チトセさんで。そのあとチトセさん本人に「この右手でヌキました」ってカミングアウトしてその右手で握手してもらったんですよ。握手淫っていう謎な体験。

——ちゃんと報告して(笑)。でも、あの時代にライブを企画してジャパコアのバンドを呼んでたのとか羨ましいですよ。

宇川 それは中学校3年生のときスターリンが『虫』を出して、ツアーの一環として香川でライブやった、その日に全ては始まったんですね。

——そのときですか? ステージで投げる用のブタを買いに行ったっていうのは。

宇川 そう、ブタの首を屠殺場にもらいに行ったの。俺が香川で一番影響受けた香川大学の教授の息子の堀地さんって先輩がいてね。その先輩が中心になって、僕ら中高生が、みんなでギグをオーガナイズしながら、そのあと四国のパンク/ハードコアシーンを作っていった。スターリンは翌年の『フィッシュ・イン』のときも来てるし、なんとビデオ・スターリンでも来てるし。

——ビデオ・スターリンはボクも観ましたけど、ひどかったですね。コンセプトとバンド名だけは最高なんですけど。

宇川 あれは酷かった!

——ボクはザ・スターリンにも間に合わなかったから、そこも羨ましいし、ZOUOとか観てるのも羨ましいんですよ。

宇川 ああ、ZOUOは香川に呼んだから、MOBSと一緒に。当時、すごい動員だったんですけど、なんでかっていうとMOBSは鶴瓶の『突然ガバチョ!』のレギュラーだったからね(笑)。当時、香川にはフリーダムからカオスUKまで何でも呼んでるよ。あ

カン刈りの凶悪暴走族と戦う用心棒マックスが主人公。前作に比べ約10倍の費用をかけて製作され、過激なスタントシーンが話題になった。81年公開。製作国はオーストラリア。

『GORO』
74年に創刊され92年まで発行されていた総合男性誌。ターゲットは20代。ヌードグラビアや女の口説き方から新車情報、漫画まで様々な若者の風俗を掲載していた。付録としてアイドルのポスターも。篠山紀信の激写シリーズが有名。小学館発行。

サン・ラ
アヴァンギャルドで実験的な演奏をするピアノ、シンセサイザー奏者。ジャズ作曲家としても有名。ライブ中、宇宙についての哲学を語ることもあった。アメリカ合衆国出身。今年で生誕100周年。

アルバート・アイラー
アメリカのサックス奏者、歌手、作曲家。60年代に流行したフリー・ジャズの中心的存在。それまでのジャズの常識に抵抗するようなアプローチは、多くのミュージシャンに影響を与えた。

スロッピング・グリッスル
75年にイギリスで結成されたインダストリアルバンド。具体音やリズム・ボックスを多用したサウンドは、後のノイズシーンに多くの影響をもたらした。バンド名を訳すると「勃起する男性器」。

の頃、香川県ってマニアックなレコ屋が全然なくて、本州まで買いに行かないといけなかったの。しかも、まだ瀬戸大橋が開通してないからフェリーに乗って渡らないといけないんですよ！　もうレコード環境からみれば、完全に孤島に島流しにされた状況下で、全員左腕にボーダーのタトゥーが入ってる状態なんですよ。

――流刑地状態だったんですか（笑）。

宇川 当時のあの状況は確実に情報流刑ですね。だから本州から呼んだり行ったりしないと孤島は活性化しない。香川って弘法大師を生んだ街なんですが、空海のことはよく理解できる。麺の製法を唐から持ち帰ってさぬきうどんにリエディットしたのも空海だとされているし。要するに空海のごとくそれぞれが、遣唐使、遣隋使にならないと、文化は豊かに廻っていかないということです。誰かが派遣されて、本州から文化や制度を持ち帰らないといけない環境だったわけですよ。なので自分も含め、学校に一人トレンドセッターがいて、そいつが情報を発信すると赤潮のように広がっていくわけ。全員情報に飢えているから簡単なんですよ。音楽だとカセットテープで劣化を伴いながら、増殖してゆく。たとえば、俺がジャックスの音源を仙台の友達にコピーしてもらって、それを数人にダビングしたんですけどね。勿論当時、香川で自分の周りには1st『ジャックスの世界』を持ってる奴はいなかった。なのにバスケ部の練習試合で隣町の紫雲中学に遠征したとき「どんな音楽を聴いてんの？」って聞いたらジャックス持ってるって言うの。実はそれ、俺のコピーから廻った音源だったんですよ。すごい現象だったから、その子と二人でハマっちゃって、全部遡ってったら間に12〜13人いて、ほんの数ヶ月で広まったことがわかってね。もう隔離された山村でコレラ染しあってるようなもんでしょ（笑）。

――偏った文化が一気に広まる、と。

宇川 そう。俺、それで衝撃受けて。そのときに初めて個人がメディアになれるんだっていうことを自覚したわけですよ。本州だったら個人が選択可能な程、情報が常に溢れてるんで、コミュニティーが分散されるじゃないですか。こっちは選択するだけのアーカイブが本来存在しないんですよ。だからハードコアな文化を簡単に形成してしまう。グラスルーツ的な発展だから強固だし、アンダーグラウンドがメインストリームをひっくり返すことだって全然可能な状況でしたよ。そこでよりヘヴィーなドラッグを追い求めるような形で、ますますエクストリームになってゆく。HIVのような強度ウィルスとして、それが赤潮のような異常繁殖率をもって機能していくわけで。そのウィルスがリップクリームとかOUTOとかですよ。あと当時、ジョニー・サンダースも来てますよ。高校早引きして、堀地さんの車で空港まで迎えに行った。そのときは四国新聞の音楽欄に「海外アーティスト！　ベンチャーズ以来の来高！」って記事が出て、街を上げての騒ぎになった。で、いざライヴやったらジョニサンの一曲目が偶然「パイプライン」！　え、またベンチャーズって（笑）。あと例えば、高松市の中央商店街の中にあるオリーブホールっていうホールでの企画でサディ・サッズやったんですけど、当時はハウンド・ドッグとかがやるぐらいのホールが普通にサディ・サッズで埋まるんですよ。だから『DOLL』で、ボーカルのサディが「香川はすごかった。全員チャリンコで来てるんで商店街がウチらの客のチャリで通行止めになってた」って語ってて、あれは嬉しかったね。

――『DOLL』に載った！　って（笑）。

宇川 町田町蔵さんの人民オリンピックショーでさえ、高校生の僕らが前座で、オリーブホール埋まってたよ。当時、自分は丸山ワクチンっていうポジパンバンドと、暴力大将っていうハードコアバ

カムズ
80年代のジャパニーズ・ハードコアバンド。女性ヴォーカル。ギズム、ガーゼ、エグゼキュートにザ・カムズを含めてハードコア四天王と呼ばれていた。

ビデオ・スターリン
遠藤ミチロウを中心とするザ・スターリンの解散後、遠藤以外のメンバーを一新し87年に結成されたバンド。ライブ活動とビデオのリリースを中心に活動するというのがコンセプト。2本のビデオ作品とアルバムを1枚リリースし1年で解散した。

ZOUO
関西80年代ハードコアバンド。そのオーラある存在感がライブ会場のファンを圧倒していた。

カオスUK
79年に結成されたバンドで、80年代のイギリスのハードコア・パンク・シーンの中心的存在。日本の80年代パンクシーンに大きな影響を与え、人気も根強い。

ジャックス
60年代後半に活動した日本のサイケデリック・ロックバンド。当時の若者はグループサウンズとフォークソングに夢中で一般的な支持を得ることはなかった。が、解散後、日本ロックの先駆者として評価を受けるようになる。

ンドやってたの。地元ではけっこーな伝説作ってますよ。そうそう、当時、遠藤ミチロウさんが「中坊のバンドの醜態をさらしたビデオを送ってこい」みたいなことを言っててね、うちらも送ったんですよ。暴力大将で。そのバンドはボーカルが小人なんですよ。太っ腹さんっていうんですけどね。で、ミチロウさんが『DOLL』で「なんでもいいから送ってこいって書いたら、小人がパンツの中にマルチーズを入れてフェラチオさせてるビデオを送ってきやがった」って言ってたの。リアルバター犬って！ それも嬉しかった。

――ミチロウさんも全裸でオナニーはしたけど、そこまではやってないし（笑）。

宇川 その後、岡山で黒色エレジーも出るロカビリーの人たちのカウントダウン・パーティーに呼ばれたとき、「暴力大将のメンバー全員揃ってるんだったらライブやれば？」って友人だったボーカルのキョウコさんに言われて、黒色エレジーの楽器を借りて飛び入りしたこともあるんですよ。半分があの肉弾のメンバーですからね。由緒正しい機材です。そしたら1曲目と2曲目はロカビリーの人たちにも受け入れられて凄い歓声に包まれてたのに、3曲目でチンポ出してオナニー始めて、自分も借りたベースのヘッドを小人の肛門に差しこんだりしてたら（まさに肉弾）オーガナイザーが発狂し始めて。「なんやっとんじゃい、オドレら〜！ ワイらのギグを潰す気かー！」ってステージから引きずり降ろされてシバキ倒されてね。しかも、運悪く隣に建築中の民家があったから、そこから10人くらいのテッズが材木持ってきて、外に引きずり出されて俺ら材木でボコられて（笑）。絵に描いたようなパンクスVSテッズ！

――リアル暴力大将ですね（笑）。

宇川 そう！ 実写版暴力大将！ で、本物のヤクザが出てきて、土下座して土舐めさせられたり、新年そうそう恥辱の限りを尽くされて。もう、この一日は、完全にどおくまんプロが、闇の中で演出してるようにしか思えなかった（笑）。で、「お前ら、このまま帰れ」って、やっと血まみれで解放されたんだけど、だけど極寒の路地裏で、ボーカルはフルチンで全裸でしょ。寒空の中、可哀想だからボーカルの小人に、みんなが1枚ずつ着てるものを縫いで与えてあげて。でも全員血まみれで洋服もボロボロでまともに歩けないから、まんまナイト・オブ・ザ・リビングデッド。しかもカウントダウン明けなんでこのままゾンビのように街を彷徨っていれば、初日の出が観れる状況。

東京デザイナー学院について

――その頃は、高校を退学になって香川から岡山に引っ越してたわけですよね。

宇川 そうです。丸山ワクチンや暴力大将やライブのオーガナイズでも忙しい、なのに学校もちゃんと行ってたにもかかわらず、大学生と映画撮ってて、期末テスト半分受けなかったんで留年して。その後、退学になったのも、いま思えばメチャクチャひどい話なんですけど。

――ああ、酒を飲ませた事件ですよね。

宇川 そうそうそう（笑）。高校1年のときなんですけど、進学校だったんでセミナー合宿っていうのがあったんですよ。みんな年下じゃないですか。その年から夜11時過ぎるとお酒が自動販売機で買えなくなってたんですけど、まだ稼働停止機能の搭載が追いついていなかったから、電源に外付けのタイマーをさしているだけのマシンもあってね、それを11時前に合わせて、3人で山を下って、

ジョニー・サンダース
ニューヨーク出身ギタリスト、シンガー。71年ニューヨーク・ドールズを結成。激しいライブや中性的なファッションが話題となりニューヨーク・パンクを代表するミュージシャンに。愛用ギターはギブソン・レスポール・ジュニア。91年、ドラッグとアルコールの過剰摂取で死亡。

サディ・サッズ
82年にヴォーカルのサッドを中心に結成。日本のアンダーグラウンド・シーンにおける重要バンド。舞踏的なパフォーマンスと無機質なサウンドで凄まじい存在感を放っていた。

『DOLL』
邦楽、洋楽を問わずパンク、ロック、ハードコア、ガレージ、スカ、メタルなどを取り上げていた日本の音楽雑誌。80年に創刊され09年まで約30年間続く。編集部は高円寺に存在していた。

ワンカップ大関を買えるだけ買ったんですよ。それを持ち帰って男子生徒ほぼ全員で飲んだ。自分は今のキャラと全く変わっていないんで、勿論強制なんてしませんよ。なのに初めて飲酒体験するヤツらもいて、もの凄いサイケデリックな状況になった。「これか！　バッカスの神が降りてくる世界観は！」って。白土三平が『バッコス』って漫画で描いてた世界はこれなんだってわかったんですよ。それでみんなトリップして、真上の女子部屋にパイプを伝って登って行って、全員フルチンで逆立ちしたりして暴れまくって……。

――完全にアウトですよ、それ（笑）。

宇川 もちろんギャグなんで、誰も夜這いしたりしてないですよ。何の危害も加えていない。フルチンでバク転したり、イグアナの真似したりしただけだったのが大問題に発展して。

――そして退学して岡山送りに（笑）。

宇川 最年長者なので責任取らされて（笑）。だけど、ウチのおばあちゃんが岡山の市議会議員を知ってて、無試験で入れる高校があるってことで行ったのが超頭悪い高校で。今度はそこに島流しの真逆の本州流しで、ようやく海を渡らずしてレコード買える状況に派遣されたんだけど、しばらくおばあちゃんの家から通ってたんですよ。そのあと、高校までメチャクチャ遠いっていうことで、ひとり暮らしになって。16歳でそんなの、どうなるかわかるでしょ。

――しかも、パンクにかぶれてる時期で。

宇川 そうそう（笑）。まんまとウチが溜まり場になって、荒んだ生活が始まって。友達が近所のコンビニから運んで来たガチャガチャが十数台並んでて。他にも部屋の中には自動販売機とピンクの公衆電話が展示されててね。

――ちょっとアートっぽいですね（笑）。

宇川 アートっぽい。インスタレーション、そこで現代美術の設営を初めて学んだ（笑）。いま東京都写真美術館で50数台のラテカセを並べて、昭和最後の日のＮＨＫの番組8時間と、平成最初の日のＮＨＫの番組8時間を交互に電波送信して、元号を宙に浮かせるというインスタレーションをしてるんですけど、そのプロトタイプですね。石野卓球さんと話してたら、「同じような末路をたどってるね」って話になって。卓球さんの同級生で、デパートからカーペット抱えて出てきて、「デカいものほど捕まらない」って格言を吐いたカツヨシさんって人がいるんですけど。

――逆に怪しまれないんですよね。

宇川 その人は白内障で片目なので、いま自分はアイパッチのデザイン頼まれてます（笑）。静岡の最重要人物。カツヨシさんはマッシヴレコードっていうレコ屋さんやってたんですけど、いま閉店してその後クラブやってるんですよ。で、卓球さんに「今度クラブやるんだけど、名前つけてくれない？」って言ったら「じゃ、ヤカタがいいでしょ」って返されたらしく。その人は孤児で、中学生で一人暮らし。だから家が溜まり場になってて、みんなそこで童貞喪失してるらしく。その部屋がヤカタって呼ばれてたみたいなんですよ、セックス館っていう意味で。だから「ヤカタ、ついにグランドオープン！」じゃなくて、それはリニューアルオープンじゃんってこの前話してた。「ついにあの伝説のヤカタが！　20数年の眠りを経て甦る!!」（笑）。

――かつて石野卓球も常連だった（笑）。

宇川 そうそう！　伝説のクラブじゃなく、伝説のたまり場！　実際はテレ隠しに「ＹＡＫＡＴＡ」ではなく「ＪＡＫＡＴＡ」とかいてヤカタと読むスタイルに落ち着いていますが。

黒色エレジー
岡山県出身のバンド。80年代後半に活動したパンク、ニューウェイヴ系のバンド。和楽を融合させた音と女性ヴォーカルの情趣溢れる歌唱が特徴。前身は岡山のパンクバンド「肉弾」。ギターのイチロウとベースのコウイチが在籍。

石野卓球
『電気グルーヴ』やＤＪとして世界的に活躍。08年に宇川直宏のＵＫＡＷＡＮＩＭＡＴＩＯＮに萩原健一がヴォーカルを務めた楽曲『惑星のポートレイト　5億万画素』に作曲・プロデュースとして参加した。

――岡山時代って、毎週のように新幹線をキセルして東京に来てたんですよね。

宇川 そこからクラブにハマッていってね。週末は東京のクラブに行ってたんで、メチャクチャ詳しいですよ、クラブ黎明期からいままで代表的なクラブは殆ど体験してますよ。先輩を中心に既に東京に友達が沢山いたんで、毎週新幹線でキセルして行くんですけど、途中で友人の万引きがバレて、うちのガチャガチャのインスタレーションも引っ張りだされて、大変なことになってね。最後の一年は、香川に送り返されたんですよ。島流し→本州流し→逆島流しってかなりオリジナリティー溢れる流刑コースでしょ（笑）。結局寝ないで毎週末東京で遊んでるなんて「こんな狂人をひとり暮らしさせちゃマズい」ってことになって、最後の半年は朝5時起きのフェリー通学ですよ。なのに別に荒れてるとかでもなく、親と普通に仲がよかった。勿論今もですけど。で、毎週末、フェリーに乗って香川の実家から岡山まで行って、そこからキセルして東京まで出てたの。

――キセルはトイレに隠れるんですか？

宇川 新幹線では半分はビュッフェ。もういま搭載されてませんが、当時は7割ビュッフェがあった。あそこはJRの管轄じゃないから、調べに来ない。で、合間では身体障害者用のトイレで寝てたんです。その車輌にはふたつトイレがあるんですけど、障害者用のトイレって広いし、車椅子のストッパーの役を果たしてるマットがイボイボになってるんですよ。あそこで寝転がったら電車の振動で適度にツボを刺激してくれて。

――意外といい（笑）。

宇川 だから新聞を下に数枚敷いて横になっているだけで、気持ちよくマッサージを受けながら岡山から東京までの往復時間を過ごして、リフレッシュした気持ちで改札を抜けられるんですよ。これバッシングの対象にもなりかねないんで、ひとつだけ前置きがあるんですけど、勿論、全車輌、とりあえず車椅子の人がいるかどうかは必ず確認してました（キッパリ）。いたら絶対ビュッフェでしたし、ノックされたら勿論出てましたよ。

――さすがですね（笑）。で、東京行ってるうちに、上京を決意するわけですね。

宇川 美大に落ちて専門学校に行ってね。で、俺、どこの専門学校だか知ってます？

――それ、いつも言わないですよね。

宇川 東京デザイナー学院なの。

――あ、そうだったんですか！

宇川 だからついこの前、豪ちゃんのプロフィール見て、「えっ、同じ学校じゃん！」と思って。べつにそこでおもしろいことがなかったし、でもグラフィックでそこそこ認知されたんで、恩を着せられたくないから、名前は出したくなくて。誘われて講義も2度程やりましたよ。浪人する気は一切なかったんで、無試験で、しかもあのタイミングで願書出せるのはあの学校だけだし。

――相当緩いですからね。たぶんBUCK-TICKがいた頃だと思いますけど。

宇川 そう！ BUCK-TICKのギターの今井さん、LSDで捕まった人。あの人が中退した直後に入学です。いま考えるとB-Tって当時はむしろ『美術手帖』だよね、BUCK-TICKじゃなくて（笑）。東京デザイナー学院から講演の話は来ない？

――全然ないです。卒業制作で学校の暴露本を作ったせいだと思うんですけど。

宇川 それメチャクチャ読みたいんだけど（笑）。俺の卒業制作は

チン拓。アクリル絵の具をチンポに塗って、完全に勃起した状態で玉袋と本体の筋をいかに美しく刻印できるかっていう作品。蛍光の緑をベタ塗りにして、そこに蛍光のピンクのチンポが延々とモノグラムのように連なってね。だけど、学校おもしろくなかったでしょ。いま自分は、もう大学で教鞭とって6年になるんですけど、あの時の学校体験がつまらなかったから、反面教師にしてますね。反面教師に学んだ教師って（笑）。

――正直、学ぶことは何もないですよね。

宇川 何もない！ だから、クラブ行って学校で寝てるような生活してて。その頃に（山塚）EYEちゃんと友達になったんだけど。

消えた飯島愛のコンドーム計画

――その後、KUKIに入ってアダルトビデオの助監督もやってるんですよね？

宇川 うん。学校卒業してすぐにね。半年くらい。樹まり子の現場も、1回やったかな。現場体験数は30～40本ぐらいなんですけど。かつて映像を学ぶならポルノの現場っていうのがあったじゃないですか。映像をコンビニエンスに学ぶ現場として、もっとも有効なのがポルノだっていう概念はあったんですよ。でも入ってみたら、「この現場全然違うじゃん。映画なんて学べないし映像も学べない」ってわかりながら、現場がおもしろいからハマってたっていうだけの話で。でも映画というアートは学べなかったけど、この現場からはデザインを学んだっていう自負はありますね。要するにアダルトはいかにユーザーの興奮を煽って勃起に導いて、果てさせるかという機能美が重要で、それこそがデザインの本質だと考えているので。女優の面接も、下着の洗濯もやったし、小道具や擬似精液も作ったりしてたし。ローションと白身の混ぜかたがうまいって評価されてましたよ（笑）。もとマンガ家の平口広美監督の助監は何度か体験しましたね。その後、アップルを購入して。

――当時、宇川君が出したハナタラシのCD、ボクもリアルタイムで聴いてますよ。

宇川 あ、ホント？ あの前にカッティングマシンを自分で買って、ノイズのブートを作って海外に卸してたんだけど、なにが問題かって、俺がリミックスして勝手に音を加えてるんですよ。最近その音源を本家のMBが自分で編集したオフィシャルブートに入れてくれたらしく、感動しましたね。そうこうしているうちに海外に本当にカルトな信者がついていって、いまドイツのパワーエレクトロニクスを代表するジェノサイドオーガンっていうアーティストがいるんですが、奴らがなんとしてもうちからオフィシャルを出したいって、名乗り出てきてブートレーベルなのに最後はオフィシャルリリースもやってました。1枚1枚手切りのカッティングで、過半数がゴールドディスクでリリースしてました。そのあとがハナタラシで、CDって74分使えるのにハナタラシのライブってだいたいが20数分じゃないですか。もうさんざんブート作ってるから、余ったメディアに当時自分が掘っていたムーグとかブードゥーのレコード音源を入れるのなんて合法だろうぐらいの勢いで。

――それもショッキングでしたけど、CDを出すまでの話も最高ですよね（笑）。

宇川 ああ、小学校からの同級生がアルマーニのバッタもので儲けて、貯金が数千万円あったんですよ、20歳とかで。その後、そいつが自己啓発セミナーにどっぷり浸かって、俺も呼ばれて、もちろんイニシエーションを施そうとして（笑）。

――でも、セミナーには入らなくて。

KUKI
77年に設立されたAV制作メーカー。ビデ倫系アダルトビデオメーカー老舗でもあり最大手。草創期はビニ本も編集していたが、83年から「九鬼」ブランドで本格的にAV制作を始めた。90年代から00年代はインターネットにも進出し、96年に有料サイト「X CITY」の運営を開始した。

平口広美
北海道出身の漫画家。78年、漫画雑誌ガロでデビュー。AV男優や監督としても活動。全国の場末に存在する風俗や世界の風俗を実録ルポルタージュ形式で執筆した『フーゾク魂』シリーズが有名。

ハナタラシ
破壊、暴力、暴言を剥き出しにする日本のノイズユニット。83年に山塚アイを中心として結成。ライヴハウスの壁をユンボで破壊する等、暴力的なライブが理由で演奏できる場所がなくなり、88年頃活動停止した。

宇川 もちろん入るわけないし、カラクリは理解しているから洗脳される筈もなく。そいつに「俺はいままで残忍な金の儲け方してきたから、人のためになることに使ってほしい」って、いきなり100万円渡されたの。どうしょうか、と。タイガーマスクの時代じゃないから、みなしごフロアのちびっこハウスもないし、ユニセフだって本部に全額送られないの知ってるし。それなら、俺の思う人間国宝のEYEちゃんに100万円渡してハナタラシの音源を買ってリリースしたほうが人のためになるし、果ては世のためにもなるんじゃないかって発想でカッティングマシーン卒業して、CDのレーベルを始めたんですよ。それがマムンダッドプロダクションズ。それに俺の友達はいたく感動して。

――それで良かったのかっていう（笑）。

宇川 だから初めは非営利目的の団体で、なぜレーベルを続けられたかっていったら、リリースしたCDが普通に売れちゃったんですよ。あのCDが今の活動の全ての原点で、全てDIYなんで、プロデュースも、デザインも、原稿も自分で。「ライナーって必要だろ、誰が書くの?」って感じで。そこでいろんな雑誌社から原稿依頼が来て、デザインもあれを見ていろんな人から依頼が来たんですよ。あれで、急にアホみたいに仕事が忙しくなって、そこから今日まで20年間、平穏な時代に突入するんですよ。本当に友人に恵まれてますよね。うわ、そういえばなにげに激動なサンフランシスコ時代、話せていないから! こんどもう一度再取材してよ。……他に何か聞きたいことってありますか?

――あとは個人的な質問で、じゃあ、いきなりですけど高城剛さんをどう思います?

宇川 いいですね、僕ら世代にとって重要な人だと思いますよ。俺、高城剛さん嫌いじゃないんです。『バナナチップス・ラブ』アヴァンギャルドでしょう。リアル・ティモシー・リアリーも登場してますからね。ただハイパーメディアクリエーターって肩書、あり得ないでしょ? あの響きがダサいので、メディアが肩書きにつくのはマズいなと思って、俺はメディアレイピストにしたの。媒体強姦魔って、メディアの内側の人なのか外側の人なのか一見わかんないでしょ。あと、騒動後に沢尻エリカがERIKA名義で、自ら作詞した『Destination Nowhere』ってセカンドシングル出したでしょ。あれって、ERIKAの砂漠体験を歌った曲なんですよ。明らかに高城さんと行ったバーニングマン(ネバダ州の砂漠で毎年開催されるレイヴ・イベント)のことを歌ってると思うんだよね。リアルエリカじゃなく、リアルアシッド(笑)。トリップ感がかっちょいい。ERIKAがあのとき自ら提示したコンセプトはサイケデリックだしね。しかも歌詞に「♪心を解き放って」とか「♪聞こえない声さえ聞こう」ってある。確実に現在の指針となる壮大な体験があったんでしょう。素晴らしい。さすが高城剛さんも日大芸術学部出身で日本のリアリーである武邑光裕先生の教え子だから、そこからもDNAって脈々と通じてて。豪ちゃんの高城さんインタビュー読みたいよね。

――沢尻エリカを取材したときの裏話を言い触らしまくったから警戒されますよ(笑)。最後に、飯島愛さんの話も……。

宇川 ああ、そうですね。美川憲一さんのショーがあるにもかかわらず連絡が取れなくて、行かないとマズいでしょってことで、事務所の人が部屋に行って、亡くなってるのがわかったんですよね。俺、亡くなる直前に会ってるの。たぶん逆算すれば2日前。あの人はクラバーで、しかもDJもやってて、俺のパーティーもちょくちょく来てくれててね。リキッドの山根さんに紹介されたので、5年位前からメル友で。愛ちゃんからいきなり電話かかってきて、「ピ

ジェノサイドオーガン
ドイツのインダストリアル・ノイズバンド。89年にデビュー。あまりに人前に出ず、マスクを被っているので、幻の存在とされている。

ちびっこハウス
梶原一騎原作『タイガーマスク』の主人公「伊達直人」が育った児童養護施設。覆面レスラー「タイガーマスク」として成功後、正体を隠してハウスを訪れ、寄付や子ども達にプレゼントをする。

『バナナチップス・ラブ』
高城剛が監督と脚本を担当した最高傑作ドラマ。91年10月から91年12月までフジテレビにて木曜深夜に放映。全編ニューヨークロケ。音楽担当が藤原ヒロシとダブマスターXで、衣装担当がヨウジヤマモト。松雪泰子の初主演作としても有名。

ティモシー・リアリー
アメリカの心理学者。LSDなど幻覚剤の使用における意識革命を推進し、体制に服従する生き方を否定。サイケデリック革命の父として、ヒッピーやドラッグを使う若者には大人気。

ーターさんの55歳の誕生日が渋谷である。私がギャラ払うから、そこでVJやって」って頼まれたこともあるよ。本人はこない。それが飯島愛のピーターさんへの誕生日プレゼント。粋でしょ？　あの人は芸能界を辞めてから事業を立ち上げようとしてたの。何度もいろいろなアイデアメールきたよ。

――アダルトグッズのブランドですよね。

宇川 そう。それが1年数ヶ月できなかったのが、ようやく動き始めるっていうときで、「コンドームをまずリリースして、そのあとバイブをリリースするから、宇川君デザインして」って言われてたの。アダルトグッズを出すひとつめのアクションがエイズキャンペーンで、ようやくメディアに顔も出せて、解雇されたプロダクションとも折り合いがついて、あの時期、メチャクチャ活気に溢れてたんですよ。美大の教授がデザインするバイブの反りかた、快楽を導くアウトラインってどんなんだろうっていうのが彼女のコンセプトにはあったらしくて（笑）。どんなカリ首のシェイプをデザインするかによって、力量を問われるなって思ってたところだったワケです。

――卒業制作がチン拓の男としては（笑）。

宇川 ハハ、そうそう。ここはハズせないって思うじゃない。バイブのデザインの構想もいろいろしてたんですよ。亡くなる2日前もそのこと話してました。あと、リキッドルームで、愛ちゃんと俺が対談をやっていくシリーズを今年からやろうって言われてて、1回目のゲストは絶対卓球さんに来てほしいよねとか勝手に話してたんですよ。じつは豪ちゃんにも来てほしかったの。「年末、吉田豪さんともやるから、おもしろかったら絶対呼ぼうよ」とかって伝えていたから大ショックで。訃報を聞いたときには本気で固まりました。だからあれは完全に事故ですよ！　本当に悲しい。あんなアナーキーな生き様、常人には出来ないでしょ。彼女のことは絶対に忘れないと思います。心の底からご冥福を祈っています。

飯島愛
元AV女優で元タレント。90年代前半は「Tバックの女王」と呼ばれる。00年、リンチ被害や中絶、整形などをカミングアウトした小説『プラトニック・セックス』がベストセラーに。07年に芸能界引退。08年12月、自宅にて死亡。死因は肺炎。

ピーター
69年に俳優、歌手としてデビュー。『夜と朝のあいだに』で第11回日本レコード大賞の最優秀新人賞を受賞。その後、黒澤明監督『乱』に出演するなど役者としても活躍。芸名において、バラエティー番組の出演時は「ピーター」、役者は「池畑慎之介」と使い分けている。

下ネタのニーズもなくなりそうですね。不景気ですし

宮崎吐夢

MIYAZAKI TOMU/2009年10月2日収録

1970年生まれ。東京都出身。俳優。1992年、大人計画に参加。20代の時につくった『バスト占いのうた』や『ペリーのお願い』がネットで話題をよび、CD『宮崎吐夢記念館』やDVD BOOK『今夜で店じまい』シリーズ３部作をリリース。また文筆活動やテレビドラマの脚本執筆も行い、著作には小説『諦女　宮崎吐夢のOL短編集』などがある。『おはよう忍者隊ガッチャマン』『マジンガーZip！』『しまじろうのわお！』ほかナレーター業、声の出演も多い。

たぶん一番つまらない

宮崎 (突然)なんかすいません……。

——なんですか、いきなり(笑)。

宮崎 いや……あの……よろしくお願いします……。僕、インタビューで過去のことを聞かれても、なかなかとっさに思い出せなくて、後から気付いて、原稿チェックで書き加えたりしちゃうかもしれないんですけど……。

——なんでも書き加えちゃって問題ないですよ(笑)。『今度も店じまい』のブックレットに収録された清水ミチコさんのインタビューを読んだときに思いましたけど吐夢さん、インタビュアーとしてもうまいですよね。

宮崎 いやいやいやいやいや、全然ダメです! あれはだって清水さんが見るに見かねて、インタビューをしやすい状況にもってってくださったんで……。あと僕、吉田豪さんがインタビューした中でたぶん一番つまんないと思うんですよ。

——前振りしておきますか、それ(笑)。

宮崎 そもそも人間的につまらないっていうか……。『人間コク宝』の人たちはもちろん、普通の芸能人と比べても僕はなんにもお話することがないんですよ……。

——でも、そこに近いものは感じるんです。ボクも自分の話はしないじゃないですか。「ボクの話はそんなに面白くないから、他の人の面白い話しましょうか」って姿勢で。

宮崎 ああ、吉田さんの『hon-nin列伝』に載ってた松尾(スズキ)さんの逆インタビューってヤツも、結局あんまり逆インタビューって感じでもなかったですよね。僕は……自分が出した本とかDVDとかCDについては取材されてますけど、人物像的なことを聞かれた経験がほとんどないんです。

——そうなんです。記事を集めても対談ばかりだし、そこでも自分の話はあまりしてなくて、単独のインタビューがないんですよね。

宮崎 それはなんでかっていうと、売れてないから(キッパリ)。あんまり売れてないから聞かれることもないだけの話なんですよ。

——初1万字インタビューですか(笑)。

宮崎 だから、申し訳ないなって気持ちがありますね。ちょっとオシャレ雑誌みたいので人物インタビューされたときは、ほとんど笑いがないインタビューで、インタビューのときは冗談っぽく言ったことも、わりと「(笑)」がなしで、断定口調でエラそうに語ってることになってたり。それで結構面白おかしく直そうとしたら、「そういう雑誌じゃないんで」みたいなことを言われて。

——今日はいくらでも「(笑)」は入れられますけど、そんなに話すことないんですか?

宮崎 ……そうですね、結果的にないことが多いんです……何を話しましょうか? 将来の夢みたいなこととか、これからのビジョンとかよく聞かれるんですけど、それもないんですよね……。そういうことを聞かれるたびに、やっぱり自分は何もない人間なんだってことを痛感して……。

——たとえば周りに面白い人がいると、より「俺ってダメだな」と思うじゃないですか。それは大人計画で思ったりするわけですか?

宮崎 大人計画でも思いますし、外の人と会ったときも。たと

『今度も店じまい』
宮崎吐夢と河合克夫が組んでリリースしている下ネタコント集『今夜も店じまい』の続編。ブックレットには、宮崎吐夢による、清水ミチコへのインタビューが掲載されている。

© 宮崎吐夢/講談社

『hon-nin列伝』
吉田豪が08年にリリースした、荻野目慶子や中川翔子などの女性に迫ったインタビュー集。まえがき&あとがきには、松尾スズキによる『吉田豪"本人"インタビュー』が収録されている。

えば吉田さんとか掟ポルシェさんに『モテケン』（テレビ東京でかつて放送されていた、宮崎吐夢司会の深夜番組）に出てもらったときは、やっぱり番組に呼ばれて期待に応えるってこういうことだな、みたいなことをちゃんとわかってるし、できる人だなっていうのを感じたんですよ。それと比べると、僕は期待されてることが全然できないなと思ったりしますね……。

――そうなんですか？

宮崎 売りもないといいますか……。自分がたとえばテレビ観たり映画観たりして、「俺ならもっとうまくできる」みたいなことがないんですよ。すごく下手な人とか観ても、「でも、自分がやったらもっと下手なんだろうな」としか思えなくて。

――ダハハハハ！　「このジャンルだったらイケるかも」みたいなのはないんですか？

宮崎 やる前はひょっとしてイケるかもって思ってたんですけど、いざやってみるとダメだなっていうのはわりと感じますね、舞台に立っても、文章書いても、CD出しても……。なんか、やっぱり吉田さんはプロ書評家とかロングインタビューとかでワン&オンリーな道を貫いてるじゃないですか。僕にはそういう得意分野が何もないなという反省があって……。

――でもいま、とりあえず下ネタ・ソングの第一人者的な感じにはなってきてますよね。

宮崎 第一人者っていっても世間の人がそんなに認知してるわけではないんで、まだまだその看板背負ってって感じではないですよね。それに、下ネタの第一人者としてやっていく覚悟もさほどないかもって感じはあるんですけど。

――もとはといえば雑誌をやりたくて、大学では雑誌サークルに入ってたわけですよね。

宮崎 でも全然、ホントに学生がボンヤリと「マスコミ行きたいなあ」と思っただけで、こういう雑誌がつくりたいとかは全然なかったんですよ。だからホントにボンヤリと雑誌社、マスコミ志望、みたいな。さもなくばテレビ局とか、もしくはその周りのっていうようなお気楽なノリです（笑）。

――年が同じせいか勝手に共感する部分はあるんですけど、どうも人となりがわからないんですよね。ちゃんとしてる人ってイメージなんですけど、でもそれが表面上ちゃんとしてるだけなのかどうかすらもわからないし。

宮崎 吉田さんはいつもそう仰るので、あんまりちゃんとするのもなあと思って、今日はこんな部屋着みたいので来てしまったんですけども……。今までのところ、わりとボンヤリとしてるんですが、今日は話すのが苦手ってことについていろいろお話すればいいんですか？

――何も考えてないです！　どういう人なのかを知りたいっていうだけで、あとは流れに合わせて対応していこう、ぐらいの感じで。

宮崎 ……じゃあ、僕から「自分はこういう人です」みたいなことを話すべきなんですかね？

――子供の頃とかはどう言われてました？

宮崎 子供の頃……小学校のときは、普通に情緒不安定って書かれたこともありましたけど、中学に入ると落ち着いてきて……あ、僕、イジメに積極的に加担するほうじゃ決してなかったんですけど、中学のとき、クラスのイジメをなんとなく傍観しながら、「イジメるならイジメるで、こんな殺伐した形じゃなくて、もう少し笑える感じにしたらいいんじゃないか？」みたいなことをこっそり提案したら、それが担任の教師に伝わっ

『モテケン』
07年から08年まで、テレビ東京で放送されていたバラエティ番組。司会は宮崎吐夢と伊勢志摩。番組内では50歳以上の女性のアイドルユニット『黒い花びら～ズ』結成、などのコーナーがあった。

て、「お前が黒幕だろ!」って詰問されたことがありまして。僕がちょっと冗談で言ったあだ名が、そのイジメられっ子についちゃったりしてたんですけど……。「放っとくとお前は、一番残酷なことをしかねない」と言われたのは、ショックでしたね。

――おとなしいタイプではあったんですか?

宮崎 あまり人前でガンガンと何かするタイプではなかったですね。でも、目立ちたがり屋ではあったんですよ、学園祭で歌ったりネタを披露したり……なんかこんなぬるい感じじゃないですよね、いつも読んでる吉田さんのインタビューは(苦笑)。

――ダハハハハ! 自分は普通の人間だと思います? どこかしら歪んでると思います?

宮崎 いたって普通の人間のつもりで……といいますか、あまり普通か普通じゃないかも考えないですね。……どう答えたらいいのかわからないんですけど。

――普通っぽいけども静かに病んでるというか、何か裏にありそうな気がするんですよ。

宮崎 でも、それって自分では自覚できないんじゃないですかね。どうです? 吉田さんも普通か普通じゃないかっていうと……。

――ボクは普通じゃないと思われがちですけど、ものすごい普通だと思ってます。変に常識が刷り込まれすぎちゃったというか……。

宮崎 僕も、なるべく常識的な行動をしようとは心がけてはいますけどね。……ほぼ初対面の人は苦手というか、人付き合いがあんまり上手じゃないぶん、最初は丁寧なのかもしれないですけど。いや、ちょっとこれホントに……学校の先生の三者面談的な(笑)。

三宅裕司ブームに疑問

――そんな空気になりつつあるから、話題をガラッと変えましょうか(笑)。童貞はこじらせてるというか、引きずってる側ですか?

宮崎 こじらせてる自覚もないんですが……まあ、いい歳してああいう下ネタをやり続けてるっていうのはそういうことなんですかね~。でも決して、下ネタに特別にこだわってたり、何か思春期のときの特別な性的なコンプレックスの裏返しということではないと思うんですよ。

――自覚的じゃない人が戸川純さんにインタビューして、「堕胎をギャグにするのはどうかと思う」って感じで下ネタの質についてピシャリと言われるのってどうなんですか? 読んでて、すごい緊張感が走りましたけど。

宮崎 あれビックリしましたね……。戸川さんは、やっぱり本物だと思いましたね。ホントは、もうちょっと恐ろしかったんですけど(笑)。

――文字で見るよりは(笑)。

宮崎 だいぶマイルドにはしたんですけど……。

――先にグッズ全部出して「大ファンだ」って伝えなきゃいけないんだなっていうのは読んで思いましたね。途中で出してたから。

宮崎 ええ、そうなんですよね。実はあれ、吉田さんの教えを守って、お守り代わりに持ってったんですよ。吉田豪メソッドですよ。

戸川純
80年頃から芸能活動を開始し、82年にゲルニカのボーカルとしてアーティストデビュー。テレビやCMに出演、女優としても活躍する。83年からは『戸川純とヤプーズ』として本格的な音楽活動を開始。80年代のカルチャーシーンに多大な影響を与えた。

――ボクの持論ですからね。「敵じゃない」ってことを伝えるためには相手のグッズを持参して、懐に飛び込むべきだっていうのは。

宮崎 そう思いました。その後、宇多丸さんの対談があって、宇多丸さんのときは最初からグッズを敷き詰めてやったんです。まあ、宇多丸さんはそんなことするまでもなく、積極的に応じてくれたんですけども（笑）。

――宇多丸さんは吐夢さんのこと知ってるから、そんなに意味はないでしょうけど（笑）。

宮崎 戸川さんのときも一緒に行った編集の人に「それ意味あるの？」って顔されましたけど、持ってってよかったです。

――あのへんから和気あいあいとしてきて。

宮崎 そうなんですよ……。やっぱり、それである程度雰囲気がほぐれるんだろうとは思ってたんですけど想像以上でした。それぐらい吉田さんからいろいろ学ばせていただいてるので、吉田豪気取りじゃないですけども（笑）。

――でも、清水ミチコさんのインタビューは「本人よりも本人について詳しい」っていうボクのキャッチフレーズ以上のことになってましたよ。あれはボクには出来ないなって。

宮崎 いやいやいや！　清水さんからも「清水ミチコ公認ストーカー」の称号をいただきましたけど、でも……じつはそんな……やっぱりホントにコアなファンっているじゃないですか。そういう人ほど、たとえば毎回ライブに行ってたり、全番組チェックしてるっていうわけではなかったりする負い目はありますけどね。

――そのへんは全然気にしなくてもいいですよ。ボクも全然現場には行かないですから。

宮崎 あと、僕の場合はプロじゃないんで。

――本業がありますからね、ちゃんと。

宮崎 本業がね、ないんです（キッパリ）。

――ないんですか！　でも一応、人に聞かれると「役者」って答えてるわけですよね。

宮崎 役者って答えてますね。売れてない人が肩書きいっぱいかかげると、よりダメな感じがするんで。一応ひとつしか名乗っちゃいけないんじゃないかなと思って。ただ、あんまり本業で活躍してないんで（笑）。活躍したくないわけではないんですけど……。活躍する機会が残念ながら非常に少ないと申しますか。

――俳優的な人格ってありますけど、自分はそっちの人間じゃない的な思いはあります？

宮崎 すごくありますね。ウチの劇団は「この役のこのセリフはどういう意味ですか？」とか、そういう質問をしないんですね、みんな。やっぱりそういうのを気にしないで、書いてあることに淡々と徹する、みたいなことが役者って問われるなという感じが。だからどっか気にしないのが役者の素質のひとつだなというのは。

――丹波哲郎ぐらい、細かいことは何も気にせずに演じるのが正解なんですかね（笑）。

宮崎 そうですね。自分の役は悪者なのかいい者なのかすら気にしない人が、向いてるんじゃないですかね。セリフの意味もわからないでやってるぐらいが一番いいのかもって、いろんな人を見てると思います……。

――この前、ショーケンさんのドキュメントを観てたら、すごい気にしてるんですよね。

宮崎 ああ、日曜の『ノンフィクション』の。プロデューサーの山本又一朗さんに「将軍はこんなことはしない！」とか台本に駄目出ししたりして、あれはすごかったですね（笑）。

――セリフが変わったことに怒ったりとか。

宮崎 でも結局、「前のセリフでいい」って言われたのに、それすらも覚えてなくて、NG何度も出してたじゃないですか。僕もあるんですよ。「ここ、『は』じゃなくて『に』のほうがいいのに」とか、そういう細かいことを気にしてると、台本って面白いほど覚えられないんです。

――全然関係ないですけど、ショーケンさんと瀬戸内寂聴の対談集は見ました？　衝撃事実が明らかになってて。ショーケンさんが最初に捕まったとき、京都の寂聴さんのお寺で謹慎してたんですよね。そこをどうしても抜け出さなきゃいけない用事があったらしいんですよ。「俺の大好きなジョニー・ロットンが来日したから観に行った」って、つまりPILの来日公演に行ってたっていう（笑）。

宮崎 PILでやってたってことは……。

――83年の初来日ですよね。だから、ショーケンさんのボーカルスタイルも、もしかしたらジョン・ライドンなのかって。

宮崎 そう言われると似てますよね。こないだの石野卓球さんが作った新曲もすごいし。

――狂ってましたよね。あれもアドリブでどんどん勝手に言い出したって話ですよね。

宮崎 あれって歌がバックトラックと全然関係ないというか、全部同じキーなんですよね、『愚か者よ』とかと。

――『愚か者よ』もPILの頃ですね。

宮崎 そう聞いてしまうと、『愚か者よ』も「もしもジョニー・ロットンがマッチの『愚か者』を歌ったら」みたいなクリカンのネタみたいにしか思えないですね。

――……と、あえてショーケンさんの話を振ったのは、吐夢さんってウィキペディアにも「芸能通」って書かれてるわけですけど。

宮崎 あれ、グループ魂のファンがついでに書いたような雑なウィキペディアで……。

――ダハハハハ！　そうなんですよね、情報量が全然ないから、それも驚いたんですよ。

宮崎 大学も一応卒業したのに中退ってなってますが、べつに直そうとも思わないですけど。直し方もわからないんで。芸能通って……なんですかね？　ほかにいますかね、芸能通の人って……。芸能レポーターとかですか？

――それは仕事の人ですからね。無駄な知識の量はボクと同じぐらいだと思いますけど。

宮崎 いやいやいや、全然！　とんでもないです。おこがましいですよ、僕なんか……。

――吐夢さんの『ダ・ヴィンチ』の連載でボクの名前を出してたことがあったじゃないですか。連載が多い人のたとえで出てきて。

宮崎 そうそうそう。「役者でライバルみたいな人は？」って松尾（スズキ）さんに言われたときに、全然思いつかなくて。あの時期、僕、物書きじゃないのに、どういうわけか雑誌の連載が7誌あったので、吉田さんの名前を、呼び捨てだったかもしれないですけど、「気になるといえば」みたいなことで挙げさせていただいて……。

――役者のライバルはいないんですか？

PIL
ジョニー・ロットン（ジョン・ライドン）が、セックス・ピストルズ脱退後に結成したバンド。正式名称は、パブリック・イメージ・リミテッド。

グループ魂
劇団大人計画のメンバー、暴動（宮藤官九郎）を中心に、破壊（阿部サダヲ）、バイト君（村杉蝉之介）などで結成されたパンクロックバンド。当初はコント集団のようであったが、徐々にアーティスト活動にシフト、05年には第56回NHK紅白歌合戦に出場した。宮崎吐夢もライヴには何度も登場している。

『ダ・ヴィンチ』
94年に創刊、現在はカドカワのメディアファクトリーから発行されている文芸情報月刊誌。宮崎吐夢「お言葉ですが、松尾さん！」というコラムを連載していた。

USFK
UKRK

宮崎 いないですねえ……。あんまり役者の友達とかも……。

――それもよく言ってますよね。つまり、大人計画内にも友達はいないんですかね？

宮崎 正名僕蔵君っていう役者が同期だったんですけど、彼はもう劇団員ではなくなって、いまは事務所所属だけになったんで、なんとなく劇団内で肩身が狭い者同士っていうと正名君にたいへん失礼なんですけど、なんとなく立場が似通ってる感じで、よく飲んだりはしますね……。

――肩身は狭いんですか？

宮崎 いや……なんとなく申し訳ない気持ちというか。劇団内でもあんまりお役に立てなくてすいません、みたいな……。社長やマネージャーさんにも、商品としてあんまり優秀じゃなくてごめんなさい的な気持ちは常にありますね。売れたいって気持ちはないといったらあれだけど、それより売れてないことが恥ずかしい、申し訳ない、めんぼくないっていう気持ちはやっぱりあるので。

――どのジャンルで売れてもいいわけなんですか、それは。下ネタの歌でも俳優業でも。

宮崎 そういうことでいったら、べつにこれでいきたいっていうのはないので。

――あと、資料を読んで気になったのが、好きなお笑い芸人を聞かれたときに毎回違うことを答えてるなと思って。東野幸治さんとかコロッケさんとか清水ミチコさんとか……。

宮崎 ああ、そうかもしれないです。すごく「この人！」っていうのはあんまりなくて。いまはジャルジャルが好きですけど（笑）。っていうか、子供のときに周りの人はたけしさんとか、とんねるず、あと三宅裕司さんとか言ってる人がいて。意味がわからなかったんですよ。三宅裕司さんが好きっていう意味が。

――ああ、『三宅裕司のヤングパラダイス』世代ですよね。84年ぐらいになぜかあったんですよ、三宅裕司バブルみたいなものが。

宮崎 僕、三宅裕司さんが嫌いとかじゃなくて、若い人が好きになるような要素を僕は確認してないんで。やっぱりラジオとかなんですかね？

――実際、ボクも聴いてましたもんね。YMOのアルバムにも参加したり、番組オリジナルTシャツもクリームソーダが作ったりで。

宮崎 高橋幸宏さんが一時期やたらSETの人といろいろやったりしてたときも、とにかく不思議だな〜って。土曜の夜かなんかに番組がありましたけど、正直あんまり魅力がわかんなかったところはありましたね。お笑いって実はわかんないんですよ。自分がお笑い的なことをやってる自覚もあんまりないので。

――たしかに、取材で毎回好きな芸人を聞かれるのも不思議な話ではありますけどね。

宮崎 そうですね。一応俳優だって名乗ってるのに（笑）。吉田さんは、好きな芸人さんとか聞かれたりしますか？

――聞かれないですけど、でもずっと好きで会いたいと思ってるのはさんまさんですね。

宮崎 あっ、そうなんですか……。

――だから、『本人』はなぜボクにさんまさんのインタビューをやらせなかったんだろうって本気で思ってますから。

宮崎 「やるよ」とも言われずに？

――北尾編集長に「吉田さん、じつは相談があるんですよ。

正名僕蔵
92年に大人計画に入団。さまざまな舞台やテレビドラマに出演。現在は劇団所属ではなく、マネジメント契約だけになっている。同期入団者には宮崎吐夢の他に阿部サダヲと猫背椿がいる。

三宅裕司
79年に劇団スーパーエキセントリックシアター（SET）を旗揚げ。84年にニッポン放送の『三宅裕司のヤングパラダイス』のパーソナリティを務め、若者を中心に人気を得る。SETは小倉久寛、岸谷五朗、寺脇康文などの俳優を排出した。

明石家さんまさんの取材ができることになりまして」って言われた瞬間テンション上がったんですよ。そしたら「吉田さん、さんまさんに詳しいらしいですけど、何かネタはないんですか？」って言われて。「北尾さんがやるのかよ！」って（笑）。

宮崎　そういえば吉田さんはポッドキャストでも『27時間テレビ』のさんまさんはすごい」って話されてましたよね。

――ボクとか宮崎さんもそうですけど、ほかのことといろいろやるじゃないですか。お笑いしかやらないってだけですごいなって思いますよね。寄り道しないで、なおかつその世界でいつまでも若い世代と勝負し続けるって。

宮崎　あの方、すごく勉強家だって話は聞きますよね。恵比寿のTSUTAYAで一年間に一番洋画のDVDを借りてるのはさんまさんだって噂を聞きましたけど、そういう知識は一切ひけらかさないですよね……って、さっきから全然面白い身の上話が話せてないんですけど……。

――大丈夫ですよ（笑）。ちなみに仕事先で「この人すごい！」と思った人はいました？

宮崎　「この人すごい！」ですか……うーん……人がすごい！という話では全然ないかもしれないんですけど、劇団に入って、ほぼ最初の仕事が『ボキャブラ天国』のVTR出演の仕事だったんですね。で、日出郎さんとご一緒したんですけど、ああいう方って、普段は意外とシャイで寡黙で紳士的なイメージを想像してたんですね、勝手に。でも実際にお会いしたら挨拶もそこそこに、僕のチンコをもんできたんですよ。「チャオ！」みたいな感じで（笑）。「裏の裏をかかれた」といいますか、「ひねりナシ」なんだと思って。

――イメージ通りで（笑）。

宮崎　あと、深夜ドラマで初めてヒロインとキスするシーンのある役が来たんですね。その相手は木下優さんというグラビアアイドルだったんですけど、その同僚の役で、久本雅美さんの妹さんの久本朋子さんという女優さんとワンシーンですが共演することになって、久本さんに「大人計画の宮崎です」って挨拶したら、「じゃあひょっとして、ここもカッコ〝大人計画〟なんですか？」って、チンコ触ってきたんですよ。あとにもさきにも、チンコを触られたのはそのお二方だけなんですが（笑）、20代も前半から半ばにかけての駆け出しの頃だったので、「なるほど。これが芸能界なのか」と思ったりもしました。でも、この世界って第一線で活躍されてる方ほど、ちゃんとしてるイメージありますよね。もちろん日出郎さんも久本さんもスキンシップ重視型のお優しい方々だったんですが。とにかく、あまり怖い現場に遭遇したことがないんですよ、嫌な人とかも。気難しいって噂、いろいろあるじゃないですか。でもそういう人に会うと全然そうでもない、みたいな。そこで名前を挙げても墓穴掘るだけなんですけど……（笑）。

――つまり、世間でよく嫌な人と言われてるような人も会ったらそんなこともなかった。

宮崎　優しい人が多いですよね。

――とりあえず、水谷豊さんはホントにいい人だっていうのはよく聞きますけどね。

宮崎　あ、『本人』に書かせていただきましたね。はい。優しい方でした。あと、高橋英樹さん主演の時代劇シリーズに出演させていただいた時、撮影で一日中着物着るから、どうしても着崩れてくるんですけど、それをずっと高橋さんが休憩のたびに直して下さるんです。それが申し訳ないやら、恐れ多いやら。

日出郎
85年に『天才・たけしの元気が出るテレビ!!』に出演して話題を呼び、テレビや舞台でも活躍するようになったニューハーフ・タレント。92年に『燃えろバルセロナ』で歌手デビューを果たしている。

水谷豊
65年、13歳の時にドラマ『バンパイヤ』で主役デビュー。ドラマや映画で活躍。77年には歌手デビュー。78年『熱中時代』に主演、社会現象といえるヒットとなる。02年から放送されている『相棒』シリーズが高く評価されている。

あとは芸能人ではないですが、井脇ノブ子さん（元・衆議院議員）ですかね。「やる気！元気！井脇！」の。僕、井脇ノブ子さんと『TVぴあ』で対談したことがあるんです。でも会うまでは、ちょっと面白半分というか、正直キワモノ見たさのところもあったんですけど、お会いしたら、まあ純朴で感じのいいお人柄で、まるで中小企業の町工場の叩き上げのおっちゃんみたいな方なんですよ。いっぺんで大ファンになってしまって。テレビで観るよりも全然常識人な感じで。それからは僕、あの人のことを悪く言う人は許せなくなりましたね。

――そんなに好きになれる人なんですか！

宮崎 好きになっちゃいましたね。僕、取材のテレコを置いたまま帰っちゃったんですよ。それで「あ、テレコがない！」って気付いて編集者が取りに行ったら、そのあとの会話とかも全部入ってて、聞いたら「あの子はよう勉強してるなあ、ええ子や！」みたいなことを言ってて。秘書の人が八代英太さんの息子さんなんですよ。八代英太さんが選挙に落ちちゃったんで、「じゃあウチで引き取りましょう」みたいなことで。でも八代さんの息子さんは前もって編集部から「ピンクの背広着てっていいですか？」「それはダメです」とか、いろいろやり取りがあったんで、そんなにいい子でもない的なニュアンスで、「そうですかね？」みたいなことを言ってて。

――最初の予定ではピンクのスーツにオールバックのコスプレ姿で取材に行くぐらいの。

宮崎 そんな気持ちでいたんですけど、「それはやめてくれ」ということで（笑）。ちょっとした美談なら多いですよ。撮影本番中、僕の手に隠しマイクが倒れてきたのを、演技しながらさりげなく直してくれた鶴見辰吾さんとか、どうしても言えない説明長ゼリフの途中から、カメラに映らないように巧みに助け舟を出していただいた内村光良さんとか。そういう有名芸能人ちょっといい話はたくさんあるんですけど、いかんせんコビ売ってるみたいで、話としてはたいして面白くないんですよねですよね……（笑）。

――嫌な話っていうのは書きづらいし……。

宮崎 そうなんです……。

風俗で童貞喪失

――嫌な話といえば、「大人計画に入ったとき、最初の1～2年、これがイジメかと思うような目に遭った」とか言ってましたよね。

宮崎 ……え！　……その話、どこでしてました？　まさか雑誌媒体で言ってました？

――言ってましたね。「イジメ体験は子供の頃はなかったんですが……」って（笑）。

宮崎 ……いや、まあ、イジメっていうよりは、新入社員研修的なことで……。

――自分のコーヒーミルを控室に置いたら、「新人が何を生意気な！」的な感じで、それからしばらく冷たい扱いになったって話で。

宮崎 ああ、そうそうそう。今考えると当然といえば当然な話なんですが。でも、基本的に他人に対してそんなに関心のある人たちじゃないんで、そんなにイジメとかっていうことではなくて。……そんなことも言ってるんですね、僕。数少ないインタビューの中で。

井脇ノブ子
72年に衆議院議員に初出馬するが、落選。その後、何度も出馬するが、05年の衆議院選でついに初当選を果たす。キャッチフレーズは「やる気！元気！井脇！」。著書に『おまえらがかわいいけんなぐるんや』などがある。

――数少ないインタビューの中で毎回言ってるのが、「大人計画を選んだのはお金の匂いがしたからです」って話なんですよね（笑）。

宮崎 ああ、そうですね……。まあ、金の匂いがしたっていう言い方が一番わかりやすいかなと思って……。でもかといって、そこでひと儲けとか、ここに入れば売れる的なつもりもまったくなくて。大学2年のときだったんで、大学に行ってるあいだに社会勉強じゃないですけど、なんとなく面白い人たちと……あとここに行けば自分の居場所があるような気がしたんです……。

――つまり、それまで所属していた雑誌サークルに居場所がなかったってことですか？

宮崎 雑誌サークルよりもっと……この話はどっかで言ったかどうかわからないですけど、雑誌サークルで学内の劇団を全部観て結構ボロクソに書いたことがありまして、それで軽い吊るし上げを受けたんですよね。

――あ、そうなんですか。

宮崎 それで、「だったら、てめえでやってみろ」ってこともちょっとあって、じゃあ、やってみたほうがいいかもな、みたいな。で、たとえば編集者になってからもわりと辛口な記事というか、ちょっと自分が書かれたりするのはどういう気持ちか見てみなきゃ、みたいな気持ちもあったような気がするんですね。あとやっぱり書くより書かれる側に回ったほうがフェアな感じっていうのも、どっかにあったのかもしれないですね。

――実際、いまは書く側であり書かれる側でもあるわけですけど、そこはどうですか？

宮崎 やっぱりホントにいろいろやってみると、大変さがわかりますね……。たとえば小説とかも「書けんじゃないの？」って思ったら、なかなか難しいっていうのがわかったり。人前で歌ぐらい歌えるかと思ったら、なかなか難しいとか、そういうことを学べて。

――できないことをどんどん学んで（笑）。

宮崎 ええ。お金をもらいながら（笑）。ひとつひとつ「あ、これは自分には向いてない」っていう確認みたいな、自分探しじゃないですけど。そろそろなんか向いてるものを見つけないとなとは思ってますけど。

――いまのとこ、まだ見つかってない。

宮崎 見つかってないですね。もう38歳なんで、そろそろ……就職しないと（笑）。

――もう39歳になりますからね（笑）。あと、この記事が気になったんですよ、「とにかく性格が細かい。宮崎さんと一緒に仕事をした人が付き合いきれなくて離れてしまう」って、とある雑誌に書かれてたのが（笑）。

宮崎 『サイゾー』ですね（笑）。その記事に、「もう、あの人とは金輪際仕事する気はない」（漫画家・河井克夫談）ってあって（笑）。まあ、幸いなことに河井さんとはいまだにお仕事させてもらってますし、最初の頃にお会いした編集者さんたちともいまだにお仕事付き合いがあるんで、そんな「離れてしまう」という評判の私に……と感謝の気持ちはひとしおなんですが、まあ確かに、細かいところと大雑把なところのバランスが変って言われるんです……細かい提案をすごくするみたいなんですね。

――また他人事みたいな言い方を（笑）。

宮崎 なんか、『モテケン』という番組で僕のキャッチフレー

ズみたいなことを台本に放送作家の方が書いてくださるのが、毎回なんか「ちょっと違うな～」みたいなことで、放送作家の人と毎週、飲んでいろいろ話したりして。で、半年ぐらいすぎて、「下町のナポレオン、宮崎吐夢！」って台本に書いてあったときに、「これこれ！ こういうこと！」みたいな。

――ダハハハハ！ それなんですか（笑）。

宮崎 そう、「ホントにそれか？」って思われるような。でもなんか、わかりあえた感じというか。あるいは、わかりあえない、いいかげんな感じがやっと共有できたみたいな。めんどくさいのは百も承知なんですけど。あと、自分のすでに発表したものを一から直したくなるんです。こないだ出した『諦女』って小説とかも、もし文庫化されることがあったら総書き直しするだろうなとか思いますけど。

――そんなに気にする人なんですか（笑）。

宮崎 僕、もういま自分の単行本にガンガン、朱（アカ）入れてますもん。ゲラチェックみたいに。

――出版後も、まだ校正が続いてる（笑）。

宮崎 続いてますよ。そういうとこはありますね。舞台とか、終わった舞台の役を、ずっと何年間も「あの時、こう言えばよかったのかな？」ってひきずり続けるのとか。

――切り捨てていけないタイプなんですね。

宮崎 それはすごく思いますね。

――それは人生の面でもあるんですか？ 「あのときああしておけば」みたいなのは。

宮崎 いやいや、人生のレベルになっちゃうと、もうやり直しとか利かないことが多いんで。だから人生に関しては諦めるようにはなってきましたね。

『諦女』
09年に発売された、宮崎吐夢の初めての小説。OLたちの笑えて切ない日常と、シュールな妄想が繰り広げられる物語集。

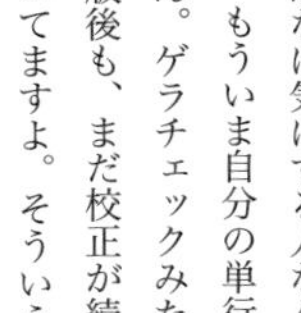

©グラフ社

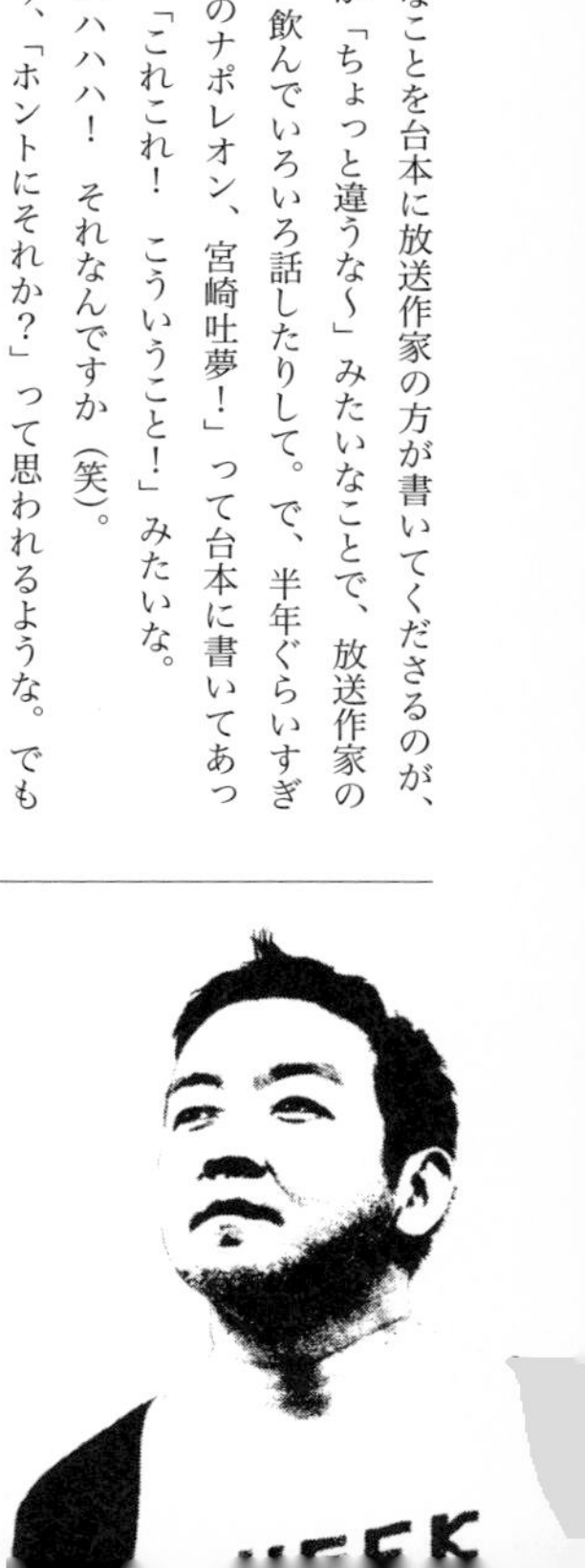

――幸せな学生生活は送ってたんですか？

宮崎　どうだろ？……寮だったんですよ、中高で。男子寮で、だけど比較対象もないから、わりとみんな不自由だったんで、そんなに幸せ、不幸せを感じるあれもなかったですね。

――でも、漫画とかドラマとかでは幸せそうな中高生の姿が目に入るわけじゃないですか。

宮崎　テレビもあんまり観れなかったんで、あんまり比較することもなくて。そういう意味では21歳で劇団に入って以降のほうがものすごく、「ああ、なんでこんな道に行っちゃったんだろうな。どこで間違えたんだろう？」って思いだしましたけどね、むしろ。「ああ、もう取り返しつかない……」と。

――学生じゃなくなってから。

宮崎　まだ劇団に入ったばっかの大学生のうちはよかったんですけど、23歳で就職しないってなってからは、やっぱり不安でしたよ。でも、劇団を辞めて何をするかとかが思い浮かばなかったんですよね。

――役者で芽が出るかもわからないのに。

宮崎　芽は絶対出ないと思ってましたて。

――あ、確信してたんですか、そこは。

宮崎　ええ。ただ、ほかに何になろうかとかも思いつかないしなあって思ってるうちに、雑誌のお仕事とかいただいたり、CDとかDVDのリリースとかそういう話に乗って、なんとなくやりすごせた、みたいな感じはありますよね。

――23歳とかだと将来も不安ですよね。

宮崎　23歳だと、まだ社会に出た同級生は「ヒーヒー」言って「辞める辞める」言ってましたから、26～27歳ぐらいが一番取り残された感じはしましたね。

――ちなみに童貞喪失はいつですか？

宮崎　これ……載っちゃうんですか？　載るとなると……。なんか、そういう話が笑える人と、ちょっと気持ち悪い感じの人がいて……。

――吐夢さんは気持ち悪い側なんですか（笑）。

宮崎　たぶん。僕、童貞喪失もほんのちょっとだけ、いわくありなんですよ……。それに関して何か言ってそれが載ると問題が……。そういうことだったら最初から言わないほうがいいのか、「ちょっとこれはやっぱカットで」ってあとで言ったら……マズいですよね……。

――いわくありっていうのが気になるから、そのいわくだけでも知りたいぐらいなんですけどね。それは相手の問題でアウト的な感じですか？　それともシチュエーションで？

宮崎　シチュエーションというか……まあ、わりと遅くもないんですけど。

――あ、そうなんですか！

宮崎　実は早くに風俗でなくしてましして。

――ダハハハハ！　それぐらいなら、べつにどうってことないじゃないですか（笑）。

宮崎　15歳、高1の夏なんですけど。やりたかったたっていうんじゃなく、単純にリハーサルなしで本番を迎えるのが耐えられなかったんですね（笑）。だって、勝手がわかってないまま、いざそういうことになるのイヤじゃないですか。それがちょっと、なかなかそれをうまくカジュアルな笑い話に包みづらいんですよね。自分の中でもちょっとトラウマになってるところもあるんで。で、結局、イカなかったんですよ……。

――いい話じゃないですか（笑）。

宮崎　ま、その後の人生で、自分は遅漏ということが判明いたしまして（笑）。だから、それがノーカウントってことだと初体験は19歳になるんですけど……。

――最初が風俗だと複雑なものを引きずる人が結構多いみたいですね。女性に対して幻想があまり持てなくなっちゃうとか。ずっとすごいものだと思って抱いてたセックス幻想が「あれ？」みたいな感じになっちゃって。

宮崎　だからやっぱり、それは他人様に言うべき誇るべきことではないような気がするんですね……。

――「初体験は早いぜ！」ってことでも。

宮崎　自分の力じゃなく、お金の力で若い頃からそんなことをしたらいけないと思うんですよ。そういう事情もあって、あんまりいいものではなかったって感じもして。

――こんなに言いたがらないぐらいだから、そうなんだろうなって気はしましたけど。

宮崎　友達とかにも言わなかったですね。

――自慢もしなかったんですか？

宮崎　全然。いけないことをした、みたいな気持ちが根強くあります。実は僕カトリックの信者で、その頃、教会も毎日曜日、通っていましたから、そういう意味で、ダブルによくない、みたいな。

――キリスト教的にはアウトですよね（笑）。

宮崎　『旧約聖書』でいえば、そもそもオナンが……ってそれはどうでもいいんですが（笑）。でも、べつにそれと、いま下ネタをやってるのは自分ではつながってる感じはしないんですね。

――下ネタは昔から好きだったんですか？

宮崎　特に好きだったっていう記憶があるわけではないし、下ネタを家とか学校でことさら言ったりした記憶もそんなにないんですけど、ただ学園祭でワキガをテーマにした歌をバンドで歌ってウケた記憶はありますね、高校2年生のときに。

――それは完全に原点って感じがしますね。

宮崎　そうですね。でも、それがやりたかったというより、そうすればかなりの確率でウケるみたいな発想で。今もそうかもしれないですね。たとえばもし全然ニーズがなかったら、明日から一切口にしないと思いますし。

――そこにこだわりがないんですね（笑）。

宮崎　まったくないんです。

――金になんかならなくてもいいから、インディーズでも地道にやり続けよう、みたいな。

宮崎　ないですね。でもそこが逆にウィークポイントかもしれないんですよ。お恥ずかしい話、そろそろ自分がやりたい作品を作らないとなという、ホントに、俺は何がやりたかったんだっていうことを思い直す時期に来てると思うんです。

――でも、その答えもまだないわけですよね。

宮崎　ないんですよね。でも、一方でそんなものは存在しないっていう考え方もあるじゃないですか。やりたいことをしてる人なんていない、みたいなことは、そうなんだろうなとは思うんですけど。でもとにかく、「何がしたいの？　したいことをさせてあげる」って言われてもないっていうのは、情けない状態なんだろうなというのは思ってまして……。

――ずっと嫌々下ネタを歌ってたら何か出てくるんですかね、「俺が本当にやりたいことはこういうことじゃないんだ！」っていう。

宮崎 下ネタもニーズがあればやらせていただきますし、だから嫌々ではないんです。笑っていただけたらすごく嬉しいですし。でも、たぶんそろそろニーズもなくなりそうな気はしてるんですけどね。不景気ですし（笑）。

――ダハハハハ！ そろそろ限界！

宮崎 親からも、「よく自活できてるね」って言われるんですね、こんなもん出して。

――「収入は大丈夫なのか？」と。

宮崎 ホントそればっかり言われるんで。「帰ってこい」とも。実家は都内なんで。

――親御さんはDVDとかチェックしてるんですか？ 息子さんの歌う下ネタも（笑）。

宮崎 おおっぴらにではないけど、実家にあったりします。隠してありますね。

――結構気まずいですよね。

宮崎 気まずいです……。

――ボクもラジオで下ネタを言うから、たまに親とか姉に怒られますよ。「子供も聴いてるから、もうちょっと控えて」みたいな。

宮崎 でも、吉田さんは下ネタがなくても大丈夫じゃないですか。まあ僕も下ネタだけではないんですけど、それが使えなくなったとき何したらいいのかって困りますからね。

――いまこれから何をしていくべきなのか結論を出しましょうか、二人で考えて（笑）。

宮崎 是非是非。出していただけると嬉しいんですけどね……。

中年なので鬱が心配

――小説もボンヤリと頼まれた企画だったんですよね。『蟹工船』をもじった『エビ☆工船』を吐夢さんに書いて欲しいっていう。

宮崎 そうです。編集の方は『エビ☆工船』っていうタイトルにこだわりがあったらしくて、僕、最初に「『エビ☆工船』というタイトルは、絶対イヤです。昔、『ノルウェイの森』が流行ったあと、しばらくして大森うたえもんが、『ノルウェイの大森』って本出しましたけど、それの二の舞になるんで」って言ったんですけど、最後の最後までその名前は推してたんで、もしかしたら『エビ☆工船』の企画を書いてくれそうな誰かっていうことだったのかもしれないですね。そしたら予想外に僕が言うこと聞かない人だったんで、こうなっちゃったのかもしれないです。

――ホントに話が来たらそこに対応する、みたいな感じだけでずっときたわけですよね。

宮崎 いまのところそういう感じです……。

――それでもいいんだと思いますけどね。

宮崎 仕事が来なくなってから考えればいいと思うんですが、40歳すぎて自分が何か活躍してるイメージが沸かないんですよね。

――たとえばテレビでMCやってる姿とか。

宮崎 テレビでMCもそうですし。こないだ宇多丸さんとお話したときに、「吐夢さん、ラジオとかは？」って言われたんですけど、子供の頃ってラジオとか聴いていてて、僕もいつかとか

『ノルウェイの大森』
89年に大森うたえもんがリリースしたパロディギャグ本。大森は他にも『例ダース 失われたギャーグ』という著作がある。

思うかもしれないですけど、やっぱり僕は……吉田さんのようにはなかなか……。今週、さっそく始まったじゃないですか、吉田豪さんがレギュラーになった『キラ☆キラ』。やっぱ平日の昼間のTBSラジオが帰ってきた感じがしましたからね。

――ありがとうございます（笑）。

宮崎 なんかやっぱり……。僕にああいうのはできないですからね、おしゃべりは……。

――だけど、『モテケン』の司会ぶりとかは意外とちゃんとしてた気がしますけどね。

宮崎 いや、あれも相当ボンヤリっていうか、全部局アナの水原恵理さんが仕切ってくれたんで、わりと僕は「本当なんですか～？」とか言ってるぐらいの感じでしたよ。あの話もなんで僕に来たのかわかんないですし。深夜のテレビをたまに観ると、「俺、ホントにテレビで司会やってたのかな？」と思って……。

――それも向いてなかったんですか（笑）。

宮崎 向いてはいなかったんじゃないですかね～。

――浅草キッドさんとかはルポライター芸人を自称して、仕事しながら芸能界の余計なネタを拾って勝手に発表したりしてるわけじゃないですか。吐夢さんも書く側でもあるわけですけど、どこに足場を置いてるんですか？

宮崎 やっぱり……キッドさんみたいなポジションがあればいいけど、やっぱり自分の文章は事務所チェックが入りますしね。事務所が「ここの表現は……」って直しを入れてくるような。

――マズいとか言い出したら、そもそも芸名の時点でギリギリなわけじゃないですか。

宮崎 この芸名もちょっと……。僕もどうせすぐ辞めるんだしって思って付けられたままにしたところもありまして、どうしたもんかと思いつつ……。変えたい気持ちはやまやまなんですけど、いまさら変えるのも恥ずかしいなという気持ちもあって……。

――最初はそのものズバリだったそうですけど、それじゃテレビにも出れないですよね。

宮崎 もともとテレビに出ると思ってなかったですしね。でも、それは阿部サダヲ君もそうだし、猫背椿さんという同期の女優も現場で「……え？　……猫背って名前なの？」ってビックリされたことがあるみたいで……。

――猫背でダメなのに犯罪者ですからねえ。

宮崎 だから芸名の話に関しては……気が重いところはありますね……。

――ダハハハハ！　やっぱり（笑）。

宮崎 呪われた感じがしますね……。

――正直言って、阿部定ぐらいだったら、まだちょっとポップな感じがしますからね。

宮崎 やったことに可愛げがあるというか。

――愛する男のチンコを切って（笑）。

宮崎 法的にはアレでも道義的に許せる範囲内というか。だけど、こっちの事件は……。

――完全にアウトですからね。吐夢さんは、べつにその事件が好きだったわけでもなく。

宮崎 何の興味もないです、ホントに。

――なんでそれを背負ってんだっていう。

宮崎 そうですね。進むも地獄、戻るも地獄、みたいなところがあるんですけど……。

――いろんな迷いが見えてきましたよ（笑）。

阿部サダヲ
92年に劇団大人計画に入団。07年『舞妓Haaaan!!!』で映画初主演。11年に『マルモのおきて』（フジテレビ）で連続ドラマ初主演。芸名は本名の姓である「阿部」を取って「阿部定を」になり、後に「サダヲ」となった。

猫背椿
劇団大人計画所属。個性派女優として、数々の作品に出演。

宮崎　迷いもそうだし、ホントに何もないんですよ。だからインタビュー困ったなって。

――語るべきことがない。

宮崎　ない（キッパリ）。

――誇ることがない。

宮崎　ない（キッパリ）。

――伝えることもない。

宮崎　ない（キッパリ）。

――告知ぐらいしかない。

宮崎　そうですね。だから最初に言ったでしょ？　みたいな気持ちなんですよ……。

――そのモヤモヤした感じが出ればいいですよ（笑）。自信があることって何かないですか？　これなら勝てるな、みたいなことは。

宮崎　自信があること？　うーん……自信があるわけではないんですけど、運がいいとはよく言われますね（笑）。自分ではそんなに自覚ないんですけど、事務所の社長からも言われるんですよ。「どうしてあなたみたいな人に、こんなにいろいろ手助けしてくれたり、チャンスを恵んでくれる人が次々現れるのか。不思議だよ～」って。あと僕、迷ってる迷ってるってこれだけ言いつつも、悩み自体があんまりないらしいんですよ。

――深く悩んでる感じはしないですね。ボンヤリと「この先どうしよう？」ってだけで。

宮崎　ええ。これからの不安はいっぱいありますけど、今まであんまり人から死ぬほど嫌われたりとか、何かすごい仕打ちに遭ったりみたいなことが子供の頃からあんまりなかったり、イジメたりイジメられたり、みたいなこともそんなに無縁でやってこれた感じなんで、あんまりそういう……ネガティブなネタを子供時代に拾い損ねたことが語るべきことをなくしてるのかもしれないと思っているんですけど、そういうことですかね。

――実は挫折がないわけですかね。

宮崎　挫折がないって言うと、成功者みたいですけど、そんな感じでは全然なくて、常に低空飛行で。そんなにいい大学に行ったとかでもないですし。なにごともほどほどにっていう感じなのかもしれないですね。

――じゃあ、この先も大成功はしないとしても、ほどほどでいけるんじゃないですか？

宮崎　いけるといいですね。現状維持で。病気とか、あと鬱病が怖いですね。サブカルは40歳を過ぎると鬱になるって吉田さんが言われてましたけど、サブカルに限らず中年はみんな鬱になるらしいですよ。鶴ちゃんが絵を始めたのも、鬱病になりそうだったからだって言ってましたから。

――鬱傾向はあるんですか？

宮崎　鬱傾向っていったら鬱の人からものすごく怒られるんですけど、夜は仕事する気がなくなりますね（笑）。夜になるとメランコリックな気持ちでダウナーにはなります。でも、それは普通ですよね、自由業とか。

――もの書きは夜が中心ですけどね。

宮崎　ああ、僕は6～7時起床で、完全に朝型なんですよ。だから、夜8時とか過ぎると……まあ、仕事中は大丈夫なんですけど、仕事がないときとかはなんとなく気持ちが塞ぎ込む感じはあるけど、そんなの鬱じゃないですよね、それは。お金がたくさんあると逆に鬱になりそうな予感はありますけど、それどころじゃないと鬱でも何でも仕事しなきゃいけなさそうですから。

――じゃあこの低空な感じでいれば。

宮崎 ええ、やらせていただきます。

――告知事項とかしっかりしておきます？

宮崎 いや、特にないですね。

――ＤＶＤが出るじゃないですか（笑）。

宮崎 ああ、そうか。ＤＶＤもなかなか……いまヴィレッジヴァンガード限定の特典映像を作ってくれって言われて、流出もののパロディみたいなのをやろうと思ったんですけど、なかなか盗撮感とかをナチュラルにやるのって難しいですね。だからそういうのをいまどうしようかって悩んでるんですけどね。

――田代まさしさんに聞いておきますよ。

宮崎 お願いします。あとは、ＤＶＤの告知的なことというと……でも、「これが売りです」的なこととかは特にないんですけど……。ああ、でもなんだか……急に挽回したくなってきました。

――挽回します？

宮崎 ……いや、挽回しようがないです（キッパリ）。弁解の余地がないですね……。インタビューをお酒の席とかですればよかったかもしれないです……もう遅いんですけど。

――もう1回やってもいいですよ。「こんなはずではなかった」ってことで（笑）。

宮崎 いや、どんなはずでもなかったんで、同じことだと思います（笑）。いや〜、まさかこんなにお土産じゃないですけど、吉田さんに喜んで貰えるような話が一個もないとは自分でも思わなかったんで……。

――初体験の話はお土産になりましたよ。

宮崎 ああ……（絶望したような表情で）。

――ダハハハ！　削りたいのに（笑）。

宮崎 でも、そこは削除しないようにします……。僕が記録を塗り替える前に、いままでいちばん話が弾まなかったインタビューって誰ですか？

――沢尻エリカさんとかは全然話は弾んでなかったですけど、あの緊張感を文章にすると面白かったし、逆に話が弾んでるけど全然面白くない人もいますからね。だから、吐夢さんのこのモヤモヤした感じは、そこを全面に出せばそれはそれで面白くなると思いますよ。

宮崎 ああ、そうですか……。よろしくお願いします。また何か思いついたら連絡しますね。「ようやく言いたいことができました！」ってメールします。なんかすごく……ホントに申し訳ない気持ちになってきたんで。

――ダハハハ！　別にいいですよ（笑）。今度、何か奢らせてください。

宮崎 この借りはいつか返します……（笑）。

久田将義

HISADA MASAYOSHI/2012年10月30日収録

ニューハーフに「久田さんのザーメンかけて」って言われて、興奮しちゃった

1967年生まれ。東京都出身。編集者。法政大社会学部卒業後、産経メディックスに入社。三才ブックス、ワニマガジン社の後、ミリオン出版に移籍し2001年から『実話ナックルズ』編集長。2006年に選択出版に移り、月刊『選択』次長になる。朝日新聞社の『週刊朝日』を経てミリオン出版に復帰。2012年9月まで編集局次長。現在はサイト『東京BREAKING NEWS』の編集長を務めている。犯罪や芸能界に詳しい。著書に『トラブルなう』『原発アウトロー青春白書』『僕たちの時代』(青木理氏と共著)。

カワユスの原点

—え〜と、飲み物はビールでいいですか？

久田 いや、酒が残ってるので無理です！

—迎え酒ってことで大丈夫ですよ。

久田 ホントにぃ？ じゃあ、吉田君の言葉を信じてビールで様子見ますよ。それより今日、起きたら隣にニューハーフがいてさあ。

—いきなり何の話ですか（笑）。

久田 これ、絶対に書かないでくださいよ！

—書きますよ、もちろん。

久田 ダメですよ！ 親も見てるんだから！

—大丈夫ですよ、いい話じゃないですか。

久田 いや、ダメダメダメ！ それはホントダメ。でも、ニ●ーハ●フって伏字にしてくれればいいです。つい喋っちゃった（笑）。

—今度のイベントでも掘りますよ（笑）。

久田 それ、もしかしたら 僕の女性読者が来て幻滅するかもしれないじゃないですか！

—幻滅しないですよ。みんな、久田さんのそういう面も知ってた上で来てますから。

久田 ……そうなの？ で、今日はどういうテーマ？ 半生を話すって聞いたんだけど。

—基本、雑談と下ネタです。

久田 あ、それだけなの？

—そもそもミリオン出版というライバル会社の人だった久田さんが、コアマガジンの雑誌に出るっていうのが奇跡じゃないですか。

久田 ああ、前だったら絶対に怒られてただろうな。俺はいいんだけど、比嘉（健二）さんが嫌な顔するんですよね。その人が『GON！』を出したら『BUBKA』とか、『ナックルズ』出したら『マッドマックス』とか、コアマガジンが似たような雑誌を出してくるのが嫌だったみたいで。ミリオン出版の社長になった人なんですけど、「ウチとコアマガジンは違うんだ！」みたいに言ってて。

—ボクは久田さんがワニマガジン社に居た15年前ぐらいからの付き合いですけど、当時から二●ーハ●フは好きでしたね（笑）。

久田 ……まあ、嫌いじゃないですけど。酔っ払ったらどうでもよくなるからね。

—ボクも何度か久田さんに歌舞伎町の二●ーハ●フクラブに連れて行かれましたけど。

久田 ああ、そうだったね。椿姫彩菜さんを排出したメモリーっていう店で。……いや、だからそういう話はもういいじゃないですか！ ヤバッ。危ねえなあ、ホント（笑）。

女性カメラマン お話中、撮影していいですか？

久田 腕の刺青を写さなきゃ大丈夫ですよ。

—いいじゃないですか、写ったって。

久田 いや、いつもはべつにいいんですけど、ちょっとイメージがあるからさあ……。

—なんのイメージですか！

久田 いやいや、隠しとこっ。ロフトプラスワンみたいな閉じたとこだったらいいけど。

—親が見るからですか？

久田 もちろん親も見るしさあ……。

—『BREAK Max』は見ないですよ！

久田 いやいや、もし単行本になったら。親父はもう亡くなって

ミリオン出版
76年に設立され、『SMスナイパー』などのアダルト雑誌のほか、暴走族雑誌『ティーンズロード』、B級実話誌『GON!』、ギャル系ファッション誌『egg』など、独創性の高い雑誌を発刊してきた出版社。00年代には『実話ナックルズ』などを発刊してネオ実話誌ブームを作り上げた。

るんだけど親戚がチェックしてて、そっちには内緒にしてるんで。

――さすがにもう隠しきれないですよ。

久田 そうだよね。それよりも心配されてるのは、創価学会の広報の人が毎年文化手帳を送ってくるじゃん。それも実家に送ってくるもんだから、「あなた、まさか入ったんじゃないでしょうね？」みたいなことでさあ。

――恋愛関係は心配されてない。

久田 恋愛は心配されてますよ、「あんたは見る目がない」ってずっと言われてるもん。バツイチってこともあって、「いままで付き合った女はロクな女がいない」とか言って。

――実際そうなんですか？

久田 そんなことないと思うよ！

――『噂の真相』を見る限り、根本はるみ似の巨乳美女と路上でキスしてたぐらいだし。

久田 はい、してました。あのときはラブラブっていうか……当時の奥さんに「お帰り」ってチューするのが義務だったんで、それをちょっと撮られてしまったんですけど。……それより吉田君とはホント長いよねー！ いまもう「豪さん」って呼ばれてるんでしょ？

――（無視して）そして編集者だった久田さんが、メディアにふつうに出るようになり。

久田 それは2年前に吉田君と出た『ゴッドタン』が大きかったんじゃないですかね。

――その結果、「久田カワユス」「久田萌え」という人がこれだけ増えてきて（笑）。

久田 いやぁ、ありがとうございます。吉田君のおかげです。ニコニコ動画で番組やってると、「久田萌え」みたいなコメントがバーッと出てくるじゃん。全然萌えないんだけどって思うんだけど、なんなんだろうね。

――ギャップ萌えは絶対大きいですよ。『ナックルズ』みたいな看板を背負ったり、怖そうな仕事をしてきたのにカワユスっていう。

久田 そうだよね。あと聞きたかったんだけど、小林幸子ってやっぱオーラあるでしょ？

――ダハハハハ！ なんですか、いきなり！

久田 あるでしょ？ あるでしょ？ 俺、吉田君と小林幸子がやったニコ生を見てたら、「ボクの友達の久田っていう熟女好きが、あなたのことを色気ありすぎると言ってます」とか吉田君が言って、小林幸子が「久田さーん、観てますか？」って画面に手を振ってくれたから、ホント、マジでありがたかったですね。画面上だけでもズキーッときて、あれから1時間ぐらいは呆然としてたからさ。

――熟女好きとしては（笑）。

久田 だってこーんなに手を振ってくれるんだぜ。ありがたかった。匂いとか嗅いだ？

――嗅いでないですよ！

久田 やっぱりいい匂いすんでしょ？ だって相当きれいだったよね、間近で見ても。

――ボク、いままでの人生で小林幸子を色気のある異性として見たことがなかったんで。

久田 ……ホントにぃ？ だけど、もう60歳ぐらいでしょ？ ホントきれいだよね。すごい色気あるでしょ。うらやましいよなぁ。だって小泉今日子とも会ったんだもんね。

――（無視して）今日は久田さんのカワユス部分をどれだけ出せるかが裏テーマです。

コアマガジン
白夜書房の関連会社として設立された「少年出版社」が95年に社名変更して、現在の「コアマガジン」となる。各種のアダルト漫画・雑誌や『BUBKA』などのスキャンダル誌で世間を騒がせる。

『ゴッドタン』
おぎやはぎ、劇団ひとり、松丸友紀アナが司会を務めるテレビ東京土曜深夜のバラエティ番組。久田将義は、「ゲーセワニュース」の解説員として出演。

『噂の真相』
79年に創刊され、政治・経済から芸能まで、あらゆるスキャンダル記事を扱った、タブーなき雑誌。編集長の岡留安則の意思により、04年に休刊した。

小林幸子
9歳の時にのど自慢番組で見出され、翌年にデビュー。79年に『思い出酒』が大ヒット。NHK紅白歌合戦の常連となり、巨大衣装と共に話題を振りまく。12年10月には吉田豪のMCでニコニコ生放送に出演。これがひとつの契機となり、13年末にはニコ生で年越しカウントダウンライブを行った。

久田　えぇーっ？　プレッシャーだなぁ。

――前に路上キス写真の画像をロフトプラスワンのイベントでスクリーンに写したときの反応とか、相当カワユスでしたからね。「なんでこんなの出すのぉ？　あぁーーーっ、もう困っちゃうなぁ」みたいな感じで（笑）。

久田　ハハハハ！　だってビックリしたもん！

――ただ、久田さんの資料を見ると真面目なものばっかりなんですよね。奥さんのDV問題に触れてたのが一件あったぐらいで。

久田　それぐらいで、基本は真面目ですよ。まあ、真面目なものにならざるをえないですよね、立場的に。だからカワユスなものは難しいんじゃないかな？　だけど、イベントとかはもう、はっちゃけていいわけだから。

――今日もはっちゃけていいんですよ。

久田　いやいやいや……今日はどうしよう。女性関係は結構シャレにならないからなあ。

熟女好きの葛藤

――初体験はいつなんですか？

久田　高2じゃない？　高校デビューだからさ。明大中野で。早いヤツは中学とかでさ。明中って中学からパンチパーマとかアイパーみたいな人がいっぱいいるから。そういうヤツらが休み時間に地図作って、「こことここの中学を潰せばここは征服できる」みたいな感じで、俺はずっとラグビーやってたからさ。

――初体験の相手は？

久田　合コンで知り合った立正とかいうあんまり頭よくない高校の女の子でしたね。まあ、誰でもよかったから（あっさりと）。

――当時、熟女好きじゃなかったんですか？

久田　いや、好きでしたよ。やっぱ五月みどりとか萌えたし。こないだも五月みどり見たさだけに『丑三つの村』を借りたからさ。

――ふつうは田中美佐子見たさで見る作品ですよね。

久田　田中美佐子だし、お亡くなりになった古尾谷雅人さんもいい演技だけど、あの演技はべつに見なくて、五月みどりだけを見て。ヌケるかなと思って借りてしまいましたね。

――初体験では、「なんで俺、高校生とヤッてんだ？」みたいな思いもあったんですか？

久田　それはなかった。たぶん心の中では熟女っていうか……。甘えたかったわけじゃなくて、熟女に甘えられたい。熟女がこっちに甘えてくるギャップ萌えが好きなんですよ。

――ボクがニコ生で小林幸子のかわいい部分を拾おうとしたのと近いわけですかね？

久田　ああ、その通り！　ホントかわいかったなあ、小林幸子。うらやましいなあ。

――小林幸子がさだまさしのことを「お兄ちゃん」って呼ぶって言ってたから、わざとかわいい声で「お兄ちゃん」って言わせてみたり、そういうプレイに近いんでしょうね。

久田　えっ、途中までしか観てなかったけど、最後そんなことやってたの？　マジで？　●●会との関係とかも聞きたかったけどな。

――（無視して）話を戻すと、昔は真面目な感じで。

久田　でも基本、気はすごく短いから。いまでも同級生と飲んだりしてるけど、三ノ輪極悪っていう暴走族だったヤツにも言われたから。キレたらそいつが一番怖いんだけど、「久田が一番気が短い」って。それも反省してる。ホント反省ばっかりの人生ですよ。

――久田さんがいいのは、キレやすいけど、「変なこと言っちゃ

五月みどり
58年に『お座敷ロック』で歌手デビュー。結婚、離婚を繰り返しながら色気のある女優としても活躍。75年にはロマンポルノ作品『五月みどりのかまきり夫人の告白』に主演して話題となった。

ったかなぁ?」とか、キレたあとすぐ反省することなんですよ。

久田 キレやすいよね。やっぱりそう思う? 小学校は甘やかされて育って、いまもそうだと思うんだけど。親父はエールフランスって航空会社勤務だったからフランスまで3万弱で行けるわけですよ。当時はタヒチとかもフランス領だったから、タヒチに行ったりフランスに行ったりして。中学も一応私立に行かされて。それで行った中学、高校がチーマーの発祥地だし、暴走族がいるわ、体育会は強いわで。中学生ってイジメもあるからヤベえなと思ったんだけど、格闘技のクラブがないんで中2からラグビー部に入ったんですよね。

——ああ、あの時期は流行りましたからね。

久田 高2のとき『スクールウォーズ』が始まったからラグビー部に悪いのが集まって。タックルいくかいかないかでそいつの価値が決まるみたいなところがあって。中学生って根性ないヤツはすぐイジメちゃうから、意地でもタックルしなきゃいけない。体ちっちゃかったんだけど、足元にタックルいくようになって、ようやく認められてきたって感じですね。当時、ラグビー部ってちょっとモテてたから、合コンで、たしか立正だったと思うんだよね。で、その立正の子とは無理やりセックスになっちゃったんで後悔をしていて……。

——え、無理やり?

久田 無理やりだね。正直、こういうこと言うのはその子に申し訳ないんだけど、ちょっとブスだったんですよ。しかもデブだし。

——つまり、ブサイクな子に逆レイプ的なことをされたっていうことなんですか?

久田 あ! デブで思い出したけど、中学から仲が良くて大学に入ってからも渋谷でよく遊んでた3人で、カラオケスナックで3人組の女の子をナンパしたんですよ。その3人のレベルがわかりやすく上中下だったわけ。友達がまず上と仲良くなって。上はちょっと態度が悪かったから中のほうがいいな、みたいに思ってたら友達が中と仲良くなっちゃって、下しかいないわけ。その人、昔、相撲で巨砲っていう力士がいたけど、すごい似てるんですよ。その人は蕨とかに住んでて、「私もう帰れない」とか言い出しちゃってさ。しょうがないから渋谷のラブホテルに泊まって。

——ヤバいじゃないですか!

久田 当然、セックスをするしないってなるじゃないですか。絶対に嫌だから「僕、下に寝ますんで」って言って。で、朝起きるじゃないですか。その人がテレビ点けて、いい女みたいな感じで気取って細いヴァージニアかなんか吸ってたら、「松田優作が死んだみたいね。今日から松田優作を見るたびにあなたのこと思い出しそう」とか言われて、うわーっと思って。心の中で「俺も巨砲見るたびにあんたのこと思い出しそうだよ」と思って。ホントに巨砲を見るたびに思い出しますよ。

——ヤッてないんですね、その人とは。

久田 ヤッてない! 今日のニュー……。

——今日のニ●ーハ●フとは?

久田 なんにもない! ホントなかった! それだけはホントに伏字にしてくださいよ!

——なんでですか。いい話なのに(笑)。

久田 いやいやいや、引くでしょ。絶対引きますよ! 読者は引く。仮にも、いると思うんですよ、自分の読者って。ヤバいでしょ!

——大丈夫ですよ。いまはもう久田さんの熟女好きキャラも浸透しているわけなんだし。

久田 大丈夫? 熟女好きも浸透してます?

『スクールウォーズ』
84年にTBS系で放送された、大映テレビ製作によるテレビドラマ。不良や落ちこぼればかりの高校ラグビー部に熱血教師が赴任し、涙と汗にまみれながら栄光を勝ち取っていくという感動作。

巨砲
71年に初土俵を踏み、79年に新入幕、81年に関脇に昇進した。その後、大関昇進は果たせなかったものの、幕内連続出場を続け、92年に引退した。

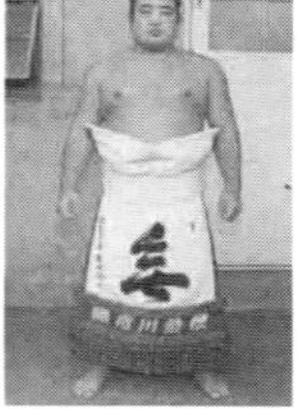

――浸透してますね。ボクがさらにニ●ーハ●フ好きキャラをさらに浸透させますよ！

久田 飲めばね。飲んであの暗い雰囲気になったらっていうか。やっぱり……なんですかね、ニ●ーハ●フのあの魅力っていうのは。

――ボクに聞かれてもわからないです！

久田 全然ノッてこないよね、昔から。吉田君と一緒に行ったメモリーって店のママはレースクイーンだった人で、女としか思えなかったんだけど、吉田君はまったく……いま考えたらずっと無反応だったっていうか。

――ただ、話は異常に合うんですよね。

久田 そうだ、プロレス好きの人がいた！

――プロレスとアイドルの話が同じレベルでできる人がいて。「女子プロの誰々さんと私、ホルモン注射を打ってる病院が一緒で」「え、あの人、男性ホルモン打ってんの！」って盛り上がって、すごいと思ったんだけど、冷静になったら「男同士だわ」って。

久田 ハハハハ！ 当時、ニ●ーハ●フがようやく認められてきたみたいな感じで、熟女もそうだったんだよね。俺が三才ブックスの頃なんか「プッ、熟女（笑）」って感じで。『ラジオライフ』で無線機のイベント取材でコンパニオンをみんなで撮って、誰が一番かわいいか、みたいな企画をやったんですよ。有名なメーカーとは別に、街の電気屋さんみたいなところも店を出してて、ある電気屋さんの奥さんがすげえいい女で、コンパニオンみたいな格好じゃなくてエプロンで、誰が一番いいってこの人しかいねえよと思ってさ。コンパニオンってカメラ向けるとポーズ取ってくれるじゃない。その人は「いやいやいや……」みたいな感じで、「いや、そこをなんとか！」って撮らせてもらったんですよ。

――それは萌えそうですね。

久田 そうそう！ それで編集長が「みんないいねえ。久田君のイチ押しは？」って言うから「これです」って見せたら、「オバサンじゃん！」とか言って。「いやオバサンじゃないですよ！ いいじゃないですか！」って。「どういう神経してんの？」みたいに言われて、僕もまた気が短いんで「あんたがおかしいじゃねえか！」みたいに反論して。結局、「絶対にこれは載せられない」ってことで、番外編みたいな感じで載せて。そのときはまだ熟女が市民権を得てなかったんですね。

多彩な女性（？）関係

――熟女といえば、ワニマガのときも天地真理写真集の事件があったじゃないですか。

久田 あったあった！ 白夜（書房）から来た、ネズミ男みたいな顔した、人望はないんだけど編集能力がある人が「おい久田、天地真理とかっていいよな」って言うから、「そうっすよね」って言ったら、みんなが「えぇーーーーっ！」てなって。その人は熟女のよさをわかってくれてたと思うんですけどね。

――いや、ボクが記憶してるのは、その人が天地真理の写真集を見ていいって言って、みんなが「えーっ、考えらんない！」って言ってたときに、なぜか久田さんも「ホント考えられない」って同調したって話でしたけど。

久田 ああ、そうだ！ その人が「天地真理いいよね」とか言ってて、「どこがいいんだよ」ってみんな言うから、「ちょっとわかんないですね」って言っちゃったんだ（笑）。

――なんで！

久田 いや、雰囲気で（あっさりと）。熟女が好きとか言ったら

三才ブックス
『ラジオライフ』などの雑誌を発行している出版社。80年設立。電話や無線などのマニア誌から派生するカタチで『裏モノの本』などを発刊し、その後のアンダーグラウンド雑誌の先鞭を付けた。

天地真理
71年にデビューした、元祖「国民的アイドル」。80年代はアダルト路線に挑戦するなどしたが、90年代からは増量したボディを武器にバラエティ番組などでも活躍。

白夜（書房）
75年に設立。アダルト雑誌やギャンブル雑誌を手広く発行していた。81年に創刊された『写真時代』などで、サブカルチャー界を牽引。コアマガジンから発行されていた『BUBKA』は、現在は白夜書房に移管されている。

ダメなんだなと思って。

――それが言えるようになったのは何がきっかけなんですか？　松沢呉一さんですか？

久田　松沢さんじゃない？　あとは吉田君も結構認めてくれてたからね。新宿の熟女キャバクラにも連れてってもらったんですよ。

――熟女キャバクラっていうか、ふつうのキャバクラなんだけど、あきらかに平均年齢が高すぎて、これはひどいって店があって。

久田　ひどくないでしょ（笑）。

――でも、久田さんは好きかなと思って一緒に行ったらホントに喜んでくれて、さらにそこの店の最年長のママを口説きだして、久田さんは本物だなと思ったっていう（笑）。

久田　僕が30代前半の頃だよね。

――当時は久田さんのそういう話を山ほど聞きましたよ。「人妻風俗に行ってひどい目に遭ったんだよ！　すげえ若いのが出てきて、ふざけんなと思った！」って、それふつうに考えたら当たりじゃないかっていう（笑）。

久田　参ったよ、ホントマジで。熟女を求めてたのに。たぶん店の人が気を遣ってくれたんだろうね。23歳ぐらいの若妻つけられてさ、テンション下がりましたよ、ホントに。……吉田君に恋愛相談とかしてもいいの？

――どうぞどうぞ（笑）。

久田　熟女好きなわりには、これまで熟女とまったく付き合ったことないんですよね。

――その反省はしょっちゅうしてますよね。

久田　ゴールデン街で美人ママと付き合ったことはあるんですよ。色気たっぷりの人で、その人を目当てにお客さんが来るみたいな店があって。僕、だいたい告白してフラれるほうが多いですけど、成功するのは3割ぐらいで。でも、それはうまくいって。ホントにいい女なんですよ。だけどみんな周りの人は反対するのね。『噂の眞相』の岡留安則さんとかも「やめときなさい」みたいな。その店のオーナーも、ママと僕がくっついてしまったから、違う店の面接で「久田っていうのがいるから気をつけろ、あいつは女をメチャクチャにするヤツだから」って言ってるって、ある記者に聞いてさ。そのときは彼女が38歳ぐらいで、俺が41歳ぐらいで。それが最高齢だったと思いますね。みんな年下で。

――最近まで付き合ってた漫画家さんにしても久田さんの10歳ぐらい下でしたからね。

久田　ひと回り下でね。今日のニュ……。

――今日のニ●ーハ●フは？

久田　いや……ニ●ーハ●フはヤバいな。

――大丈夫ですよ（笑）。

久田　でもシゴかれただけですよ、マジで。

――ヤッてないならいいじゃないですか。

久田　あっ、そうだよね！　大丈夫だよね。だから今日はそこから直接来たんですよ。

――あ、そうだったんですか！

久田　もういいか。俺、実家から池袋の近くに引っ越したじゃないですか。そこの近くのきれいなニュー……ニューナントカが。

――ダハハハハ！　もういいですよ（笑）。

久田　よく隣になるとチンコとか触ってくる人なんですよ。昨日も六本木で打ち合わせして、そのまま酔っ払って地元に飲みに行ったらその子がいたからさ。その子もひと回り以上は下なんだけど。朝方ぐらいになって「添い寝してくれないの？」みたいに言われて、「え、マジで？」みたいな感じでさ。こういうときはどうす

松沢呉一
フリーライター、古本蒐集家。80年代からさまざまなメディアで活躍をはじめ、90年代にはサブカルチャー全般や、エロ、風俗といった分野で旺盛な執筆活動を展開。近年は脱原発デモなどに参加するなど、活動家としても注目される。

るんだろうと思って。一応シゴかれて、ディープキスもして、これからどうすればいいのかな、みたいな感じで。

——一線を越えた経験はないんですね。

久田 10年ぐらい前、歌舞伎町がまだ浄化作戦が施行されてないときって立ちんぼがいっぱい大久保病院のところに並んでたわけ。そこにいた、たぶん韓国の人だと思うんですけど、その人とつい遊んでしまったんですよ。その人はたぶんニューハーフだったと思うんですけど。なぜかっていうと、俺を見たら駆け寄ってきて腕を組まれて。でも、そのとき金なかったから、新宿アルタのほうまで行って銀行でおろそうと思ったら、腕を組んで歩いてる最中に、すれ違う人が「プッ、オカマじゃん」みたいな感じで笑っててさ。

——あ、そんなバレバレだったんですか!

久田 「えーっ、そうなの!?」と思ってさ。

——全然気づいてなかった(笑)。

久田 それで銀行で金おろして、また歌舞伎町に戻るときもなんかすげえ笑われて、「あれ?」と思って。セックスしたし、よかったんだけどなぁ。全然違和感がなかった気がするんだよね。女だろうなっていまでも思うけど、傍から見ると完璧にそうらしいんですよ。だから、たぶん男だと思うんだよね。

——久田さんが信じるんだったら女です!

久田 そうだよね! あのときの歌舞伎町はいろんな人がいて、ホントおもしろかったからな。コロンビア人とも付き合ったっていうか、向こうは付き合ってたみたいな感じで。

——コロンビア人との出会いは?

久田 ロフトプラスワンの上に、コロンビア人が脱いでポールダンスするショーパブがあって。それで6000円払うと奥のほうに行ってプライベートダンスしてくれるの。それで27歳ぐらいのコロンビア人といい感じになって。ある日、「プライベートで会いたい」って言うから、アルタ前で会って。

——今度は周りは笑ってなかったですよね。

久田 笑ってなかった(笑)。で、車で行ってアルタ前で拾って、車の中でディープキスして、住所とかも交換して。スペインに子供がひとりいるって言ってたんですけどね。

——相手に子供がいるのって久田さんの中ではなんのマイナスにもならないわけですね。

久田 全然!

——むしろプラス(笑)。

久田 うん、全然プラス。むしろ子供はいたほうがいいですよ。10何歳ぐらいの女の子がいても、僕はその10何歳には興味ないんで。で、コロンビア人はもうひとりいて。

——まだいる!

久田 まだいるんですよ。それは、歌舞伎町のホテトル嬢なんですけど。僕、たまに外人に走るんで。そういうビラを見て電話したら、来た人が20歳とか21歳とか言ってたかな? その人とフィーリングが合って、写真とか撮ったりしてて。その子はまた子供がいるんですけど。ある日、プライベートで会って、渋谷に映画観に行ってさ。その子の携帯が何回も鳴ってて。たぶん大ボスから電話だったと思うんだけど。そのときに渋谷に右翼がいて、「外国人出てけ」みたいな。それで俺が「アイ・プロテクト・ユー」とか言ったら、「ティ・ラブ・ユー」とか言われちゃってさ(笑)。それでスペイン語なんで「アイ・アモーレ」ですね。それでスペイン語をちょっと覚えましたね。おもしろかったなあ。結局、強制送還されちゃったんだけどさ。

――子持ちと付き合うことも多いんですか?

久田 子持ちは外国人以外ないんじゃない?

――作家さんでもいませんでしたっけ?

久田 あ、ああ! あの人は、僕も言っちゃったのも悪いんだけど、あの人自身が言ってるからね。歌舞伎町の行きつけの飲み屋に行ったら、マスターに「私、この人とセックスしてるからさー」とか言っちゃってるんだもん。そんなこと言っちゃっていいの? って思ってさ。向こうのほうが有名なのにさ。

――久田さん、ある日ボクと2人で飲んでるときにそれを告白したんですけど、次に会ったときボクがその話をしたら本気で驚いて、「吉田君、なんでそれ知ってるの!? やっぱり取材力すごいわ!」って言ってて(笑)。

久田 ハハハハハ! マジで?

――久田さん、こういうパターンがホント多いんですよね。『ゴッドタン』に出るたびに毎回反省会があるじゃないですか。久田さんがオンエアを見てひとりでヘコんでるから。

久田 いつもごめんね……。

――「吉田君、ちょっと飲まない?」って電話が毎回来て、「俺、大丈夫だった? 俺どう?」って言われるから、励ますんですよ。「大丈夫です、ベストでしたよ!」って。

久田 ホント懐の大きな人ですよ、マジで。

――それである日、『ゴッドタン』の放送直後に電話がきて、「ちょっとゴールデン街に来れない? いまちょっと彼女と別れそうになってヤバくてさ。無理?」とか言われて、「それなら行きますよ」って行ったら、30分ぐらい全然関係ない話してるんですよね。「久田さん、彼女と大変なんじゃないですか?」って言ったら、「なんで知ってんの!? やっぱ吉田君すげえなぁ!」って(笑)。

久田 そうそう、すげえと思って。なんで知ってんだろうと思って、すげえなって。『ゴッドタン』は一応毎回観るんですよ。

――ひとりでは観ないで飲み屋とかで。

久田 そうそう(笑)。で、観てると、「うわ、こいつ寒いんじゃねえ?」って思うんで、やるせないから吉田君呼んじゃおうって思って電話してさ。でも、あんまり気にしないほうがいいんだよね、芸人じゃないから。

――気にする久田さんがおもしろいですよ。

久田 気にするねえ。ブロマガも動画も。

――上杉隆さん相手にキレるような久田さんと、「ホントに? ホントに?」って可愛く言ってる久田さんが同居してるからいいわけですよ。

久田 そうだね。上杉は生理的にダメなんで、冷静に町山(智浩)さんみたいに批判する資格がないっていうか。しゃべってる姿も気持ち悪いからさ。俺、ヘビとかカエルとか大っ嫌いだし、カエルの卵みたいな集合体恐怖症なんですよ。珊瑚礁ってきれいだけど、よく見るとツブツブってなってるじゃん。

――ああ、爪楊枝の束の上の部分みたいな。

久田 あーっ、もうそういうのダメッ! 特に嫌いだったのが、松沢さんと車に乗ってて渋滞で停まってたわけ。ふと見たら、前に木の切り株を積んでるトラックがあって、切り株がきれいに並んでるわけ。うわーっと思って、怖ーっみたいな感じで頭を抱えちゃったんだけど……っていうぐらい上杉が嫌だ。

――ダハハハハ! そのレベル(笑)。

久田 ホント気持ち悪いこいつと思って。しゃべり方も、これウケてるつもりなのかなと思って。カッコつけた言い方すると「殴ってやるぜ」みたいなことにもなるんだろうけど、そんなんじゃない

んですよ。ホント気持ち悪い。勘弁してくださいって感じだよね。生物としても見てられないから。そうすると冷静な批判できないじゃないですか。だからあんまりしないほうがいいと思って。でも、リツイートで回ってきてしまうとカッとなっちゃうわけですよ。で、また反省してね。

ここだけのナイショ恋愛話

――久田さんは反省が多いですよね。

久田 反省だらけの人生だからさ。10代はまあいいじゃないですか。20代もいいかな。30代で『ナックルズ』の編集長になって、36〜37歳で選択出版に引き抜かれて。そこでたぶん調子に乗ってたと思うんですよね。そしたら全然違う世界で鼻をへし折られ、半年ぐらい経ってようやく政治と経済と企業の記事に慣れてきて。そのときは編集次長っていう名前をもらってたから、たぶんまだ調子に乗ってたと思うんですよ。今度、『週刊朝日』に引き抜かれたときも偉そうだったと思う。ホントにガキだったし、この雑誌をどうにかしてやるぐらいの気持ちだったけど、ものの見事に役に立たなかったですね。スクープはふたつぐらいで。今度比嘉さんに誘われてミリオン出版に戻って、そのときもまだ調子に乗ってたと思うんだよ。俺が『ナックルズ』を立て直すみたいな感じで、結局立て直せなかったし。出すムックは一応は黒字なんですよ。なぜかっていうと原価率を下げてるだけで、そのときも調子に乗ってたと思うね。だからホントに恥ずかしい。

――最近、反省モードになったんですか?

久田 そうだね、最近っていうか、ここ1〜2年ぐらいで。俺はガキだなっていうか。

――それで「俺、あれだけ熟女好きとか言っといて熟女と付き合ってないんだよ……」とか反省するようになったわけですね（笑）。

久田 そう。たとえばゴールデン街のPという店のママがいて、その人はひと回り年上なわけよ。ホントに色っぽいからみんな来るわけ。そしたらいい感じになって、「久ちゃんいつかエッチしようね」みたいな感じで言われてて。酔っ払ってメールしたりとかしてるうちに僕が結婚しちゃったんで。ママも女ですから、ちょっと距離を置き始めて。

――せっかくの熟女とのチャンスを逃して。

久田 逃したんだけど、まだ諦めてないですよ。いま僕が45歳で、その人は57歳だから全然OKでしょ！ AVだって『五十路ナントカ』どころか、『六十路ナントカ』でもOKですからね。それぐらいでも色っぽい人ってホントに女として色っぽいわけじゃないですか。やっぱり思うんだけど、人間って数字に縛られて生きてるじゃない。時間の概念っていうのは人間が考えてるだけで、そういうのがなければふつうに生きてるわけでしょ。何歳とか、あるいは何時間とかっていうのは単なる数字で、年で判断するのはホントに間違ってるなって。よく「今年も早いな」とか言うじゃない。そういう言葉を聞くと、関係ないと思って。時間で縛られるのは嫌だ。

――久田さんが15年ぐらい前に「キャバクラとか全然興味ない」って言ってて。「なんでですか？」って聞いたら、「砂場で幼稚園児と話してるようなもんだ」って（笑）。

久田 ホントつまんねえよ！

――女は30歳からですか？ 40歳から？

久田 気持ちでいうと40歳からだけど、付き合うのは30歳になっ

選択出版
〝政財界のエグゼクティブ〟を対象とし、「三万人のための総合情報誌」を標榜する雑誌『選択』を発行している出版社。『選択』は、年間購読による完全宅配制度を採っており、書店での販売は行っていない。

ちゃってますよね。

――ボクのテープ起こし担当の女性が40歳って聞いたときも急に久田さんの目の色が変わって。

久田 あ、これも彼女が起こすの？

――ええ。「え、40なの？　40！　うわ、もうたまらない！」とか言ってて（笑）。

久田 ビックリした。若く見えるでしょ。なんだ40なんだ、イケんじゃん、みたいな。かわいいから、もっと下かと思ったけど。

――40歳だって聞いた瞬間に女性を誉めるって、そりゃあ相手は喜びますよね。

久田 いや、べつにお世辞じゃなくて。

――だからいいんですよ。

久田 彼女が30歳とかだったら、はーん、どうでもいいやって感じだったけどさ。

――興味もない（笑）。

久田 そうそうそう（笑）。40っていったらマジで？　みたいなさ。……イケるかな？

――全力で応援しますよ（笑）。

久田 俺を持ち上げてよ。俺、結構落ち込みやすいじゃん。すぐまた上がるけどさ。

――それでいて久田さん、よく暴力事件を起こして警察沙汰になったりもしますからね。

久田 うん、ありましたね（笑）。ダメですね。去年も地元で……こんな話でいいの？

――これがいいんですよ（笑）。

久田 ホントにぃ？　タクシー降りるとき、金を払ったりするのにちょっと時間かかるじゃないですか。細い道だったんで、うしろから自転車のオッサンが「オラ！　遅えんだよコノヤロー！」とか言ってきたから、「運転手さん待ってて、俺行くわ」って言って、オッサンと話そうと思ったら、いきなりオッサンが自転車を倒して向かってきたのね。それでタックルで倒してマウント取ってボコボコ殴ってたんですよ（笑）。そしたらパトカーが来て、おおごとになっちゃってさ。

――そりゃあなりますよ（笑）。

久田 目白警察に連れてかれましたよ。もう俺、ミリオン出版を辞めたほうがいいなと思って。そのとき局次長だったんですけど、比嘉さんに「ちょっとやっちゃったんで、辞めさせられるかもしれない」って言ったら、「いや、いいよいいよ」って。警察では話し合いというか、向こうも非があったし、向こうから来たからね。まあ、ちょっとやりすぎたところもあったんですけど。歌舞伎町でもしょっちゅうっていうか、たまにっていうか、ゴールデン街で飲んでたときも、いままでそんなに雑誌で失敗したことなかったんですけど、『実話ナックルズレア』って雑誌で70パーセントの返本がきたんですよ……。

――まったく売れなかった（笑）。

久田 そうそうそう。それがショックで。そんなことあるのかと思ってさ。それで反省のつもりで坊主にして刺青を入れたんだけど。そんなときゴールデン街の中村京子さん（伝説の巨乳AV女優）の店で、そこの客がお客さんに絡んでたんですよ。嫌だなと思ってもう帰ろうかなと思ってたんだけど、そっちが出口だから早く帰ってくれないかなと思ってたら、いきなり「てめえ、無精ヒゲ生やして。殺すぞ」って言われて、「殺すってなんだよ！」ってバシンッて掌底入れちゃって。

――そこでいきなり掌底！

久田 それでボコボコやってたら血まみれになっちゃってさ。「おまえ、どうすんの？」「すみません」とか言うから帰らせて、その場にいるのはヤバいんですぐお会計して、さっき言った僕と同じ干支のママのところに行って、パトカー来るかと思ってちょっと様子を見てて。来なかったんでたぶん大丈夫なんですけど、そういうのはありますよね、やっぱり。年に1回ぐらいあるのかな？

——スイッチが入る瞬間が。

久田 それはヤバいなと思うんで、最近はそういうのはやってないつもりなんですけど。中森明夫さんとか上杉さんとかは気持ち悪いけど、そこまでやる必要はないっていうか。

——目の前で絡まれたらともかく。

久田 ああ、目の前だったらちょっとわかんないね。まあ、そこでまた反省するんだろうね。またやっちゃったって思って……。

——「吉田君、ヤバいかなぁ？」みたいな。

久田 なぜ吉田君かっていうと、やっぱり頼れるんですよ。バランス感覚があるんで。僕は全然ないというか、ちょっと突っ走る傾向があるんで。吉田君ってすごいバランスが昔から……天性のものなのかね？『ゴッドタン』もそうですよね、「あれはあれでいいんですよ」とか言ってくれるから、そういうもんなのかな、みたいに思えて。冷静な目で見てくれてるからさ。俺はむしろ感情的な人間なんで。感情ですぐ動くような人間なんで。

——かなり感情で動きますよね。

久田 うん、感情で動く。

——前の漫画家さんの彼女との出会いの話にしても、かなり感情で動いてましたからね。

久田 急にキスされたって話？

——そうです。ずっとデートに誘われてたけど、久田さんは彼女が若いから逃げ続けて。

久田 そうそう（笑）。

――それでも何度も誘われて、「じゃあ1時間ぐらいなら」って約束で飲みに行って。

久田 そうですね、飲みに行って。

――それでホントに1時間で帰そうとして。

久田 帰そうとしてタクシー呼んでね。そしたらいきなり手を握られてチューされて。そしたら僕も流れとか雰囲気に弱いからね。

――感情で動きますからね（笑）。

久田 そうそう。そういう熱いふんわかムードってありますよね？ 胸が熱くなるようなさあ……甘い気持ちになるじゃないですか！

――それで「続きやってく？」って言って（笑）。

久田 恥ずかしい！ そうなんだよな、「続きやってく？」って言っちゃったんだよな。つい甘い気持ちになっちゃったから、ムラムラして家に連れ込んでしまったんですが。

――久田さんの出版記念イベントのゲスト枠、つまり招待枠で彼女を呼んだときも、手違いでイベントの出演者と誤解されて、彼女も壇上に上がる羽目になって、引っ込みがつかなくなって壇上でふたりがキスをして。

久田 ホントにマジで困ったよね……。

――でも、そのときもボクがさんざん「久田カワユス」って言ってたら、帰りのタクシーで彼女に「ねえねえ、俺かわいい？ かわいいかなぁ？」ってずっと言ってたっていう。

久田 ハハハハハ！ 言ってた言ってた！

――「吉田君が言ってたんだけどさ、俺ってかわいいのかなぁ？ どう思う？」って。

久田 カワユスって概念がなかったからさ。どう見ても俺なんかかわいくないしさぁ。

女性カメラマン かわいいです（笑）。

――ほら、かわいいって言ってますよ！

久田 だって刺青も入ってるし、カワユスって言われるようになったのって、あれ2年前だと思うんだよね、『ゴッドタン』のとき。

――あの番組のおかげで、久田さんが可愛いって吉田さんが言ってる理由がわかったみたいなことをコアマガの人も言ってました。

久田 ありがとうございます。

――コアマガとしては敵対関係だし、物騒なことをネットで書いたりしている怖い人だと思ってたのが、「あれはかわいい！」と。

久田 ……なんか迎え酒っていいもんだね。

――ダハハハハ！ そうですか（笑）。

久田 さっきまでヘロヘロだったんだけどさ。だって朝まで飲んでたんだもん！

――ニューハーフとしっぽりと。

久田 そうそう、しっぽりと。女性がいるところで言っちゃいけないような言葉を……。

女性カメラマン 大丈夫です（笑）。

久田 僕が恥ずかしい。そのニューハーフの子がね……いや、ちょっと恥ずかしい！

――ちゃんと言ってくださいよ！

久田 ……言っても軽蔑しないですか？

――しないですよ！

久田 ホントに？ ……実は「久田さんのザーメンかけて」って言われたんですよ。

――ダハハハハ！ 最高です（笑）。

久田 ほらっ！

——軽蔑じゃないですよ！

久田 で、ちょっと興奮しちゃったんですよ。……これダメでしょ、アウトでしょ？「顔にかけて」って言われて、それでちょっと興奮しちゃってさ。かけてないですよ！

——かけてないなら大丈夫です！

久田 ……ホントに大丈夫？

——いい話じゃないですか（笑）。

久田 ……大丈夫かな、そうかな？

——いまんとこ問題ないですよね。

久田 ホントですか？ 大丈夫だったらいいけど。……これって単行本になるの？

——単行本になるかどうかはまだわからないですけど、とりあえず雑誌には載せますよ。

久田 単行本になっちゃうと……。

——親の目がありますか。

久田 べつにいいけどね（あっさりと）。

大切な熟女DVDが…

——そして、久田さんといえば結婚生活が大変だったことでも有名なわけですけど。

久田 そうそうそう、大変だったですね。

——路上キスの人と結婚したら。

久田 初めはね、女性がいる前であれなんだけど、付き合ってるときってかわいいじゃないですか、「なんとかちゃんのテロリストメールだぞ、ドキュドキューン」みたいな。

——そんなメールがきてたんですか（笑）。

久田 ちょっとかわいいとか思っちゃうわけですよ。巨乳だし。あまりにオッパイ大きいから飲みに行ってもカウンターに乗せちゃうみたいな。で、「テロメール、ドキューン」みたいなのもしょっちゅう送ってきて、そこもいいなとか思ってて。それはこっちが告白するわけじゃなくて、向こうから来て、横浜のラブホテルで関係を結びましてですね。で、付き合うようになって、なし崩し的に籍を入れてしまったら、だんだん暴力的になってきてさ。女性って変わるんだなと思ったもんなー。支配したがるのかな、やっぱり。

——そしてDVが始まったんですね。

久田 向こうは料理がすごいうまいんで、男の胃袋をつかめば旦那が戻ってくるとかよく言うじゃない。その通りで、当時『ナックルズ』の編集長だったんだけど、家に帰るのが楽しかったんですよね。でも皿は僕が洗う、みたいな。で、だんだん皿を洗うのも口出してきて、「まーくん、汚れが残ってる！」みたいな、だんだん厳しい口調になってきて。僕がコレクションしてた熟女DVDとかバッキバキ割りだして。えーっ！と思って。あとラテンもののAVもバッキバキ割ってさ。

——ただのテロリストになって（笑）。

久田 そうそうそう（笑）。あとメガネとかも、高いヤツをパキンと割られるしさ。で、だんだん家に帰るのが嫌になってきて。あと僕の携帯も見始めちゃったから、それはダメだろって。「この女の名前はなんなの！」みたいな。女性のデザイナーさんとかカメラさんもいるじゃないですか。でも、「なんかあったんじゃないの？」みたいな。で、帰りが夜の12時過ぎると寿司を買ってかなきゃいけない、深夜2時になると花束を買ってかなきゃいけないってルールになっちゃったから、もう嫌んなっちゃって。ミリオン出版って何時に出社してもいいんだけど、俺はもう朝10時頃に家を出て2

時間ずっと漫画喫茶で過ごしたりして、ホントに至福のときだったんですよ。漫画喫茶いいなぁと思ってさ。

——どんなDVだったんですか?

久田 飲むなって言うんだけど飲むんですよ、キッチンドランカーなんで。「飲まないほうがいいよ」「いや、ちょっと1杯だけ」とか言って1杯飲んだらまた開けてるから、「開けてるじゃん」って言うとそこでキレるわけ。「開けてないじゃん!」って。一時期は果物ナイフで来たもんね、しかも刃を逆さにして本格的な感じで。えーっ!と思って、「それはホントにやめて」って言って。

——灰皿とかで殴るんでしたっけ?

久田 灰皿もあったね。ガードしても来て。それで水ばんそうこうを貼って会社に行ってパソコンいじってたら、「久田さん、血が流れてます」って言われて、血がダラーンッて流れて。もうダメだって思って、逃げるように離婚したっていう流れで。大変でしたね。

——それである意味PTSD的になって。

久田 うん、ちょっとなったね。みんなそうなのかなと思っちゃったんですよ。僕のことを好きな女性っていうのはみんなそういう人なのかなと思っちゃって。あとみんなB型。だからB型には気をつけてるんですよ。

——B型の女と上杉さんは苦手、と(笑)。

久田 そうそう! 上杉さん、キモッ、ホントにやめてほしいと思って。顔がホントに気持ち悪い。顔のヒゲとかホントにもうダメだから! しゃべり方とかもホントに嫌っ! どう思います、あれ? おかしいでしょ?

——取材したときはかわいかったですよ。

久田 ……え、ホントに? かわいいの? あんな野郎が。ホントに吉田君ってすごいなと思うのは、一歩先を進んでる感じがするんだよね。……もうちょっと話していいの?

——もう十分なぐらいですけどね(笑)。

久田 ……え、ダメ?

——まだ話したいんですか?

久田 うん、いろいろしゃべりたいね。もうちょっとしゃべったほうがいいんじゃない?

——ダハハハハ! もういいですよ(笑)。

久田 じゃあ単行本に入れてよ!

——まだわかんないですよ。次に出すとしたら、上杉さんと一緒の本になりますけどね。

久田 いいよ。それだったらおもしろいと思うし、……あの野郎、新宿で生まれたからアウトローが多かったとか言ってホント笑えるわ。明中にいたらイジメられてるっつうの!

——ありがとうございました!

久田 ……締めようとしてるんですか?

——ええ。

久田 もう一杯飲んでからでいいですか?

——はいはい、大丈夫ですよ。

久田 まだ夜8時じゃん、早いよね。

——取材的にはバッチリですよ。

久田 ホントに? 大丈夫かなぁ?

——大丈夫ですよ。

久田 じゃあ単行本にして!

——ダハハハハ! わかりました!

（自分の番組が打ち切りと聞いて）、
テレ朝を猪瀬直樹さんと一緒に
ボロクソに言った

小西克哉

KONISHI KATSUYA/2009年10月27日収録

1954年生まれ。大阪府出身。国際ジャーナリスト、ニュースキャスター。東京外国語大学フランス語学科卒業。同大学院地域研究科修士課程修了。 同時通訳を経てCNNなどを舞台に国際ジャーナリストとして活動の幅を広げる。2001年10月から2009年3月まで、TBSラジオ『ストリーム』で松本ともこと共にパーソナリティーを務める。テレビ朝日系列『サンデープロジェクト』の初代司会者。また名通訳としても知られ、英語に関する著書も多数。

アメリカの童貞時代

——え〜、小西さんが飲みながら取材したいとのことなので、今日はTBS前、赤坂サカスの地中海料理屋に来てるわけですが……。

小西 （メニューを凝視しながら）乱視が入っちゃったのかなあ？ なんでも二重に見えちゃうのよ。だから、このメニューは完璧に読めない。……ここって何があるの？

——地中海料理ですね。

小西 じゃあビールと枝豆（キッパリ）。

——枝豆は絶対にないですよ（笑）。

小西 ないか。『ストリーム』が終わって、ちょっとまともに本を読むことが増えたよ。でも、まともに勉強し始めたら一気に体が「もうダメ」「もう限界が来てるからやめろ」って（笑）。『ストリーム』のときなんか全然勉強してなかったね。俺から言わせると、勉強のべの字もするような時間なかったから。新聞とかは読んでたけど、そんなのは勉強のうちに入らないし。仕事だからさ。

——それで勉強しなくても対応できた、と。

小西 だからちょうどいいぐらいなのよ、ボキャブラリーがちょうど。あんまり知ったかぶりしてやるとラジオは数字は下がるから。

——すべて知ってて「知ってる。それってさあ……」になっちゃうとよくないんですね。

小西 それをやったら●●●●になっちゃうから（笑）。いまも俺、『荒川強啓デイ・キャッチ！』で「『TVタックル』みたいなバラエティ的政治討論が主流のテレビは、おかしい」って言ってきたのよ。

——わざわざ番組名まで出して（笑）。

小西 そうそうそう。そしたら「頼むから番組名はやめましょうよ」みたいに言われちゃったよ。

——『ストリーム』は治外法権すぎたんですよね。よくあれが成立したって。しなくなって終わったのかもしれないですけど（笑）。

小西 そうそうそう（笑）。

——実はこのインタビューも実は治外法権だから毎回のように初体験のことを聞いてるんですけど、小西さんの場合はいつでしたか？

小西 初体験はアメリカだね。キスもアメリカが初めてだったから。だけど俺、キスのやりかたはやたらとませてたんだよ。方法論とか知識だけは山のようにあったから。これに関しては死ぬほど膨大に勉強してたね。そんじょそこらのアメリカのガキには負けない！

——向こうはみんな知識がないんですよね。

小西 そうそう、知識がないんだよ。経験はあるけど。こっちは経験ないけど知識だけはあるから（笑）。じゃあ、お互いに頑張ったらいろんなことがわかるよね、みたいなさ。

——技術協力っていうか（笑）。

小西 そうそうそう、技術経験共用みたいなもんですよ（笑）。だから初体験は……。

——知識があればスムーズですよね。

小西 いや……まあ微妙でしたけどね。

——あ、そうなんですか（笑）。

小西 ただ、70年代の初めでABCまでいった高校生は、あんまり多くなかったと思うんだよ。一部、モテる慶應幼稚舎のガキとかは別として、普通の公立高校や公立中学の人はね。だから自信がつくという効果はあったよね。明らかに他のところに影響する。

『荒川強啓デイ・キャッチ！』
95年からTBSラジオで放送されている報道バラエティ番組。コメンテーター的な立場の「スタジオデイキャッチャー」として、小西克哉がレギュラー出演している。

勉強とか対人関係とか、明らかに違ってくるよ。

――梶原一騎先生の実弟・真樹日佐夫先生もそう言ってましたよ。「童貞は弱い」「初体験が早いとそれだけで相手を飲める」って。

小西 なんだろうね、あれ？（カメラマンに）女性も同じようなこと言えるの？

女性カメラマン それはあると思いますよ。

小西 あ、やっぱり！　キスしただけでも相当自信が出るんだけど、それが一番大きかったな。外国語の習得で何が大事かって、異性の友達と付き合ってて具体的に語学がうまくなるってよく聞くけど、そこで学ぶことなんてほとんどなくて、問題は自信なんだよね。

――もの怖じしないで口に出せるだけの自信。

小西 そうそうそう。外国語を話してると、多少言葉が見つからないとか、あと途中でハチャメチャになっちゃうことって結構多いわけだよね。だけど、それがまったくもの怖じしないようになるっていうのはホントある。

――海外経験があって英語しゃべれるタレントの人って、押し出しが強いのはそういうことなんでしょうね。ミッキー安川さんとか、皆さん「俺が俺が」タイプじゃないですか。

小西 あと学者もそうだよね、竹中平蔵さんとかさ。だいたいアメリカ行くと経済系の人が多いけど、全部「俺の言ってることですべて日本経済はよくなる」って言うんだよ（笑）。

――そのぐらいの勢いですよね（笑）。

小西 それぐらい言っとかないと向こうでバカにされるから。「お前が自信ねえのに、言ってることをなんで俺が聞いてなきゃいけないんだ？」みたいなことを言われるわけですよ。「とにかく1分くれ」「お前の得になることを教えてやる！」というスタンスでないと、「ちょっといい？」みたいなことだと「そんなマスターベーションになんで俺が付き合わなきゃいけないんだ」ってみんな思うじゃない。そこが全然違うとこなんですよ。

――当然、小西さんも押し出しが強くなり。

小西 そうなって帰って来たと思いますね。

――当時は70年代の頭で、向こうのライフスタイルが乱れてた頃だったんですよね。

小西 明らかに言えることは、79年の秋に第二次オイルショックがあって、それまでは文化史的にいえば60年代のカウンターカルチャーの連続なんだよ。まさにそのカウンターカルチャーのリベラルで左翼的でラブ＆ピースで、ある意味で非常に野放図な無節操な時代が74年の不況とともに終わるわけ。僕が行った72年は、そういうギリギリの余波がまだあって、ベトナム戦争は最終段階に入ってるわけですよ。あと文化的に見てもドラッグカルチャーのピークとはいわないけど、マリファナ系の文化のひとつの最終段階。そのあと70年代から80年代にかけて、白人の中産階級にかなりコカイン系が蔓延する。それまではいわゆるドープの世界で、ドラッグ的なラブ＆ピース＆セックスっていう、それのギリギリのところだったんですよ。

――……それも体験してきたんですか？

小西 雑誌ではちょっと言えないよね（笑）。蔓延はしてましたよ。

――蔓延はしてますよね、もちろん（笑）。

小西 だから、授業行ったら女の子なんかみんなロングヘアーじゃん。髪の毛がそれだけ量あったら、プンプン匂うわけですよ。タバコの匂いと違うなって最初思ってたんだけど、どうも日本のタバコよりいい匂いだから、「なに吸ってんだ？」って言ったらみんなニヤッとするんだよね。あとで聞いてみると、もちろんグラスを吸って

真樹日佐夫
小説家、劇画原作家として活躍。またプロデューサーとして、劇場映画やVシネマ、そして実兄である梶原一騎の映像化作品などを手がける。また「真樹道場」を創立して、晩年まで空手の指導を行っていた。12年に逝去。

竹中平蔵
73年に日本開発銀行に入行。94年には経済学で博士号を取得。98年に小渕内閣の経済戦略会議の委員に就任。01年の小泉内閣では経済財政政策担当大臣、金融担当大臣を兼任。04年の参院選に当選。郵政民営化などに尽力した。

第二次オイルショック
79年に起こったイラン革命の影響で原油価格が高騰し、日本の経済活動が減退し、景気が交代した時期のこと。

ベトナム戦争
60年に起こったベトナムの内戦に、アメリカをはじめとする資本主義国とソ連などの共産国が介入、激しい対立となった。長引く戦争に対して、アメリカの若者を中心に反戦運動が盛り上がり、当時の文化にも影響を与えた。

るわけ。「ポットのほうが体には害はない、紙巻きシガレットは一番害がある。その次に害があるのはシガーで、その次はパイプだ。マリファナは一番害がない」って言い続けてて。さすがにウチのホストブラザーは吸ってなかったけど。

――意外と厳しかったんですよね。

小西 で、1回だけ見つかって……。

――飲酒が見つかったっていうのは他のインタビューで言ってましたけど、そっちも！

小西 飲酒も見つかったけど、ポットも。でもね、ホントすごかった。胸ぐらつかんで、グウッと持ち上げられて、ギャング映画で観るような状態になったから。あっちのパパはカッコいいんだなと思ったね。自分も飲みすけなんだけど、これ系にはうるさいんだよ。

――帰国後は、フランス人のガールフレンドがいたから大学でフランス語を学んで……。

小西 正確にはルクセンブルグね。英米科を受けたら楽だったんだけど、4年間また英語やるのも嫌だなと思って。で、僕は小学校のときから言語学者になりたかったんですよ。

――それは藤村有弘の影響で？

小西 まさにそう、藤村有弘大先生。あのハナモゲラ語をずっと真似してて、小学校の頃から学芸会でそういうことばっかりやって。

――インチキ外国語ネタですね。

小西 そうそうそう。それでもって僕は音オタクで、外国語の音をホントにできるだけ正確に再生するっていうのを至上命題としていたたの。いまみたいに教材もビデオも何もないから余計に希少価値があったわけですよ。

――だから、タモリが四カ国語麻雀で出てきたときに「やられた！」と思ったんですね。

小西 タモリさんが『モンティパイソン』で出たのは75年ぐらいだから。タモリさんが博多でやってるとき、僕も……まあ、レベルを一緒にしたらタモリさんに失礼だけど、私も大阪でやってたんですよ。でもね、僕は西洋語ではタモリさんに負けなかったと思うよ。

――最初に通訳でお金を稼いだのは大学1年のときの怪しいバイトだったんですよね。

小西 うん、それは確かにそうだと思う、俺の記憶では。白浜の踊り子さんのね……。

――男を連れ込んだ踊り子を説得する仕事。

小西 先輩に「女の子の通訳を頼んだけど、なかなかそこの踊り子が男を連れ込んで出てくれない。ちょっとドスの利いた英語しゃべんなあかんのや」とか言われて。それには女の子じゃダメだろっていうんで。それが1日1万もらえるっていうから、こりゃすげえやって。で、行ったらうまくいったんだよ。

――ちゃんとドスの利いた説得ができて。

小西 そう。その子が可愛かったんだ。なんかね、ダメだったら「ウチ来る？」って言いたくなるような（笑）。そしたらその後も、そのおっちゃんに気に入られて、大学3年生ぐらいまで毎回よく夏休みにそういうことをやってましたよ。晴海からサンフラワー号っていう客船が夜行で白浜に着いた踊り子さんを出迎えて和歌山に連れてく仕事をね。3年生ぐらいのときから通訳教室に通って、仕事もらうようになったから。僕は研究者になりたかったんですけど、片手間に通訳したらそれなりに小銭は稼げるだろうってことで。

――真面目にオーガニズム（有機体）ついて話してるのをオーガズム（性的絶頂）と誤訳したって伝説は聞いたことありますけ

藤村有弘
幼少期より芸能活動を開始。俳優としてだけでなく、吹き替えや声優としても活躍。『ひょっこりひょうたん島』のドン・ガバチョの声としても有名。インチキ外国芸の元祖としても知られる。82年に48歳の若さで死去した。

『モンティパイソン』
イギリスのコメディ番組で、東京12チャンネル（現・テレビ東京）で76年より放送された。オリジナル版はもともと30分番組だったが、日本版放送枠は60分となったため、日本版オリジナルの映像が付け加えられた。このコーナーにテレビ初登場となるタモリが出演。「四カ国語マージャン」などの芸を披露していた。

ど（笑）。

小西 そんなの山ほどあったけど、いろんな通訳の人って本を書いて失敗談を書くでしょ？　俺、失敗したことも忘れるんだよね。

——ダハハハ！　さすがだ！

小西 だから、どこでどういう馬鹿な失敗をしたかってあんまりよく覚えてないんだよ。

——失敗をちゃんと語ることが出来たら、それもお金になりそうな気がするんですけど。

小西 その通り！　だから、なんでこいつらよく覚えてるんだろうって思うんだよね。

ニュースの生放送事故

——その後、スペースシャトルの打ち上げの同時通訳をやったことで脚光を浴びて、テレビの世界に入ってくることになるんですね。

小西 うん。85年からテレ朝の『CNNデイウォッチ』が始まったんだけど、あれって深夜番組でしょ。それまでずっと派遣で通訳やってたんだけど、同じ会社の通訳はほとんどが女の子なの。また帰国子女のお嬢さんが多いから、夜出て行くのってマズいでしょ。お肌にも悪いんで、夜シフトはほとんど俺が入るようになって。夜シフトがいいのは、本番でキャスターの後ろに映ったりするわけよ。たとえば安藤優子さん、あの人もCNNのキャスターだったんだけど、その後ろにモニターがバーッと映ってて、スタッフが動いてる。そこに映るとミーハー心をくすぐられるところがあるのよ。

——「あれ俺！」みたいな（笑）。

小西 そんな理由で夜シフトに入ってたら、たまたまスペースシャトルの中継があって、あと数十秒で中継が終わるはずだったところを爆発事故が起きちゃったことで、現場が「とんでもない！」ってテレ朝の担当者を叩き起こして、番組を続行させたわけ。

——つまり最初は裏方だったわけですね。

小西 同時通訳だよね。で、そのうち通訳したものの内容はじつはこんなことを言ってたっていうリポーターみたいなことを顔出しでやるようになったの。それで、それなりにしゃべれるじゃねえかってことで、87年から今度は「じゃあ日曜日の夜キャスターやれ」と、テレ朝の長英太郎プロデューサーに言われてね。

——いま当時の記事を見ると、「画面でアップに耐え得る顔立ちが買われてキャスターに」って、ルックスを絶賛されてましたね。

小西 え！　そんなこと書いてある？

——当時、モデルもやってましたよね。

小西 その手の仕事はムチャクチャ多かったよ、なぜか。それも女性誌ね。もちろん『女性セブン』とか『女性自身』じゃなくて。

——『an・an』で恋愛を語ったりとか。

小西 隔世の感がありますよね（笑）。

——完全にカッコいい人扱いでしたよ！

小西 そう。だってみんなそうじゃん、20〜30代はそうでも、50すぎるとやっぱり世界遺産みたいな話になってくるから（笑）。

——だって、『フォーカス』で小西さんが紹介されるとき、ページの横に「スポーツ」みたいにジャンルが分類される部分が、なぜか「アイドル」になってましたからね（笑）。

小西 そうそう、アイドル！　『フォーカス』って普通、いわゆる暴露系のものが多いから、もともと番組のプロデューサーは「小西さん、やめたほうがいいよ。なに書かれるかわかんないよ」って言ってたんだよ。それをリポーターの人が説得したみたいね。

『CNNデイウォッチ』
テレビ朝日系列で84年から93年に放送されていたニュース番組。テレビ朝日とアメリカのニュース専門チャンネルCNNとの提携により配信されるニュースを主に取り扱っていた。オープニングに使用されていた楽曲はOMDの『エノラ・ゲイの悲劇（Enola Gay）』。

——記事部分にも「あなたのお姿を見ると胸がときめき、最近はこの人となら傷ついても構わないとさえ思うようになりました」って書いてましたよ（笑）。当時は「好き！」とかラブコールが殺到してたっていう噂だし。

小西 でもね、最初は共演してたのが女子大生で、その人はテレビ向きじゃなかったの。

——小西さんもパートナーが女子大生だから意識して固くなってたっていう（笑）。

小西 そう。つまりその頃の俺は20代半ばぐらいで、ちょうど女子大生とか意識するじゃん。まあ、俺のタイプではなかったんだけど（笑）。だけども意識すると、やっぱり行儀のいいことをしゃべろうとするんだよ。つまりいいカッコしたいわけ。それはプロデューサーが見抜いてて。いくらいいカッコしようと思っても、やっぱり大学院を出てるから頭でっかちな話になるっていうんで、ガツンと上から一発いわせるヤツが必要だっていうことで高木美也子さんが選ばれたわけ。

——当時は知らなかったんですけど、東映の元社長・岡田茂さんの娘さんなんですよね。

小西 そうそう、東映のいまの岡田祐介社長の妹で。それがテレ朝に映画の話で来たとき彼女が運転して送って来たの。そのときプロデューサーが「この人の笑いかたは素晴らしい」って思ったらしいよ。言ってることじゃなくて。豪快に笑うわけよ。『やるMAN』の小俣さんみたいなね。あの笑いは最高だった。案の定それでもって大人気になったね。

——東映の岡田茂さんもデタラメな社長として有名ですからね。右でも左でもエロでもグロでもヤクザでも商売になればいい人だから切符が売れるなら創価学会の映画も喜んで作るし、共産党の映画制作を中止したのは共産党が切符を買わないからだっていう感じで（笑）。

小西 その破天荒さはある意味じゃ受け継いでたのかもしれないね（笑）。だって、キャスター同士が口論するっていうことは、それでなかったと思うのよ。久米さんの『ニュースステーション』を始めとする、キャスターがコメントをする番組も、僕は日本で最初にやったのは『CNNデイウォッチ』だと思ってるのね。それは僕らじゃなくて久和ひとみさんとか武見敬三さんとかの頃なんだけど、それが84年。僕はそのときはまだスタッフだったからね。CNNはアメリカのニュースだけでしょ。つまり、ニュース原稿自体はアメリカ人に向けてCNNの記者が書いた文章だから観ててわかんないわけよ。それをキャスターが説明するっていうのは必然なんだよね。それでもって僕らが、こういうことが背景だという原稿を書いてて、それがコメントなわけですよ。久米宏が『ニューステーション』で説明するのとは意味が全然違うわけよ。

——あれは感想に近いですもんね。

小西 それに、あれは日本のニュースを日本人が原稿に書いて日本のキャスターがしゃべってるわけでしょ？ そもそも『ニュースステーション』は『CNNデイウォッチ』の1年半後に始まってるから、確実にそれは同じ局内でパクってると思う（キッパリ）。

——「確実に」なんですか（笑）。

小西 まあ、確実にインスパイアされてると思うんですよ。本来、そういうことを始めたのは、『CNNデイウォッチ』はその必然があったからで、それはどこのテレビの歴史を振り返る企画でも書かれてないのは寂しいよね。俺みたいに通訳上がりの若造とか、アメリカで長いこと教えてた数学者の人とか、あと猪瀬直樹さんみたいな作家とか、山本コウタローさんとか三枝成彰さんとかを起

高木美也子
東映の社長だった岡田茂の娘として生まれる。青山学院大学理工学部化学科を経て、パリ第7大学理学部博士課程専攻を修了。現在は日本大学総合科学研究所教授を努める。『CNNデイウォッチ』でキャスターを務め、テレビのコメンテーターとして活躍。著書に『女性の世界は25時間 仕事も遊びも100パーセント』などがある。

『やるMAN』
『やる気MANMAN！』。文化放送で87年から07年にかけて20年間放送されていたワイド番組。パーソナリティは吉田照美と小俣雅子。それまでのラジオの昼番組は年長者に向けた硬めの内容が多かったが、『やるMAN』が深夜のバラエティ番組のようなノリを持ち込み、その後の昼ワイドの流れを変えたといわれる。

猪瀬直樹
ジャーナリスト・作家として活動。87年に発表したルポ『ミカドの肖像』で第18回大宅壮一ノンフィク

用して。つまり、長プロデューサーのコンセプトは、プロのジャーナリストがしゃべると面白くないから、プロではないけども、なんか自分の職業を持ってて、その人がニュースをどう見るかっていうことで。そういう意味ではすごく影響を与えたと思うんですよ。業界視聴率はすごかったし。

――その結果、一気に取材も増えたわけですけど、当時の記事では撮影前に「ちょっとデコ隠ししてきます」って言って毎回髪型を直してるのが面白いんですよ。「ハゲを隠さないといつも後悔するんですよ」て（笑）。

小西 ハハハハハ！ 俺、天パで七三分けで、それをスプレーで固めてるとホントにズラっぽく見えるんだ、これが。でも、もともと中学校の頃からデコが広くて、生え際が後退するっていう強い意見があったけど、そんなことないの。それなのに言われるから嫌で、基本的には隠したかったわけなのよ。

――北野誠さんにはカツラだと認定されて。

小西 それは知らないんだけど。北野誠さんは会ったことないしさ。まあ、光栄なことだからべつに否定も肯定もしないけど（笑）。

――その頃は雑誌のインタビューで結構余計な話をしてましたよね。「自宅には女性のパンティがヒラッとあったりします」「それは隣の女性の持ちもので……」とか（笑）。

小西 ……ああ！ 思い出した。それは80年代の初めぐらいだ。杉並の久我山に住んでるとき、隣にいたのがちょっといい感じの、いまでいう熟女だったの。当時、俺が30歳前ぐらいで、おそらく35歳ぐらいかな？ ベランダにその人の下着が落ちてたのよ。

――それを勝手に預かって。

小西 なんにもなかったけどね（笑）。

――「大学院時代から女性に関してはずっと氷河期が続いていま す」って言ってましたけど。

小西 大学院のときは一番勉強してたし、「カツ定食」って言うだけで1日終わるときが結構あったからね。多少モテだすようになったのはテレビで仕事し始めたぐらいで。

――その結果、夜な夜な六本木のバーで飲んでは女の子に「ねえ、僕のこと知ってる？」って声かけまくったって噂も流れて（笑）。

小西 それはまったく嘘だね。一番腹が立ったのはある大物女流作家が、俺の知らねえような所に俺が顔を出してるとか書いたりとか、そんなの山ほどあったよ。あまり憶えてないけど。俺、そういうことやるキャラに思える？

――やってたら面白いなと思ったんですよ。

小西 「あれ俺！」って（笑）。

――著名人に買って後悔したものを紹介してもらうっていう雑誌の特集で、コンドームを出してたぐらいですからね。「忙しくて使う時間がないから後悔した」っていう理由で。

小西 あ、そう？ 全然覚えてない（笑）。

――『CNN』は最終回の伝説もあるじゃないですか。生放送でキスしようとした……。

小西 ああ、それは朝の『CNNデイブレイク』ね。もっとすごかったのは、『デイウォッチ』の最後。朝の『CNN』も帯でやってたから感無量なんだけど、やっぱり一番悔しかったのはそっちで。『ストリーム』が終わるのってみんな未練もあっただろうけど、俺は2回目なのよ。その前に『CNNデイウォッチ』で深夜のああいったブームを作った……まあ、裏では『オールナイトフジ』っていうバラエティがあったから、みんな80年代の番組っていうとそっちを語るわけだけど、僕らニュース屋にとってはあの番組を終わらせたっていうこと自体、僕はテレ朝がホントに信用できないなと

ション賞を受賞。07年に東京都副知事に就任。12年の都知事選で勝利し、東京都知事となるが、13年に資金提供問題から辞任。

『CNNデイブレイク』
前番組だった『CNNモーニング』『CNNモーニング・イングリッシュ・アワー』を受け継ぐ形で90年に放送開始されたニュース番組。94年まで続いた。

思ってね、非常に腹が立って。あれ、なんで終わらせたかって理由がハッキリしないのよ。番組が終わる理由ってだいたいいつもハッキリしないじゃん。『ストリーム』にしてもそうだけどさ。

――ちゃんと説明されないんですよね。

小西 されないよね。そのとき腹を立てたのは猪瀬直樹さんで、猪瀬さんは土曜日担当だったの。俺が日曜日担当かな？　他にくだらねえ番組はたくさんあるのに、なんで『CNNデイウォッチ』みたいな低コストで、かつアメリカの『CNN』と年間何億か知らないけどテレ朝は契約してるから、本来は番組を続けなきゃいけない。もっと拡大して夜と朝と使わないと損するわけですよ。で、業界視聴率がホントに高くて、ネットなんかあったらもっと評判になってたぐらい当時の口コミだけでもすごかったにもかかわらず、その勢いのある番組をいきなりやめる、と。「それはなにごとだ！」って猪瀬さんと僕らキャスター陣でものすごいボロクソに言ったんだよ、じつは。夜中の2時半頃にテレ朝のことを。

――それって生放送中にですか？

小西 もちろん！　あれはおそらく誰も知らないと思うんだけど、「テレ朝の編成って、ホントに正気の沙汰とは思えない」みたいにね。おそらく猪瀬さんと僕が一番過激なこと言ってたと思う。すごいこと言ってたよ。あれはもちろん生で観てた人はいたと思うけど。

――最後にガチを仕掛けて（笑）。

小西 そう、最後だから。俺はその次の春からも週1でやってくれって話だったから、仕事がなくなるかもしれないわけだよ。そうこうしてたら、次の年にTBSの夕方ニュース枠のメインキャスターの仕事が来たの。『ニュースの森』って番組。ただ、国内問題のプロではないから「僕にはそれはできない」って丁重にお断りしたんだけど、あのとき俺がOKしてたら、その契約金でもっと早く家を建てられた。それぐらいすごかったの。当時、バブル絶頂期ですよ！

――それは後悔しますよね（笑）。

小西 でも、『CNN』でお世話になったプロデューサーの人に「TBSからこんなオファーが来た」って言ったら、「わかった、じゃあ小西で帯番組を作れ」ってそのテレ朝の〝天皇〟が言ったの。つまりTBSからのオファーのおかげで、うまいこと俺の価格を吊り上げちゃったわけ。それで90年からは俺が帯を持つことになって、朝の『CNNデイブレイク』が出来たわけ。だけど、朝になったらホントに真面目な線になっちゃって。俺は、朝なんだけど夜のノリでやろうってことでやってたんだよ。その最後で、俺は夜のノリだったから、べつに女性キャスターに最後にチューしてもおかしいことはねえだろっていう感じでさ。

島田紳助はホント最高だった！

――そしたらガチで嫌がられたわけですか（笑）。いまでも日曜朝に放送されているテレ朝の『サンデープロジェクト』にも、最初は島田紳助さんと出演してたんですよね。

小西 ああ、あれは面白かった。89年から始まったんだけど、俺と紳助さんと、あとフリーの女子アナの娘と3ショットで。それはたぶん紳助さんが固定で決まってて、紳助さんとの相性で同じ大阪だから小西がいいと思ったんじゃない？　結局、3年ぐらいやったんだけど、私のほうから「辞めさせてくれ」って言ったんだよね。

――あ、そうだったんですか！

『サンデープロジェクト』
89年からテレビ朝日で放送されて政治討論番組。田原総一朗を討論ホストに、現役の政治家などが出演。番組内での発言が政局を左右することもあった。初代の司会は小西克哉。その後、島田紳助、うじきつよし、寺崎貴司に受け継がれていった。

小西 うん。そのとき『ニュースフロンティア』って番組ができて、それはじつは古館伊知郎さんがニュースをやった最初の番組なんだけど。古館さん、俺、あと朝岡聡さんの3人で土曜日の夜にやってたの。それと日曜日の朝の番組を一緒にやると到底持たないんですよ。それで平日も『CNNデイウォッチ』があるし、通訳やってるしで。それに『サンプロ』は結局、紳助さんとか俺は飾りで、仕切ってるのは田原総一朗さんだってことが1年ぐらいしてわかって。田原さんの番組だから、MCなんてどうでもいいわけよ。いまはみんなそんなこと当たり前だと思うじゃないですか。でも誰もわかんないよ、あのときは。いまでこそ市民権を得て、あそこに出ることがステイタスのように思われてるけど、当時なんてまだ海のものとも山のものともわからないから。これはやり甲斐がねえな、と。それで「申し訳ないけど『ニュースフロンティア』に全力を尽くす」と。それが間違いだったんだよ！

――そっちは短命でしたからね（笑）。

小西 これが人生のひとつの間違い。なぜかというと古館さんじゃ全然数字が取れなくて、平均4％ぐらいでさ。それから宮崎緑さんに替わって俺はずっと出てたけど、『ニュースフロンティア』自体が3～4年で終わって。

――ちなみに紳助さんはどうでした？

小西 面白かったね。ホント最高だったよ！　紳助さんは漫才ブームのときはもちろんリアルタイムで知ってたけど、一番好きだったのはB&B。紳助さんは大阪人の俺でも何を言ってるかよくわかんなかったんだよね。

――スピードが速すぎましたもんね。

小西 言葉が速すぎて滑舌が悪いから。でも『サンプロ』で面白かったのは、土曜日の夕方に打ち合わせと称して「今週の政治家はこれで、特集コーナーのポイントはこうだ」って、つまりディレクターがブリーフィングやるわけよ。それは紳助さんに説明するためにやるわけね。そこになんで俺が来なきゃいけねえのかってさ、俺もわがままだったからさ（笑）。

――「理解してるよ、それ！」って（笑）。

小西 俺なんかわかりきってることだから、退屈でしょうがないんだよ。だから別々にやってくれよ、と。でも、そのへんが日本の集団主義だよね。で、ブリーフィングする前に紳助さんが「こないだほんまにねえ、すごいのがありましたよ。ちょっと聞いてくださいよ！」って自分の話を始めるんだよね。誰がどうしたとかさ、女がこうしたとか全部自分の暴露話で、1時間半ぐらい。だからもう3時間、4時間かかるんだよ。紳助さんの話がなかったら1時間ぐらいで終わるんだけどさ。でもそれが、あるときからトークが面白くなったわけよ。こいつのひとりしゃべりホントすげえなと思って。

――自虐的な女性ネタとかも話して。

小西 そうそう。本番が始まる5分ぐらい前に司会の席に着いたら、「小西さん、聞いてくださいよ！　昨日ね、朝の5時すぎまでですよ。もう『リストカットする、リストカットする』って。『それは危ないからよせ！』って一晩中電話してましたよ。寝たの朝6時ですよ！」とか言ってて。●●なんだっけ？

――●●●子ですかね（笑）。

小西 「いやあ、ほんまにあんなことって……もう人生破滅ですよ……（突然冷静に）おはようございます」って番組が始まって。

――ダハハハハ！　シフトが上手い（笑）。

小西 あれでちゃんと指示見てるから。すごいなと思ったね。あれは面白かった（笑）。グアムでロケしたときもすごかったな。そ

『ニュースフロンティア』
91年から94年まで土曜の夜23時にテレビ朝日で放送されていた報道番組。生バンドによるテーマ演奏、スタジオ内に観客を入れた公開放送形式など、それまでのニュース番組の概念を破った構成が話題を呼んだ。初代のキャスターは古館伊知郎。後期は宮崎緑がメインキャスターとなり、硬派な路線となった。

のとき思ったよ、「ああ、そうか」と。やっぱり関西の大御所はロケに●●を連れて来ても誰もなんにも言わないし、記事にもならないんだ、と。それも、「お前ら黙っとれ！　黙っとれ！」とも言わないで正々堂々と（笑）。

――『週刊地球テレビ』も大好きでしたよ。

小西　あれも基本的にはCNNと膨大な高額契約をしてて、なのに素材を使わないとバカみたいでしょ。それでいろいろ思案したわけだよね。

――山田五郎さんが海外に間違って伝わった日本文化を紹介する『奇妙な果実』のコーナーが評判で、単行本にもなりましたよね。

小西　うん。最初、「小西、高木でやってくれ」って言われたときに、俺が条件で言ったのは「山田五郎さんをレギュラーに入れてくれ」と。そしたら俺が頼んでもいないのに石井苗子さんも来て（笑）。なぜか知らないけど。俺がなんで石井苗子さんなのか聞いたんだけど、誰も答えないっていう（笑）。「なんか華やかじゃない？」って話だったから、「つまり僕らでは華やかさが不充分なんですね。高木美也子さんじゃ、東映の社長令嬢じゃ華やかさが足りないんですね」って言ったら、プロデューサーが困ってたけどさ。吉田豪ちゃんは、彼女のことを性同一性障害だって言ってたよね。

――石井苗子さんが本でそう告白したんですよ。

小西　あの人、アメ車に乗ってたんだよね。当時、僕らはいつも収録が終わってから高木さんと山田さんと3人で必ず飲みに行ってたの。で、歩いてたら石井さんがバーンとテレ朝の駐車場から出てきて、ショッキングブルーのムスタングかな？　なんかすごいアメ車なんだけど、そのボディがボコボコなのよ！

――とりあえず運転はヘタ（笑）。

小西　普通、一応テレビ出てる人が、そんなボコボコの、特に目立つショッキングブルーのボディだよ！　「どういうこと？」「この人おかしいんじゃないの？」と思ってさ。メイクとか髪の毛とかも1時間ぐらい、誰よりも時間かけてやる女がボコボコのムスタングに乗っててビャーッと行くわけよ。……不思議な人だな。でも悪い人じゃないから、全然。だけどカメラが回ったとき、芸人は誰もいないのよ。みんな本職がある人で、テレビに出ることが仕事の人はいないわけだよ。

――山田さんも本業は編集者ですからね。

小西　そうそうそう。この人はやっぱりテレビの人だなって思った。ところで最初に『地球テレビ』で芸人を出したのは爆笑問題さんで、おそらく彼らにとってニュース的な番組っていうのは『地球テレビ』が初めてだと思う。ただニュースのことがあんまりよくわかってないなと思って。

――まだそっちに足を踏み込む前というか。

小西　だから悪いけど俺は全然面白くなかった。その後、相当ニュースを勉強なさったんじゃないですか？　いま思えば、彼は向田邦子さんとか読んでる文学系の人間でしょ。だから人間観察は鋭いけど、社会観察に関してはね、「芸能人はいいな」と思ったよ、俺。まあ、ニュースに関しては俺が先輩だと思ってたから。もっと面白いこと言ってくれるかって期待してたけど、「それだったら俺が言うよ」って思ったもん。

――「俺のほうが面白いよ！」って（笑）。

小西　それは非常によく覚えてるよ。

――『笑っていいとも！』のレギュラーもやってたとき、タモリさんには「俺のほうが面白いよ！」って思わなかったんですか？

小西　いや、タモリさんはやっぱり天才だと思った。ヨーロッパの

『週刊地球テレビ』
『CNNデイウォッチ』の終了を受け、『CNNヘッドライン』金曜版の枠を大幅に拡大して新設された報道バラエティ番組。テレビ朝日系にて93年から01年まで放送された。神田陽子による講談「世相瓦版」や、山田五郎「奇妙な果実」などのコーナーが人気を博した。

山田五郎
講談社に入社、編集者として『ホットドッグ・プレス』『チェックメイト』『TOKYO1週間』などを担当。『タモリ倶楽部』の「今週の五つ星り」に出演したのが契機となり、テレビタレントとしても活躍。

石井苗子
アメリカ・ワシントン州立大学から上智大学に編入、卒業。同時通訳者として活動後、88年に『CBSドキュメント』でキャスターとしてデビュー。「MITSUKO」名義で女優としても活動。主な出演作に『あげまん』など。

ものまねに関しては俺のほうが多少エッジが利いてるなと思ったけど（キッパリ）。ただ、俺はそれをエンターテインメントにはできないの。ただのオタクだから。オタクっていうのは、誰かがいじくってくれて初めてエンターテイナーになれるの。だから、やっぱりツッコミ役が必要なんですよ。

――ツッコミが通訳になりますからね。

小西 そう。でも、俺はボケるほうよりもツッコむほうだなっていうのはずっと思ってた。高木さんとやってたときも、スタッフは漫才だって言ってたけど。俺がボケても高木さんのツッコミってヘタだから、あんまり笑ってもらえないんだよ。でも高木さんがボケなくても、俺がツッコミうまいから（笑）。それで高木さんが面白いってことになって、結果的にはそれでいいんだと思う。やっぱり基本的にツッコミなんだよね。だから『ストリーム』でも俺はすごくそこをわきまえてて。

伝説の番組『ストリーム』

――『ストリーム』の『コラムの花道』では比較的ボケ担当って感じでしたよね？

小西 僕はツッコミ役のつもりでやってた。べつに豪ちゃんを面白くしてるわけじゃないよ。町山（智浩）さんと勝谷（誠彦）さんは意図的におかしがらせようとしてるところはあるけど、でも基本的には本人が今日一番言いたいことっていう幹があって、枝葉の部分では適当にくすぐりを、サービス精神あるからみんなやるわけじゃないですか。でも、俺から言わせると、幹の部分のところでも、俺がツッコんだら面白いと思うところは俺がツッコむ。台本にない、それが面白いわけ。

――台本自体、かなり無視してましたしね。

小西 あと、情報を持ってくる豪ちゃんとか町山さんとかの話は、俺はただ笑えばいいわけ。観客としてリアクションしてるからね。

――町山さんも言ってましたけど、小西さんの笑いっぷりはホント評判よかったですよ。

小西 ああ、それは俺が笑い声がいかに大事かわかってるから。そういうリアクションが大事だっていうのは『デイウォッチ』のときの下積みが活きてるのかもしれないよね。

――ボクもインタビューでよくやるんですけど、どんなにヤバい話でも笑ったらギャグになって使えるレベルになるじゃないですか。

小西 そうそうそう！

――町山さんも言ってましたよ。「どんな不謹慎な話でも小西さんはすごく楽しそうに笑ってくれるから、やりやすかった」って。

小西 だってあの人、不謹慎な話だらけだからね（笑）。ある意味では、僕が笑わないと町山さんのしゃべりってものすごい深刻に聞こえるでしょ。あの人、真面目に話をもってくればくるほど、顔は不謹慎なぐらい笑ってるんだよ。テレビだと笑ってるのがわかるけど、ラジオは声が笑ってないでしょ。だから、特にわかんない人は誤解するのよ。「そうじゃねえんだよ、町山さんは楽しんでるんだから」っていうメッセージがあったから俺が笑うわけ。

――ギャグとして受け止めるために。勝谷さんなんて思想的には合わないだろうけど、それも全部受け止めるわけじゃないですか。

小西 そうね。勝谷さんは天皇制どうこうとか朝鮮半島、中国ってことに関してはかなりハードコアなタカ派ですよね。もちろん僕は賛成するときは賛成する。「ホントそうですよね」って言ってるときは僕は賛成なんだよ。嘘は言ってないの。だけども相手の言うことを楽しんでるときっていうのは、ホントは反対でも「えーっ？」とは言えないでしょ。それ言ったら15分の持ち時間が確実に30分になっちゃうから。だから一緒に楽しんでる。楽しむ分にはおかしくないしね。

――暴走したほうが面白くなるから、それにはストップをかけるより乗せたほうがいい。

小西 そうそう。個人的には勝谷さんと町山さんの間ぐらいのスタンスかなと思うけど、それが逆に俺にとっては緊張感があって楽しかったよ。いつも真剣勝負だから。そうじゃない、かったるい話題のほうがつらいよね、これをどう盛り上げていくかという（笑）。「俺がどう面白がればいいんだ」って。

小西 それがまた変なふうに面白がっちゃって大変なことになっちゃったりさ（笑）。そういうことはまあ、無限にありましたから。

――『ストリーム』という番組に関しては、いま振り返ってどんな思い出がありますか？

小西 う〜ん……。まだ僕の中では思い出には消化できてないね。だって終わって半年でしょ。まだ生々しい感じがするよね。あんまり長いことやったって感じないし、一瞬で終わっちゃったような気がする。もうちょっとやりたかったね、少なくとも大竹まことさんをもう1回負かすぐらいはやりたかったよね。

――裏番組を倒すまではいったけれども。

小西 そうそうそう、だから吉田照美さんには勝ったけど、大竹さんに逆に持っていかれたところがあるから。あえてあぐらかいてたんだろうと思うけど、僕らも。でも、僕は個人としてはあぐらをかいたつもりはなくて全力投球でやったつもりなんですよ。だから、他の仕事なんか全然やってなかったし、やりたいとも思わなかったし。やっぱり最後、結果が出せなかったっていうのは悔しいですよね。もっと悔しいのは、いま大竹さんの番組聴いてみて、あんまり面白くないの（キッパリ）。

――ダハハハハ！　そうですか（笑）。

小西 だから余計悔しいのよ！　失礼だけど、こんな番組に負けたのかと思うと、より腹が立ってくるわけ！「それに負けた俺ってなに？」って話になるから。少なくとも、勝った以上はもうちょっと面白くしろよ、と。『ストリーム』やってたときは裏番組も面白かったよ。やっぱりこれは怖かった。だからいま絶対に向こうの気が緩んでると思うよ。

――『キラ☆キラ』には勝てる、って感じで。

小西 絶対にそうだよ。だから面白くない。基本的には昼のラジオを聴く気しないから聴かないもん。いや、『デイキャッチ』は聴きますよ（笑）。

――ボクは昼も聴いてますよ（笑）。『ストリーム』は過激さとふざけた感じが奇跡的なバランスで保たれた番組だったんですけど。

小西 だから……やっぱり悔しいよ。

――「小西さんと松本ともこさんは仲いいんですか？」ってボクは何度も聞かれたわけですけど、その辺りはどうなんですかね？

小西 まあ、悪いわけでもないけどね……。仕事の面では、音楽関係の話すると仕切りがすごかったなって。だって3時台の音楽コーナーは治外法権だったもんね、あれ（笑）。

――小西さんがしゃべったのはブリリアントグリーンのTommyの「捕鯨反対」発言に噛みついたときぐらいでしたよね（笑）。

小西 ああ、環境系の女の子ね。あのバカさ加減にはちょっと辟易したから、ちょっといじくろうかなと思って。「お前、よくそれで環境問題って言ってんな。じゃあこれはどうなの？」って。何も言わなきゃいいけどさ。

大竹まこと
79年に「シティボーイズ」を結成。演劇活動をはじめる。80年代初頭から、歯に衣着せない発言や態度でテレビバラエティ界に欠かせない存在となる。07年より、文化放送の昼ワイド番組『大竹まことゴールデンラジオ！』がスタート。

吉田照美
文化放送のアナウンサー・DJとして注目され、現在もラジオ界の第一線で活躍するパーソナリティ。テレビでは『夕焼けニャンニャン』の司会や、『進め！電波少年』内の「渋谷のチーマーを更生させよう！」企画などが有名。

松本ともこ
TOKYO FMのアナウンサーとして音楽番組を中心に活躍。フリーとなってからは、AMラジオにも進出。01年からは『ストリーム』のキャスターを担当した。愛称はマッピー。95年にはシングル『マッピーのGスタ』でCDデビューも。現在、ベイFM『ウィズ・ユー』で吉田豪と共演中。

――「いまエコロジーにハマッてて」って。

小西 「ハマッてて」って勇気あるよね。

――「ちょっとオシャレで」ぐらいな感じで話してたら、それは「ちょっと待て！」になりますよね。国際ジャーナリストとしたら。

小西 そうそうそう。言わなくてもいいんだけどね、治外法権のところだから。あれが俺のコーナーだったら、悪いけどおそらく完膚なきまでにボロボロにしてたと思う（笑）。そういうことあったなあ……。でも、それがもうちょっとあってもよかったのかもね。

――それは確かに思いますね。

小西 つまり、定型のパターンではなくて、いろんな意味でノイズを混ぜていくというか。そういう工夫がないところが、『ストリーム』がコアなファンからもっと広がっていけなかった原因だと思う。職人的なプロデューサーが作り上げたガラス細工のような構成の完成度を高めたけれど、それをそのままずっと維持するっていうのはものすごく難しいわけで。そこにある程度ノイズを入れながらもその構造物が壊れない、台風とかがあっても揺れて生き長らえるような、そのしなやかさが足りないんだよね。

――いま、『キラ☆キラ』が意図的にノイズを入れてくるようになったと思うんですよ。

小西 うん。やっぱりそこは反省してるんだと思うんだよね。もともと予算がないから、緩くできやすいじゃない。僕らはリスナーの声やメールを極力入れないで、プロの意見しか出さねえよ、ってことだったからさ。あと、「俺が俺が」って前に出る人間、たとえば大竹まことさんもそうだけど、そういう人間だったら豪ちゃんとかなめちゃん（辛酸なめ子）のような非常に微妙なキャラクターを活かせられなかったと思う。

――小西さんのもの忘れの激しいキャラは本当は演出だったってこの前言ってましたね。

小西 演出のときもあるし、ホントのときもあった。だから豪ちゃんのコラムで忘れてるっていうのは、ホントに忘れてる（笑）。

――でも、それが結果的にわかりやすく聞き手に説明出来て良かったから面白いんですよ（笑）。

小西 まあね（笑）。「イライラする」とか罵詈雑言もあったし、そういう反応があったのが良かったと思う。ただ、たまに『キラ☆キラ』を聞くと、えらい『ストリーム』のこと気ぃ使ってると思うから、そこまで気ぃ使わなくてもいいんじゃないかと思うんだけどね。

――小島さんもそこはすごい気ぃ使ってるんですよ。やっぱり『ストリーム』のリスナーに相当叩かれながら番組が始まってるから。

小西 自分が小島さんの立場だったらね、確かにそれはあるなと思うよね。それには、まずお祓いしてから（笑）。ちょっとお祓いしないと怨念というか自縛霊があるからさ。

――死屍累々と（笑）。

小西 ホント死屍累々だよね（笑）。

――半年かけてお祓いも徐々に済んで。

小西 あとは盆と正月ぐらいは花でも手向けてほしいよね（笑）。こっちは屍だからさ。これから吉田豪が面白くしてくれるんだったら、また聴くよ！

――ボクは面白がってますよ。昨日も小島さんが、のりピー報道の過熱ぶりに怒ってて、「ホントにテレビって下品よね！」「テレビ大っ嫌い！」みたいなノイズを出してたし。

小西 え、それ小島慶子さんが言ってんの？ いいじゃんいいじゃん（笑）。そうか、いまはそういうノイズがあるんだな。それは小

小島慶子
TBSにアナウンサーとして入社。数々の番組を担当する傍ら、98年にラジオ番組『BATTLE TALK RADIOアクセス』の初代ナビゲーターを努める。09年より冠番組『小島慶子 キラ☆キラ』のメインパーソナリティーに。10年にTBSを退社。現在は「オスカープロモーション」に移籍して、タレント、エッセイストとして活躍している。

島慶子さんにとってはストレス解消になっていいだろうな。俺、ホントにいま思うのはね、それだわ。自分の言葉をそのまま放送に乗せられないっていうのがフラストレーションだから。

――『ストリーム』が自由すぎたんですよ。

小西 あれは自由すぎた（笑）。おそらく豪ちゃんとか町山さんなんかも思うと思うんだけど、やっぱりみんなちょっとしたアウエー感があると思うよ、慣れたところを追われていったわけでしょ。ユダヤ人じゃないけどエルサレムを離れて、国敗れてコメンテーターありみたいな、そういう感じだから（笑）。

――宗教ネタだろうがなんだろうが「批判とかじゃなければ大丈夫です」ってことで、事前に止められたこともなかったですからね。

小西 町山さんは「宗教ネタをダメって言われたら何も言えねえな」って言ってたから。まあ、おかげでクレーム来ちゃったけどさ。

――そして番組が終わりを迎えるわけですけど、『ストリーム』最終回での小西さんの締めの言葉は感動的でしたよ。「ポッドキャスティングで『ストリーム』を聴いて、初めてラジオを聴いてくださった方も多いと思います。ただ、現在の市場のルールでは、それが数字には反映されません。その意味で、卒業などという言葉ではなく、敗北だと思っています」っていう、かなり潔い敗北宣言は。

小西 あんまり覚えてないんだよ。ホントよく忘れるから（笑）。生放送中に松本さんが泣いてたのはよく覚えてるんだけどさ。

――で、マッピーが泣いてるのを見て小西さんが爆笑してたのもよく覚えてます（笑）。

小西 ああ、それ思いだした！ そこで泣かれたらどうすりゃいいんだ、と思ったのよ。

――正解は「笑う」じゃないはずですよ！

小西 ハハハハハ！ テレビの場合は、もの思いにふけるような複雑な顔すりゃいいんだけどさ、ラジオでどう言葉を紡げばいいのかって話でしょ。こうなったら笑うしかないと思って（笑）。だって、それで俺も泣いてどうすんの？ 一人が泣いてるんだったら笑う。で、リスナーはどっちかに共感すりゃいいんだよ。それしかないじゃん。俺もクーッ！ とかなってたら最悪だからさ（笑）。

――小西さんは最後もひたすら笑い続けてたから、そこも良かったと思いますよ（笑）。

小西 ハハハハハ！ バカだよね？ でも俺、父親の葬式でも泣かなかったからさ。

――最終回の直後にも「すごいですねえ、最後まで笑ってて」ってボクが言ったら「俺は父親の葬式でも泣かなかったんだ！」って言われましたよ。なんの自慢だっていう（笑）。

小西 単に情緒欠乏症みたいだよね（笑）。

今の大手メディアの過剰自主規制は大本営発表時代とあまり変わらない

安東弘樹

ANDO HIROKI/2013年2月4日収録

1967年生まれ。神奈川県出身。TBSアナウンサー、アナウンス部次長。成城大学法学部卒業。1991年、TBS入社。『ニュースの森』『王様のブランチ』『はなまるマーケット』『ワンダフル』『2時ピタッ！』他、多数のテレビ番組に出演。現在も『アッコにおまかせ！』『ひるおび！』などテレビやラジオの各番組で活躍中。これまで30台以上を乗り継いだという、カーガイとしても知られている。無類のガンマニア。妻はタレントの川幡由佳。

スペインで目覚めた反骨心

――取材の現場にTBSの広報担当者が同席するという、不思議な緊張感に包まれたままインタビューを始めさせていただきます！

安東 今日はかなり本音の部分で語らせていただくと思います。よろしくお願いします！

――大丈夫なんですか、この状況で（笑）。

安東 ……あとからなんかあるかもしれないですけど、とりあえず僕は大丈夫です！

――女子アナの写真を無許可で載せているこんな雑誌の取材を受けてもらえる時点で、安東さんはホント自由なんだと思いましたね。

安東 はい、僕も会社が了承したのは意外でした。（集められた雑誌記事のコピーを見て）うわあ、懐かしいなあ。随分昔のですね！ 完全に忘れてるヤツですよ。

――安東さんがすごいと思ったのが、新入社員のときのインタビューで「いつも、つい自分を抑えてしまう」とか言ってるのに、「あなたの局の雰囲気は?」って質問に「ちょっと硬直してる気がします」って答えてたことで、新入社員の発言じゃないですよ（笑）。

安東 まったく覚えてないです……。ただ結構バブルの香りが残ってたときなんで、変な意味で堅く見えたんでしょうね。僕自身も倫理的には非常に堅い人間なんですけど、テレビ局ってもっと自由な雰囲気だと思ってたんで。

――安東さんは倫理的な部分とそうじゃない部分が同居してる感じがしますよね。倫理感が強すぎておかしなことになったというか。

安東 ああ、そういう部分はあるかもしれないですね。カッコつけて言うと、生き方としては異常に「こうじゃなきゃいけない！」っていうのが強いです。僕、おかげさまで家族というところに縛られなかったんですね。父が大学を出て某音響メーカーに就職して。もともと音楽が好きで大学のオーケストラの創始者で、指揮やってたんですけど。理論的なことを勉強したいと言い出して、僕が5歳のときにスペインに留学したんで。

――子供もいるのに。

安東 そうです。学生の身分として子供と妻を連れて留学をしたばかりに、当然お金がないわけですよ。だから当時発売されたばかりで日本から送られてきたカップラーメンと玉子かけご飯ばっかり食べてた記憶がありますね。でも実際は、そんな事なかったらしいですが（笑）。スペインには2年間住んでいたんですが、両親が時々喧嘩するんですよ。考えてみたら、二人は今の僕より、年もかなり下（安東注※当時2人共30代前半）でしたし。

――また日本語も通じないところだし。

安東 父は英語もスペイン語も結構勉強して行ったらしいんですけど、母はまったく話せないので。そんな状況で、父が煙草を止める、止めないとか、そういう細かい事でケンカしてたような記憶があります。そのスペインという完全に孤立した状態の中で、両親が仲悪い。その結果、独立心のある子供になったんでしょうね。不安定で、誰にも相談ができない中で、弟もいたので、最悪、俺は弟を食わせなきゃいけないぐらいに思ってたんですよ。5、6歳にして。

――その時点で！

安東 両親が口論するのを子供に見せたくないのか、夜、二人で

出かける事もあったらしく、目が覚めたら両親が家のどこにもいない事が時々あったんですよ。いま考えたら夜9時とか10時ぐらいだと思うんですけど、子供の感覚で夜中じゃないですか。こりゃ、もしかしたら帰って来ないんじゃないかと思って、ベランダから両親が帰ってくるかドキドキしながら外を見て待ってて。そのうち眠くなって寝ちゃうんですけど、少なくとも自分が起きてられる時間は帰ってこないわけですよ。そうすると、俺は物乞いでもして、お金くださいってやって……当時スペインでは東洋人は珍しいから金もらえるかな、ぐらいに考えてたんですよね。

——うわあ……。

安東 いま息子が6歳で、僕はこんなときにそこまで考えてたのかってビックリするんですけど。自分ひとりで生きていかなきゃいけないっていう意識が異常に芽生えて。結局、僕が小学校に上がるんで先に母と僕と弟は日本に帰ってきて、横浜の母の実家から小学校に行ったんですよ。父だけはもう1年学校があるんでスペインに残って。僕は幼稚園もほとんど行ってないんで日本の文化に馴染めなくて。しかも髪型もおかっぱなんですよ。ヨーロッパの男の子みたいな感じで。僕らの世代の小学生って坊主だったりしたんで、あきらかに異質な人間が日本の公立の小学校にポンと入った感じでした。そこでもなんか周りと馴染めなくて。それから父が帰ってきて広島の音楽大学に就職して、広島に引越したんです。そこで通った小学校は半ズボンに学ランで、みんな坊主だったんです。

——ああ、広島は厳しいらしいですからね。

安東 僕だけスペインから横浜経由で、妙に西洋かぶれの、雰囲気の違うヤツが入ってきちゃったもんだから、担当の先生に、今思えばイジメられたんですよ。例えば、スペイン帰りですから、視力検査なんてやった事がなくてどうしていいかわからなくて、オロオロしてたら「安東君はこんなこともわからないの？　みんな、こんなふうになっちゃダメですよ」なんて言われたり（笑）。あとから考えると腹立つんですけど。保守的な広島の土壌で育った妙齢の女性先生で。あとで聞いたら被ばくもされた方で、たぶんいろいろ嫌だったんでしょうね。

——外国の文化に対する複雑な感情が。

安東 あったんだと思います。広島では友達もいなくて孤立してたんですけど、両親の離婚が成立して、今度また母親の実家の横浜に引越した事が結果的によくて。横浜ってやっぱり当時の広島と比べたらリベラルな雰囲気で、もちろん私服だし、転校生を温かく迎えるような土壌があったんですよ。

——珍しがってみんな話しかけてきたりで。

安東 そうです。広島のときは「チッ、なんだこいつ？」みたいな感じがすごく怖かったんですけど、横浜に引越してきたら逆に、「おーっ、安東君！」「弘樹！」みたいな。なんだこの受け入れ態勢はっていう感じで。成績も広島時代は何をやってもできなくてホントに最悪だったのが、一気に成績も伸び、みんなとうまく遊んで楽しい小学校生活になったんですよ。ただ、7歳までに完全に植え付けられた、ひとりで生きていくみたいなことは強烈に残ってたみたいで。

——変な独立心がありますよね。一家を俺が支えなければ、俺が稼がなければばっていう。

安東 そうですね。母も働かないので、高校生ぐらいから自分が養わざるを得なくて。

ついにマスコミ内部へ…！

——お母さんは何をしてたんですか？

安東　基本的には何もしてなかったです。家事はきっちりやってましたが（笑）。上智大学英語学科を出て、某海苔会社の社長秘書を1年やって結婚して。離婚しても裁判もせず、慰謝料も養育費も取らず実家に戻りました。母方の祖父は弁護士をやっていて、祖父が存命中は裕福だったようです。家もすごく大きい洋館で。祖父の妻である祖母の父親というのが、山口県の（元）小野田市長で、戦後すぐの参議院議員になったんです。ですから、お金もある家ではあったのですが、祖父は弁護士をやっていて、遺産相続に関しての親族同士の醜い争いとかを目の当たりにしたのもあって遺産をほとんど残さなかったんです。

——えーっ！

安東　ウチの祖父は人種問題をライフワークにしていたので、自分が信用している団体や個人や施設とかに遺産の大半を寄付したそうです。それで残らなくなって。結局、「デカい家はあります」「なんとなく資産家のように見られてます」ただ実際は、「収入は祖母の年金だけです」っていう家になり、一挙にお金がなくなって。「お祖父ちゃんもうちょっと考えてくれればいいのに」って思いますけど、中途半端は嫌だったんでしょうね。いまにして思えばそれが僕にとってはすごく良かったんですけど。

——幼少期の貧乏経験がプラスになって。

安東　ホント現金収入がない家ですから、自転車を買ってもらったのもすごく遠かった記憶がありますね。しばらくは、みんなのあとを走ってて。小学5年生ぐらいのときに初めて買ってもらったのかな？　ウチの親戚などからもらうお年玉を、そのまま生活費にあてるぐらいの感じでした。そこが貴重な現金収入ですから、ウチの母も悪びれもせず、「悪いけど、お年玉はもらったから」みたいな（笑）。よく言えるなこの人、と思いましたけど。母親も自分がお嬢様だからか、あんまり人の心の細かい機微とかわからなかったんですかね（笑）。税理士さんの事務所の計算書を書いて月1万円ぐらいもらってたらしく、収入はそれと祖母の年金だけで。で、高校生になったらありとあらゆるアルバイトをやって、ようやく自分が家族を養える目処が立って。だからTBSに入って何が一番ビックリしたかっていうと、お金持ちのご子息が多くて、30歳すぎてウン千万円単位のお金を親から住宅資金として借りる、みたいな人がいっぱいいたのが衝撃だったんです。「大人なのに親にお金を借りるんだ！」みたいな。そこにまず違和感を感じたんですよね。

——そこは決定的に違うでしょうね。

安東　僕は高校時代から家族は養うものでしたから。高校は公立だったんで月謝も6000円ぐらいで問題なかったんですけど、大学は理系がまったくダメだったんで、センター試験のある国立は諦め、最初から自分で払うつもりで上智大学の国際関係学部一本に絞ってたんです。受験料ももったいないんで。某模擬試験では学科志望者中、全国8位とかになって、これ絶対受かるなと思って受けたら、落ちまして。さあどうするっていうときに成城大学の3月入試っていうのがあって。「成城か……そんなお坊ちゃん大学で俺やってけるかな？」と思ったんですけど、背に腹は変えられないと思って成城大学を受けました。

——浪人するような余裕はないし。

安東　はい。そこで受かったから、成城大学という本人からした

らイメージが一番遠い大学に入ってしまって。ただ、入ってみたらアットホームでいい大学でしたよ。

——昔の記事とか見ると「成城卒のお坊ちゃん」って書かれてることが多かったですね。

安東 完全にそうですよね。自分で言うのもなんですけど、外見の雰囲気も含めて「うわ、成城!」みたいに思われて仕方ありません。ただ成城大学って親の収入が少ない人がほとんどいないから、僕が奨学金総取りみたいな感じでした。学生部に行ったら「安東君って大変なのね」って、妙に学生部の人に同情されたりして。まず地元成城の大資産家が運営していた奨学金が4万5000円で、それは返却義務がないんですよ。あと日本育英会が3万5000円、もう1個、1万5000円の体育会に入ってる人が特別にもらえるのがあって、合わせると奨学金が月9万5000円もらえてました。それと家庭教師のアルバイトが月5万円で、体育会弓道部がオフシーズンのときは、徹底して夜中のバイトをして月に40万から50万ぐらい稼いで。そう考えると年収いくらあったんだろうって思いますが。そこから学費を捻出し、家族も養い、さらには車のローンまで月2万円弱も払って、傍から見たらザ・成城大学生だったかもしれないですけどね。

——部活も弓道部の部長だとハードだし、それでバイトやってたら寝られないですよね。

安東 たぶん平均睡眠時間は2~3時間で大学4年間過ごしたんじゃないですかね。でも、おかげで就活のときは楽でした。結局、どんな企業に入ろうが自分の人生をフルタイムの仕事に当てられる、少なくとも今より生活は楽になるっていうのがあったんで。だから気負いはなかったですね。たとえばアナウンサーの試験を受けても、ほかの人はアナウンススクールとかアナウンス学院とかに行ってて、とにかくアナウンサーになりたいっていう人の中で、たぶん僕は超マイノリティだったと思います。しかも運のいいことに、僕は91年入社なんですけど、少しずつアナウンサーになる人の雰囲気が変わり始めてたときで、それもよかったと思いますね。僕、80年代だったら受かってないと思うんですよ。滑舌もメチャクチャだし、アナウンサー然としてないし。面接で「どんなアナウンサーになりたい?」って聞かれても、まったくピンとこなかったんで、「体操のお兄さんです」って答えてたぐらいですから。

——アナウンサーじゃないですよ、それ!

安東 「ええと……それ違うね」とか言われて。ただその面接は通過しましたが(笑)。履歴書に親父の名前も書いてない、アナウンス学院も行ったことがない、OB訪問すらしたことがないんで、とにかく見たこともないわけのわかんないヤツがポンと入ってきたのが、あとから聞いたら「各局でおまえが話題になってた」と。ホント、あとで思えば祖父が遺産を残さなかったこと、両親が離婚したこと、スペインになぜか2年行ったこと、すべてが就活のときによかったと思いましたね。おそらくほかの人とはしゃべる内容も違ったでしょうし、マスコミを目指した理由も「大本営発表の嘘に衝撃を受けたからです。これはマスコミの内にいないと何を放送されてるかわかったもんじゃないなと思いまして」とか。

——ダハハハ! そんな話したんですか!

安東 はい。べつに奇をてらって言ったわけじゃないんですけど、気づいたらほかの人と違ってたのがよかったのかなと思いますね。

エリート層に対する失望

——わからないもんですよね。成城出で車好きの二枚目アナウンサーっていうことで、安東さんと話が合うことはまずないだろうぐらいにこっちはずっと思ってたわけですけど。

安東 逆にそう思われてることにビックリしましたね。バブル期の頃、かまぼこ会社の工場で夜間のバイトをやっていたんです。そこにはいわゆる、出稼ぎの東北の方たちがたくさんいらっしゃったんですが、いつも仲良くしていただいて。工場には休憩場という名のタコ部屋みたいなところがあるんですけど、そこにわざわざかまぼこ会社の社員の工場長が来て、「みんな元気でやってる？ ボーナスが200万超えちゃって、何に使っていいかわかんないんだよね」とか言うわけですよ、出稼ぎに来てる人たちの前で。こんなヤツがこのポジションにいられるのが日本の大企業なのかと思って。そこで日本社会全体に対する失望とか、日本の大企業のたいしたことのなさとかを痛感して、これじゃあ日本は将来ダメになるなって思いました。

――バブルも崩壊するぞっていう。

安東 その通りになりましたね。こんなダメ大人がやってるんだと思って、その羽振りのよさをうらやましいとも思わなかったし、お金の使い方を知らないなと軽蔑していました。逆に出稼ぎに来ている方たちはとにかく誠実で謙虚。これがホントの人間だなと思いました。バブルに踊らされてるこのかまぼこ会社の工場長は、人間に見えなかったですね。

――そこで平松伸二先生の『ドーベルマン刑事』みたいな気分になるわけですね（笑）。

安東 こんなダメな人間が工場長になれる程度の日本の社会なんだな、ホントクソ国家のクソ会社だな、ロクなことねえなと思って。だから僕は完全にそっち側なんですよ。

――ベースにはルサンチマンがあって。

安東 そうですね。だからTBSに入ってしばらくしたときに、僕に対する周りの見方が「成城ね、アナウンサーね」ってことで逆にビックリしました。これは乗っかっちゃったほうが楽かなと、向こうが期待してるようなコメントしてみて、これで騙されたらいよいよこの社会はダメだなとか、かなり引いた目で世の中を見てましたね。とにかくバブルが嫌でした。宅配便のバイトのときも仕事を教えてくれたのはいわゆるヤンキー風の先輩で、竹槍みたいなマフラーが付いた車に乗ってるのに、懇切丁寧に教えてくれるんですが、社員はものすごく冷たかったですね。結局、正社員の大人たちがアルバイトを見下してる、こういう世の中はダメだなって思ってました。

――そんな世の中への怒りを燃やして。

安東 そもそも成城大学生で宅配便のバイトやってるヤツ自体がまずいないんですよね。ちょっとオシャレな企画サークルとか、よくて水商売みたいな中で、僕は酒もタバコもやらないから水商売って最初からないんですが。そこで、いわゆるエリートと呼ばれてる人に対して憎悪というより失望を感じたので、そう見られてることにはビックリしましたね。

――最初に安東さんが『キラ☆キラ』の代打で宇多丸さんと絡んだとき、宇多丸さんがヒップホップの世界でルサンチマン太郎って呼ばれるぐらいにそっちベースの人で、そんなトコとスイングしてたから、安東さんもいろいろ抱えた人なんだろうなと思ったんですよね。

安東 大きかったでしょうね、そのときの経験は。あとオフィス家具の会社でトラックの助手もやってて、トラックの運転手さんが順番に助手を選んでいくんですが、体が大きい人から選ばれるんですよ。僕からしたら「体デカくてもこいつは脂肪だろ、ちょ

『ドーベルマン刑事』
原作・武論尊、画・平松伸二による大ヒットマンガ。凶悪犯罪専門の警視庁特別犯罪課に所属する加納錠治が、犯罪者には人権などないという主義を貫き、「ド外道が～！」と叫びながら巨悪に立ち向かっていく姿を描く。

つと見りゃ俺の腕が筋肉だってわかるだろ」って思うんですけど。僕がついたトラックの運転手さんも最初は「ハズレだな」みたいな感じで。でも、トラックの横の荷台の鉄板を、ひとりで持ち上げるのって結構大変なんですけど、わざと軽々上げたり頑張りました。そうすると運転手さんが認めてくれるんです。帰りにいろんな話をしてくれたりするんですよね。でも営業所に帰ると、当時は正社員の人たちがトラックの運転手とかアルバイトの人間を、まあ見下すんです。最近は、そういう風潮も減りましたけど、バブル期の日本では、特に顕著でしたね。だから絶対こういう社会ってダメになるんだろうなって思いましたね。たとえばヨーロッパってクラス社会ですけど、お互いに妬んでもいないし見下してもいないわけですよ。でも、日本って平等が前提だからだと思うんですけど、勝者と言われる立場の人が、そうでない人を見下したり、だからこそ逆に勝者を、そうでない人が妙に妬んだり、という風になりがちですよね。そんな社会への失望感がずっとかたまりとなってるんで、ときどきラジオなんかで爆発するんですよ。

――よく爆発してますよね（笑）。

安東 うちの会社の正社員の人たちも、僕も正社員ですが（苦笑）、どっか違うと思う事が多い。だから腹も立つし、色々言いたくなってくるし。ウチの曽祖父は参議院議員って言いましたけど、戦前から部落差別を撤廃するべく活動していた人なんです。彼も子供のときに「あそこには近づいちゃいけない」とか「あなたは立派な家に生まれたんだから」って言われて疑問を感じて成長した男で。姫井伊介っていうんですけど、山口ではある程度有名で。議員時代には、その行動が売名行為だと言われながらも、その部落にあえて住んだりしてて。家族は大変だったと思いますけど、絶対に平等にしてみせるっていう思いがあったらしいんです。その

姫井伊介
山口県で製陶所を経営しながら、社会事業活動も推進。「労道社」を設立し、隣保事業を行った。47年に参議院選挙で当選を果たし、議員となってる。

事実はここ10年ぐらいで知ったんですけど、そういう人が祖先にいてくれたのは誇らしいと思いました。ある言動に対して、差別するのはまだわかるんですよ、ああいうことをする人間だから嫌だとか。

——自分の意思でやってるならともかく。

安東 だけど生まれ持ったものとか立場とかで差別するのは……。もしかしたら、そのアルバイトをやってる人が将来、とてつもない偉人になるかもしれないじゃないですか。工場の東北から来てる人たちも実際に本当に知識もあって立派な方たちでした。でも、そのときのその立場で上から見る感じには……ホントに失望ですよね。そこが僕の言動の根底には核としてあるかもしれないですね。カッコつけて言うと、その曾祖父の話を聞いたときに遺志を継げたら、と思いました。

——テレビでは出しづらいそういう感情が、ラジオだと何度も小爆発してますからね。

安東 確実に出ますね。とにかく日本がいい国になって欲しいんですよね。精神的にも。震災のときも当時の某電力会社は究極のダメな組織の典型だったじゃないですか。様々な重大案件を隠ぺいして、対策が後手後手になって。また、それに乗っかったメディアね。もう……どうすれば世の中よくなるんですかね？ そればっか考えてますよ、ちっちゃい頃から。どうしたら、世の中の風潮や組織の悪しき慣習とかに惑わされない、真っ当な人がちゃんと認められるのか……。

——そういう思いを抱きながらTBSというメディアに入ってきたわけなんですか？

安東 それはお金のこともありますけど、大本営発表の嘘に関しての憤りが理由というのはホントで。恐ろしい国家を作ったわけじゃないですか、当時のメディアが。「戦争に勝つ」って言い続けて、この国を軍国主義に染めたのもそうだし。ある意味、いまの違った意味での歪んだ国家も、もしかしたらメディアが作ってるかもしれないし。そこへの恐怖心で、マスコミの中を見てみようっていうのが大きかったですね。

——そんな思いでバブル期のテレビ局に入ったら、ギャップもあったんじゃないですか？

安東 嫌なことばっかりでしたね。みんな社会貢献という意味でのビジョンはないし、この番組の視聴率が取れればいい、それによって利益が上がればいいくらいの事しか考えてないんで。そういう先輩に僕の思いをぶつけても無意味だし。そこから会社というか社会に対する不満とかが溜まっていったのは事実なんですよ。たとえば……（以下、熱く語り続けるが文字数の都合で大幅省略）。

報道メディアの限界を嘆く

——安東さんが、ラジオで自分の意見を言えるのが楽しいのはすごい伝わってきますよ。

安東 そうですね、これはいいのか悪いのかわかんないですけど。プロデューサーによっては困る人もいるかもしれませんね。ただ、例えば以前から縁がある橋本吉史君っていうプロデューサーは、先日も『ザ・TOP5』という番組で病欠した後輩のピンチヒッターで久々にしゃべらせてもらったんですけど、「あの発言は困る」とか言われたこともないし。ラジオっていうメディアの特性だと思うんですけど、ある程度アンタッチャブルですよね。

——ある程度は危険な部分にも踏み込んだほうがリスナーも喜んでくれますからね。

『ザ・TOP5』
TBSラジオで放送されている、さまざまなランキングを元にしたトークが展開される情報バラエティ番組。安東は11年に放送されたファーストシーズンの火曜日を担当していた。13年1月にレギュラーMCの水野真裕美アナウンサーがインフルエンザで病欠となり、安東が1回限りの復活を果たした。

安東 そうですよね。でも、なぜテレビではダメなんだっていう。どう思いますか？

——ラジオの自由さとテレビの難しさの違いは、テレビに出るようになると痛感させられますね。テレビは言えないことだらけだし、打ち合わせでウケた話もほぼNGですから。

安東 そうですよね。実は国境なき記者団が発表した「報道の自由度ランキング」というのがあって、日本は179ヵ国中、53位なんですよ。それですら過大評価じゃないかって思うくらいに、いま自由度ないじゃないですか。人を意味なく誹謗中傷したりするのは論外ですけど、宗教問題には一切触れられないし、芸能界でも触れられないことはいっぱいある。それはまだいいと思うんですよ。ただ報道番組として、そのときの与党をなんとなく責めることで政権が短命になったりするんで、それもどうかと思いますし。ただ、「これは言えないしな」という言葉がふつうに出てくるメディアの現状！（以下、熱く語り続けるが文字数の都合で大幅省略）

——相当憤ってますねえ（笑）。

安東 おかげさまで僕はアナウンサーって仕事なんで、誰のうしろについていかなきゃいけないとか、誰派に属さなきゃいけないということは、ほかの社員の人よりはフリーですし、この発言で次の番組降ろされるかもしれないとか、せいぜいそのぐらいで。一生閑職的な恐怖感も希薄ですし、最悪辞めればいいのかなっていうのもあります。だから少しでも後輩を正しい方向に導けたりとか、なんか異質な存在でいられたらいいなっていうのはありますけどね。その中で自分は何ができるかっていうと、たまに会議で上司に向かって「[redacted]！（※自主規制）」と声を荒げてみたりとか、そういうことでしかできないんですけど。

——ダハハハ！　それ言っちゃったんですか！

安東 はい、ちょっと言っちゃったんですけど反省はしてます（笑）。ただホント、なんなんすかね？　たぶん学生のときから思ってるモヤモヤが溜まって、ときどき爆発してしまうんでしょうね。

——そして『ドーベルマン刑事』化する。

安東 命を張ってるわけじゃないんで、そんなカッコいいもんじゃないですよ。きっと学生の頃から抱えてる、日本の社会とか大企業に対する疑問とかが出ちゃうんでしょうね。ただ、会社っていうのは上司は部下から批判されて当然だし、それを説得する言葉も必要だし、行動も必要じゃないですか。でも現実は、そういう後輩や部下は先輩から何も言われなくなったりとかするんですよね。日本の古い企業では特に。本気で反抗してくる部下に対してこそ、上司は態度を変えるべきじゃないですか。自分のポリシーにおいて僕に何かを伝えようとするのであれば、反抗するから言わなくなるっていうのは、残念です。特に恫喝する上司に限って、反抗しないような言いやすい人に言ってるだけの場合が多いんですよ。45歳にして言うのもなんですけど、大人に頑張ってほしいなっていうのはすごくありますね。

——安東さん、面白いです（笑）。

安東 だけど実際どうしたらいいんですかね？　でも曾祖父みたいな行動はできませんね。家族を捨ててまではできないなっていう、自分の情けなさもあるんですけど。

——安東さんは管理職的な立場になってるはずなのに、考え方も柔軟じゃないですか。前に女子アナのランキングが発表されたときに、TBSがほぼ入ってないことに憤って、「こういうのに入るためには『BUBKA』とかにも出ないと！」って言ったりとか。

安東 それは、そこに載るのを阻止する理由はないっていうこと

ですね。やっぱり皆さんに認められてなんぼで、視聴者に観てもらって感じてもらって。批判の対象になるのはしょうがないです。でもいまのTBSって、いかに批判の対象にならないかっていうところがあって。僕なんかどんだけ批判されたか。実際、されて当然のこともあるんですけど、やっぱり嫌ですよ。怖いですし。でも、みんながそれを恐れていたら何もできないですし、いいんじゃないかと思うんですね。

――無難なものよりは賛否両論のほうが。

安東 特定の人間を傷つけることじゃなければ、本来は何を表現してもいいし自由にしゃべっていいはずだと僕は思っています。お互いに悪いこと言い合って、怒るんだったらポリシー持って怒ってほしいです。以前、今は退職された某アナウンサーの大先輩が「私服だとしても、アナウンサーがアクセサリーなんか着けるな」と言ってて。僕は、その人に似合ってればいいと思ってるし、僕自身も場合によっては着けますし。それであるとき僕がパソコンを打ってたら、以前から後輩をよく恫喝していた先輩がグッと首のアクセサリーを引っ張ったんですよ。僕じゃないと思ったらしいんですけど、思わず「あぁん?」ってうしろ見たら、「あ……それ似合ってるな……」って言ったんですよ?

――ダハハハハ!

安東 ポリシーとして悪いと思うなら、他の後輩と同じように僕も恫喝すればいいのに、僕が反抗するタイプだから「似合ってるな」としか言わないんだとしたら、ガッカリです。結局そういう大人が全部をダメにしてる気がします。彼が後輩に怒鳴ったりしていたのは、単なる腹いせでしかなかったということですよね。本当に一番ダメな大人の例だなと思いましたね。「似合ってるな」って言われたとき、ゾワーッとしました。でも結局そういう人がわりと会社で認められたりするんですよね……。そういう人に、後輩をいつも引き締めてるツラされると、ホントに絶望ですよね。

――叩かれてはいないですけど、最近安東さんが話題になったのは、SUPER☆GiRLSのコンサートで「どこかのグループと違って口パクじゃない」って言ったことですけど。

安東 あ、それ全然知らなかったです。ネットでちょっと言われるかなくらいは思ってましたが……。

――ダハハハハ! 安東さんがまたぶち込んだって話題になってました(笑)。

安東 それはたまたまSUPER☆GiRLSを誉めたかっただけなんです。別に両方ともありだと思うんですよ。だけどあの寒い中、生声で生踊りっていうのはすごいなと思ったんで、そこを誉めたいと思って。だから慌ててフォローしましたけど。ただ、常日頃から、思ったことを言っちゃいけない空気っていうのは壊したいなっていうのはありますね。それによって僕がダメになってもしょうがない。でも、おかげさまで、今度エイベックスさんにイベントの司会を頼まれたんで、エイベックスさん的にはよかったのかな、と。ただAKBの皆さんは『ひるおび』でお天気を担当されているんで、ご一緒させて頂いてます。

――普通に仕事してますよね(笑)。

安東 それにしても、やっぱり騒ぎになってたんですね。全然僕の耳に入ってこなかったんで、大丈夫だったんだと思ってましたけど。たとえば、それによって僕がAKSから出入り禁止とかになったら、それは会社にも被害になりますが、「もう安東は二度とAKBに関わらせない」ってことになれば甘んじて受けるしかないですからね……。

――AKSもそこは怒らないですよね。

SUPER☆GiRLS
大規模なオーディションにより結成された、エイベックス初のアイドルグループ。12人体制で、10年にCDデビュー。アイドルであることを強調するため、「SUPER☆GiRLS」の「i」が小文字の表記となっている。

『ひるおび』
09年からTBSテレビで生放送されている情報ワイド番組。総合司会は恵俊彰。「ひるおび!天気」のコーナーを、ワタナベガールズ（ワタナベエンターテイメントに所属しているAKB48のメンバー）が担当している。

安東　シャレは絶対わかる方たちだなっていう思いはありますしね。誤解のないように言っておきますが、僕は実際AKBの皆さん大好きですよ（笑）。ただ、こないだは失敗しました。『ひるおび』の控え室で横山由依ちゃんをCMで観てたとき、「好きなんですよね、横山由依ちゃんって。目もずっと一重のままで通してるし」って言ってたんですよね。

――完全に余計なこと言いましたね（笑）。

安東　はい。そしたら、そこにちょうどお天気キャスターを終えた倉持明日香ちゃんが入って来られたんです。実際に倉持さんも大好きなんですが「同じ理由で好きです」なんてフォローするのも変だしな、でも聞かれてるだろうし……と思って焦りましたね。だから「口は災いのもと」っていうのもあるなと。でも、それはしょうがないじゃないですか、自分が言ったことだから。たとえば、災いがあるから言わないっていういまのメディアよりも、今回感動したのは総選挙のときのテレビ東京さん、池上彰さんですよね。

――ああ、かなり踏み込んでましたよね。

安東　いま僕、テレ東マニアと言っても過言ではないです。総選挙特番での池上さんが繰り出す様々な質問に、普通に驚きました。ジャーナリズムとしてはテレビ東京さんのひとり勝ちとさえ思いました。あれはちょっと悔しいというか、きっとほかの局にはできなかったんでしょうね。池上さんも条件として「なんでも言うよ」っておっしゃって引き受けたとの噂です。それをテレビ東京さんは飲んだんでしょうし。テレビ東京さんは元々オリジナリティと芯がありますよね。他局はもっと見習うべきと思ってたところに、あの選挙特番があって。正直、テレビ東京に入りたい！　と一瞬思いました。

――ダハハハハ！　電撃移籍ですか！

安東　今の大手メディアの「自主規制」は大本営発表時代と、ある意味ではあまり変わりないのかもしれません……。だからこそ悔しかったし、逆に言うと日本のメディアがあそこまで踏み込んでくれたのはうれしくもありました。踏み込んではいますが、誰に対しても何に対しても責めてる訳でも褒めたたえてる訳でもないのが素晴らしいんです。純粋な疑問をぶつけてるだけ。別にテレビ局はいい悪いは言わなくていいんです。

――そこまでジャッジする必要はない。

安東　そう、ジャッジする必要ないんです。でも疑問に思うじゃないですか。だからつい僕も先走って言ってしまったんですけど、べつに口パクいいじゃない、それでクオリティの高いものを見せられるんだったら。

――ただ、口パクだっていうことすら言えないようではおかしいっていうことですよね。

安東　そういうことです。そこは言っていこうっていうことです。クビになるその日まで。

――ダハハハハ！　その覚悟（笑）。

安東　あとは誰かに脅されるその日まで。脅されてまで貫く自信はないです（苦笑）。ウチの曽祖父まではちょっとできないですけど。

ダメな大人に物申す

――過去の記事を調べたら、安東さんの発言で最も世の中を騒がせたのは、『バツラジ』での「いまでも夢精する」発言でしたね。

安東　ああ、それはふつうにあります（あっさりと）。たぶんほかの人よりも発散してないからだと思います。

――ダハハハハ！　そうなんですか！

池上彰
73年にNHKに記者として入社。05年にフリーとなり、ニュース解説番組のキャスターとして支持を得る。12年にテレビ東京系で放送された選挙特番『池上彰の総選挙ライブ』は高く評価され、第50回ギャラクシー賞を入賞した。

『バツラジ』
TBSラジオで03年から09年まで放送されていた、深夜枠の生放送ワイド番組。メインパーソナリティは宮川賢。安東は「スジいじり！」のコーナー担当として、レギュラー出演していた。

安東 でも、物理的に溜まってるからじゃないんです。僕、アテネオリンピックの取材のとき1ヶ月間、1回も出さなかったんですけど、べつに夢精しなかったですからね。3回自分で出した日の夜に夢精したこともあるんで、溜まってるかどうかじゃないんでしょうね。おそらく精神的なものかと。……たぶんテレビ局のみなさんはいろいろ発散してるんでしょうね。僕は発散してこなかっただけっていう。たぶん怨念が……。

――そのルサンチマンが（笑）。

安東 そうなんです（笑）。しょうがないですよ、生理現象なんで止められないですから。必ず夢で見てますからね、僕の場合は。相手はいつも架空の人です。リアルな顔と体があって、だいたいそういう行為の夢を見て、出ちゃうっていう。これを好きなときに見られたらどんなにいいだろうっていうぐらいバーチャルですね。

――ある意味、10代の多感な時期のそういう気持ちがなくなってないわけでしょうね。

安東 僕、大人に対する嫌悪感も中学時代から一切変わってないですし、たぶん特殊な経験だったからだと思うんですけど、5歳ぐらいの時の気持ちもハッキリ覚えています。子供がどういうことに傷つき、「ぼく元気?」などと子供言葉で言われて大人に対してイラッとした感覚も覚えてるんですよね。中学生時代、いわゆる中坊のときの感情も同じです。コンビニの前でしゃがんでいる中学生に声をかけられて、1時間しゃべったりした事もありました。大人に対する嫌悪感とか、同じ感情なんです。すごい理解できるんですよね。

――たむろってるヤンキーが、「あーっ、安東アナだ!」みたいな感じで言ってきて。

安東 こないだもウチの目の前の道路のど真ん中にバイク停めてしゃべってる高校生がいて。気持ち悪いのは、多くの大人はそれを遠巻きに見て避けて、家に帰ったら悪口言うパターンが多いんですよね。そういう大人が僕は大嫌いで。だったら「ちょっとどいてください」って言えばいいじゃないですか。だから僕はそこ入って、「君ら、なんでここにいるの？ 俺、これから車でここ通るから、とりあえず危なくね?」みたいな感じで話すわけですよ。それで、気づいたら1時間ぐらいしゃべってました。問いただそうとかは夢々思わないです。話してるとわかるんです。それで夢中になって、逆に僕が愚痴を言ってました。

――ダハハハハ! 中学生相手に（笑）。

安東 「ホント腹立つんだよな」って、気づいたら社会批判ですよ。まったく同じなんです。最初はポカーンとして聞いてますけど。ただ、彼らと仲良くなるっていうのも違うんですよね。べつにまた会おうとも思わないし、彼らも僕にまた会おうとも思ってないし、その場で終わりなんですけど。でも、彼らがウザいと思うことと僕がウザいと思うことがまったく同じなんです。彼らも遠巻きにする大人はウザいんですよ。だって、思春期のときって大人にビビられるほど情けないことはないじゃないですか。何が嫌って、いろいろ言うくせに自分たちにビビる大人が嫌なんですよ。僕は全然怖い中学生、高校生じゃなかったですけど、先生も弱い相手には言ったり、場合によっては叩いたりするのに、なんだか怖い相手だと避けるみたいな光景を見ては、クソッと思ってたので、彼らが道路の真ん中でしゃべるのもわかるなっていう。大人をあざ笑うみたいな目的がきっとあるんだろう、俺もそうするなって。なんで大人ってあんなダメになるんでしょうね。体罰も同じで、反抗してこないから殴る。同じ先生が「つい情熱で」とか言って公共の場で悪さしている集団の学生を殴れるかっていったらやらな

いですよ。……いましゃべっててもだんだん熱くなっちゃいましたけど、大人ってどこか汚いですね。そういうことがラジオの発言につながったりとか、上司に向かって咬みついたりとかで爆発するんでしょうね。だから僕は、ずっと未熟なままできてると思うんです。

――ちなみに安東さんはモテました？

安東 何をもってモテるっていうのかわからないですけど。僕の夢はバレンタインの告白チョコをもらうことと、女子からの告白です。どっちもまだ果たせてません（笑）。ただ卒業したあとに、ほかの学校に僕のファンクラブがあったと情報を聞いたり、学校のミスターコンテストで1位になったりとか、それをモテるといえばモテたのかもしれないですけど。

――実感出来るようなモテがなかった。

安東 高校の卒業式もどれだけボタンなくなるかと思ってワクワクしてたんですけど、とうとう誰も来ませんでした。だから直接キャーとか言われたこともないし、モテた実感はないし。アナウンサーになってからファンレターはもらいましたけど、結婚したとたんにゼロになりましたし。しかも男の人しか「かっこいい」とか言ってくれないんですよね。で、モテないって言うと、女の人に「あーなんかわかる！」とか言われちゃうんですよ。やっぱ女の人からはダメなんだってヘコんだりとか。……すみません、また愚痴になるんですけど。

――いいですよ（笑）。

安東 『王様のブランチ』を担当していた時期なんですけど、横浜の実家から通勤で使っていたある駅で、一人の高校生の女の子が声をかけてくれたので、挨拶を返したら、そこから学生さんが集まって、ホームが小パニックになったことがあったんです。そのとき、たまたま傍にいた男性に「おまえ、なんでわざわざ電車に乗って通勤するんだ。こうなるの知っててうれしいからわざと電車通勤してるんだろ！」とか言われて。まあ確かに迷惑だったんでしょうけれど凹みました。結局駅員室みたいなところに入ってしまって、会社も遅刻したわけですけど、「すみません、女子高生に囲まれて遅れました」なんて言った日には単なるテングと思われて、「何それ自慢？」とか絶対言われるんだろうから、口が裂けても会社には相談できない。もう一生車で通ってやろうって一瞬思ったぐらいで。それはモテたことになるのかっていうと、僕にとっては悪い思い出です。これを会社の先輩に言ったら、そこでまた孤立するだろうし。でも男からしてみればチッていうエピソードじゃないですか。いま話してて、これが文章になったときに自慢と思う方もいらっしゃいますよね。

――うらやましいと思う人もいるだろうし。

安東 でもしょうがないですね。僕にとっては悪い思い出以外の何物でもなくて。あのときの屈辱感、なんで知らない人に「電車なんか乗ってんじゃねえよ」って怒られて、これからは会社から「車で来てんじゃねえよ」って言われるんだろうなって。そういうときに親身になってフェアな立場で相談に乗ってくれる人はいなかったです。それだけに自分がは後輩の相談に乗ろうと思いました。たとえば後輩の安住アナウンサーが『グッドラック』というドラマにレギュラーで出演していたとき、モノレールに乗ってロケ現場に通ってたんですけど、「結構、大変なんです」って言ってたんで、僕が会社に掛け合ったことあるんですよ。「部費から安住のタクシー代出してやりましょうよ。現に困ってるんですから」って。会社の返事としては「ウチとしては、電車に乗れなくなったらもう辞めてもらうしかないな」って言うんですよ。唖然です。電車に乗りがたい安住君だからこそ、会社にとっての宝なわけじゃないです

『王様のブランチ』
96年からTBSテレビで毎週土曜日に生放送されている情報バラエティ番組。「ブランチレポーター」と呼ばれる女性レポーターたちが、旬なトレンド情報を発信する。安東は進行アナウンサーとして、番組開始の96年から01年までレギュラー出演していた。

安住
安住紳一郎。97年にTBSに入社。局を代表するアナウンサーとして活躍、オリコンが実施した「好きな男性アナウンサーランキング」で5回連続1位となり、殿堂入り。03年に放送されたドラマ『GOOD LUCK!!』にパイロット「安住龍二郎」役で出演。

か。局として守ればいいのに、「特例は認められないな」みたいな。この会社ダメだなって思いましたね。会社がダメなのか、担当者の個人的な感情なのかわかりませんけど。やっぱり日本の組織って抜きん出ちゃダメなんですかね。でも抜きん出た人がのびのびと仕事やったほうが会社の利益にもなるわけじゃないですか。大きい視点に立てないのかなと思います。また失望しました。

――あ、また（笑）。

安東 「いったい何が大事なんだよ！」って。そういうことがあるごとに不信感が募っていきました。でも、これはウチの会社だけじゃなくて、たぶん日本の社会全体がそうなんだと思います。そこはどうすればいいですかね？ 吉田さんはフリーランスで自分の腕一本で仕事してるわけじゃないですか。そうなると、やっぱり抜きん出なきゃいけないだろうし。

――でも、そんなに出すぎないように気を使ってる部分はありますね。ほどほどで。

安東 フリーランスの方でさえそうじゃないですか。吉田さんの場合、『情熱大陸』に出た後は気を使うんだろうなって思ってます。あれに出ると周りがそういうふうに見るじゃないですか。きっといろいろやりづらい部分もあるんだろうなと思ったんですよ。ただおもしろいもんで、今回のインタビューも、受けるかどうかを会社で「どうなんだ？」みたいな話になったときに、ある先輩が、「吉田さんって『情熱大陸』出た人だよね」と言った途端、「はいＯＫ」みたいな空気になったんです。そういう事だよなって。なんかホントおもしろいなと思いましたね。日本の組織って。

――その前にＴＢＳラジオで何年もレギュラーやってた人としてオファーを通してほしいですよ！

安東 ですよね。通してくれた事は嬉しかったんですけど、会社判断として『情熱大陸』がきっかけになったのはある種寂しいというか。でもインタビューされる側としては直前に吉田さんが『情熱大陸』に出てくれてて助かりました。すみません、それなのに日本社会批判と会社批判みたいになっちゃって。

――何を話してもそこにいって（笑）。

安東 「これクビになるかな？ ヤバいかな？」っていうのをちょくちょく言ってみて様子を見て、これがダメで「おまえクビね」ってなったらもうしょうがないですね。クビになりたいって意味じゃないですよ。いまのところクビにならずに済んでますけど。

性格が正反対の妻

――このインタビューに出たことで、いよいよ問題になるかもしれないですけど（笑）。

安東 クビですかね（笑）。僕、妹と弟がいるんですが、子供の時、僕だけ優等生だったからか、「なんでお兄ちゃんだけ努力できる人間に産んだの？」って弟妹が母を責めてるときがあって。「おまえら、僕は好きで努力してんじゃねんだよ、死ぬほどツラいんだよ！」って思いました（笑）。僕、自分のことを強いとは思ってないんですが、たしかに努力はできる方だと思います。意地でも努力するんです。いまでも2日に1回は筋力トレーニングを必ずやるんです。俺に身長があったら絶対にトップアスリートを目指してましたね！ ちなみに、弟もほとんど同じ身長なんですけど、彼は介護師を10年やって、いまではその経験を活かして作家をやってます。弟の人生も凄いですよ。一冊の本になるくらい、激動の人生だと思います。

――レースとかもやってたんですよね。

『情熱大陸』
98年から放送されている人物密着ドキュメンタリー番組。現在では、この番組で取り上げられることがひとつのステータスとなっている。吉田豪は12年12月30日の放送回で登場を果たした。

安東 さすが、よくご存知で。モトクロスのレースもやって、車もモンゴルでラリーやったりとか。彼はエンジニアでもあって、自分で車の整備もやるんです。解体屋からボロボロの部品を集めて自分のバイクを作って、それを陸運局に持ってってナンバー取得した男ですから。弟が介護師時代に仕事場に1回見に行ったんですけど、彼の仕事ぶりに惚れ込みましたね。すげえ男だなと思いました。後輩への指示の仕方とか。こいつの下で働きたいとさえ思ったぐらいで。

——そのレベル!

安東 なんでも自分でできる男なんですよ。いま尊敬する人物っていったら「弟」って答えてしまうかもしれません(笑)。彼のおかげでこの介護施設がすごくよくなったって、施設の理事長という方に泣かれちゃって。それに比べて僕は、「人に泣かれるほど人に感動を与えられることがあるだろうか」と思って、ホントに脱帽だったんですよ。でも結局、介護の現場は非常に過酷な環境で、若い人がどんどん挫折して辞めていく。この環境を変えていくためにはいち介護士だけやっていてもダメだと思って、介護士が主人公の小説を書いて。

——それで作家になったんですか。

安東 おそらく弟の家族(安東注※奥さんと子供二人)はたまったもんじゃないですよね、安定収入がなくなったので。いまは自分の好きな車の整備のアルバイトをしながら執筆活動、講演活動をやってるんですけど。それで家族を食わせていて頑張ってるので、僕より弟の人生のほうがすごいんじゃないかと思うぐらい。でもそういう男が弟としていてくれるのはすごく刺激になっています。僕はなんやかんやいって組織でうまくやってけるタイプです。先輩とかも遮断はしないですし。酒が飲めないウチの弟は、酒席で上司に「俺の酒が飲めないのか」って言われて「仕事と関係あんのかよ!」って胸ぐらつかんだらしいです。しかも、その後ホントにドラマみたいな捨てゼリフ吐いて会社を辞めたらしく。ちなみに弟は親の離婚を知ってから(安東注※弟と妹が離婚を知ったのはかなり後で、「事情があって別居している」との説明をされていた)ダイレクトに雰囲気が変わりましたからね。悪くなったっていっても酒もタバコもやらない不良なんですけど。

——それも血筋なんですね。

安東 あとツルまない。身長は俺ぐらいしかないのに、たいして喧嘩も強くないのにボコにされても絶対に自分の主張を曲げない。先輩の不良とかにボコボコにされても絶対に自分の主張を曲げない。「殺すなら殺せ」みたいな感じで服従しなくて。そうすると逆に認められたりして。けっこうヤンチャな高校に行ったんですけど、頭張ってたような先輩が弟を認めたんで変に伝説になって、みんなが恐れて道を開けるみたいな感じになったらしいです。で、中退して職を転々としてるんですよ。全部間違ってない。でも、弟の言動はほとんど筋が通ってるんですよ。上司の胸ぐら掴んで。でも、弟の言動はほとんど筋が通ってるんですよ。全部間違ってない。あそこまで自分を通す男っていうのはなかなかいないです。ボコボコにされた日を覚えてますけど、ホントに何があったんだ、という状態で帰ってきましたからね。タバコ押し付け系のヤケドはしてるし。ちなみに左手の親指の第一関節から先が無いんです。

——えぇっ!

安東 その時も慌てる様子も無く、「やば、取れちゃった!」だけですからね(笑)。こいつホントすげえなって。だから、僕よりも弟のほうがおもしろいと思いますよ。

——安東家が気になってきましたよ。お父さんと交流はその後全然ないんですか?

安東 20年なかったです。弟と妹はときどき合ってたようですが、僕はずっと会ってなくて。部活とか忙しかったし、さっき言ったみたいな生活してたんで。父は再婚して子供もいて、僕が27〜28歳のとき父が癌になったんですよ。もしかしたら一生会えないかもしれないから会っとこうっていうことになりました。新しい奥さんのとこに会いに行って、当時6歳の異母弟と一緒に遊んだりとかしてて。いよいよこれから入院だっていうときに車で父を送ったのですが、そこで「もう会えないかもしれない」って父が言ったときに号泣しました。いままで父に、そんなに会いたいとも思わなければ、恨んでもない。存在は希薄だったはずなんですけど、Tシャツがびっちゃびちゃになるぐらい号泣しました。血の繋がりってすごいと思いましたね。

——いい話ですねえ……。

安東 父の新しい家族と初めて対面した時の第一印象は「奥さんがきれいな人だな」でした。父が癌なのに不謹慎ですよね。ただ、それほど父に対して最初は何も感じてなかったんですよ。それだけに本当に不思議だなと思いましたね。別れ際は感極まって号泣ですから。

——安東さんの奥さんもかわいいですよね。

安東 ありがとうございます。ド天然ですけど、僕には本当に合ってると思います。おおらかっていうか、生粋のお嬢様なんですよ。金持ちって意味じゃなくて、人生に不満がなかったという意味で本物のお嬢様。ブランド品とかも買ってもらったことがないから何も知らないんです。でもホントに幸せに育ててもらったお嬢様で、家族関係はもちろんのこと、人生に不満がひとつもなかったみたいですよ。

——安東さんは不満が渦巻いてるのに！

安東 だからホントに正反対ですごく勉強になります。すべてにおいて性善説なんですよ。付き合ってるときにみんなでご飯食べに行こうっていうときに僕が仕事で遅れたら、「急ごうよ、みんな待ってるよ」って妻が言ったことに僕は衝撃を受けたんですよ。「え、なんでみんなが待ってるって思えるの？」って。みんなが僕のことを待ってる訳ではないと思うから、遅れても全然気にしないわけですよ。みんなは楽しくやってるわけだから、僕たちが行かなくてもそこは成立してるし。そしたら妻が衝撃を受けて、「えぇーっ？ なんでそういうふうに思うの？ 来てほしくなかったら呼ばないじゃん」って。「でもとりあえず呼んどくってこともあるわけだしさ」っていうのが僕。妻は、誘うからには絶対に来てほしいとしか思えないんですね。どんだけ真っ直ぐなんだよと思いました（笑）。愛されて育っているからこそ、自分は求められてると思えるんでしょうね。

——それ、安東さんの歪みも見えますよ！

安東 それぐらい正反対なんですよ。もしかしたら僕にはこの人しかいないんだなっていうのは最近強く思ってます。

——（広報担当者に）内容、大丈夫でした？

広報担当者 まったく問題ないです！

安東さんの奥さん
川幡由佳。タレントとして、数々のテレビドラマに出演。『世界・ふしぎ発見！』のミステリーハンターとしても活躍する。05年に安東と結婚。06年に第一子、10年には第二子が誕生している。

『ポンキッキーズ』は「蘭々と安室は仲悪いけど、これさせたら面白い」ってコント書いてた

神足裕司

KOTARI YUJI/2010年12月24日収録

1957年生まれ。広島県出身。コラムニスト。慶應義塾大学法学部政治学科卒業。学生時代からライター活動を開始、渡辺和博との共著『金魂巻』、西原理恵子とコンビを組んだ『恨ミシュラン』はベストセラーに。その後、テレビ、ラジオなど、幅広い分野で活躍。2011年9月にくも膜下出血で倒れたが、長いリハビリ生活を経て退院。復帰第一弾となるエッセイ集『一度、死んでみましたが』（集英社）が刊行されている。

水球で覚えた暴力

——神足さん、2時間も遅刻してますよ！

神足 いや、昨日なんかあのさあ……。

——上杉隆さんや室井佑月さんと築地で飲んでたらしいってツイッターで読みましたけど。

神足 そう、迂闊にもあんなところに行ったから。あんなところ行くんじゃなかった……。

——大森望さんと一緒だったんでしたっけ？

神足 そうそう、その大森望さんっていうのを室井佑月のマネージャーと勘違いしてさ。大森さんが帰るときに室井佑月も一緒に帰ろうとしたんで、「お前、マネージャーがいないとなにもできねえんだな」とか言ったら、えらい怒ってさ（笑）。室井佑月もそんなに話したことないんだけどさ。「いつでもケンカ買うからね」とか言ってたよ。なんなんだろうね？　まあ、まずは生ビールください。

——いきなりビール（笑）。じゃあ、これプレゼントです。神足さんが『Number』のパーティーで江夏豊さんとツーショットを撮ってたときの隠し撮りですけど（笑）。

神足 ……ん？　これ2000年ぐらい？　2000年って俺、こんなことしてたんだ！

——なぜかボクが横でそれを撮って（笑）。

神足 すごいね！　……あのパーティー、俺は呼ばれてないのになんで行ったんだろう？

——あ、呼ばれてなかったんですか（笑）。

神足 呼ばれてないよ。『Number』になんか書いたことないもん（あっさりと）。……で、今日はどんな話をすればいいの？

——こんな感じの雑談です。この前、小林よしのり『ゴーマニズム宣言』の連載を始めたり、宅八郎をデビューさせたりしてきた『SPA！』元編集長のイベントにボクと一緒に出たときも神足さんがデタラメすぎて最高だったし、TBSラジオ『キラ☆キラ』忘年会でも神足さんの挨拶が一番面白かったし。

神足 ……なに言ったか全然覚えてない。

——「正直言ってこの番組のどこが面白いのかもわからないし、たぶん次にクビ切られるのは僕だと思う」っていうネガティブ発言連発で笑いを取ったり、遅刻したかと思えば完全に泥酔してフラフラになって現れたりで。

神足 あれは泥酔してたんじゃないんだよ。今日もそうだけど、二日酔いで原稿を書いていたからヘロヘロになって遅刻したの（笑）。

——で、この前『SPA！』の元編集長が本を出した記念でイベントやったときに……。

神足 ああ、あいつ誰だっけ？

——ツルシ（カズヒコ）さんです！　その名前すら思い出せないひどさも最高なんですけど（笑）。もともとツルシさんの本で神足さんのことがボロクソに書かれてたわけですよね。神足さんと揉めて飲み屋で殴り合いになった話とか書いてたんで、そのことをボクが面白がって。

神足 ツルシを殴ったことはないよ、そんな手の汚れるような真似はしないから（笑）。

——あ〜あ！　そういうことばっかり言うから、またツルシさんが怒るんですよ（笑）。

室井佑月
さまざまな職業を経て、97年に作家としてデビュー。以降は、作家業だけでなく、女優、テレビコメンテーターとしても活躍している。小説家の高橋源一郎と結婚し、一児を設けるが01年に離婚した。

大森望
書評家、翻訳家、SFアンソロジスト。主にSFを中心に活動し、高校時代からSF同人誌を制作。大学卒業後、新潮社に入社。編集者時代は日本ファンタジーノベル大賞の創設時の担当でもあった。著書は『20世紀SF1000』『狂乱西葛西日記20世紀リミックス』『新編SF翻訳講座』など。

ツルシ（カズヒコ）
93年〜95年まで『SPA！』3代目編集長を務める。97年からフリーランスの編集者&ライターとして活動。07年に株式会社ハッピーコーイングを設立。13年にはオンラインマガジン『電脳マヴォ』の経営主体である株式会社ホップ・ロウを設立した。

神足　なんでツルシが怒るんだよ！

――しかも、ツルシさんのイベントで神足さんが面白いところ全部持ってっちゃったから、ツルシさんが本気でへコんでたんですよね。

神足　ホント？　あの日もひどかったんだよなあ……。俺、あの後、新宿行ったよね？

――知らないですよ！

神足　……ひとりで行ったのかな？

――ホントになにも覚えてない、と（笑）。

神足　うん、覚えてない（あっさりと）。

――最近酔ってケンカはしてないんですか？

神足　昨日は危なかったな……。担当のヤツと険悪になった。『SPA！』が主催してたんだよ。「こんなもんに、なんで俺を呼ぶんだ！」みたいなことになって険悪だった。

――神足さん最強説がピエール瀧さんとかとの間で流れているんですよ。水球やってて、実は喧嘩に相当強いんじゃないかって説が。

神足　いや、そんな強くないよ！　だって、みんな裸を見たらガッカリすると思うもん。

――そんなに裸に期待はしてないんですけど（笑）。裸の写真もありますよ、昔の雑誌の記事を集めたから。ほら（と全部見せる）。

神足　あるねえ！（カツラを被った写真を見て）俺、ホント孫正義にそっくりだなあ。

――カツラを被ると個性なくなりますよね。

神足　ないない。……「親父は天才ギャンブラーだった」って、なんじゃこれ？

――ああ、珍しくデタラメな人生を生い立ちから全部語ってるインタビューですね。

神足　ハハハハハ！　面白い。ありがとう、いっぱい集めてくれて（熟読を始める）。

――いま読み込まないでくださいよ！

神足　ああ、取材ね。

――昔からバイオレントな人なんですか？

神足　いや、小学生ぐらいまでは弱かったんだよ。ただの秀才のお坊ちゃんで。だけど、広島って腕力でものごとが決まるようなとこあったんだよね、学校でもどこでもさ。

――『仁義なき戦い』の世界ですからね。

神足　小学校のときできたのは水泳だけだったんだけど、4年生のときに広島のトロフィーとか売ってる店のロンパリのおっちゃんがウチに訪ねて来て、「あんたの息子は才能があるから、いまから鍛えればオリンピック行けるから」って言われて。でも、母親が断って、5年と6年のときは勉強ばっかりしてたの。でも中学で水泳部に入っちゃって。

――水球では吉川晃司さんの先輩なんですよね。

神足　うん。吉川と昨日もメールのやり取りしたよ。吉川って、あいつ変なヤツだな。

――神足さんには言われたくないですよ！　吉川さんも実はバイオレントな人なんですよね。前に暴力事件も起こしていたぐらいに。

神足　でも、あいつ全然いいヤツだよ。俺のほうがよっぽどひどい。会ってみてわかったけど（笑）。事件は、それだけのことがあったんだろう。海老蔵とも危なかったって。

――ダハハハハ！　それ見たかったです！

吉川晃司
84年にシングル『モニカ』で歌手デビュー。同時期から映画にも主演し、一躍トップアイドルとなる。ヤンチャな言動などでも話題を呼ぶが、徐々にロック・アーティストとしての存在を確立。近年では俳優活動も再開し、高い評価を受けている。

神足 『SPA!』のエッジな人々っていうインタビューのページで吉川と話したとき、ネタがないからって『アスキー』に書いたら、それが先に発売されたってえらい怒られたよ。

――ダハハハハ！ 当たり前ですよ！

神足 吉川は俺の7年ぐらい後に入ってくるのかな？ で、俺も水泳部に入って、2年ぐらいになったらもう別人みたいになってた。

――水球って水の中だったら何をやってもいい、すごい物騒なスポーツじゃないですか。

神足 知らなかったの、それ。来年からどうせ試合出るんだから中3からやっとけみたいになって、高校生と一緒にやってたの。それで岡山の関西高校に練習試合に行ったらホントに殴る蹴るだった。それだけのために試合やってるみたいな。関西っていうのはメチャクチャ悪い学校でさ。バスで校門から入ると虎の穴みたいに銅像があるんだよ、鷲が羽ばたいてる。プールサイドでは選手がみんな空手着で鍛えてるの。で、「お前、中3って言うとナメられるから高2ってことにしとけ」とか監督が言うんだよ。だから挨拶で高2って言ってさ。その日はよかったんだけど、2回目に行ったらバレて、「この中坊が！」って。で、バックスとミッドフィルダーみたいなヤツの間に挟まれて、ボコボコに蹴られてもうわけわかんなくなって。「あいつら殴るんですけど！」って言ったら、「バカ、それが水球だ」って言われちゃってさ（笑）。

――それで空手も始めるわけですか？

神足 それは水球のせいじゃないと思うな。学校の中にも悪いヤツがいて、さらに学校の外にも悪いヤツがいて、そいつらに勝たなきゃっていう。修道っていうのはそういう学校で、汽車通学のヤツらが必ずやられるの、朝鮮高校は団結力があって強い、工業高校は武器持ってるから怖いとかで、そいつらに負けまいと鞄に鉄板入れたりとかして、だんだんケンカが強くならないとしょうがないなっていうふうになる。だからいろいろやった。空手もしたけど、あんなことしなきゃよかったなと思うよ。高校生になったら体強くなってるから、瓦とか8枚ぐらい割れてさ。あれをやっちゃって大変なことになったんだよ。

――一体、何があったんですか？

神足 のちに暴力沙汰になることがあるでしょ。あんなんまでしておかなかったら、あそこまでひどいことにならなかったから。

――ああ、ちょっと拳を鍛えすぎたな、と（笑）。

神足 そうそう（笑）。これは自慢げに書かないでほしいんだけど。要するに同じ犯罪でも鈍器で殴ったような折れかたをしたとか言われると、ものすごいことしたみたいな感じじゃない？ 実際そういうことがあってさ。

――空手家が暴力沙汰を起こすと空手家の拳は凶器と同じとか言われるみたいですよね。

神足 そうそう、ホントに凶器だったよ。

――人間凶器（笑）。

神足 人間凶器だった（キッパリ）。でも、こないだ『風花』（新宿の文壇バー）で殴ったら自分の手が折れたから、もう殴らない。

――なにを殴ったんですか？

神足 人間（あっさりと）。おかしいね、きれいにアゴに入ったのに俺の手が折れた。

――っていうか、こないだっていつですか？

神足　いつだろうね？　5年ぐらい前かな？　俺、なんかのCMに出てた頃だったと思う。

——そんな頃に暴力沙汰起こしたんですか！

神足　うん（あっさりと）。

——タバコのCMとかやってた頃ですか？

神足　タバコのCMは93年とかじゃない？『恨ミシュラン』やってた頃。あの頃はそんなに……あ、でもケンカはしてたな。まあ、そんなひどいことにはならなかったけど。スコーンと殴っただけだったのに折れちゃった。2003年か2004年ぐらいだよね。

インチキ編集長時代

——そろそろ話を大幅に戻します（笑）。大学受験のときは食中毒だったんですよね。

神足　ああ、合宿所に大学生がいて、受験しに来た学生の飯を作るんだよ。それがアジの塩焼きで、俺は食ってすぐ直感的にこれはヤバいと思ったの。でも、他のヤツが残そうとすると「俺たちの作ったものが食えないのか」とか言うんで、俺もしょうがなしにちょっと食ったら、全員食中毒になって（笑）。受験できたのは俺だけだったんだよ。俺、黄色い胃液まで出しながら受験したんだけど……。

——そのせいで一浪する羽目になって。

神足　まあ、そのせいじゃないんだけどね。

——昔の記事ではそう言ってたのに！

神足　受験はしたからね。それでも駄目だったから、翌年もう1回受けて。ただその1年間で肩を壊しちゃったから、水球推薦だったのに、もう水球できなくなってたんだよ。

——それはケンカのせいじゃないですよね。

神足　野球のせい。予備校時代に屋上で野球やってたら、水球のボールは重たいから軟式のボールってものすごい速く投げられるんだよ。ライジングボールになるわけ。たいしていいフォームでもないのに。面白くてビュンビュン投げてたら、軽いから肩がガッと。

——あ、はしゃいでたせいで（笑）。

神足　そうそうそう。あんまり深刻に考えてなかったんだけど、「あれ？　動かないな」と思って。それで大学入ったらボールを投げるどころじゃないんだよ、泳げもしないの。それでも5月頃の早慶戦出て勝ったけど、年が終わる頃には先輩から「お前、マネージャーになるか？」とか言われて。でもマネージャーになるぐらいだったらもう辞めたほうがいいなと思って合宿所から夜逃げしたの。

——それで今度はミニコミ活動が始まって。

神足　親父の会社の関係で出光興産の寮に入ったんだけど、あんまりダラーッとしてるのもなんだなと思って、ミニコミ作ってるヤツの家へ遊びに行ったの。俺、ちょっと文章書くのは自信があったんだよ。それで「俺もなんか書く」とか言ってるうちに、麻雀で借金が溜まってしょうがないことになって。ミニコミの編集長にも4万5000円借りてて、そいつが急に1年か2年ぐらいヨーロッパを旅してくるとか言って。みんなに「4万5000円なんて今生のお金かもしれないから返してあげなさいよ」とか言われて、「でも金ないんだよ」とか言ってたら、「じゃあ俺が立て替えとくから、『スポニチ』で3回コラム書いたら4万5000円だから」とか言われて、それで初め

『恨ミシュラン』
人気のレストランをありのまま評価することを目的としたグルメレポート漫画。漫画は西原、評論は神足が担当。マイナス評価を徹底的に行う姿勢が人気に。92年～94年まで『週刊朝日』誌上にて連載。

© 朝日新聞社

て原稿を書いたんだよ。

――借金返済のためにデビューして。

神足 うん。だからなんにも考えてないよ。

――基本、なりゆき任せですよね。（笑）。

神足 うん。俺が1年留年して卒業する頃、初めて就職試験ってものがあると思って。

――それまで知らなかったんですか？

神足 知らない（あっさりと）。学生の会社やってるヤツがいて、社長が和田秀樹だったの。最初の社長は死んじゃったんだけど。あいつ、なんでもいいからそういうところで目立ちたいような人間だったの。その会社に10月1日に行ったら、「あれ？ 神足さん会社訪問しないんですか？」とか言うから。その頃、10月1日が解禁日で、「それはなんだ？」って聞いたら、「みんな就職するために会社訪問するんだ」って言って。「そんなのあるのか！ それはどうやったらわかるんだ？」とか言ったら、「大学の掲示板に貼ってありますよ」って。それで電通とフジテレビとどっか3つぐらい受けたんだけど。

――全部ダメで。

神足 もちろん。だって俺、電通行ったとき、映画館かなんかで流してる電通が作ってるCMを見せられて「作文書け」って言われてさ。もう『スポニチ』の原稿書き慣れてたから、原稿用紙にボールペンで書いて出したら、「あなたは提出するものを消しゴムを使わないでこんな汚くして出すんですか」とか言われて。「いや、普通そうですけど。原稿料もらえないんだから、こんなもんでしょ」みたいなこと言って（笑）。ダメだよね。

――確実にダメですね（笑）。

神足 そうこうしてるうちに、『スポニチ』の文化部の人が「ウチを受けないのか」って言うから、「じゃあ受けますよ」って。4回か5回ぐらい試験やるんだよ、普通の筆記テストとか。向こうもなんか頭にきたんだろうな……。全部通って最後まできて、文化部長に「作文はなにしろ一番うまかった。ところが8人しか採用しないのに12人残ってる、その12人ほとんどは販売店のコネだからお前は落ちる」とか言われたんだよ。それで、「いままで俺は入社試験で社長に頼みごとを1回もしたことがないから、1回ぐらいの頼みごとは聞いてもらえるはずだ。お前、いままでグレーのスーツ着てたろ、あれはよくない。紺色のスーツじゃないとダメだ」って言われて。持ってないから、先輩に借りに行ったの。どうやって合宿所に帰ったんだろう？ とにかく合宿所に着いたのが夜中3時とかで、朝『スポニチ』の人から電話かかってきたの。「まだ来ないですけど、今日は試験受けないんですか？」って。それで焦りまくって行って、普通1時間ぐらいで着くはずなのに2時間ぐらいかかって12時頃に着いて。

――それで案の定、就職し損なって。

神足 だけど当時、『ギャルズライフ』って雑誌でも書いてて、主婦の友社の人に「就職しなきゃ人間ちゃんとしないからダメだ」って言われて。豪さんは就職したことある？

――一応あります。編集プロダクションに。

神足 やっぱり就職したほうがいいのかな。いまでもあの当時のことはよくわからないんだよ。それで、仕事を紹介してくれた編プロに行くの。でもおばさんがひとりいて、俺ひとりしかいないわけだから、なにをしていいかわからない。で、何回企画を出しても通らないの。

――主婦の友社に忍び込んで企画書とかを勝手に盗んでたっ

和田秀樹
精神科医。独自の勉強法で受験生を指南する、受験アドバイザーとしても有名。映画の分野でも活躍し、07年12月、初監督作品の『受験のシンデレラ』がモナコ国際映画祭で最優秀作品賞、最優秀男優賞、最優秀女優賞、最優秀脚本賞の4部門を受賞した。

『ギャルズライフ』
80年代のティーン向け女性ファッション誌。隠語事典等、エロ要素も満載だった。

ていうのはその頃ですか?

神足 盗んでないよ。それは大袈裟。82年に東京コピーライターズクラブ設立20周年記念展示会が池袋西武であったの。そのときに糸井重里さんとか仲畑貴志さんとかみんな会うんだけど。俺、たぶん秋山道夫さんに憧れて名刺に「編集長」って書いてたの。「これ、なんの本の編集長ですか?」って聞かれても、「いや、ただの編集長だよ」って。

――ダハハハハ! つまり、なんでもないけど、とりあえず編集長を名乗って(笑)。

神足 当時、そういうことが多かったんだよね。糸井さんも「コピーライターっていうものはどうやったらなれるかって聞かれるけど、名刺にコピーライターって書けばすぐコピーライターですよ」って言ってたから。それがいつしか、自分で宣伝してるうちに「天才だ」とかいうことになって「じゃあ取材に来てもらいましょう」「取材に行ってなんの本にするんですか?」「いや、なんの本でもないんですが」みたいな変な話で、要はコピーライターたちが自分たちの活動みたいなものを取材してほしかったんだよね。それで慶應の学生を2人ほど連れてコピーライターズクラブの展示会場を取材して話を聞いて。そしたらその翌年ぐらいになって「これを本にしたい」とかって言われて、『コピーライターズスペシャル』っていうのを作ったの。

――それがちょうどコピーライターブームと重なったから、売れちゃったわけですね。

神足 うん。ただ、本を作るっていうんだけど、なにしろこっちはなんにもわかんないんだよ。金もどれぐらいかかるかわかんないじゃん。で、全部俺に相談するわけ。俺も大学出たばっかりだし、わかんないじゃん。

――だけど編集長じゃないですか。

神足 編集長なの。しょうがないから「これでよかったのかな?」と思いつつ、主婦の友の編集部で聞きかじったようなでまかせ言ってるうちに、原稿料とかはどうやって決めるんだろうかと思って、ちょっと主婦の友社に忍びこんで人の引き出しを開けて見ただけ。……あのとき、俺いくらもらったのかな?

――かなり売れたんですよね。

神足 売れた。刷った分売れたし、えらい評判になって季刊にしたいって言われて。その第1回目のときに渡辺和博さんに相談に行って「面白いことないですかね?」って言ったら、「金持ちと貧乏が面白いよ」って言われて。それで最初の金持ちと貧乏を描いて。

――ああ、『金魂巻』(84年/主婦の友社)ですね。マル金、マルビでお馴染みの。

神足 うん。それも大評判だった。なにしろいきなりの無茶苦茶なことだったから。ホントは渡辺さんはあのとき糸井さんとかそういうのに聞いた話を言ったんだと思うね。これはいまだに謎で渡辺さんに聞くしかないな。

――もう亡くなってますよ(笑)。

神足 俺はあのとき「金持ちと貧乏」って言われても全然わかんないけど、俺が貧乏だっていうのはわかってた(あっさりと)。

――ダハハハハ! 金持ちと接したこともないと文章にしようがないじゃないですか。

神足 うん。でも、コピーライターの人のところに取材に行くと、個人事務所で見るからに金持ちだよね。それを取材したまま渡辺さんに「絵を描いてください」って言ってさ。

――『金魂巻』のプロフィールには「性風俗取材は抜群の切

秋山道夫
編集者、プロデューサー、クリエイティブディレクター、装丁家。無印良品や小泉今日子のプロデュースなどさまざまなジャンルのプロジェクトに携わっている。

『コピーライターズスペシャル』
その年を代表する事件や流行語など共に、60年代から80年代までの様々な広告を掲載した本。83年発行。

渡辺和博
漫画家、イラストレーター、エッセイスト。75年からエロ雑誌や、アングラ雑誌などで漫画を描き始める。独特なタッチの漫画とエッセイで多数の雑誌に執筆。84年から『笑っていいとも!』に1年間レギュラー出演も。07年2月に逝去。

『金魂巻』
コピーライター、イラストレーター、ミュージシャンなど80年代の人気職業を徹底的に観察、分析した本。84年に大ベストセラーとなった本。

れ味」って書いてましたけど。

神足 それはなぜかっていうと、『スポニチ』で書いてた頃に苦し紛れでやってたの。学生だからっていうんでちょっと許してくれるページもあるけど、スポーツ新聞のバカネタってホントのプロの仕事じゃない。学生だからなに書いてもダメなわけよ。この厳しさにみんな折れていくんだけど。で、俺は新入生歓迎コンパで落研のヤツらが先輩のモノをサランラップで巻いてフェラチオするってことを書いてウケたの。こういうことか、と。

――何かを悟ったわけですね。

神足 それで当時、『エレファントマン』って映画が流行ってたから、「最近、キャンパスで流行ってるセックスはエレファントセックスといいます」とか書いて、紙袋に目と鼻だけ穴を空けて、ブスな女にはそれを被せてヤるとさ、大嘘だよね（笑）。そのうち、ノーパン喫茶が流行ってたから、「慶應大学にノーパン喫茶研究会ができました」とか、そうやってあることないこと書いてたの。

――全部嘘なんですか？

神足 最初はね。そしたら『スポニチ』の人が「お前、『アサ芸』と『週刊現代』の人が来てるけど、慶應にノーパン喫茶研究会はあるんだろうな？」ってデスクに言われて、「はい、僕がそうです」って言って（笑）。

――ダハハハハ！ そういうことですか！

神足 で、また後輩ふたり連れてきて、ノーパン喫茶研究会の会長っていうことにして。事情はちゃんと『アサ芸』の人と『現代』の人に言ったんだよ。そしたら、「いや、いいんです。一緒に取材してください」とか言われて、都内にあるノーパン喫茶を全部周ろうとか言うわけよ、『週刊現代』の人が。3人で手分けして50軒ずつとかで、俺は100軒ぐらい行ったんだよ。もう悲喜こもごも、これは面白かったよ。1回で取材できるのは5～6軒でしょ。それで50軒ぐらい行くわけだから、相当長い連載だったはずなのよ。それで性風俗の仕事もやるようになって。

――やっぱり基本はデタラメで（笑）。

神足 でもね、そういうことをやると得るものはあるんだよね。ノーパン喫茶ブームっていうのはすぐ消えるわけじゃん。あれほとんど女子大生がバイトでやってたわけ。これはまったくの素人が性風俗に参入したんだな、と。ところが彼女たちはノーパン喫茶のブームが終わっても働き続けなきゃいけないわけ。すると、これは社会的には風俗業界へ大量の素人の輸入ということで、まずキャバクラが非常にレベル高くなったでしょ。するとそのキャバクラにいたちょっとダメな人は風俗に行くしかない。そうするとソープランドとかもさらにグレードアップし、ソープランドを追い出された人は立ちんぼになるから、ノーパン喫茶の衰退によって街の立ちんぼが増えるっていうこの展開とかを考えるわけ。

――そういう推測を立てて。

神足 それで「さすが研究会！」みたいに言われて。俺もなかなかやるなとか思ってさ。

90年代テレビを盛り上げた

――その後も風俗取材はやってたんですか？

神足 メチャクチャやった。だって俺が大学の頃は、言ってみ

り、この本から生まれた「マル金」、「マルビ」は第1回流行語大賞で金賞を受賞。

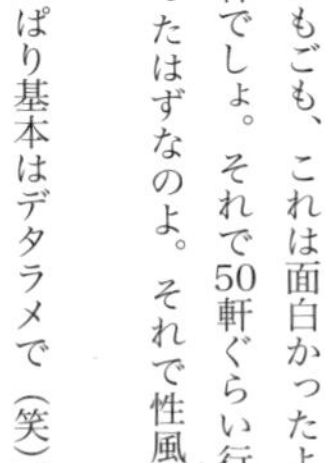

©主婦の友社

れば風俗ライターだよ。でも、なめだるまみたいな業績はないからさ。杉森昌武と木村和久はなめだるまの弟子だったんだよ。結局、最初はタダでできると思ってやってたけど、ほとんどなめだるまに持っていかれるみたいなことで嫌になって2人とも辞めるんだよ。俺はそんな感じで中途半端で、バカ企画ばっかりやってたからホントの風俗ライターじゃないんだよね。杉森は中大パンチっていう中央大学のミニコミで。

——えのきどいちろうさんとかとやってて。

神足 うん。池袋の印刷屋のオヤジの家にスーツケースを持って現れた怪しい杉森が、いきなりそこでオナニー始めたんだよ。

——えっ！

神足 みんな車座になってそのオナニーを見物してさ。天井からティッシュペーパー吊って拭くとか、こいつは一体なんだろうかと思って。それからそいつと麻雀とかするようになって。その頃に『ギャルズライフ』とかでオナニンピックって企画をやってたわけ。「より高く、より速く」とか言って（笑）。

——それ、神足さんも参加したんですか？

神足 たぶん悪いから参加したと思う。

——かつて水泳でオリンピックに出られると言われた男が、オナニンピックに（笑）。その後の『金魂巻』バブルってどうでした？

神足 殴ったので全部払っちゃった（あっさりと）。でも、あのとき人生の深遠さというものを学んだな。取り分が全然違うから、渡辺さんはたぶん相当もらってるよ。俺も500〜600万はもらったとは思うけどね。

——まあ、名義は渡辺和博とタラコプロダクションですからね。当時は流行語になるぐらいの大ベストセラーになったわけですけど。

神足 そうそう、流行語大賞だよ。その金はほとんどその傷害事件の示談金に払っちゃってなくなったけど、名声だけはあるんだよ。

——まあ、そうでしょうね。

神足 ゴルファーが賞金王になったりするじゃん。たとえば賞金が1億円だと、賞金以外で3億ぐらい儲けてるんだよな。そんな感じがあった。ついに「そうか、これで食ってけるか」みたいになった。その頃は編集者気取りだったから、『コピーライターズスペシャル』を作って、『ザ・コピーライター』って名前で季刊の雑誌も作って、それやってると三菱自動車が「求人パンフレット作ってくれ」って言って、16ページかな？

——企業だと動く金もデカそうですよね。

神足 だから16ページで500万だよ。しかも版下なし、デザインもなし。それで500万もらったら、もうどうしたらいいかわかんないじゃん（笑）。3冊作ったけどさ、1回目がアーバン土人っていうテーマでね。

——土人（笑）。

神足 そのときは土人が面白いって言って。電子機器が発達しすぎてブラックボックスになって、世の中のことがわからない人ばかり増えちゃうっていう話がアーバン土人で。で、植島啓司さんに原稿頼もうってことになって。……俺、何で植島さんに頼もうと思ったんだろう？　とにかく頼みに行ったんだよ、そしたら「よくわかんない」って言われて。当たり前だよね、アーバン土人なんて。

——さっぱりわかんないですよ（笑）。

神足 しょうがないから、「いまは人類がアーバン土人状態に

なめだるま
ノーパン喫茶からピンサロ、ファッションヘルス、ホテトル、援助交際など、長年に渡りスポーツ新聞や週刊誌で風俗記事を執筆する風俗ライター。

杉森昌武
中央大学在学中に『中大パンチ』を発行。その後、編集プロデューサー&ゴーストライターとして『磯野家の謎』『古畑任三郎の研究』『THEゴルゴ学』などを手がける。

木村和久
世の中のトレンドを追求するコラムニスト。ゴルフ雑誌や株式関係誌でも連載。

えのきどいちろう
北海道日本ハムファイターズの大ファンとして知られるコラムニスト。大学時代に仲間と創刊した「中大パンチ」の原稿が「宝島」の編集者の目にとまり、コラムニストデビュー。テレビ、ラジオのパーソナリティーとしても活躍中。

ある」って俺がほとんど書いたの。で、「こんなことを書いてほしいんですよ」って渡したら、「ああ、わかった！」って、そのまんま返ってきた（笑）。ロサンゼルスにアーコサンティっていう、人類がカプセルの中だけで生きていけるかっていう壮大な実験が始められてて。つまり自然に戻ろうなんていうことは甘っちょろくて、もうこれだけ発達したんだから、自然に戻すことを科学的にやらなきゃいけないんだって書いたら、「その通りだ！」って植島さんが言って（笑）。そういう500万ぐらいもらえる仕事が立て続けに来てさ。で、扶桑社に『三宅裕司のヤングパラダイス』っていうラジオ番組の「恐怖のヤッちゃん」っていうコーナーを本にしたいんだけどやってもらえませんかって言われて、それもやったの。

——あれって神足さんの仕事なんですか！

神足 そうだよ。でも、俺は単行本っていうのを作ったことがないから、そういう面倒くさい作業は全部担当編集がやってくれたわけよ。俺は「絵はこうなって、本はこういう作りで」っていうことばっかり決めて、中身をちゃんと読むようなことはないわけよ。まあ、後で揉めるんだけど。それでも三宅裕司と半分半分で、俺の勤めてた会社に5％印税くれて。1週間ぐらいで20万部になって。

——あれも流行語になって、映画化されて。

神足 そうそう。そんな調子で1年の前半ぐらいで2000万ぐらい稼いじゃって。それで俺、会社作ったのに給料15万だからさ。

——会社にほとんど入るわけですね。

神足 だから、もうさすがにいいだろう、夏まででもう働かなくてもいいんじゃないかって、そのあと働かなかったら翌年からずっとなんにもなくなって会社が潰れちゃうわけ。

——ダハハハハ！　デタラメだなあ（笑）。

神足 よくあるんですよ、そういうこと。夏に、お世話になった社長ご招待とかっていってバス借り切って温泉旅行とか行ってたの、金が余ってるから。で、その頃フジテレビに呼ばれてさ。「今年のフジテレビのキャッチフレーズは、『気分はマル優、なんとかマルキ』になりました。使わせていただきました」とか言われてさ。いまのマツコ・デラックスみたいな感じで引っ張りだこになって、どんどんテレビやってくれとか言われて、わかんないけど放送作家になって（笑）。

——テレビも観てなかったのに（笑）。

神足 うん、家になかったからね。

——そんな人が放送作家になって。

神足 そうそうそう。いっぱいやったな。世間の人がまだ覚えてるかもしれないと思うのは、ドリームズ・カム・トゥルーが出てた『うれしたのし大好き』っていう番組。あと『ポンキッキーズ』は俺とデーブ・スペクターがコント書いてた。「（鈴木）蘭々と安室は仲悪いけど、これさせたら面白い」とか言って。

——仲悪いけど（笑）。安室奈美恵がいまでは黒歴史にするような仕事を全部考えて。

神足 そうだよ。ドリカムの『決戦は金曜日』って歌はその番組のために作ったんだけど、「ドリカムの番組はどんな路線にするのがいい？」って言われて、『奥さまは魔女』って言って、それでほんとにそうなったんだよ。俺はべつに『奥さまは魔女』しか観たことがないからそう言っただけで。

——あ、他を知らなかっただけ（笑）。

神足 あとは『7人のホット目玉』とか、テレ朝だと布施明の

植島啓司
ネパールやタイ、インドネシアのバリ島、スペインといった国々で宗教人類学調査を続けている宗教人類学者。

お昼の番組作るとかいって、『うちの家族には味噌がない』っていう、最近の奥さんは家事とかしないから、家に味噌がない家庭が増えてる、ノー味噌ファミリーっていう、そういうのをやってた。あと、ケント・デリカットと紳助の『世界がお呼びです！』っていうのもやってたよ。

——観てましたよ、それ。

神足 観てた？ ただ、やってたって言うけど、俺はなにをしたらいいのかわかんない。原稿用紙にバーッと書いてディレクターに渡したら、「神足さん、これ尺が合ってないんですけど」とか言われて、「……尺ってなんですか？」みたいな。そんなことをしてた。

——そこも適当にやってるだけで（笑）。

神足 うん、メチャクチャ適当だよ。その頃はCMも作ってて。新宿のゴールデン街で、「いけない、明日プレゼンだ！ 言われてたのに全然なんにもしてない」ってなって、紙きれにワーッと書いて博報堂に行って「ケネディの演説にこういうのがあります、『人民による人民のためのなんとか』。トゥゲザー」って広告あったろ、あれ俺が作ったの。いまだにわかんないんだけど、CMって4コマ漫画みたいの描くじゃん。あれだって1時間ぐらいあったら100本ぐらい描けたよ、……俺、あの頃天才だったんだな……。

——ダハハハハ！ いま思えば（笑）。

神足 その頃、一方で『週刊サンケイ』を『SPA！』にするっていうことがあり。『週刊サンケイ』はフジサンケイグループだから、その流れで呼ばれて。「雑誌の人間は暗いから、テレビから明るいヤツ呼んでこい」ってことで、誰かが紹介したのが俺だったの。俺はなにかもよくわからないまま、適当なことをバーッと言って、そこでも連載を始めて、『SPA！』では名前変えたりして1冊当たり7つぐらい連載を持ってたから。

——そりゃ『週刊サンケイ』の編集者だったツルシさんは複雑な気持ちになりますよね。

神足 あ、ツルシは『週刊サンケイ』だったんだ。気分悪かったろうな、みんな。知りもしないヤツが来て勝手なことばかり言って。

——雑誌のこと全然わかってない人間が。

神足 いや、俺は雑誌のことはよくわかってたんだよ。自分でも作ってたし。でも、週刊誌を作るなんてのはまったく違う分野だから。

——その『SPA！』でテレビ評を書いて。

神足 あれはね、言っちゃ悪いけど『SPA！』はすぐ潰れると思ったの。こんな素人が集まって週刊誌なんか作っても、『ポスト』も『文春』も『新潮』もあるのに同じことやっても絶対ダメだと思って。だからまた適当なことやってたんだけど。水嶋ヒロの本を書いたのがテラサキってヤツなんだよね。

——ポプラ社の人なんですか？

神足 いや、テラサキっていうのは俺と同じぐらいで、『ギャルズライフ』も俺がやめた頃にやってたし、太田出版かなんかで『ポップティーン』だったっけ？ そういうのを月刊で半分ぐらいそいつが書くっていうすごいヤツがいるんだよ。そいつとずっと遊んでて、そいつはどういうわけか扶桑社の社員になってたの。そいつが「神足さん、割のいい仕事があるからさ。フジテレビってタイアップの宝庫だからギャラがいいんだ」って、いくらだっけな？でも3〜4万なんだよ。

——そんなによくもないですね（笑）。

水嶋ヒロ
俳優、小説家。05年にドラマ『ごくせん』で俳優デビュー。10年、作家に転身するため所属事務所「研音」を退社。同年、処女小説『KAGEROU』で、第5回ポプラ社小説大賞を受賞した。

テラサキ
ツルシカズヒコから、「シラサキの間違いでは？」と指摘あり（ツイッターで）。

神足 そうそう。それが『テレビ無差別級』っていう超ロング連載になったんですよ。

――画期的すぎると思ったんですよ、それ。テレビのタイアップ広告なのに悪口書いて、怒られたっていう。当たり前ですよ（笑）。

神足 俺が一番悪乗りしたのは『この世の果て』か。あれ野島伸司と大多亮ってヒットメーカーの、ものすごい暗い話だったんだよ。

――もちろん観てました。

神足 これちょっと面白くしてやろうと思って、「この話を俺が野島に教えてやったんだけど」ってことにして、「そんな暗い話で大丈夫なんですか？」って野島が言って、「そんなことないんだよ、暗いのがいま世の中いいんだよ」って、架空の俺が野島伸司に教えたっていう話を連載で書いたわけ（笑）。

――もちろん野島伸司さんと面識はない。

神足 ないないない！

――ダハハハハ！　さすが（笑）。

神足 編集部もバカだよ、それがいけないことだってこともわからず出したわけだから。そしたら大多さんから電話がかかってきて、「野島伸司は泣いて悔しがってます」と。

――泣いてたんだ（笑）。

神足 マジに取るかよって思って。

――ただ、普通の記事ならともかく、広告記事でそれだったら揉めて当然ですよ（笑）。

神足 そんなことがあってもまだ連載は続いたんだから、よっぽど人気があったんだよ。

酒の席でのトラブル

——ツルシさんの本だと、その件で神足さんと揉めて、編集部が責任を取るべきとか神足さんが言って、それに反論したツルシさんと忘年会で殴り合いになったって話でしたね。

神足 あ、そうなの？ あのときツルシだったのかな？ でも俺、べつに出版社が守ってくれるなんて思ってないから。ツルシがそれを不満に思ってたのはわかるけど、いま初めて聞いたぐらいだし。俺はなんで怒ってるのか全然わからなかった。

——ダハハハ！ 前も説明したのに！

神足 あいつもハッキリ言わないからさ。

——前にボクがその件について聞いたら、「違うんだよ、ツルシが狙ってた女を俺が取っちゃったからあいつが怒ったの」って神足さんが答えて、それをボクがラジオで話したら、さらにツルシさんが激怒して（笑）。

神足 ああ、新人でニシヤマさんって子がいて、眼鏡かけてるけど結構可愛い子で、ツルシがしつこくするから、「俺と行こう」って連れて逃げたんだよ。あれで怒ってるのかなと思ってた。だって、そんな仕事のことで怒るわけないじゃん。殴りもしない。俺が殴るときはね、友達の悪口を聞いたときだね。あと、俺の女の悪口を言ったヤツは許さない。

——たとえば西原さんの悪口は許さない。

神足 そうそう、誰かが飲み屋で西原の悪口言ってたら、やっぱり殴るね（キッパリ）。

——殴りますか（笑）。

神足 わかってるんだよ、ホントに長年そういうことばっかりやってきたから、なんとなくそうなったらパッと逃げようとかさ。聞いてたらやっちゃうから。西原だけじゃなくて、ほんのちょっとしか知らないような友達でも、そいつの悪口を誰かが言ってると、「こいつ殺してやる！」って思っちゃう。

——じゃあ海老蔵さんと同席したら絶対アウトですね。あの人は面識もない男が連れてる彼女の悪口を散々言う人らしいですから（笑）。

神足 でもね、俺もあの場にいなかったことはぬかったと思った（笑）。だいたいああいう事件の場には俺いるんだけどね。海老蔵も、俺がいたらケンカとかになってないよ。

——ダハハハ！ 止めてますか（笑）。

神足 っていうか、俺の前でケンカするヤツはあんまりいないんだよ。みんなおとなしいよ。なんか言ってるわけじゃないんだけど、ものすごい荒っぽいんだと思うよ、俺。

——海老蔵さんに挑発的なことを言われたとして、もしそうなったらケンカしますよね？

神足 ああ、ニヤッとするだろうね（笑）。でも、強いヤツには腕相撲仕掛けるんでしょ？ それから「俺は2億円もらえるんだ」とか言うってことは、金と力がないんだよ。そんな自慢しないもん。俺がせいぜい自慢するのは一升瓶ぐらい小便出せるとかさ。

——なんの自慢にもならないですよ（笑）。

神足 そういうことを言うんだよ。だからあんまりケンカにならない。歌舞伎といえば原稿終わって夜中の2時頃飲みに行くと勘九郎（現・中村勘三郎）がいて、「待ってましたよ！」って言うんだよ。康さんってバカなオッサンいるでしょ。

——康芳夫さん。

康さん
康芳夫。プロデューサー。アントニオ猪木対モハメド・アリのコーディネート、国際ネッシー探検隊、オリバー君招聘など、アバンギャルドな企画を立ち上げたことで知られている。自称「虚業家」、「トリックスター」。

神足　うん。康さんもそこに来るんだよ。康さんは勘九郎を子供の頃から知ってるから、俺のことを「おい、あそこにいらっしゃるかたはな、ああ見えてものすごい俳優なんだ」とかって言って。俺もたしかに1回か2回は俳優やってるけどさ。で、勘九郎が獅童とか若いヤツを連れてきて、そいつらがまた俺におべんちゃらを言ってさ。「なぜ我々は役者で普通のかたに存在感で劣るのかわからない」とか言うから、「お前、当たり前だろうが！」って言ったことあるけど（笑）。

――中村獅童に（笑）。

神足　そうなんだよ。だからケンカは起きないよ。俺、矢作俊彦をものすごい挑発したことあるけどケンカにならなかったもんね。

――『SPA!』のイベントでも呑気に言ってましたもんね。「小林よしのりと宅八郎が揉めたのも知らなかったけど、俺がいたらケンカになってないよ」とか断言して（笑）。

神足　そうそうそう、ケンカになってない。中森明夫か木村和久かどっちかが……そういうこと言うのは木村だな、「あそこに宅がいますよ。殴ってやってくださいよ」とか言うから、「どれどれ、どれが宅だ？」って言ったらファーッて逃げてたもんね。それぐらいメチャクチャだっていうことになってたんだよ。……俺、そんなに殴らないよね？

――知らないですよ（笑）。

神足　あれ怖いよね。結局、みうらじゅんなんかもときどき飲んだりとか、えのきどいちろうとかと一緒になると、「神足さんの隣に行くと殴られると思ってたから近寄らないようにしてた」って言うからね。だから、よっぽどひどい伝わりかたをしてたんだよな。

――何度かトラブルがあったわけですね。

神足　何度かトラブル……あったよ、俺は。たいしたことないけど。10回ぐらいだよ。

――十分ですね（笑）。でも、文壇バーの人が言ってましたよ、「神足さんはよく来るけど、店ではほとんど寝てるだけだ」って。

神足　うん（あっさりと）。……なんであんなによく寝るのかな。飲みすぎなのかな？

――結婚したあとも飲み歩いて、なかなか家に帰らなかったとか言ってましたもんね。

神足　俺、海老蔵のところで共感できるのはそれだな。結婚っていうのはつらいのよ。

――ダハハハ！　つらいですか！

神足　2年ぐらいホントにつらかった。

――もともと結婚する気もなかったどころか30歳までに死ぬと思ってたんですよね。

神足　よく知ってるね。中島らももそう思ってたらしいよ。だから大学卒業したら就職があるとか、そういう人生の構図みたいなのがまったく思い描けなくて、30歳の自分は想像できなかったから30歳になる前に死ぬなとか思ってた。それが28歳頃に結婚したら30歳ぐらいで子供ができて、人生ガラッと変わった。死ぬなと思ってたのに全然死なないじゃん。子供がデカくなるまで俺が育てんのか、みたいな。全然違う人間になったね。

――図書館に行って、料理してっていう。

神足　あのときすごかったな。仕事がないから、子供がいて家はあるんだけど、『テレビ無差別級』ぐらいが主な仕事だから。そのために川べりの図書館に行って本ばっかり読んでて、そこでカレーライスとか頼んで食うわけよ。あるとき息子とカミさ

矢作俊彦

小説家。72年、ハードボイルド短編小説『抱きしめたい』で小説家デビュー。70年代はラジオ・TVドラマの構成作家としても活躍する。小説の他にも、大友克洋との合作コミック『気分はもう戦争』、映画監督作『ギャンブラー』などが有名。

んと3人で行ったら、カレーライス大盛りにしてくれたもんね。『一杯のかけそば』みたいな（笑）。

――西原さんは神足さんのことを、財布に金がいつも入っていない酔っ払いとして『恨ミシュラン』に書いてましたけど（笑）。

神足 っていうか、ないからね。俺、ずっと金がないんだよ。あると使っちゃうから。

――50万の靴とか買ってたんですよね。

神足 あの頃はあったんだよ。50万とかでも剥き身で持ってると早く使わないとなくなるんじゃないかとか思ったりするんだよね。そうすると案の定なくなる（笑）。

――基本、すべてがデタラメですよね。

神足 ……どうしてこんなに知的で論理的で理性的なのにデタラメなんだろうね？

――すごい難しい言葉とか使いながらデタラメなことを言ってる感じが伝わるんですよ。

神足 そうなんだよ。変な回路があるのかもね。頭3回ぐらい打ってるからなあ……。脳波を見たら台形になってるんだよ。明らかに俺はおかしいんだと思った。だからおかしいんだろうなとも思うんだけどね。でもちょっとおかしいほうがいいよね。もう話は足りてる？ いいこと全然言ってないけど大丈夫？

――大丈夫です（笑）。じゃあ今日のギャラ、取っ払いなので領収書を書いて下さい。

神足 いいねえ！ 来月も来てもいいよ！ 昨日もえらい激しく口論してたような気がしてさ。もうちょっとハッキリ覚えてるのは、そのあとタクシーに乗って銀座から帰ったんだけど、そのタクシー運転手に怒鳴り散らして、「料金いらない」って運転手に言われたんだよ。だから金払ってないんだよ。

――それぐらい怒ったんですか（笑）。

神足 うん……なんだろう？

――面倒くさいタイプですよねえ（笑）。

神足 今月2回目なんだよ。タクシーで一方的に怒って。俺は払わないって言ったわけじゃないのに「いりません」って言われたの。

――ホントに酒癖悪いですよね。

神足 悪い！ すっごい気になるよね。また同じタクシー乗ったらどうしようかと思うよね。いまここでこうやってしゃべってるのと違う人間が現れてるみたい。違う人間が現れて俺の代わりに怒ってて、それを見てるみたいな感じがあるよ。俺、50％以上揉める。

――ボクはタクシーでも酒の席でもケンカしたことないんで全然わかんないですけどね。

神足 穏やかなんだ。いいねえ。なんで揉めるんだろうな？ それをちょっと解明してほしいよ。俺、ホントメチャクチャ言っちゃうんだよね。あと、相手の人が売れっ子だったりするとメチャクチャ言ったりするのは嫉妬心だよね。悔しい。だから絡むんだよな。

――面倒くさいなあ（笑）。

神足 面倒くさいよね。相当絡んだね、いろんな人間に。……嫉妬心が強いのかな？

――西原さんとかには絡まないんですよね？

神足 『恨ミシュラン』やめることになったじゃない。あれはやっぱ西原に嫉妬して。

――ダハハハハ！ そうだったんですか！

神足 なんで一緒にやってたのに西原ばっかり持ち上げるんだっていうような気持ちが溜まってて。俺、漫才のコンビが仲悪いっていうのはあのとき初めてわかった。渡辺和博さんのときはそんなこと全然なかったんだよ、上下の関係だから。ある日ウチに帰ったら、締切だからだけど編集者が家にいて、「なんでお前がここにいるんだ！」って、俺はもう酔っ払ってるんだけど、酔っ払ってる俺の前で「締切です」って言うぐらい運の悪い編集者はいないよね（あっさりと）。メチャクチャになじった上に、西原に電話して「お前なんか！」とか怒鳴ったらしいんだ。

——最悪じゃないですか（笑）。

神足 うん。それで終わっちゃったんだよ。

——人気連載がそれでポシャッた（笑）。

神足 ポシャッた。西原が「じゃあやめます」って言ったの。あいつは冷静に俺の言うことを受け取った。でも俺は酔いが醒めて、「やめるのやめようよー」みたいな（笑）。

——ダハハハハ！　最悪だ（笑）。

神足 言ったんだけど、ダメだった。それで出版社とかもアッサリ「じゃあやめましょう」みたいな、冷たいもんだなと思ったな。

——朝日側もいろいろ困ってたんでしょうね、たぶん（笑）。締切で家に行けば罵られで。

神足 そんなことない。普通はちゃんとやってた。そのときはタイミングが悪かっただけで。どうしようもないね。いい話あった？

——面白いですよ！　どうしようもなさひっくるめて、会うと好きになれます（笑）。

神足 もっとちゃんとまともな人に見えるよな。テレビでコメントしてるときとかは。

——会ったらデタラメな感じに惚れますよ！

布袋さんには約束したから、
コンプレックス再結成。
僕がボーカルで！

上杉隆

UESUGI TAKASHI/2011年3月29日収録

1968年生まれ。福岡県出身。ジャーナリスト。株式会社NO BORDER代表取締役。元自由報道協会代表。都留文科大学文学部英文科卒業。 大学在学中から富士屋ホテルで働き、卒業後NHK報道局・26歳から鳩山邦夫の公設第一秘書・ニューヨーク・タイムズ東京支局を経て、2002年、フリーランスジャーナリストとして活動を開始し、同年「第8回雑誌ジャーナリズム賞企画賞」受賞。雑誌や書籍などで主に政治記事を執筆。2014年の東京都知事選では、細川護熙選挙対策本部の一員として活動した。

震災直後で大忙しの頃

――ボクも出演しているTBSラジオ『小島慶子キラ☆キラ』から上杉さんだけ3月いっぱいで突然降板することになったわけですけど、今日はよりによって上杉さんが最後の出演を終えた直後にTBSの入り口で待ち合わせしてインタビューするということで、これでボク、完全に上杉派だと思われますよ！

上杉 もう絶対そう思われますね（笑）。

――担当編集者が事情もよくわからないで、勝手にスケジュールを組んだだけなのに！

上杉 中立を装ってもダメですよ。さっき、「このあと豪さんに会うんです」って言った瞬間に、神足（裕司）さんとか小島（慶子）さんが「えぇーーーっ！」てビックリしてましたから。狙ってセットしたと思われてて。

――ボクは何も計算してないです！

上杉 （無視して）まさか降板の日に豪さんが上杉派閥に入るとは……。調べてみたら僕の派閥って、誰もいなかったんですけどね。

――上杉さんのコーナーだけ、時事性が高いからって理由でポッドキャストが1週間で削除されるようになったときは、「お前のネタは時事性がなくて古いって言われてるみたいな気がするから、ボクのも1週間で削ってくれ！」って訴えたことはありましたけどね。

上杉 あれひどいですよね（笑）。そうなると町山（智浩）さんも時事ネタじゃなくて妄想ネタということになるから（笑）。まあ、こうなってよかったです。

――よかったんですか？

上杉 悲しいですけど……。今日は、この取材が終わったら東京電力の会見に戻るんですよ。……ところでこれ、何の取材ですか？

――『BREAK Max』っていう、『BUBKA』の姉妹誌なんですけど……。

上杉 昨日、僕、『BUBKA』の取材を頼まれたけど、ちょっと忙しすぎて受けられなくて。

――なんの取材だったんですか？

上杉 知らない。いま全部断ってるんで。

――すみません、そんな忙しいときに。

上杉 中身じゃなくて人で選ぶんで。豪さんだから受けたんです！ で、今日は何について話せばいいんですか？

――TBS批判とかじゃなくて、これまでの上杉さんの人生について聞くだけですけど。

上杉 あ、そういう話なんだ！

――新宿出身なんですよね。

上杉 そうです。新宿育ちで、ジャーナリストやってると……いきなり話が飛んでるけど最初、99年から01年まで『ニューヨーク・タイムズ』にいて、それから完全なフリーランスになるんですけど。この業界には派閥みたいなものがあるんですよ、フリーの業界なのに。二木（啓孝）さんや高野（孟）さんのインサイダー系のグループとか……いきなりぶっちゃけてんなあ（笑）。僕は外資というか外様だから、そこに入ってないわけですよね。そうすると、最初のうちは各派閥からオルグ的な勧誘があっていろんな飲み会に行くんです、『噂の真相』軍団とか。

――新宿ゴールデン街的なグループだとか。

『ニューヨーク・タイムズ』
1851年に創刊。本社はニューヨークに本社を置く、アメリカを代表する新聞。東京支局が朝日新聞東京本社内に設置されている。上杉はリサーチアシスタントとして、東京支局に所属していた。

上杉 そう、基本は全員ゴールデン街なんですよ。立花隆さんだって「ガルガンチュア」って店出してたくらいだからあっちでしょ。新聞記者もテレビ記者も実はゴールデン街に結構行ってるんです。僕、ゴールデン街に2回ぐらい連れてかれたんですよ、出版社みんな好きだから。でも、まったく関心も興味もなくて。どうしてかっていうとそこは中学校の学区域に隣接していて、友達の親父とかお袋があそこで商売やってるんですよ、ヤクザだったり、歌舞伎町の風俗店の経営者だったりして。そうすると、ちっちゃい頃からあそこ行ってるから憧れもなにもない。子供のときにいたとこって、そこを抜け出したいと思うじゃないですか、人間って。

——新しい世界に行きたいわけですよね。

上杉 そこから抜け出したのに、なんで大人になってまた戻って来なくちゃいけないんだって（笑）。とにかくそこを抜け出したいがために外に出たのに、よりによってそこに戻るっていうのは考えられなくて。

——新宿では飲みたくないってことですね。

上杉 絶対飲みたくないですね、ホントに！

——お酒が飲めないわけではないんですか？

上杉 議員秘書だった頃はいやというほど飲んでましたよ。秘書ってホントに飲まなくちゃ商売にならないんで。胃と足と肝臓を使って働くんです。たとえば、選挙区担当秘書だと新年会周りなどをします。そうすると1日20件ぐらい行くんですよ、会合は重なるから。それでお酌して返杯でそれこそ前後不覚になるまで呑まされる。

——でも、最近は全然飲んでないですよね。

上杉 もうまったく。ここ1年半以上は。

——それって飲むとトラブルに巻き込まれるからなんですか？ 痴漢の冤罪で逮捕されないために電車に乗らないのは有名ですけど。

上杉 電車は絶対乗らないですね。飲まなくなったきっかけは、検察批判。２年前ですね、最初にテレビや新聞で私が批判し始めたのは。要するに大手メディアの誰もが検察に疑いを持ってない頃でした。まず、小沢一郎事務所の大久保（隆規）さんが2年前の3月に逮捕されるんです。もちろん小沢さんのフォローをするつもりはまったくないけど、あまりにも検察の逮捕のしかたがおかしい、と疑義を呈するわけです。あれは単なる政治資金収支報告書の書き間違えなんですよ、金額は合ってて時期がズレてるだけで、あれでやられたら国会議員秘書、全員アウトだから。修正すればいいだけなのに逮捕したんですね。だから「これはおかしいでしょ、いくらなんでも恣意的だ」っていうことで検察に説明を求めるんです。樋渡検事総長、佐久間特捜部長に記者会見を開けって。さらに石川ともひろ議員の女性秘書の子供を人質に取って脅したという民野検事の悪行を『週刊朝日』で書くと大騒ぎになったわけですよ。

——当然、検察が怒ったら何をしてくるかって考えたらガードを固めないとっていう。

上杉 そういうことです。もともと元法務大臣の事務所にいたから、検察のそういうやり方は知っていました。ぶっちゃけて言えば佐久間特捜部長、もともと鳩山さんの勉強会にいたんです。これ初めて言うんですけど。実はそうした間柄なんです。だから、検察も「上杉だけは相手にしたくない」みたいな。

——知ってるからこそですよね（笑）。

上杉 だから抗議が来ても、僕の名前は全部外されてるんです

立花隆
文藝春秋の記者を経て、60年代中頃からフリーライターとして活動を開始。政治系のルポを手がける傍ら、サイエンスや医療の分野でもノンフィクションを手がけている。文中に出てくるバー「ガルガンチュア」は70年ごろから数年間営業していたが、立花隆が中東・ヨーロッパの放浪旅行に出発するため閉店となった。

小沢一郎
69年に27歳の若さで参議院選挙に当選。以降、政治の様々な局面で存在感を発揮しつづけている大物政治家。自民党をはじめとして様々な党を渡り歩き、結党や解党を繰り返したことから「壊し屋」の異名を持つ。

鳩山さん
鳩山由紀夫。政治家の家系に生まれ、86年に衆議院議員に初当選。09年には第93代内閣総理大臣に就任。しかし、政治資金問題などが浮上し、10年に辞任。政界引退を表明するが、現在でも独自の外交などを行っている。

よ。たとえば以前、外務省が僕の記事に対して抗議してきても「上杉隆」という名前だけを外すんです、原稿を書いた人間なのに。『週刊朝日』のときも『週刊文春』のときもそうですね。私は抗議されてない。だから反論しようがないんですよ。安倍晋三首相も、平野博文官房長官もそうだったし。でも向こうは抗議したって言うから、周りのシンパが勝手に、上杉には抗議したんだと勘違いして盛り上がっちゃう。巧妙なんですけど、抗議したっていうアリバイ作りたいから。で、検察批判したときに、元法務大臣の人脈を通じて、「気をつけろよ、本気で怒ってるぞ」と脅してきたわけです。要するに、「いまはいいけど、ほとぼりが冷めたら必ず取りに来るから気をつけろ」という忠告ですね。

——別件で逮捕するってことですか？

上杉 そのとき言われたのが、「まず電車に乗るな」で。「なんでですか？ 突き落とされるからですか？」って聞いたら、「そんな古典的なことやるか。簡単だよ、3人いればいいんだよ。お前がホームを歩いてて、いきなり女の人がキャー！って叫んで、男がお前の腕を掴む。そして、まったく知らない振りしたもうひとりの男が、『あの人、触ってました』って、この証言で終わりだから。もうそうしたら何をいいわけしても動かない」っていうふうに言われたんです。まあ、新幹線とかはしょうがないけど。それで最初タクシーで移動するようにしてたんだけど、タクシーってお金かかっちゃうし、結構面倒なんですよね。だからもう車で移動しようと思って。

父親からの異常な虐待

——それでお酒が飲めなくなった、と。もともと子供の頃から、お酒は相当飲まされてきたような環境で育ってきたわけですよね。

上杉 そう。ウチの親父が変わってて、小学校2年生のときにタバコとお酒を無理矢理やらせるんですよ。親父は会社から帰って来ると、いつも着流しみたいなの着て近所を下駄で歩くのが恥ずかしくてね。ヤクザじゃないんですよ、普通のサラリーマンなんですけど。それで一升瓶をポーンと置いて自分で注ぎながらいつもご飯食べてて、それで小さい僕に「飲め！」と。当然、子供だから、飲むと心臓バクバクするじゃないですか。

——え！ いきなり日本酒だったんですか？

上杉 そう、日本酒。とにかく子供からすると酒って最高に不味いんですよ。でも、「なんで飲めないんだ！」って言われるから、嫌々飲んで。そのあとに顔真っ赤になって心臓バクバクして苦しくなるのを見て親父がギャハハッて笑ってて。完全に虐待（笑）。

——酒には強くなりそうですけどね。

上杉 でも、あれで嫌いになりましたね。高校のときコンパとかでも正直あまり飲みたくなかった。あとはタバコも暇さえあれば吸わされて。「ほら、吸うか？」「いや、ぼく、いいよ」「なんで吸えないんだ！ これぐらい吸えなくちゃ立派な大人になれないぞ！」って、小学生にですよ？ それで吸わされて僕はむせるわけですよ。

——で、爆笑して（笑）。

上杉　また笑ってて。だからそれがトラウマでタバコ嫌いになっちゃってそれ以降1本も吸ってない。タバコの煙も嫌いですから。

――あとは麻雀でしたっけ？

上杉　麻雀は小学5、6年生ぐらいから。とにかくギャンブル親父で、破天荒で有名だったんですよ。たとえば幼稚園のときなど、たぶん会社はちゃんと朝行ってるんですよね、家にはいなかったから。で、夜は必ず麻雀か飲み屋に行って、夜中に帰って来て、また僕が起きる前にいなくなってるんですね。土曜日までそれが続いて、日曜日は朝からパチンコか競馬場。だから家にいないんですよ。こっちは子供だからどっか連れてってほしいじゃないですか。生まれて1回も連れてってもらってないから、幼稚園の年長ぐらいになってから「連れてってくれ、連れてってくれ」って頼んだら、「わかった！」って1回だけ連れてってくれたんですよ。

――良かったじゃないですか。

上杉　良くないですよ！「来週の日曜日だ」って言われて、こっちは喜んでたわけですよ。で、日曜日の朝、「行くぞ」って。「やっとパパと一緒だ！」みたいに喜んで、電車降りたらおじさんたちがブワーッて歩いてるんですよ。そしたら競馬場で、「ほら、お馬さんきれいだろ？　お前、ここで遊んでろ」って言われて、すべり台とかトランポリンとかがある子供の遊び場に置いてかれて。

――放置されたんですね（笑）。

上杉　ひとりで置いてかれたんですよ。周りの子供たちはお母さんとかと遊んでるんですけど、僕はひとりぼっちだから遊ぶにも限界があるじゃないですか。面白くないなと思ってたのは覚えてます。で、昼になって親父が戻って来たんですよ。ホットドッグとヤキソバかなんか持ってきて、もう帰るのかなと思ったら、「ちょっと待ってろよ」ってまたどこか行っちゃったんですよ。で、ずーっと待ってて。

――もうやることもないのに（笑）。

上杉　夕方になってまだ馬は走ってるけど、どんどん人がいなくなってポツンとなって。

――捨てられた気分ですよね。

上杉　そう、「僕、捨てられたんだ」と思って。そしたらやっと最後に現れて、「おう、帰るぞ」って。それが人生唯一の親父と二人での一緒の外出、本当に。

――せめて後楽園の場外馬券場とか、もうちょっと楽しそうなところだったら（笑）。

上杉　そう（笑）。後楽園にはよく馬券を買いに行かされてました。日曜になると家に戻って来て、「買って来い！」って言われて、自転車でブワーッて走って。いつも競馬場とパチンコ屋に行って、家で麻雀やって。

――一緒に麻雀やらされてたんですよね。

上杉　麻雀は、ウチがもう雀荘と化してたんですよ。そういえば小さい頃、親父は女の子を連れてきていたなぁ。あれ、たぶんキャバレーとかから、毎晩ひとりかふたり女の子連れて来て。だから、小さい頃の思い出は、いつも夜中になるとお姉ちゃんたちが遊びに来てたことで。で、弟が可愛がって飼っていたセキセイインコとか勝手にあげちゃったりして、弟が泣いたりしてたのよく覚えてるんですけど。で、家で飲むわけですよ、そのお姉ちゃんたちとウチのお袋が料理を出して。

――あ、お母さんも一緒なんですか。

上杉 普通に飲んでて。それが普通かなと思ってたんですよ。で、たまにひとりだけ来るお姉ちゃんがいて、たぶん愛人なんですよ。1回だけ、ウチのお袋が唖然としてたのが、これはそのときに聞いたのか、あとから聞いたのか忘れちゃったんだけど、親父がものすごい怒ってたんですよ。「騙された！」とか言って。なんで怒ってるかっていうと、「キャバレーかなんか行ってホステスといい感じになって、そのあとホテルに行って、裸になって触ったらチンチンついてやがんだよ！」ってお袋に怒って、ウチのお袋はどう対応していいかわからなかったっていう（笑）。

――ダハハハハ！　それは困りますよ！

上杉 そういう家庭で。これは村上隆保さんと一緒に作った本『結果を求めない生き方』でも結構バーッとしゃべったんですよね。それは書くつもりなくて、雑談で話したんですけど、そしたらそれを書きたいって村上さんが言うから、「いや、雑談で話したことだから。ウチの母親もいるし、ちょっと聞いてみる」って、お袋に聞いたら、「そんなウチの恥をさらすなんて」と（笑）。妹も「嫌だそんなの、絶対恥ずかしいから。私は全部外して」って。弟はプロボクサーなんですけど「俺も嫌だよ」って。お袋も「なんでそんな恥をさらすの？　ひどい！」とか言ってるから、「じゃあ印税全部あげるから」って言ったら、「じゃあいいよ」って（笑）。

――ダハハハハ！　あっさりと（笑）。

上杉 でも削って、あれは10分の1ぐらいしか載ってないんですよ。もっとひどい。ウチの父親のひどさっていうのはすごいから。

――そういうお父さんの下で育つと、反面教師にしようって感じになりそうですよね。

上杉 なりますよ！　ずっとこういう大人にだけは絶対ならないと誓ってましたから。ウチは「勉強するな！」って家だったんですよ。「勉強は学校でするもので、子供は家に帰ったら家の手伝いをしろ」と。手伝いっていってもマッサージとか麻雀だったりするだけですけど。

――「だったら酒のつき合いでもしろ」と。

上杉 そう、それは一貫してて。当時、『サタデーナイトショー』っていう番組があったんですよ、明石家さんまさんが若手の頃に出てて。うしろが鏡張りのセットで、エッチな番組なんですよ。それが始まると夜中なのに必ず起こされて、「ほら隆、観ろ！」って。

――ダハハハハ！　なんで（笑）。

上杉 小学校6年生のときに初めて女の子とつき合ったんです。中1のときに別の子ですが初デートで映画を見に行くんです。新宿に行くとみんな知り合いだから、池袋に行こうってなって、そう確か『ハイティーン・ブギ』でした、それを観に行ったんですよ。

――近藤真彦主演の映画ですね。

上杉 そう。で、1回学校から家に帰って、ガイコツブラシみたいなヤツで一生懸命髪の毛をとかして、ドライヤーかけて出かけようとしたら、ウチの親父がいたんですよ。「どこ行くんだ？」って言うから、「遊びに行くんだよ」って言ったけど、やっぱりわかるんですよね。

――あからさまに浮わついてますからね。

上杉 そしたらいきなり、「おい隆、来い」「なに？」「持ってけ」って、コンドーム渡されて。「いや、そんなのいいよ」って。

村上隆保
集英社の雑誌『Bart』や『週刊プレイボーイ』などの編集に携わり、01年に編集プロダクション「湘南バーベキュークラブ」を設立、代表取締役に就任。編集・ライターとして活動。また、自由報道協会の理事も務めている。

『サタデーナイトショー』
81年から84年までテレビ東京で放送されていたお色気バラエティ番組。司会は明石家さんま。好視聴率を記録していたが、テレビ局側の意向で番組が終了。これに憤慨した明石家さんまが、テレビ東京の番組に出ないという確執を生んだ。

『ハイティーン・ブギ』
人気絶頂期の近藤真彦が主演した青春映画。共演に田原俊彦、野村義男、武田久美子。監督は舛田利雄。公開は83年。マッチが歌う同名タイトルの主題歌もヒットした。

――まだ早いですよね（笑）。

上杉　初デートですよ！「使わないからいいよ」って言ったら、「バカヤロー、男の責任だ！」って明らかに違う感覚で言うんですよ。もちろんそれは置いて行きましたけど、恐ろしい親でしたね。そうそう、麻雀は、小学5年生ぐらいから家が雀荘と化してるから、毎晩誰か近所のおじさんたちが来てたんですよ。

――当たり前のようにお金が動いて（笑）。

上杉　ええ、普通に。近所の人が代わりばんこに来るから、ずっと朝までやってるんですよ。それでも、平日だからときどき人が足りなくなるときがあるわけですよ。そうすると「おい隆、入れ」って言われて入る。

――代打ち（笑）。

上杉　「小学生だから、まあしょうがない、テンイチでいいや」と。「でもテンイチじゃつまんねえな」とかブツブツ言いながら（笑）。で、やりだしたんですね。でも大人が相手でしょ。絶対最初は負けるんですよ。

――カモられるんですか？

上杉　テンイチでも絶対はがされてました。でも子供からしたら、テンイチだろうがなんだろうが、負けると悔しいわけですよ、お金ないし（笑）。やりたくないのにやらされて、小遣い巻き上げられてて。「勝負に大人も子供もねえんだ、全部払え！」って払わされて（笑）。とにかく厳しくて。中一になるとテンサンになるんですけど、その頃には中学の同級生もウチに集まって入ってくるんです。まあ、暴走族グループですけど（笑）。僕がいなくても公に麻雀できる家だからラッキーだと思ったんじゃないですか。でも、その中で金を払わないヤツがいたりするわけですよ。「すいません、おじさん、今日お金持ってきてないんです」って言うと、本気で怒るんです。「ふざけんな！　てめえ！　このクソガキが！　家に帰って持って来い！」って。

――ダハハハ！　問題になりますよ！

上杉　子供相手に本気で怒るから、何回かPTAから苦情があったり、親が怒鳴り込んで来て。「なに考えてるんですか！　子供に賭け麻雀やらせて！」って言われて。そりゃその通りだと思うんですけど。お袋が「すいません、すいません」って謝ってるんだけど、親父がいたりすると、「なんだてめえ、この野郎！」って（笑）。

――「負けて金を払わないのが悪い！」と。

上杉　そう、ほとんどキチガイなんです（笑）。「金払わねえほうが悪いのに、なんで俺が文句言われなきゃいけねえんだ！」ってことで。

――それなりに筋は通ってますけどね（笑）。

上杉　で、そのうち学ぶんですよ。要するに勝てる麻雀なんていうのは、4人いるわけだから勝つ確率は4分の1じゃないですか。どうすればいいかっていうと、振り込まなければいいんですよ。負けなきゃいいんで。とにかく負けない、2位でも3位でも。そういう固い麻雀を中学校にして覚えるわけです。で、高校になって雀荘とか行くと、面白くないわけですよ。都立の広尾高校だったんで青学の大学生たちとかと打つわけだけど、こっちはもう雀歴が4～5年あって大人たちとやってるわけですから。向こうはまだ初心者なんで、ショボすぎて。

――圧倒的な実力差で（笑）。

上杉　だから高校の頃は誘われればやってたんですけど、イー

MONDAY TO FRIDAY
VANS

チャンがせいぜいですね。

——お父さんと似てる部分はありますか?

上杉 ウチの親父はギャンブルでの博打ですけど、僕は人生そのものが博打になってるって母親に言われました。「全然似てないと思ったけど、やっぱり似てるわ!」って。ウチの親父はサラリーマンで、最初は三菱重工系列の子会社なんですよ、九州の大学出て、北九州の本社で働いたらしいんですけど、東京の本社に転勤してそのまま東京に居着くことになる。その後も左遷されて子会社に飛ばされたりして。それで横須賀に赴任したときに、僕が生まれた頃ぐらいかな? 大骨折したらしいんですが、その理由がまたキチガイ。ある日、横須賀を会社の営業車で走っていたら自衛隊かアメリカ軍の車両に抜かれたらしいんですよ、煽られて。それも幅寄せしてきたからカーッとなったらしくて、向こうが信号待ちしてるときにうしろから「この野郎!」ってぶつけたらしいんですよ。そしたら自分の車がグチャッてなって、足を複雑骨折してしばらく会社休んだんですよ。

——うわーっ! まあ、外車のほうが丈夫なのは当然ですから、そうなりますよね。

上杉 当たり前ですよね、向こうは装甲車みたいな車だから、軍用の。それで僕が19歳のときに免許取ったんですけど、そのときに「お前、気をつけろよ。自衛隊とかアメリカの車は強えから」ってひと言だけ(笑)。

——ダハハハハ! それがアドバイス!

上杉 それで、「なんで?」って聞いたら、「昔なあ、ぶつかったことあったんだけど強かったんだよ」って初めてその話を聞いたわけです。あとで細かい話をお袋に聞いたら、「バカだから……」って。そういう感じで、基本的に狂ってますよね。

——完全にどうかしてます(笑)。

上杉 あともう1個狂ってるのは、当時、武器輸出三原則でダメだったらしいのに、その会社で働いてて武器を輸出してるのがわかったらしいんです。当時、九大かなんかの同級生が『朝日新聞』の記者やってるんですね、あと『西日本新聞』の記者もいてよく親父とツルんでたんですけど。その人たちにリークしたんですよ。

——「ウチの会社は武器を輸出してる」と。

上杉 ええ。そしたらそれが会社にわかって。まあ、わかるように言ったのかもしれませんけど、上司から「共産党みたいなことをするな!」って怒られて。それで頭にきたんで、会社に飾ってあるベアリングかなんかの模型の重いのを持ってきて、それを上司の足の上にバーンッて落としたらしいんですよ。それで骨折させて。それで飛ばされた。

——ダハハハハ! それは左遷されますよ!

上杉 いまだったらたぶん傷害事件に問われますよね。狂ってるんですよ、ハッキリ言って。そういう自分勝手な人間でした。

——でも、そういう頑固さとかは似てるのかもしれないですね。組織と闘う姿勢とか。

上杉 全然違うから(笑)。その親父が、「子供はみんな15歳になったら家を出ろ」って勝手に決めてたんですよ。「15歳までは義務教育だけど、15歳すぎたら日本は面倒見なくていいんだ」「中学出たら自分で働け」と。ちょっと違うと思ったんだけど。でも1回言ったら頑固だって知ってるわけじゃないですか。これは本気だなと思って。

——家に居てもいいけど、それなら家賃を1日2000円払

わされる制度でしたっけ？
上杉　そうなんですよ。で、「家で勉強するな」って言うから、隠れて勉強するわけですよ。反抗期だから「勉強するな」って言われたら勉強するわけです、どっかでこっそり。中学のときはほとんど家に帰ってないから。

関東連合の総長と友達

――新宿の不良だらけの世界とは違うところに行きたくなって勉強したわけですよね。
上杉　中学校の友達はほとんど全員暴走族でした。高校になってグレているのは「高校デビュー」といってバカにされる。高校生では遊んでるヤツいないから、中学校で全部終わるんですよ。暴走族も中学生だから。高校生になって免許取って暴走族やるんじゃなくて、中学生のときですからね。
――無免許で乗るわけですからね。
上杉　中学3年生で引退なんで。
――すごい悪い学校だったんですよね。
上杉　そうですね、年によって当たり外れあるけど、とにかく当たり年だったんです。
――上杉さんはボクの2コ上だから、横浜銀蝿とかの不良ブームの全盛期ですもんね。
上杉　『ハイティーン・ブギ』もそうだけど、銀蝿もそうだし。あと当時はまさに関東連合の初期の……いまの関東連合じゃないですよ、ホントのいわゆる関東連合があって。
――暴走族を束ねてる組織だった時代。
上杉　その一団だった新宿の暴走族で、僕の一番仲よかった小林ってヤツがその8代目総長で。それは中1のときから一番の親友で、すごく仲良かったんでたんですよ。僕はもちろん暴走族には入ってないけど、……要するに遊んでると一緒に集会とかに連れていかれちゃうわけですよ。最初のうちはバイクのうしろに乗っかるとかやってたんだけど、まったく生産性がない、バカみたい、うるさい、面白くない。「これのなにが面白いんだ！」って（笑）。
――ダハハハハ！　当たり前ですよ、そういうことは冷静に考えちゃダメです（笑）。
上杉　なんにも面白くないし、みんなシンナーとかやっちゃって危ないし。あとクスリですよね。マリファナとかLSDとかそういうのをやってた友達もいたけど、僕はまったくいいと思わなかった。
――お父さんが酔っ払うのが嫌だったら、それは嫌でしょうね。だったら勉強しようと。
上杉　そう。で、絶対この新宿から抜け出そう、この世界から抜け出さないと自分の人生は終わると思ったんです。それで中3のときから、年ごまかして高1の振りしてバイトするんですよ。それで高校の受験資金を貯めるわけです、こっそりと。で、都立高校を受けて。私立なんて受けられないから。それで合格したんですけど、その直後、ホントに家を追い出されたんです、「出てけ」と。「泊まってもいいけど1泊２０００円」と。「月6万円かよ、じゃあ家なんか出るだろ」って。
――普通にアパートでも借りますよね。
上杉　ただ、連帯保証人とかいないからね。
――え！　親もなってくれないんですか？
上杉　なってくれない。だから最初のうちは苦労しましたよ。

横浜銀蝿
79年に結成、81年にリリースした『ツッパリハイスクールロックンロール（登校編）』が大ヒット。そのファッションや言動で80年代初期に「ツッパリ」ブームを巻き起こした。

関東連合
乱立していた暴走族の連合体として76年に結成。やがて世代を経て、一時は有名無実化していたというが、90年代後半ごろから新たな世代が台頭。関連メンバーが数々の事件を起こし、再びその名がクローズアップされた。

友達のとこ泊まって、昼間だけ家に帰って洗濯だけしてまた出て行くとか。あと、当時渋谷にレンタルルームっていうのがあったんですよ。1泊2000円ちょっとで泊まれるんですよね、エッチなことする用に。高校2年生ぐらいまではそこが一番多かったかな。あとはカラオケ屋の上に住んでる女の子の家とか、友達の家を泊まり歩いたりなんかしてました。最後は渋谷の居酒屋で、すずめのお宿っていうのがあって。そこと王将と、いくつか掛け持ちでバイトしてたんですよ。そこの仮眠室に泊まって学校に行ったり。とにかくずっと働いてましたね。

――未成年でそういうことをやっていて。

上杉 そう、ずっと。当時、新風営法施行前だったんで、べつに働いてもいいんですよ、高校生でも朝5時ぐらいまで。それで働いて。当時、カラオケボックスがまだなくて、カラオケスナックのステージで歌ったり、あるいは渋谷センター街入口の「ビッグアップル」には行かなかったけど、別のディスコに行ったり、そういうところで知り合った先輩の家に遊びに行ったり。

――当時は何になろうと思ってたんですか?

上杉 自分の生活が忙しくて。

――食べることしか考えられないわけですか。

上杉 それが最初。確かに最初は面白かったんです、渋谷で遊んでるのも。まだチーマーとかいない、平和なカラス族や渋カジの時代ですから。

――10代半ばだったら刺激だらけだし。

上杉 女の子も可愛いし、芸能人もいるし。それで楽しかったんですけど、だんだん虚しくなってくるんですけどね。あのときは、ずっとゴルファーになりたかったんですよ。

――そうか、泥棒ゴルファー時代ですね。

上杉 そう、ジュニアゴルファー時代。だからこそ大学も地方大学を選んだんですよ。でも金がないから、共通一次を全部金出して受けて。地方だったら寮があるだろう、寮があるんだったら、地方だからゴルフ場もあるだろうっていう超短絡思考ですよね。地方は緑が多いからゴルフ場があるに決まってる、みたいな。

――それだけの理由（笑）。

上杉 そうそう。それで地方の国公立大学を3つぐらい受けて。で、都留文科大学っていうところに受かるんですけど。日本文学が好きだったんですよ。だから、A日程が信州大で、北杜夫、斉藤茂吉の人文学部を受けて、B日程が筑波大学の日本語学科、全寮制だからこりゃいいやと思って。ゴルフ部も強いし。で、当時はC日程でもう1個受けられたんです。それが山梨の都留文科大学で。それはついでに受けようと思って受けるんですけど、最初はトドメって言ってたくらいですからね。

――ツルって読めなくて（笑）。

上杉 で、受けようと思って、国文科を受けるつもりで願書を書いていたんです。で、書き終ってパッと見たら申し込み書が英文学科ので、「うわ、間違えた！　でもいいや、どうせ行かねえからこれで」って思って。そしたらそこしか受からなかったというわけで、英文科に行くことになったんです。

――ホント適当ですよね、そういうとこ。

上杉 しかも英語は一番不得意だったんですよ。英語の歌とか聴くのは好きだけど、文法とか大嫌いだったんですよ。つまんねえなと思って。でも試験が変わってて、2問しか出なかった。しかも、ブワーッてものすごい長文の英語が書いてあって、「これを日本語に要約しなさい」っていうのが2問。これだけなんですよ。で、その日、僕は下田っていう高校の友達の家に泊まったんです。会場が代々木ゼミナールで、珍しく全国で試験受けられる大学だったんで、代々木のその友達の家に泊まって。でも、下田はスキーに行っちゃってるんですよ。それで下田のお母さんが「上杉君、今日受験でしょ、最後だから頑張って。ほら、ボーッとしないで！　ご飯食べながら新聞でも読んで」って渡されたんですよ。そしたら新聞に捕鯨問題のことが書いてあったんですよ。

――それをボンヤリと読んで。

上杉　それで試験場行ったら、長文の英語の中に「whale」って書いてあるんですよ。きっとこれは捕鯨問題に違いないと思って、適当に読んで想像で書いたんです。で、2問目が「13century」「Cinggis Qan」みたいなことが書いてあって。世界史好きだったからモンゴル帝国だったら得意なんで、読まないでブワーッて書いて。

――そしたらだいたい合ってた。

上杉　どうせこの大学は行かないからいいやと思ってたら。でも、結局そこしか受からなかった。受かったのも偶然、下田のお母さんが新聞くれたから。

――適当すぎますよ（笑）。

上杉　A日程でも結構いい加減で、信州大学受けたときに、当時つき合ってた女の子の親友が松本に住んでて、受けに行くときにお金がもったいないから深夜バスで行って受けようと思ったら、それだと間に合わないんですよ、朝9時の試験に。で、前の日から行かなくちゃいけないけどどうしようと思ったら、「私の親友がいるから、その家に泊まったら？」って彼女に言われて。「え、いいの？　どうしよう？」って思ったわけですよ。

――試験どころじゃなくなりますね（笑）。

上杉　で、前日に松本に着いたら、その子が結構可愛い子で。試験前に松本城を案内してくれたんですよ。で、ご飯一緒に食べて。で、いよいよどうしようと思って期待して家に行ったら、当たり前のように実家でした。

――まあ、高校生ですからね（笑）。

上杉　古い和菓子屋さんで、そこの蔵みたいなところに「はい、あなたはこちらね」って。で、次の日の朝ちょっと寝坊したんですよ。朝ご飯食べてたら、「大丈夫なの？」って言われて。「大丈夫です、朝9時からですから」って言ったんだけど、よく見たら8時40分からで。20分遅刻すると受けられないんです。ジャスト20分遅れで着いた。「東京から来たんで」って一生懸命交渉して受けさせてくれた。でもやっぱり時間が足りなくて、これは受からないなと思ったんですね。

――それで駄目になって。

上杉　で、筑波も受けたんですけど、担任のムラタイワオっていう先生がですね……これは名前書いていいです。その担任が「お前、筑波どうすんだ?」と。筑波は当時、土浦からバスだったんですよ。バスの時間が絶対朝9時に間に合わない。土浦近辺に泊まるしかないんですよ。でも東京から電車だと絶対間に合わない、始発で行っても。「じゃあ前の日に行って、土浦の駅に寝袋で寝ますんで」って言ってたら、担任が「寒いだろう、それは。俺のウチは北千住のほうだから、ウチからだったら間に合うぞ」って言うから、「じゃあ泊まります」って。新婚家庭のムラタ先生は当時27、8歳ぐらいでした。僕の方は卒業した最初の1年を渋谷でフリーターやってるから、もう高校生ではなかった。それで、「こいつは、高校のときはなにもやらなかっ

たけど、いまはこうやって頑張ってる。じゃあ前祝いだ」って、いきなりビール飲まされて。

――……受験の前日ですよね？

上杉 はい。こっちも酒好きじゃないのに調子に乗って「まあ、いきましょう」ってガンガン飲んでたら酔っ払っちゃって。そしたら奥さんが「なに未成年に酒飲ませてんの！」って怒ってて。でもこっちは調子よくなっちゃってるから、「いや、大丈夫です」みたいな。それで飲んでたら次の日、頭痛くて起きれなかった（笑）。

――そんなことだろうと思いました（笑）。

上杉 でも、ちゃんと行ったけど、頭痛くて。あいつですよ、僕の人生を変えたのは。ムラタイワオ。そのあと国立の筑波大付属の数学の先生になったんですよ。痴漢の冤罪で捕まってましたけど。

――え！

上杉 で、恩があるから助けようとして。それはどうして恩があるかっていうと、高校卒業して、そのまま渋谷でフリーターやってたんです。ところが、うちの高校ってみんな大学に行くわけですね。ここでフリーターやってても将来はないなと思って、大学に行きたい、でも家には帰れないしどうしようかと思って1回九州に行くんですよ、お祖母ちゃんがひとり暮らししてるんで。そこだったらなんにもすることないから勉強でもするしかないだろ、と。で、駿台、代ゼミ、河合塾とみんなそれぞれ予備校に行ってるから、終わったいらないテキストを送ってもらうように頼み、教材としたんです。

――娯楽のない世界にあえて行こう、と。

上杉 東京駅から夜行列車で九州に行くんですけど、いきなり「ほら、餞別」って10万くれたんです。「いや、お返しします」「いいよ、永久に貸しといてやる」って。いい人だと思って。高校のときはボロクソ言ってたくせに。「お前の椅子なんかねえよ」とか言って、椅子すら取り上げられていたくらいですからね。それぐらいの扱いだったのに餞別までくれて。これは恩返ししようと思って、その冤罪事件のとき、弁護士も含めて４００万くらいかかったんですけど、払ったんです。まだ返してもらってませんけど。僕はその10万円返したのに（笑）。まぁ、そんな先生です。

――迷惑もかけられたけど世話にもなって。

上杉 ところどころで助けてくれる人がいるんですよね。大学のときも、いまは富士屋ホテルから引退された譲原さんっていう支配人が社員寮に入れてくれたり。富士屋って当時純血主義で、アルバイトどころか配膳すら雇わなかったんですよ。社員以外は雇わない、徹底して純血主義を通してたんです。僕はゴルフしながら働けたらなと思って、ゴルフ場があるんでお願いに行ったらダメで、それでも次の日もう1回行ってみると、本社と交渉してくれてて。で、初の富士屋社員寮の非社員の住民になるんです。それは、学生が社員寮に住んで働くと問題があるけど、社員扱いでシフトに入って、たまたま学校に通ってるんだっていう形にしてもらったんですね。だから、学校から帰って来て夜6時か7時から夜中までバーテンの補助をやって。

政治の裏金交渉を目撃

――そこでバーテンをやっているときに政治関係の面白さに目覚めるわけですよね。

上杉 金丸（信）さんとか石原（慎太郎）さんとか来たんで。あと岩城滉一さんとか。

——あ、岩城滉一も！

上杉 矢沢永吉さんも来てましたね。矢沢さんと岩城さんカッコよかったな。全部自腹でしたよ。でも、普通、他の芸能人とかは……。

——スポンサー的な人と一緒に来るのに。

上杉 そう、必ず誰かに奢らせるとか領収書を切ったりしてたけど。岩城滉一さんは、ホテルの隣に自分のお店を出してたんです。そこにいつも座って湖を見つめて、カッコいい親父でしたね。で、たまに若い人たち連れて来て、飲んでるとサーッと行っちゃうんですよ。で、ドーンとお金を置いて、「これで払っといて」って。要するに、自分がいるとみんな気ぃ遣っちゃうから、「飲ましてやって」って。それで余ったお金を次の日に「お釣りです」って持ってくと、「チップだよ」って。意外とカッコいいでしょ？

——意外とって（笑）。

上杉 意外とカッコいいですよ。

——石原慎太郎はカッコよくないんですか？

上杉 ダメ。

——ダハハハハ！　やっぱり！

上杉 なんか、あんまりいい印象はなかったですね。とりあえずそんな感じで政治家も来てたんですよ。金丸先生とか来てたり。あと地元の県議会議員とか村議会議員とか村長とか、溜まり場になっていたんですよ。山中湖村で飲めるところなんてホテルのバーぐらいしかないから。で、飲んでて選挙が近づくと、普通に「あそこにいくら払った？」「30万です」「ダメだよ、50万置いてこないと」とか（笑）。これすごいなと思って。

——黒い話が普通に交わされて（笑）。

上杉 あとね、サービスエリア作るときも……これ言っちゃうとマズいのかなあ？

——エロ本だから大丈夫ですよ（笑）。

上杉 サービスエリア作るときも、金丸先生の弟さんの会社が「あそこはウチがやりたい」「わかりました」って簡単に何億の入札が引っくり返っちゃう。その話を目の前でしてるんですよ。「いいのかよ、これ?」と思って。あとね、要するに村長選挙のときは二手に分かれちゃうわけです。親戚とかで固まっちゃって。そうすると、3000人のうち投票するのが2000人としますよね。で、950票ずつぐらいに分かれちゃうから、残りの100票を奪い合うわけです。ここに100万円払ったって任期の4年間で回収できるわけですよ。だから、そこにぶち込むんです。学生の僕にまで、いきなり両陣営がホテルのバーにやってきて、「頑張ってるね、上杉君は。で、会計はいくら?」「5850円です」「お釣りいらないから」って10万円置いて（笑）。

——多すぎますよ（笑）。

上杉 「すいません、多いです」って。1万円じゃなくて10万ですから。「いいんだよ、君は頑張ってるから。気持ちだから。これは選挙には関係ないから」って言われて。

——まあ、関係ありますよね（笑）。

上杉 あれは驚きました。だいたい相場が数十万で、受け取らないと逆に村八分になっていたですよ、当時。つまり、「あいつは受け取らなかった」みたいになっちゃって。普通にそうい

金丸（信）
58年に衆議院議員選挙に山梨県選挙区から出馬してトップ当選。政治家として重要なポストを歴任し「政界のドン」と呼ばれた。96年に81歳で死去。

石原（慎太郎）
56年に『太陽の季節』で作家デビュー。68年に参議院議員となり、政治家として活動。99年に東京都都知事に就任。11年まで4選を果たすが、辞職して再び国政に挑戦。12年の衆議院選挙に当選する。

岩城滉一
舘ひろしも所属していたバイクチーム「クールス」のメンバーだった時にスカウトされ芸能界入り。75年に映画デビューし、俳優として活躍を続けている。77年に覚せい剤使用容疑で逮捕歴あり。

うのが村全体にあって。だから、選挙が始まる前には所管の警察署に1億ぐらい持ってくんだという噂も流れていました。「今度選挙なんでよろしくお願いします」という名目で。「選挙中っていうのはホントに働かなくちゃいけないから皆さん大変でしょう。差し入れです。なにか買ってください」って1億円という噂（笑）。

――差し入れ買い放題ですね（笑）。

上杉 当時の僕は所詮バーテンの補助。それが将来ジャーナリストになるなんて当然誰も思ってないから、みんな気にせずしゃべってて。そこで政治ってすごいな、これは一発書かなきゃマズいなと思って政治部の記者にでもなろうと思って、どういうふうになっていいかわからないから、とりあえずどっかの新聞とかテレビ受ければいいんだろうと思って、それがきっかけですよね。それでNHKに行くわけですよ。まあ、経歴詐称って言われてるんですけど。

――ウィキペディアにもそう書かれて。

上杉 ああ、すごいよね。あれは……まあいいや、また長くなるから。それでNHKのときに、実は池上彰さんが僕のティーチャーだったというか。

――いまは『やりすぎコージー』とかで「黒い池上彰」と呼ばれたりしているけれど（笑）。

上杉 そう、池上さん公認なんですよ。で、NHKを辞めて鳩山事務所に入るんですけど、政治部記者だと限界があるのがわかったんですよ。だって山中湖ホテルで見たものよりも、政治部記者は何も見れないんですよ。記者ってなった瞬間に話さなくなるでしょ、政治家は。

――ガードは固めますよね。

上杉 全部話してる振りして何も話してないんですよ。当たり前ですよね。これはホントにインナーサークルに入って、政策決定過程とか見たいなって。それには政治家秘書になるのが手だと。短絡的だからその瞬間に辞めて。で、サラリーマン家庭だしコネがないから、どこ受けようかと思って。そういえばウチの小学校の近くに鳩山っていうでっかい家があったなと思って。あれは金持ちなはずだって。金持ちイコール、汚ないことはやらなくていいんだっていう、超短絡思考で。それで鳩山事務所に面接に行くんですよ。

――有名ですよね、どっちが兄貴なのかも全然わからないまま面接に行ったのは（笑）。兄弟で顔が怖くて老けてるのが兄貴だろうから、優しそうな弟の秘書になろうと思って。

上杉 そしたらなんか違う人がいて、「なんでこの人いるんだろうな、この人、お兄さんだよな」って思って、弟のほうに間違えて入っちゃうんですけど。それで面接受けて。鳩山事務所は政治家を目指す人以外はダメなんで、「ところで君は将来どこから出るんだ？」って聞くから、「え？　僕は将来はこの経験を活かしてジャーナリズムの世界に戻りたいと思います」って言った瞬間、「そんなのスパイじゃないか！」って怒られたんです。

――まあ、そうなりますよね（笑）。

上杉 その瞬間、クビになりました。で、NHK辞めちゃってるし、鳩山事務所にも入れない、どうしようかと思って、高田馬場の知り合いの家が出したカラオケボックスの昼間の店長みたいな仕事をしないかって。カラオケボックスは楽しかったですね。店長になるとアルバイトも全部自分で雇えるんですよ。男の子も女の子も。それは楽しかった……。

――どういう意味でですか？

上杉 楽しかった（笑）。

――いやらしい意味でですか？

上杉 当時、楽しい時期なんですよ。みんなで仲よく遊べるから。カラオケやりたかったら目の前にあるわけだし、みんなで一緒に旅行したり、どっかドライブ行ったりして。

――個室も使い放題だし。

上杉 そう！ ホント楽しかった。ところがその楽しいときに、鳩山事務所から「人が辞めて補充が要るんでもう1回受けに来ないか？」って言われて行ったんですけどね。

――しかし、上杉さんの基本的にふざけてるスタイルってなんなんですか？ もともとそういう飄々とした感じだったんですか？

上杉 中学校とか高校の友達とかと会うと、まったく変わってないって言われますね。だいたい先生に軽く盾突くとか、先生を茶化して逆ギレされてあとで痛い目に遭うとか、昔からそういうパターンが多かったんですよ。

――その相手がいまは先生じゃなくて、より大物になったぐらいのことですか（笑）。

上杉 そう、だんだん総理大臣とかになってきた（笑）。やってることはまったく変わってない、性根の曲がった揚げ足取りばっかりですから。それで鳩山さんのところに行って、5年で辞めて。まあ、経歴としてはそんなもんですね。

――ジャーナリスト以前の話は。でも、それまでの体験が全部活きてる気がしますよね。

上杉 そうそうそう、ホント活きてる。

ゲイ疑惑に迫る！

――時間がないみたいなので、あとは写真撮影をしながら雑談する感じなんですけど、それでもゴルフのスイングをしたりとか、江頭さんのポーズをしたりする、と（笑）。

上杉 （江頭ポーズに続いてマイクを握るポーズで）これ、吉川晃司さん。高校時代、カラオケのある店って、お客さんはいっぱい来てるのにステージで歌えるのはひとりしかいないじゃないですか。そうしたらメチャクチャうまいか、踊るか、モノマネするかどれかやらないと、普通に歌ったら「なんだこいつ？」みたいにしらけちゃうんですよ。とにかく僕は歌はメチャクチャうまくはない、そしてモノマネは……まあ、しますけど、それだけじゃウケない。だから踊りとモノマネで、「♪RAIN DANCEがきーこーえるー」と。

――あ、似てる（笑）。

上杉 とにかく踊って歌わなくちゃいけない。声も全部吉川調で。（ポーズを変えて）これは氷室（京介）さん。この前、布袋（寅泰）さんと食事のときに初めてお会いしたんですよ。高校のときが『BEAT EMOTION』なんかの時代ですから、ずっと緊張して『LAST GIGS』感動しました。東京ドームで音割れて聴こえませんでしたけど」とか言って（笑）。当時、BOΦWYのファンって男ばっかりだったんですよ。そのあと、大学生ぐらいのときに「コンプレックス」を組むわけですよ。それでどこかのライブハウスに行ったら女のファンばっかりで恥ずかしくなっちゃって。「あれ以来、布袋さんのライブ行かなくなったんです」って言ったら、「いまは男ばっかりだから、

コンプレックス
吉川晃司と元BOΦWYのギタリスト、布袋寅泰の2人で結成されたロック・ユニット。89年に『BE MY BABY』でデビュー。しかし、徐々に二人の確執が表面化し、わずか2年で活動停止。11年、東日本大震災のチャリティという名目で21年ぶり1日限りの復活ライブが開催された。

また来て」って言われて。ということは、イコール吉川晃司の女のファンがついて、布袋寅泰は男のファンしかいなかったんですよね。「わかりました、今年は」って。布袋さんのマネもうまいんだよな、ムダにジャンプする（と披露）。

――ダハハハハ！　小ネタを挟むなあ！　じゃあ、せっかくだから氷室ポーズでツーショットを撮りましょう！　こうですか？

上杉 氷室さんはただ単に足を伸ばして、こっちはちょっと体重をつま先にかけながら、でも踵は着けたまま、そしてこう。というのをカラオケボックスの店長としてやるとき、お客さんに向けてもやらなくちゃいけないんで。

――それも活きますよね、宴席とかで。

上杉 そう。秘書やってても活きるんです。

――座持ちがいいと重宝されますからね。

上杉 そう。熱海とかの後援会旅行会でお酌して周って、「歌え歌え」って言われると、おじさんの歌も歌えるんですけど、演歌系はみんな歌うから、「若いのも歌え！」って言われると、「任してください！」って吉川（笑）。

――ダハハハハ！　そこでも！

上杉 大変でしたよ。もう終わり？

――ジャーナリストとしての話は一切してないですけど、それでも良ければ（笑）。

上杉 ジャーナリストはどうでもいいと思う（あっさりと）。吉川晃司さんは神足さんの水球部の後輩だから、メールで紹介してもらって、「いつも応援してくれてありがとう」みたいな言葉ももらいました。文化放送のジングル、「♪キュッキュッキュＱＲ　ランランラジオはＱＲ　文化放送文化放送ＪＯＱＲ」って歌あるじゃないですか。あれを去年歌うことがあったんですよ。せっかくだからロック調でいってみよう、みたいな。それで吉川調でやったら結構好評で、いまだにずっと流れてて。それを吉川晃司さんが聴いたみたいで（笑）。

――バレてた（笑）。

上杉 それで神足さんが「真似で文化放送のジングルやってるよ」って言ったらしくて、「応援してくれてありがとう」って、どうでもいいメールが来ました。応援はしてないんだけど。真似してるだけです。でも布袋さんには約束したから、コンプレックス再結成。

――え！　仲悪いですよ、あのふたり。

上杉 いや、俺がヴォーカルで。

――上杉さんが（笑）。なんで！

上杉 「どうですか？」って言ったら、完全無視された感じでしたが、これは再結成してもいいっていう意味にとってますが。ダメかな？

――最後に念のため聞いておきますけど、上杉さんといえばゲイ説が根強いじゃないですか。週刊誌の記事にもなってましたけど。

上杉 そう、あれ『アサヒ芸能』かな？　一番最初は室井佑月が言い出したんですよ。『とくダネ！』に一緒に出てる頃だったかな？　10年ぐらい前、室井佑月が「ご飯食べに行こう」って言ってたんです。でも、行かなかったんですよ。そしたらテレビ朝日のディレクターが室井佑月のこと好きで、「室井さんと一緒にご飯食べるとき誘ってよ」って言うから、「じゃあ3人で」って誘ったんです。室井佑月がその後も「上杉さん、今度ふたりで行こう」って言って、忙しいんで行けずに断ってたんですよ。で、そのあとも誰かと3人で一緒に食事に行って、3回目に行ったとき、「このあとどっか行く？」って聞くから、「いや、行かない。帰る」って言ったら、「あんた、手ぐらい握ってきなさいよ！」「え、なんで？」「じゃあキスぐらいしなさいよ！」「それは嫌だ」「なんでできないの！」「それはちょっと。僕、外人じゃないし」「『ニューヨーク・タイムズ』でしょ、おかしいじゃない！」って。

――『ニューヨーク・タイムズ』だったら挨拶もアメリカ流じゃないのか、と（笑）。

上杉 そしたらその次の日かなんかのテレビかラジオの番組の中で、その話になったらしいんですね。そしたら「上杉隆はゲイです。だって私が3回もデートしてやったのに手すら握ってこない。あいつはゲイに違いない」って生放送で言ったらしいんです。僕、全然知らなくて。いきなり「ゲイだ、ゲイだ」って言われだして、なんでだろうと思ったら室井が言ってて。

――「言われてみればあのヒゲは……」みたいな感じになってるんですかね（笑）。

上杉 それはすぐ収束したんですけど、今度は『ミヤネ屋』で自分で茶化しちゃって。

――「好きなタイプは宮根さんです」って言って、変な空気になってましたね（笑）。

上杉 さらに、そのときフェイスブックをちょうど始めたんだ。フェイスブックのプロフィールで好きなのは男って冗談でチェックしたんですよ。それをすっかり忘れてて、最近フェイスブックに友達の申請がが来るでしょ、男ばっかりなんですよ。世界中から男ばっかり来て。

――これはおかしい、と（笑）。

上杉 ものすごいことになってて。写真のせいかなと思ったら、今年の頭ぐらいにいろんな人から「そろそろチェックマーク変えたほうがいいんじゃないですか？」って言われて、なんだろうと思ったら自分でそうチェックしたの忘れてた。ビックリしちゃった。

――くだらないギャグばかり言う性分のせいでこういう状況になったわけですね（笑）。

上杉 でもこれ難しいのは、ゲイだからって名誉棄損にはならないんですよ。だってゲイなのに「オカマ」って言われて「名誉棄損だ！」って言ったら、じゃあオカマは不名誉なことなのかってなるから。ミッツ・マングローブさんと番組で話してる最中にいきなり超不機嫌になったんです。あとで考えたら、「ビックリしましたよ、ゲイって言われて。名誉棄損で訴えるわけにもいかないですからね」って言っちゃってたみたい。スタッフに教えられました。「あれはまずいですよ」って。

――お仲間だと思ったらそういうこと言われたっていうのもあるんじゃないですか？

上杉 ピーコさんも最初は優しかったのに、途中で完全にノンケってわかった瞬間に結構冷たくなっちゃって（笑）。新宿2丁目も地元だから。芸能関係の人って、あそこ好きですよね。それで2、3回連れていかれたりしてたんだけど、いまのとこ面白くないなと思って……あ、はるな愛とゴルフ行ったことありますよ、10年ぐらい前に。それも『とくダネ！』で言ったら、小倉（智昭）さんが「え、どういう関係ですか？」って。またそれがゲイ疑惑になり。じゃあ、時間なんで行きます！ 豪さん、今度飯でも行きましょう。上杉派閥とか関係なしに。

――了解です！

ミッツ・マングローブ
5歳の時に同性愛者であることを自覚、成人してからは女装家として活動。09年ごろからテレビ出演が増えはじめ、叔父がアナウンサーの徳光和夫であるという家系や、独特のセンスに満ちた言動などで人気。

陳平さんと談志さんを観てると『なんで俺こんなことで悩んでたんだ！』と思う

YOU THE ROCK★

YOU THE ROCK★/2008年2月27日収録

1971年生まれ。長野県出身。ラッパー。1995年に雷（後に雷家族）を結成。TOKYO FMの深夜帯でパーソナリティを務めた番組『HIP HOP NIGHT FLIGHT』などで、シーンの形成に大きな影響を与える。1996年のソロ・アルバム『THE SOUNDTRACK '96』は参加アーティスト含めて、90年代のジャパニーズ・ヒップホップ・シーンを象徴する1枚。2001年には大型イベント「HIPHOP ROYAL」をオーガナイズ。そのハイテンションなキャラで、一時期はテレビのバラエティー番組にも出演。2010年大麻取締法違反で逮捕され、引退表明。2011年から徐々に活動を再開している。

パチンコでおばちゃんフィーバー

――このコーナー、ラッパーではK DUB SHINEさん以来の登場ですよ！

YOU　おっ、やった！　素晴らしい！

――まず生い立ちから聞きたいんですけれど、神奈川生まれ、長野育ちなんですよね。

YOU　そうですね。ウチの親父が湘南でカミナリ族っていうか暴走族やってて、後に俺が雷（＝KAMINARI-KAZOKU）になるとは思わなかったんだけど。

――お父さんは結構ヤンチャだった、と。

YOU　ヤンチャでしたね。札幌までスポーツカーで行っちゃって、当時の女子高生をロックして俺がデキちゃった、みたいな。

――そんな経緯だったんですか（笑）。

YOU　母親が高校3年生のときには俺がいたらしいよ、腹の中に。だから、27歳ぐらいのときにギャルを愛車でいてこましちゃうような人だったんだろうね。かなりファンキーですよ。一番影響受けましたね。

――スノーモービルを買ったりもするし。

YOU　そうそう！　買って、ハッと思ったら道がなくて、そのまま谷の底とかに落っことしてドカーンと爆破させたりしてたらしいよ。それ1台じゃなくて、米軍払い下げの、ロケットランチャー搭載できるようなデカい16人ぐらい乗りのジープも落っことしてたね。ヤンチャな人だったよ。だって雪がないとこでもスノーモービルを走らせるから、火花が散っちゃうんだよね。

――走れるんですか、それ？

YOU　あれキャタピラだから走れるんですよ。でも、その影響で俺も、ここのオルガン坂も、109の階段も、スペイン坂も、代々木公園のあの階段もスノーボードで滑ったりして。火花ガリガリで止まれないんだけど、ジャッカスよりも先でしたね。俺、「カッコいいですね」とか「すごいですね」とかよりも「くっだらないッスよね」って言われるのが一番嬉しくて。雷も、最初はコントとかもやろうとしてたんですよ。

――ちなみに、お父さんの職業は？

YOU　当時は運送会社の社長だったね。だから働かないでマージン取るっていうか、当時の街のヤンキーとかグレてるヤツらを集めて、車を貸してやって、仕事をあげて、自分は釣り、麻雀、パチンコ三昧という。

――ダハハハ！　ホント受け継いでますねえ、雪遊びも釣りもパチンコも（笑）。

YOU　うん、パチンコ好きだねえ……。自分と向き合う時間がすごく大事だから。俺、芸能人じゃないとは思うんだけど、芸能人がパチンコ好きなのって、ホント無になれるっていうか、なんか落ち着くんだよね。そこでは普通の人間に戻れるというか。

――でも、声とか掛けられませんか？

YOU　俺、たぶんパチプロだと思われてるんだろうけど、おばちゃんとかからすげえモテてて。「YOUちゃん、YOUちゃん、これあと何回まわせばいい？」「あと20回まわしてみ？」とかやってて、だんだんドリンクが増えていく。玉を自分で買

雷
雷家族。95年頃から活動を開始。結成当初は「雷」名義だった。RINO、TWIGY、D・O、YOU THE ROCK★など、のちのヒップホップ界をリードするメンバーが揃っていた。西麻布のクラブジアにてYOU自身が主催していた「ブラックマンデー」を中心にライブを繰り広げる。

ジャッカス
アメリカの有名なケーブルテレビ、MTVによって放送されたテレビ番組。子供のイタズラレベルのことをいい大人がやるという内容。テレビシリーズの総監督を、スパイク・ジョーンズが務める。

大葉健二
初代宇宙刑事ギャバンを演じたアクションスター。千葉真一に憧れて上京した、ジャパンアクションクラブ（JAC）第一期生。

わなくても、横からおばちゃんたちが入れてくれる。いま俺が教えてるのは瀬川瑛子さんなのね。

——ああ、パチンコ好きで有名ですよね。

YOU そう、瀬川さん、ちょっとヘタなんだよ。目押しとかできないから教えてあげるんだけど、いつもポカーンとしてるんだよ。でも、最近は挨拶してくれるね。

——あ、正体も何も言わないで一方的に目押しのコツを教えてたわけですか（笑）。そういうのも、お父さんの血なんですかね。

YOU ああ、面倒見いいところとか、たぶんそういう番長スタイルなところは親父譲りだと思うね。まあ、連帯保証人とかになったりして、家も倒産したりしたから。

——大変だったらしいですね。その話は後で聞くとして、ボクと世代が同じだから通ってきた文化がすごい近いと思うんですよ。

YOU だから、ほとんど吉田さんと考えてることっていうか、世の中の見方が似てると思うんですよね。小学生で『コロコロコミック』があって横浜銀蝿があって『宇宙刑事ギャバン』があって、大葉健二さんが好きで「JACに入ってアクションスターになるのが夢」って卒業文集に書いて、中学ではおニャン子とセーラーズがあって。

——セーラーズには並びましたよ、ボクも。

YOU 俺も並びましたよ！　あれで人生変わりましたよ！　胸にワッペンついてるセーラーズのカーディガンを学校に着てったら、中学1年なのに他の街の女子高生からラブレターがたくさん来るようになって。

——ただセーラーズを着てるだけで！

YOU 着てるだけでだよ！　世の中ってすげえチョロいなと思って。セーラーズを着るだけで、『夕ニャン』観てるミーハーな女の子たちは俺に感情移入するっていうか。毎週原宿に行くようになって友達が減っていった。話題が合わなくなっちゃってきて。

——『ギャバン』や銀蝿も大好きでしたね。

YOU 良かったよね！　最初に自分の小遣いで買ったのは嶋大輔の『男の勲章』で、銀蝿は当時のセックス・ピストルズとかに結構似てるような感じで、そっからロックンロールに目覚めて、キャッツアイとかサングラス買ったり、ジャンバーの背中に横浜銀蝿って刺繍をしてもらったりして。

——早いですよね、いちいち。

YOU それで、やっぱクリームソーダですね。小学校4年のときにクリームソーダの財布を持ってて、リーゼントにしたくて飛び出しコームとか買ってて。そういう不良の行く店に行くようになって。でも、当時はラバーソールが買えなくて、その金でアディダスのスーパースターを買ったから。

——そこで道が分かれるわけですね。

YOU 分かれましたね。それがよかったとは結果的に思ってるんだけど、パンクスとかやっぱルードボーイの感じだと文句言ってるだけでサクセスできないっていうか。

——成功しちゃいけない世界ですよね。

YOU うん。結構そういうマイナスな方向に行きがちだし、ドラッグもヘビーなドラッグだったりして。そりゃ死ぬっしょ、シド・ヴィシャス、みたいな。そっからランDMCとかが登場してくると、金のチェーンはジャラジャラだし、おネエちゃんはすごいし、車はロールス・ロイスとかだしで、なりたい方向

セーラーズ
80年代後半にブレイクしたファッションブランド。おニャン子クラブのメンバーが着用していたことで有名。西川のりおが着だした頃から、ブームが廃れた。

『男の勲章』
横浜銀蝿の弟分としてデビューした嶋大輔の大ヒット曲。石立鉄男主演のドラマ『天まであがれ！』の主題歌で、10代を中心に人気だった。

飛び出しコーム
飛び出しナイフのように出てくるクシ。ナイフの柄に付いてるボタンを押すと、コームが飛び出してくる。ロックンローラーの必需品。

スーパースター
アディダスの定番スニーカー。80年代のラッパーを中心に大流行。つま先が貝（シェル）状になっている。似ているデザインにウルトラスターがあるが、こちらはビースティー・ボーイズが90年代に流行させた。

ランDMC
RUNこと、ジョセフ・シモンズと、DMCことダリル・マクダニエルズの3MCとDJの故ジャム・マスター・ジェイ（02年射殺）によるヒップホップ・グループ。86年に、エアロスミスをフィーチャリングした『Walk This Way』が大ヒット。

がこっちになっちゃって。

――でも、ヒップホップとの出会いも風見慎吾さんがきっかけだったっていう（笑）。

YOU 風見慎吾さんと、『とんねるずのオールナイトニッポン』でかかったマドンナの『ホリデーラップ』と、近田春夫さんだね。近田春夫さんっていうと 当時、ジューシィフルーツとかの印象だったと思うけど。

――あとは『ムー一族』とか。

YOU そうそうそう！ すっごいシュールだよね、トイレ開けると「ピーーーーッ！」とか言って（笑）。それで、近田春夫さんから藤原ヒロシさんとか高木完さんとかいとうせいこうさんとか、文化系の……。

――つまり、完全にサブカルの流れとしてヒップホップにハマったわけですよね。

YOU そう、完全に『宝島』。だから町田町蔵さんとか渡辺祐さんとかカーツ佐藤さんとか、俺にとってはそういう人たちが輝いて見えて。いつになったらこの人たちと仕事できるんだろうって思いながら上京してきたの。だから、いつになっても祐さんみたいにすぐチンチン出せるようにしとこうとか、そういうことばっか考えてて（笑）。

――あ、意識してたのはそっちですか（笑）。

YOU そこでスケートボードが出てきて、『宝島』の表紙になったりしてたから、俺、超そこでスケートボードにハマッて。だけど俺、弟が2人いて妹が2人いるんだけど、ウチの下の弟の方がなんでもできちゃって。ケンカは強いわ、勉強はしなくてもいつも高得点取れるわで、長野で一番最初にプロスケーターになったんだよね。中学生なんだけどスポンサーがついて、毎週遠征に行ってデモンストレーションやって「今日30万もらってきた」とか言うから、俺、4つ上だったんだけど、「もうダメだ、スケートはできない。俺、ラッパーになる！」って。

――でも、信州大学教育学部付属長野中学校って、いい中学には行ってましたよね？

YOU 校長先生とか教頭先生になるための先生の学校だから、生徒は完璧にモルモットで。2週間にいっぺんとか研究授業とかあって、全国から60人ぐらい校長先生が来て俺らの授業を見守ってたからね。だから俺がなんでこういう性格になったか吉田さんには聞いてもらいたかったんだけど。

――ええ、もちろん聞きますよ（笑）。

YOU 俺がなんでこう反体制っていうか、いつもアナーキーでいるかっていうと、俺の同級生たちが嘘をつくんだよね。研究授業中の先生たちが持ってるファイルを覗き込んだら、俺が1ヶ月前とかに言った意見が書いてあったりして。それを「はい」って、あたかもシミュレーションしたかのように俺の友達が演じてるんだよ。「え、それ3ヶ月ぐらい前に解決した話じゃん！ なんでもう1回やろうとしてんの？」みたいな。「こいつらバビロンだ……」みたいな。

――バビロンシステムですか（笑）。

YOU うん、クソバビロンだって思って。「お前ら、どんな大人になっちゃうの？」って。親が自営業だったり農業やってたりするヤツは、こてんぱんにイジメられるのね。

――やっぱりエリートの学校だから。

YOU うん、だってみんなメルセデスだもん、通学は。それかタクシーとか。だから電車で来るヤツはバカにされちゃって。

風見慎吾
欽ちゃんファミリーのタレント。84年の『涙のテイクアチャンス』では、振り付けにブレイクダンスを取り入れて話題に。

近田春夫
ミュージシャン、プロデューサー、音楽評論家。テクノ歌謡バンド「ジューシィ・フルーツ」から日本語ラップの古参「ビブラストーン」まで、音楽活動は実に幅広い。

『宝島』
73年に『WonderLand』として創刊。3号目より『宝島』に誌名を変更。70年代はサブカルチャーを扱い、80年代はバンド情報を扱う音楽情報誌に変貌。90年代はヘアヌード、00年代からはビジネス誌と、時代と共に内容が大きく変遷している。

――YOUさんは電車組だったんですか？

YOU 電車電車！　しかも、電車の中でなぜか黙らなきゃいけない区間があって、一言でもしゃべると電車の中に風紀委員みたいなヤツがいてチクるんだよ。そういう生徒が生徒を管理するような学校で。それで脳外科の息子とか大学教授の息子とか、ビール会社の社長の娘とか、いっぱいそういうヤツらがいて。確実に格差だよね。

――差別は生まれますね。

YOU うん。で、小学校のときはクラスの前に庭があって、俺らのクラスはヘビ飼ってて、宿題がカエルを獲りに行くことだったんだよね。で、カエルなんか夏の間はいいけど冬は獲れないから、町の人たちに頼むしかねえべ、じゃあ文字を学んでポスターを描こうってことになるんだけど。ポスターを描くことが図工の授業になってて、生きものを飼うことが理科の授業になってるの。ウチらの学校って時間割とかなくて、教科書とかも見たことがなくて。そこから急激にカリキュラムを作ってって、絵本を出したり、自主出版をしてたりするんだけど。で、小学校2年のときにマルコムXとかキング牧師とか公民権運動を学んで。

――それも早すぎますよねえ……。

YOU そこから同和問題を勉強するんだよね、小学校3年の時点で。でも、4年生のときから体育系のスパルタな先生になっちゃって、超野放しになってたのが、いきなり勉強するにようになって。中学に上がったら、またさらにモルモットにされて。で、中学を出て東京に出てくるんだけど、そのときにアルバイトをしたのが、成田空港の警備の会社で、スチュワーデスなんか1回も見なかった、3ヶ月働いて。もう、こんなサーチライトで、『ルパン三世』とかの世界だよ。そのときに盧泰愚大統領が来日して、当時は成田空港建設の反対派のテロがあって、車が爆破されたり、燃やされたりして、燃えたベンツとか手で持ってくのも仕事だったんだよね。で、怪獣墓場みたいなのもあって、三里塚の鉄塔が折れ曲がってたり、放水でやっつけられてたり……。

――あ、そのまま保管されてるんですか！

YOU あるの、そういう場所が。そこで韓国の人とか中国の三世とかが働いてたりして、機動隊崩れとか警察崩れみたいな警備会社のヤツから迫害っていうかガッツリ差別されるんだよね。俺はその人たちと仲よかったから、べつに同じじゃねえかとか思ってて。そこで「……これ小学校のとき勉強したこと？」とか思って、パブリックエナミーとかの歌詞を読んで「これは！」って思って。だから、ヒップホップにもっと入って、俺はこれを述べなきゃいけないと思って。でも、そっからバブルのすごい世界になったから、カード地獄や世の中に対する不満みたいなことを言ったりすると缶とか瓶とか飛んでくるのね。「もっと景気いい歌うたえ」みたいな。そこから説教系ラップMCになってくんだけど、さらに飴と鞭っていうのを勉強して。おもしろおかしく、ユニークとユーモアでやってかないと聴いてくれないってことに気づいて、キャラクターの路線を変更してくんだよね。

テレビスター時代

――「これまでやってきた仕事には言えないものもある」とか言われてましたけど。

パブリックエナミー
ニューヨークのロングアイランド出身のヒップホップ・グループ。既成の政府やマスメディアなど、既成の権威からの自立を訴える歌詞や、アメリカの（特にアフリカ系アメリカ人社会に関わる）社会・政治問題に対する積極的な活動で知られている。

YOU　なんでもありますよ。臨床実験、ポーカーゲーム屋、夜逃げ屋、ビニ本のマズい部分をヤスリで消す係……そのときのバイトのメンツすごいですよ。高橋ヒロシさんに横道坊主にストリートビーツに、俺の横にはアナーキーの仲野茂さんがいたし。

――そっち系の人とも繋がってたんですね。

YOU　そうだね。あと、芝浦インクスティックとかレッドシューズとかで働きだしたら、尾崎豊さんとか坂本龍一さんとか吉川晃司さんとかがケンカしてたりとか、「おい、●●が●●とトイレでファックしてる！」みたいな。そういうサブカルチャーを大学みたいに見せてもらったっていうか。あと、DCブランドのブームがきたときはバイヤーで稼いだし、3000円のエアガンを改造して3万円で売るとか、よく友達のエロ本とか買いに行ったりもしてたね。

――ダハハハハ！　エロ本代行（笑）。どこにでも転がってますね、お金を生む方法は。

YOU　だから俺、いまの職業を辞めたとしても、もう1回やり直せる自信があるよ。

――ただ、15歳で上京したきっかけには両親のゴタゴタも関係していたって噂ですね。

YOU　そうですね。倒産して離婚して再婚して、また兄弟も増えて、フィーチャリング家族みたいになってって、どうしても居場所がなくなってくっていうか、俺がいなくなったほうが弟たちも食えるなと思って。

――当時は寒いのに、ストーブに入れる石油がないぐらいの貧乏だったみたいだし。

YOU　俺みたいに物が欲しくて上京してって悲しいよね。ラジカセなんか拾いまくったし。最初はベルマークでWラジカセもらって、それで多重録音を覚えたからね。

――クラブも行く金がなかったから、壁に耳を当てて音だけ聴いてたらしいですよね。

YOU　そうだね、芝浦インクスティックまで恵比寿からスケボーで行ってたんだよ、いつも。交通費ないから。俺、1日うまい棒2本とかで過ごしてて。よく万引きとかしたなあ……スイカ盗んだり。パンのケースごと盗んだりして、それで1週間とか。

――あびる優的な感じで（笑）。

YOU　俺がどうしておしゃべりになったかっていったら、親父が目の前にいるんだけど、なんとかレイクとか武富士とか信販会社とか、小学校2年生ぐらいのときから俺が電話の応対してて。「はい、いま父は出かけております。ご用件はなんでしょうか？　帰ったら伝えておきます。失礼します……大丈夫だよ」とかやってたからなの。

――ああ、大人と話さなきゃいけないから。

YOU　うん。あと、ウチは「つまんない」とか「疲れた」って言うとボコボコにされる家で。バイトして帰って「疲れた……」とか言うと「疲れたって言うんだったら働くんじゃねえ！」「つまんなかったら自分でなんとかしろ！」とか言われて。それが結局、俺を作り出した。それと中学のときに代行屋で朝5時とか6時まで働いてて。無線で配車やってたの。当時、インターネットとかなかったから、声だけで「あ、●●さん、ありがとうございます。速攻行かせてもらいますから」とかやってたんだけど、このままいったら俺はダメになると思って。

――これは東京に行くしかない、と。

仲野茂
日本のパンクロックバンド、アナーキーのフロントマン。デビュー当時は全員国鉄の作業服を着用し、髪を逆立てたスタイルだった。セックス・ピストルズのような性急なリズムと反抗的な歌詞のロックは、当時の中高生に人気を誇った。

芝浦インクスティック
レッドシューズの系列店として86年にオープンしたライヴハウス。89年に閉店した。じゃがたら、MUTE BEAT、タイニー・パンクスなどが出演するなど、黎明期のクラブ・シーンと近い関係にあった。その後、渋谷には系列のDJバーインクスティックも。

DCブランド
デザイナー＆キャラクターブランド。デザイナーの創造性が特徴のデザイナーズブランドと、ブランドの個性を強調したキャラクターズブランドの総称。80年代に日本国内で広く社会的なブームとなった。

IN THE
SHIRLEY ANNE
MICHAEL HORD

YOU それで、近田春夫さんのアシスタントをやっていた加納基成さんっていう、藤原ヒロシさんと高木完さんのバックDJをやってた人に弟子入りをして。要はDJのアシスタントだよね。もともとラッパーになろうと思ってなかったんだけど、2回レコードを全部盗まれたことがあって。シスコの段ボール16箱一気に盗まれたりして。

――それ、運ぶのも大変ですよね。

YOU うん、軽トラックぐらいだよ。だからたぶん身内なんだけど。そこで、落ち込むだけ落ち込んだときに聴く曲もない。そのときに逆ギレで、「俺はもうマイク1本だけでやってやらあ！　紙と鉛筆さえありゃサクセスできるだろ！　それがヒップホップだろ！」みたいになって。俺はそのとき23〜24歳ぐらいで。25歳か26歳のときにさんぴんCAMPだから。あれで……。

――ようやく世の中に届いたというか。

YOU なんかいきなり体制が変わっちゃって、渋谷を歩いてても挨拶されるようになっちゃって。俺は俺のまんまなのになと思ってたんだけど。それ以降、3〜4年はノイローゼみたいになったの。YOU THE ROCK★すぎちゃって、俺の本名の部分がほとんどなくなっちゃったから。

――プライベートでも、ハイテンションなYOU THE ROCK★を求められて。

YOU うん、だからプロレスラーだったら覆面を被ったまんまになっちゃって、それが自分の中で厳しくなってきて。あと、エイベックスに所属してたんで、プロモーションが力強い会社だったから、スペースシャワーの司会をやったりして、「なんで俺、番組の司会やってんだろ？」とか思って。

――一時の近田春夫さんに近いポジションとはいえ。

YOU なんで俺がブラウン管に出なければいけないかっていうと、地上波に出るのを目標でやってきたラッパーって、たぶん俺しかいないと思うんだよね。俺、中学のときに一回だけ「あのさ、藤原ヒロシさんとか高木完さんって知ってる？」って友達に聞いたら、「え？　その人って、『ザ・テレビジョン』でレモン持ったことある？」って言われたことがあって。「線引きそこかよ！　無理無理無理！」みたいな。だから、俺はテレビに出なきゃいけないんだって。

――俺もいつかはレモンを持たなきゃ、と。

YOU だからテレビに出て、「あ、YOUさん、オープニングのとき適当にフリースタイルラップでしたっけ？　チャッチャチャーッとやって入ってきてください」とか台本に書いてあると、みんな「こんなことできねえ！」って頭にきて帰っちゃうの。だけど、俺はこんなことでやられてたまるかと思って実践するのね。「ここが闘う場所なんだ」って。そこでヒップホップっていうのは「ヨーッ！」とか「イェーイッ！」とか言うだけじゃないんだよって、すごくゆっくり見せてくしかない。真綿で首を絞めてってやろう、みたいな俺の闘い方が始まってくんだけど。散々言われたしね。

――やっぱり叩かれちゃいますよね。

YOU だけど。俺はテレビ局とか芸能界の中枢である核までいって、ATフィールドを全開にしたいっていう思いがあるわけ。

――パチンコで覚えた知識ですね（笑）。

YOU そこまで入ってかないと、敵がそこにいるから逃げちゃいけないっていうか。だから、ちょっと人より苦労はした

シスコ
渋谷、宇田川町などに店舗展開していた、アナログ盤を中心とする老舗レコード店。90年代はクラブDJブームに乗って隆盛したが、07年に全店舗を閉鎖し、WEB通販に移行。その約1年後に完全に廃業した。

さんぴんCAMP
ECDが主催した、日本で初めて大会場で開催されたヒップホップイベント。96年7月7日に日比谷野外音楽堂で開催。イベントの趣旨として、「反J-RAP」を掲げていた。日本のヒップホップ史において、重要な転換期でもある。

よね。一番最初にラジオもやり始めたし、テレビにも出始めたし。俺、ズタボロになって向こうの岸に行こうとする人間で、俺がそこに行くまで光が見えないんだけど、俺が行くとかろうじて「こっちだ！　ここの道だよ！　そこ穴がある、気をつけろ」って言えるっていうか。だからD・Oとかが「ヨーメン！練馬ザファッカー」って出てこられる。「絶対大丈夫だから」って。あいつらもやっぱり、番組に出てオモチャにされたらどうするっていうのもあったけど。

――賛否両論はありましたけど、宇多丸さんも「間違ってない」って言ってましたね。

YOU　全然間違ってない。頼もしいから、俺はもうD・Oにバラエティー的なところは託そうぐらいに思ってるし。ZEEBRA君と俺とは仲いいんだけど、すごく月と太陽みたいな感じがして。彼はバラエティーがちょっと苦手だと思うんだけど、俺そこ得意だから、俺そこやるよ、みたいな。俺は裏でこうやって制作するからZEEBRAは表舞台でもっとばく進してってくれ、みたいな関係があって。いままでそういう人がいなかったんで、いつもひとりで闘っててくしかなくて。それをわかってくれる人も、こういう話をすることもなかったんで。

――それがつらくて一時期おかしくなって。

YOU　そうだよな……おかしくなってたよ。だから死ぬほどキャバクラ通ってたし。たぶん淋しかったんだと思うんだよね。すげえ金遣って。俺の話を聞いてほしかったんだなと思って。ずっとしゃべってたよ。

――精神的に荒れてた頃なのか、路上でのバイオレントな噂を聞いたことがあって。

YOU　いっぱいあるよ。バイオレントは最近治まってきたけど。居酒屋とかで、いつも絡まれちゃったりとか。あとクラブ行くと酔っ払いが絡んできたり、囲まれたりして。俺もイケイケだったから買っちゃうし、周りも熱いヤツばっかだから、そのまま行くし。いっぱい問題起こしてきたよね。

――よく表面化しなかったですね。

YOU　ねえ。表面化しないようにさせるのがテクニックで。そういうことはもうしたくないから、クラブとか行かなくなっちゃうんだよ。新橋の立ち飲み屋とか、サラリーマンの人がいる飲み屋にしか行かない。「あ、あいつYOU THE ROCK★だ」ってなっても、ほっといてもらえるから。番長気質で、人に迷惑かけるヤツは敵、みたいに思うから、ガミガミ系なんだけど。

――軽いけれど熱いキャラですよね。

YOU　『元気が出るテレビ』の高田純次さん担当だったスタッフさんには「YOUちゃんは高田さんの3倍仕事が早い」って言われてるけど、高田さんもすごく趣味が多才で面白くて尊敬してるし。あの人の原宿、渋谷系と思ってもらえればすごくわかりやすいかなと思ってて。談志さんもすごい好きで、談志さんの朝の番組とか、メチャクチャ悩んだときに観ると、「なんで俺、こんなことで悩んでたんだ！」とか思う。陳平と談志さんが言いたいこと言ってて。

――ヤバいですよね、談志&陳平は。

YOU　ヤバいよ、ヤバい！　で、俺のやってることはあの人に似てるっていうか。規則があったら、そこからすぐ抜けて新しい団体を作ったりとか、そういうやり方のヒップホップだから。あと、『未来少年コナン』が小学校2年のときから好きだっ

D・O
練馬区在住、練マザファッカーのリーダー。TBS『リンカーン』で、語尾に「メーン」をつける独特のしゃべり方が話題を呼び、一躍お茶の間の人気者に。09年に、麻薬取締法違反で逮捕。

ZEEBRA
活動歴25年のラッパー。93年にKダブシャイン、DJオアシスとともにキングギドラを結成。メディアへの露出を嫌がらず、テレビ出演も多い。

たから、世の中こうなるってことを考えると、やっぱり人の前に出て「こっちだ！」みたいなことをやってくのが好きだから。

――あと、好きな本が『アントニオ猪木自伝』っていうのも意外だったんですけど。

YOU うん、好きだね。悩んだとき読むと、もうすげえ楽しくなっちゃう。あの人はすごいラッキーだよ。力道山が地球の反対側まで迎えに来たんだから。それがすごいでしょ。マイケル・ジャクソンに「養子になれ」って言われるのと同じぐらいだぜ。

――ポール牧さんの影響もあるんですか？

YOU なんで知ってんの、そんなこと！ ここでバラしちゃってもいいのかな……本邦初公開！ 昔、東京ルーフっていうね、バブルのときに汐留にあったアミューズメントパークでDJやってて、そこにポール牧さんが来場したときにサインもらったら、「人生は舞台、あなたが主役」って書いてあって、すげえ感銘を受けて。俺がファンにするサインって「人生はステージ、●●さんが主役」って、名前を入れてるの。そのネタはポール牧さんの引用なんですよ！

父がブラックバスを輸入

――ブログで見たんですけど、前に愛川ゆず季さんと番組やってたとき、彼女のファンと飲みに行ってたのってホントですか？

YOU あ、それはいまもずっと続いてるよ。むしろ彼女のファンが俺のファンになってしまって。全員連れてっちゃうんだよ。

――番組を観に来てる追っ掛けの人たちを、「打ち上げに行こうぜ」って連れて行く（笑）。

YOU そう、俺はその人たちにすごい影響を受けてて。周りにいないタイプの人たちだから。居酒屋で俺を囲んでみんなで話してるのを見た店員とかお客さんが「なんなんだ、あれ？」ってなるのが好きで、「どうだよ、俺の友達すごいだろ！」って思う。

――そこでは何を話すんですか？

YOU 普通の話だよね。同級生と会ってる感じ。俺、同窓会に1回も呼ばれたことないから、そういう普通の話ができる友達。しかもゆずぽんとか、ああいうアイドルのファンってちゃんと仕事してる、ちゃんとしたエリートだったりするんだよ。だけどアイドルが好きだから、「バカ、気づけよ」みたいになるんだけど。俺の周りってみんなヒップホップやってたりDJやってたりデザイナーだったりするから、「いやあ、最近売れねえんだよ」とか、ちょっとネガティブな話ばっかで、前向きな日常生活の話ができないんだよね。だから結構つまんねえなと思ってて、ああいう新しい友達はすごく嬉しいし。俺は体育会を卒業した横ノリだから。横ノリだけのヤツって適当すぎちゃって嫌で。アイドルファンの人たちはなんにも悪くないと思うんだよな。だから誰かが手を差し伸べてあげなきゃと思って。

――アイドルヲタは報われないですもんね。

YOU だからみんなで飲みながら、「おい、ゆず季のブログどうなってる？」「さっき更新しました」「じゃあまだ起きてるな。電話してみよう」って。で、「いまどんな格好してるの？」「裸だよ、裸」とか言われると、「おい、裸だって、みんな！」

とか言って。

――夢を与えてますねえ、ファンに（笑）。

YOU あとトレーディングカードを何箱も買って10何万使ったとか言われると、「それちょっと貸してみ」って楽屋に持ってって、「ゆず季、このガムテープの上に大きく『ヤマモトさん愛してる。愛川ゆず季』って書け！」って書かせたら、「開けられないよ、もう！」「もう1個買うしかないよ！」って、そういうお節介してさ。アイドルとアイドルファンの距離を縮めてるんだよね、俺は。

――いいことしてますよ、それ（笑）。

YOU で、ゆず季から送られてきた実家のみかんをみんなに1個ずつ配ったりして。すげえ喜ぶんだよ。そうするとお風呂に入れるから、みんな同じじゃん、みたいな。

――ホントにオープンですよね。ボクがYOUさんのネット番組にゲスト出演したとき、視聴者に「●ト●リ」って書き込まれたのを即座に拾って「コラーッ！」って言ってるのも、すごいと思いましたけど（笑）。

YOU ハハハハハ！ 拾うよ！ 攻撃しとかないと。そのつもりでそいつも書いてきてるんだし、俺のメディアってそういうところだから。観に来てる常連のヤツもみんな名前知ってたりするしね。7年間TOKYO FMでやってたんだけど、やっぱタイマンテレフォンじゃないけど、電話がかかってきたりするし、ハガキやファックスも1枚残らず取ってあるし、ハガキ職人みたいなヤツらが好きで、いまだに付き合いあるよ。

――つくづく兄貴タイプですよね。

YOU もっといい兄貴いっぱいいると思うけど、みんなのこと兄弟って思うんだよね。俺の生い立ちって結構暗いけど、結局、他人同士だったヤツが家族になったから、嫌が応でもそれを飲み込むしかなかったんだよね。で、ウチの兄弟はホント仲いいんだけど、だから誰とでもそういう感じになれるっていうか。ラジオとかチャットとかにコメントしてくれるヤツらは、仲間っていうか連帯が俺の中にすごく生まれてて。

――でも、兄貴キャラってどうですか？

YOU 疲れるよね（あっさりと）。

――やっぱり（笑）。

YOU 疲れるけど、結局、コミュニケーションが大好きなんですよ。淋しがり屋なのかなって思うぐらいに人が好きなの。だから、たとえば豪さんとご飯に行っても、俺、何か頼んでも絶対に食べないからね。

――それより話そうよ！ っていう。

YOU うん。俺、ひとりぼっちにならないとご飯が食べれないんですよ。家に帰ってから冷蔵庫の前でグワーッと飯食って。だけど最近、ミュージシャン全然飲まないの。若い子たちはライブやって「おう、飲みに行こうぜ」って言っても「いや、DSやるんで」とか、そういう人たちが多くて……。

――最悪ですね、それ（笑）。

YOU 俺たちは今日もらった金を今日中に遣って、チェックアウト朝10時だけど8時まで飲んでるから。俺、ビール飲むために生きてるからね。夕方5時すぎたらビール飲んでもいい時間って俺の中で思ってて。仕事が終わったらアドレナリンが出るから、やっぱり眠れないし、気を失うまで飲まないと燃焼できないっていうか。俺、番組やってて出演者もスタッフもないと思ってるから、スタッフの労をねぎらって次の番組をよりよくするために士気を高めようぜっていう感じで打ち上げやるんだけど、なかなか最近それが成り立たなくて。「俺、車なんで」ってなったりするでしょ。俺は車の免許を取る気もないんだけどね。絶対事故っちゃうと思ったから。落ち着きがないので。

――ダハハハハ！　なるほど（笑）。

YOU 人を殺したくないし、たぶん車の免許を取ったら車の中で生活すると思うんだよね。「おっ、雪降ってるな」って天気予報見たら、「今日中にゲレンデの駐車場で寝てよう」とかになって、家に帰らなくなる。ウチの親父みたいに遊び人になるとお母さんに怒られちゃうし。ウチの親父なんて1週間帰ってこないとかザラだったからね。

――それは遊んでてなんですか？

YOU 遊んでてだよね（笑）。ウチの親父、釣りやりすぎて倒産しましたから。自分の池とか持ってたもん。それも、30年ぐらい前にオーストラリアとかカナダからブラックバスの稚魚を何千匹も輸入して養殖して、河口湖とかいろんなとこに放流してさ。

――えっ！　じゃあ日本の生態系を破壊したのはYOUさんのお父さんなんですか！

YOU 「よし、行くぞ」って車で夜行って、何してんだろうと思ったら釣りもしねえで逃がしてるんだよ、いろんなとこ行って。それ……やりすぎたんだよね。おかげで俺、『B-PAL』はずっと買い続けるようになって。一番好きなのは『ニューズウイーク』なんだけどね。俺、長野市の市長になりたいなっていつも思ってるんだけど。

――いつも（笑）。

YOU うん。俺と荻原兄弟のお兄ちゃんとグレートサスケって同い年だしさ。だってグレートサスケ、マスクしてんだぜ？　俺だったらなれんじゃねえかなと思ってて、いまその作業中なんだよね。田中康夫ちゃん好きだったから、ああいう開けた政治がやりたいっていうか（以下、長野の問題について熱く語るが、文字数の関係で削除）。

――YOUさんなら適任ですよね。

YOU あ！　バイオレントな過去が発覚したらマズいか……。でも、たけしさんだって『FRIDAY』襲撃してたりするし。

――一緒に襲撃していたそのまんま東さんが知事になれるんだから大丈夫ですよ！

この歌舞伎町で
ヤクザに捕まって、
全員が足を撃たれました

須永辰緒

SUNAGA TATSUO/2010年10月22日収録

音楽プロデューサー、DJ。MIX CDシリーズ『World Standard』や、ジャズコンピレーションアルバム『須永辰緒の夜ジャズ』をはじめ、レーベルコンパイルCDや北欧アーティストにおけるリリース&招聘も頻繁に行う。また、自身のソロ・ユニット「Sunaga t experience」としてアルバム4枚を発表。多種コンピレーションの監修、プロデュース・ワークス、リミックス作品は150作を超える、日本で最も忙しいDJ「レコード番長」。

ヤクザな家庭事情

――須永さんは基本、出るのは音楽誌ぐらいで、こういう雑誌にはまず出ないですよね。

須永 そうですね。まあ、お呼びじゃないかなって感じなので。だから、今回はどうして俺なんだろうって感じなんですけど(笑)。

――いや、ボクと杉作さんのイベントで「ダイエットしたいけど、好きなラーメンが止められません。どうしたらいいですか?」というお客さん(ガイナックスの赤井孝美さん)の相談に対する、杉作さんの「それはもうラーメンの勝ちです!」という返答に感銘を受けたとかツイッターに書いてましたよね? その時点で、まず驚いたんですよ。

須永 いや、僕もラーメンすごい好きなんですよ。それで、DJで全国を回るから食べ歩いたりもするし、自分でもラーメンを試作しちゃ食って試作しちゃ食ったりしてるんで。

――ちゃんと骨から出汁も取って。

須永 そうなんですよ(笑)。で、素人なんで完成形じゃないと最終的な味の判断ができないんですよ。これが玄人で、スープの試作だけしてるんだったらそれでいい悪いがわかるけど、麺茹でが悪かったり湯切りが悪かったりすると、それでスープなんて変わっちゃうんですよ。だから、いちいち全部作って、そうするともったいないじゃないですか。だから食べてると、ポンポン太るんですよね。

――まあ、そうなるでしょうね(笑)。

須永 だから、いっつも思ってたんですよ。ラーメンは食べたいけどもダイエットしなきゃいけない、これはどうやって解決しようかなって。そんなときに、「その時点でラーメンの勝ち」って言われたら、これは抗えないんだと。すごい人だなって感動しました。

――食通としての共感だったわけですね。

須永 そうですね。一刀両断されたっていうか、ホントにチャクラが開いた感じで。優柔不断な自分を立ち直らせてくれてありがとうっていう感じで。サッパリしてるけど、深くて真理だったんですよね。杉作さんは、僕にとってのブラフマンだなって思いました。

――そして、電撃ネットワークのギュウゾウさんからも須永さんの噂は聞いてるんですけど、ギュウゾウさんとは同級生なんですか?

須永 ギュウちゃんは同級生といいますか、同じ栃木県出身で、年が一緒で、話してみたら似たような境遇だったりしたんですよね。

――似たような境遇って、要するにワイルドな人生を送ってきたってことですね(笑)。

須永 そうですね(笑)。それで非常に話しが合いまして。ギュウちゃんも当時はいまみたいに人間ができてる感じではなかったので……。

――昔はすごかったみたいですね。ライムスターの宇多丸さんと飲んでたときも、ガチな言い合いを始めた挙げ句、「3年前だったら殴ってる」って言ってましたから(笑)。

須永 ああ、ライムスターがまだデビューしたかしないかぐらいの頃、僕のイベントとかでMCバトルとかやってもダントツでしたもんね。これは誰も敵わないと思いました。で、話して

SM

みても理路整然としていて、大学出とかになるとラッパーも違うなっていう。

——だからこそギュウゾウさんも反論出来ないほど追い詰められてキレそうになる、と。

須永 あの人、殴るよりも背負うんですよ。

——背負い投げですか？

須永 そうです。空手も達人ですけど柔道も達人だったりして。何回か背負ってる場面も見ましたけど、きれいに払いますよ、腰を。

——須永さんは空手経験者なんですよね。

須永 そうですね。でも、たいしたことないです。ギュウちゃんみたいに柔道で大学に行ったりとか、そういうことではないので。

——ギュウゾウさんの右翼時代の逸話は聞いてますけど、須永さんも凄いって噂ですよ。

須永 ハハハハハ！ ギュウちゃんとふたりでHって店にラーメンを食べに行ったとき、たぶん虫の居所が悪かったんだと思うんですけど、自分らよりもあとから来た人のほうがラーメンが早く出てきたっていうだけで、店を破壊しちゃったこともありましたね（あっさりと）。僕が先にアクションを起こしたってギュウちゃんは言うんですけど、どうもギュウちゃんが先だったような気がして……。

——とにかく、須永さんもその頃はすぐアクションを起こしそうなタイプではあったと。

須永 早いんですよね、電気が点くのが。

——須永さんのバイオレント伝説では、YOU THE ROCK★さんも「須永さんはケンカしたくてヒップホップDJになったようなもの」「空手の達人で、会うとすぐ前蹴りが飛んでくる」って言ってました（笑）。

須永 ハハハハハ！ そうですか（笑）。まあ、スキンシップの一環で。親しいからこそできるっていうこともあるじゃないですか。

——なんとなくわかります。要は、真樹日佐夫先生がまず腹を正拳突きしてくるような、空手家特有のコミュニケーションですよね。

須永 そうです。後輩によっては会ったら頭につまようじを刺すとか。僕もさんざんやられてたので。オバQの真似とかやらされて。

——つまようじで！ そういうこともプロレス界なら聞きますけどね。天山広吉が新弟子だった頃、額につまようじ刺されまくったとか。

須永 たぶん天山がモデルになってると思います。僕も天山以降ですもん、そうやってつまようじを見るようになったのは。あれ意外と刺さるんですよ（あっさりと）。体育会系が周りに多いので、そういうことになって。

——DJ社会も体育会的な世界だったわけですよね。ロンドンナイト周辺とかにしても。

須永 うん、昔はそうでしたね。まあ、昔のDJの世界って徒弟制度しかなかったので。

——まずはカバン持ちから始まる世界で。

須永 それ以外にDJになる道はなかったんですよ。大貫憲章さんと藤原ヒロシさんが初めてフリーランスとして、DJっていう職業を世の中に示してくれて、それ以降ですね。

——いまは自由にDJをやれるけれど……。

ロンドンナイト
日本のクラブ・シーン、とくにロック系のクラブ・パーティにおいて絶大な影響力を誇る老舗中の老舗パーティ。ロック・シーンはもちろんのこと、高橋盾など関わっていた人間がその後、デザイナーとして成功するなど裏原系のアパレル・シーンとも関わりが深い。

大貫憲章
UKパンク、ロックのベテラン音楽評論家でもあり、80年代から続くロンドンナイトのオーガナイザーにして、日本のロック系DJの開祖的存在。日本各地でロンドンナイトを開くなど、50代を迎えた現在も勢力的に活動中。

藤原ヒロシ
80年代の、いわゆるクラブの先駆け的DJとして知られる。高木完とともにヒップホップ・ユニット「タイニー・パンクス」を結成するなど、日本のヒップホップの黎明期を作り出した。現在の音楽活動は、自らの歌が表現の中心に。

須永 その頃はつまようじも必要でしたね。

——ダハハハハ！　ダブマスターXさんが須永さんについて「暴力と音楽みたいな面白いヤツがいる」って言ってたとか、とにかく初期はバイオレントだったって噂ですよね。

須永 うん……。まあ、楽しい時期で、昔のクラブはそういうのがわりと許された時代だったんです。いまクラブってイメージ悪いじゃないですか。のりピーだったりとか……。

——ケミカル臭がしますよね。

須永 そうですね、そっちのほうであまり評判よくないんですけど、昔のクラブってケミカル以前の問題で、常に暴力が渦巻いてて。だから、いまみたいに音楽が好きだっていうだけで出入りしてる人はいませんでしたよ。ツバキハウスもロンドンナイトもそうですけど、男だったら女と暴力と酒ですよね。ホントにセックス＆ドラッグ＆ロックンロールの世界があって。それが自分も好きだけど、自分にも降りかかってくるっていう覚悟を決めてる人じゃないと出入り出来なかった世界。

——当時のパンク界はそうでしたよね。

須永 だから、たとえばツイッターがその時代にあったら大変なことになってますよね。

——常に罵り合いで、「てめえ、すぐ出てこいや、コラ！」になってますよね（笑）。

須永 誰かのいい話をリツイートするなんて世の中じゃなかったですからね。若い子は若い子なりに生き残っていかなきゃいけないから、自分の仲間以外は常にディスる姿勢で。そうやってディスって倒していかないと、自分たちが伸し上がっていけないんですよね。

——まさに少年漫画みたいな世界というか。

須永 梶原イズムが生きてましたよ！

——殴り合わなきゃわかり合えない、と。

須永 ホントにそう思ってましたもんね。

——ダハハハハ！　そうなんですか！

須永 うん。男同士、1回殴り合ってみないと性根がわからない。僕、いまでも付き合ってる友達は大体2〜3度はやり合ってます。

——ギュウゾウさんも含めて。

須永 いや、ギュウちゃんに手は出さないです。怖いんですもん。明らかに強いんで。

——ちなみに須永さんがヤンチャになったきっかけはなんだったんですか？

須永 まあ、時代じゃないですかね。

——血筋って噂も聞いたんですけど……。

須永 血筋は……まあ、血筋は血筋なんですけど。僕、生みの父親を知らないんですよ。元ヤクザってことは知ってるんですけど。

——会ったことはないんですか？

須永 ないです。ただ、20年ぐらい前に探偵が自分に張りついてたことがあって。

——えーっ？　なんでまた？

須永 電話も何度かかかってきたんですよ。僕、以前苗字が4回替わってて、須永が4回目というか振り出しに戻るみたいな感じなんですけど。で、別の名前でほとんど呼ばれたことがないんですよ。それなのに「飯塚さんは御在宅ですか？」って電話がかかってきて、「ああ、僕のことですか？」って言ったらプツッと切られたんですね。それと同じ時期に探偵が張りつい

©ポニーキャニオン

ダブマスターX
80年代初頭に、原宿にあったクラブ「ピテカントロプス・エレクトス」のアシスタント・エンジニアとして活動。こだま和文と屋敷豪太のMUTE BEATに、ミックス・エンジニアとして参加。

ツバキハウス
80年代の新宿のナイトライフを象徴するディスコのひとつ。靖国通りと明治通り交差点のテアトル新宿ビル5Fにあった。新宿という立地もあり、文化服装学院の生徒が多かった。

てて。結局、10年ぐらい前になって伯母さんに聞いたら、生みの父親がヤクザを辞めて、何かで成功したらしくて。で、遺産を僕に渡したいみたいなことで伯母さんのほうに相談があったってことなんですけど、伯母さんが断っちゃったらしくて。

――ダハハハハ！　勝手にですか（笑）。

須永 そうなんですよ！「実はあの頃、探偵が来て、そういうふうに言われたんだけど断った！」って。ダメじゃん、断っちゃ！

――なんか気を遣ってちゃったんですかね？

須永 僕はお祖母ちゃんに育てられてたんですよ、小さい頃。母親がたまに来るんですけど、ハゲた乱暴者がそのお祖母ちゃんの家でものをひっくり返して、お母さんの髪の毛をつかんで振り回してた記憶があるんですよ。

――それが生みの父親なんですね。

須永 おそらくそうです。父親だろうなっていう感じの人の記憶がそれしかないんですけど、そんなことがあったのと、お金がどうこうって言われてもいまさら関わりたくないっていうのが正直なところだったと思います。

――義理のお父さん的な人はいたんですか？

須永 義理の父親はいました。小4ぐらいで母親が引き取るっていうことになりまして。そのときに義理の父を紹介されて、いまでも仲がいいんですけど、でもやっぱりヤクザでしたね（あっさりと）。そのときに知らない女の子が座ってて、「妹だ」って（笑）。父親も同じらしいんですけど。いまだに仲悪いですよ。口もほとんど利いたことないですね。

――……エリートコースというか、ヤンチャになるべくしてなったような環境ですよね。

須永 環境でいえば、周りのDJとかミュージシャンの話を聞くと、家にジャズのレコードがあったりとか、家がロック喫茶とかライブハウスを経営してたとか、家族から音楽の影響っていうのがたいていあるんですけど、自分はゼロなんですよ。でもなぜか音楽が、特に洋楽がそれも小学校4年生ぐらいで好きになってしまって、小学校でヴェルヴェット・アンダーグラウンドを聴いてたりとか。

――早いですねえ（笑）。

須永 歌謡曲はほとんど聴かなくて、テレビもあんまり観ない子供だったんで、小学校のときから小遣い貯めちゃレコード買うのが楽しくて、いまもそれが続いてる感じですね。暴力のほうもまあ……両立というか（笑）。小さい頃から空手をやってたんですけど。

――極真でしたっけ？

須永 そうです。痛いんですよ、極真空手って。尋常じゃないんで。だから、あんまり関わりたくなかったです。仕方なくやってた感じですね。3試合ぐらいやると、たいていアバラが折れるんです。試合中は気を張っててわからないんですけど、次の日とか激痛で。

――その空手がDJになっても活きた、と。

須永 精神がですね。押して忍ぶ精神が。

ロンドンナイトの狂気

――もとはというと大貫さんのイベントとかに行ってた流れでDJになったんですか？

須永 ロックが好きだっていうのと、あと僕ら高校生の頃にデ

ヴェルヴェット・アンダーグラウンド
65年に結成されたアメリカのロックバンド。故ルー・リードが作詞作曲の多くを務める。その歌詞の世界、音楽性はパンクのルーツと評されることが多い。当時の、ニューヨークのサブカルチャーの中心人物たちに熱狂的に支持され、ファーストアルバムはアンディ・ウォホールがジャケット、プロデュースを担当した。

ザイナーズブランドブームの洗礼を受けまして。それまで長ランだの短ランだの、渡りが40センチや50センチの袴みたいな学生ズボンを履いてたわけです。それなりのいかついルックスがカッコいいなと思ってて。田舎の中学生、高校生はみんなそうですけど。それがデザイナーズブランドのブームで、田舎のヤンキーみたいなことを突然止めたんですよ。当時、ヤンキーでしか生きられない友達と、悪い連中なんだけどセンスがある友達がいて。ヤンキーでしか生きられない友達は、やっぱり性格的にもわりと保守だったりするんですけど、デザイナーズのほうに転向した友達って遊んでてもバランスがいいんですね。それでそういう友達と高校生のときからツバキハウスに行くようになって。

――大貫さんのロンドンナイトですね。

須永 当時、全国でオシャレになりたい人、あとデザイナーとかになりたい人、目立ちたい人っていうのが集まってくるのがロンドンナイトで。だからロンドンナイトはオシャレな人たちのエリートしかいなかったんです。

――ヒップホップ以前はそうでしたよね。

須永 ロンドンナイトしかなかったんです。どうしてもそこの仲間に入りたいなっていうのもあったし、でも行ってみるとやっぱり毎日バイオレンスで、これはいろいろ覚悟を決めなきゃいけないと思って出入りしてたんですけど、中でもやっぱりDJっていったらスターじゃないですか。で、大貫さんの一番弟子のビリー北村さんっていう人が無茶苦茶なんですね。すごい服のことをよく知ってて。僕、北村さんに古着を教えてもらったんですけど、シャレてるわ、甘いマスクで芸能人を次から次へと連れてるし、かと思うと客にキレてブースから出てってバッコンバッコン殴ったりとかしてるんですよ（笑）。それが衝撃で。DJってなんかカッコいいなって。

――バイオレンスも込みで憧れて（笑）。

須永 そのハチャメチャぶりっていうか。それでいて音楽の仕事じゃないですか。理想の仕事を見つけたっていう感じで、それが高3ぐらいでしたね。俺はDJで生きていくってそのとき決めたんですよ。だからビリー北村さんに弟子入りをお願いするべく、ブースから出てくるときに必ず土下座して待ってて。

――完全にたけし軍団流ですね（笑）。

須永 それを1ヶ月ぐらいやったんです。最終的には北村さんが根負けして弟子入りさせてもらったんですけど。最後の弟子入りの条件が、ロンリコをボトルで一気っていう。

――うわ！ ホントに世界が違いますよ！

須永 ええ。自分も身体は強いほうなんで、いけるかと思って。でも、濃い水割りを飲んで吐いてるような時期で、ロンリコなんか知らないじゃないですか。半分まで飲んで気絶して、1週間入院しましたね（あっさりと）。

――クールスとかの世界ですよね。バンドに入るにはブーツに各種ブチ込んだ酒を一気しなきゃいけなくて、横山剣さんは急性アル中になって二度と酒を飲めなくなった、的な。

須永 わかります、そういう世界です。僕は一番弟子ですけど、二番弟子はいま六本木でクラブやってて。僕はもう弟子だから堂々と北村さんのお付きみたいな感じでいるんですけど、そこで「弟子にしてください」ってお願いしてるわけですよ。で、「俺はロンリコの一気で急性アルコール中毒で1週間入院したから、またロンリコでいいんじゃないですか？」って北村さんに言ったら、「いや、ロンリコはもう飽きた。あ、そうだ！」って、

ビリー北村
ロンドンナイト初期にて、大貫憲章の下でヘルプのDJとして活躍。ツバキハウスで木曜にはじめた「ロカビリー・ナイト」も、ロンドンナイトとともに箱を代表するパーティになった。

クールス
74年に舘ひろし、岩城滉一を中心にバイカー・チームとして発足。57年にはキャロルの解散コンサートで親衛隊を務める。75年には、バンドとして活動を開始した。元メンバーには水口晴幸、横山剣（CKB）などがいる。現在でもメンバーの変遷を経て活動中。

そのとき飲み屋にいたんですよ。牡蠣鍋がグツグツ煮えてたんで、それを「一気!」って言われて。よせばいいのに、バカなんで「いきまーす!」ってガーッて一気したら食道をやけどして、2週間ぐらい入院してました。

——入院体験しないと認められない(笑)。根性を試している部分はあるんでしょうね。

須永　ツバキハウスの常連になってる時点で異常な根性はあると思うんですけどね。いろんな経験値も身につけないといけないし。店長からして極真三段とかなんですよ。悪さしてるとぶっ飛ばされるんですけど、人が2メーター飛ぶ瞬間って見たことありますか?

——ないですね、もちろん(笑)。

須永　ツバキハウスにはファッションに興味がある、そしてパンクが好きな悪い連中が何千人も集まってたんですけど、その中で頂点にいるのは店長なんですね。昔のディスコの店員も、みんなケンカが強いんです。ケンカと無縁なのは加藤賢宗さんぐらいのもんで、賢宗さん見るとホッとするっていう感じで。ツバキハウスの店員は全員怖かったですね。

——バウンサー的な役割も兼ねないといけなかったわけで。そういう意味ではDJっていう仕事にも向いてたのかもしれないですね。

須永　そうですね、全方位に対応できて。

——須永さんにはいろんな伝説があるじゃないですか。ニューヨーク・ニューヨークを襲撃したとき笑って人を刺してるのを見た人がいるとか、歌舞伎町でヤクザに刺されながらDJやったとか。それはホントなんですか?

須永　ああ、ニューヨーク・ニューヨークは……あの頃はお金がなくてツバキハウスに入れないんで、ニューヨーク・ニューヨークに入る客にお金を借りてツバキハウスに入ってたんです(あっさりと)。

——なるほど! わかりやすいです(笑)。

須永　だから、ツバキハウスに行くためには、まずニューヨーク・ニューヨークに一旦行かなきゃいけないんです。当時はツバキハウスが頂点って感じで、ツバキハウスに行きたいんだけど怖くて行けない人がニューヨーク・ニューヨークに行ってたんです。で、ツバキハウスと似たアレンジをしてたんですよね。

——怖くて行けないからそっちに来たのに、やっぱり怖い目に遭うわけですか(笑)。

須永　それで、毎日そんなことやってたらそのうちニューヨーク・ニューヨークの連中も決起して、自分らの仲間がひとりふたり拉致されて半殺しの目に遭って。腕は折られるし、アバラも何本か折られるし。で、怒って再襲撃に行って。それで、こっちは5人ぐらいなんですけど、向こうは20~30人いたんですけど、全員とりあえず……まあ、あまり言えないようなことをして(あっさりと)。

——わかりました! 勝手に察します!

須永　助かります(笑)。動機の中心はツバキハウスに行きたいってことなんですけど、あとはほとんど仕事もしてないような状態なんで。家もないですしね。だから原宿の六畳間ぐらいの友達の家に10何人で居候して。

——完全に不法就労状態ですよね(笑)。

須永　しかも、モテる連中が多かったので、たいてい部屋には女の子が何人かいて。居候してるくせに女を連れて帰る、みたいな。

加藤賢宗
バンド「東京タワーズ」のメンバーとしてケラ主宰のナゴム・レコードに所属。解散後の活動は多岐に渡り、声優としては、トランスフォーマー・シリーズの吹き替えなど多くの作品でその声を披露している。

――つまりホテル代もないわけですね。

須永 そうです。お金なんか誰も持ってないんで。で、ナンパした責任者が連れて帰ってくるんですけど、朝起きると組み合わせが変わってたりとか。僕はいつも帰るのは一番最後で、みんなが寝てる頃に帰ることが多かったんですけど。パンクの有名人も、ちょくちょく出入りしてましたね。前後しますが、いま行方不明の占いのマドモアゼル朱鷺も仲間でした。

――そんな環境で暴れ回っていた、と。

須永 そしたら、いま新宿歌舞伎町の『ルノアール』で取材してるわけなんですけど、ちょうどこの辺りでヤクザに捕まって、全員が足を撃たれたんですよ（あっさりと）。

――えーっ！ 撃たれるって？

須永 僕ら怖いもの知らずで、歌舞伎町を結構荒らし回ってたもので。要するにチームのはしりみたいなグループですね。ちょっと抗争みたいなのもあったりとかして。僕らは歌舞伎町で、お金がなけりゃ お金がある人からもらえばいいという活動をしていたことで、暴力団の方に鎮圧されて（笑）。で、さんざん悪いことやってきたんだからっていうことで、みんな足とか撃たれたんですね。いまでもビッコ引いてる古い友人とかいるんですけど。

――洒落にならないですよ、それ！

須永 自分は弾が逸れたんです。5人捕まってあと1人は逸れて、3人撃たれましたね。いまでもビッコ引いてるのはひとりだけ。骨が砕けちゃって。という思い出があるので、歌舞伎町は近寄りたくないです（笑）。

――それなのに呼び出しちゃってすいません（笑）。

須永 いやいやいや、とんでもないです。

極悪すぎるDJ修行

――そういう話を聞くと、「ヤクザに刺されながらDJやった」って噂が流れるのもしょうがない気がしますね。普通にやりそうで。

須永 フフフ、そうですね（笑）。DJを始める前は暇でそんなことばっかりやってたんですよ、生きていくために。DJを始めてからは、ひたすらDJ道にまい進したっていうか、師匠に言われるがまま、横浜に見習いに行ってて。横浜は横浜でまたバイオレンスなんですよ。やさぐれ度が新宿の比じゃなくて。朝、地下道でホームレスふうの爺さんに、足に突然注射打たれたことありますよ。

――なんでですか（笑）。

須永 頭おかしいんですよ。それで、まずDJのシステムをちょっとお話させていただきたいんですけど、DJって配膳紹介と一緒で組合があって、自分の師匠にあたる北村さんの場合は、自分がDJを斡旋する店を何軒か契約してたんです。その流れで「お前、あそこちょっと人が足りないから、横浜でDJ入って」って言われて。半年間は無給でしたけど、半年後から8万円ぐらいもらうようになって。ただ、横浜ってブラックミュージック以外誰も認めてくれないんですよ。僕、パンクしか知らなかったのでブラックミュージックは1曲も知らなくて。で、先輩も完璧にシャブ中で、お客さんもとにかくいなくて、平日なんかゼロの日もざらな店で。スタッフも深夜2時ぐらいになると、もうウエットスーツに着替えてるんですよ。ブラックミュージックとサーフィンしかないような土地柄で。

マドモアゼル朱鷺
オカマのタロット占い師。電気グルーヴや七尾旅人など、クラブ界隈の知り合いも多い。

――馴染めるわけないじゃないですか。

須永 全然馴染めないです。もうつらくてつらくて。でも、修行だと自分に言い聞かせながら、ブラックミュージックを覚えましたね。いまでも嫌いですけど。ファンクとか聴くともう横浜しか思い出せないんですよ。

――嫌な思い出がフラッシュバックして。

須永 そうなんです。なるべく横浜には近づきたくない。その当時も居候してて、そのときは笹塚の六畳ぐらいのワンルームマンションで、8人から10人ぐらい常時寝泊まりしてるんですよね。僕が帰るのは朝の8時半ぐらいかな？ もう寝るとこがないんで、半畳ぐらいの玄関スペースの靴を整理して高さをフラットにして、そこで寝るんですよ……。

――その頃、ヒップホップにも目覚めて。

須永 そうですね。横浜ではランDMCだけが僕の救いだったんですよ。その店でかけられるものでは。でも、どう考えてもこれはロックだなって思っていて。ヒップホップってもしかしたら新しい形のロックなんじゃねえかなって自分の中で納得させてるうちに、ヒップホップが好きになって。それで、ヒップホップのDJになっちゃうんですよね。

――そしてスパンク4結成ですか？

須永 よくご存知で（笑）。なんか一瞬だけそんなラップチームをやってたことがあって。僕はDJで、前のMCが4人いるんですけど、ひとりはただの不良。もうひとりは先ほど牡蠣鍋を一気したDJ。もうひとりはスケシンっていうAPEなどのグラフィックやってるアーティストで、もうひとりは日本で最初にグレイシー柔術の師範になったレッドっていう男がいるんですけど、その5人組ですね。

――噂だと、その頃はライブ中ずっと客を殴ってたみたいな伝説もありますよね（笑）。

須永 そんな人いるわけないじゃないですか（笑）。まあ、結果的にそうなった、みたいなことはあったと思うんですけど……。

――あながち間違ってはいない、と（笑）。

須永 おそらくパンクを引きずってたんですよね。ラップ経験もみんなあるわけないし、そもそもラップってどうやったらいいのかさえもわからない。アメリカではこうやってライブやってるらしいっていう噂だけで、映像もないので。レコードを頭出しして、ループだけを2枚でやるっていうことだけはわかってて、それにラップを乗せるんですけど、ライミングが誰も皆目見当つかないので、好き勝手にやってるわけですよ。スケシンに至ってはラップもしないで、紙袋を被って目だけ開けて馬の真似とか。馬の走る音とか。だからシュールでカオスで暴力的でという、ある意味理想的なバンドではあるんですけど。

――面白そうじゃないですか（笑）。

須永 でも、1回観りゃ十分って感じだっただから、どうにもならなかったですね。

――そしてDJ DOC HOLIDAYを名乗るようになるわけですけど、当時まだ黎明期のヒップホップシーンはどうでした？

須永 そうですね。自分のスタイルがスケボー系のヒップホップだったんですよ。デフジャムの初期音源だったり、パブリック・エナミーだったりビースティ・ボーイズだったり、それにスラッシュメタルをかける。そういうスタイルって自分だけだったので面白がって客が集まってくれて、平日のイベントと

スケシン
スケートシング。デザイナー。A BATHING APEの設立に関わり、その後も様々なブランドのグラフィックデザイナーとして活躍。12年よりブランド「C・E」をスタート。

DJ DOC HOLIDAY
須永辰緒が90年代前半あたりまで名乗っていたDJ名義。現在のようなジャズ・スタイルではなく、ヒップホップを中心にプレイしていた。

デフジャム
84年に設立され、現在まで続くヒップホップ／R&Bレーベル。ラッセル・シモンズとリック・ルービンによって設立された。LLクールJやパブリック・エナミー、EPMDなどを送り出すとともに、白人の元ハードコア・キッズであるビースティー・ボーイズをリリースするなど、まさにヒップホップの枠を広げたレーベルである。

しては記録的にお客さんが入ってたんですよ。そこに集まってたのがYOU THE ROCK★だったり、ブッダブランドのDEV LARGEだったり、MURO君だったりで。そこでいまのシーンの雛型になる連中が集まってたのは確かだったんですよね。

——ただ、ホントにヒップホップ界っていまでもやっぱりバイオレントな面があったりしますけど、当時はどうだったんですか？

須永 まあ、やってるうちにイベントとしてはそんなに毎回警察沙汰になるようなことはなくなってましたけどね。ただ、収まってきたとはいえ、ある程度の抗争的なものはあるので、それに自分が初めて冠になったようなイベントなので、あとお客さんも毎回同じ顔ぶれなんで、それを守らなきゃいけないから盾になるようなことはありますよ（あっさりと）。そういうことでのバイオレンスみたいなものはありましたけど、客同士の揉めごとみたいなものは解消されましたよね。

——つまり、抗争はまだあったんですか？

須永 なんか悪い連中がいたんですよ、ピカソに。そいつらから守らなきゃいけなかったりとか、あとは、みんながみんなレゲエだろうがハウスだろうがヒップホップだろうが、新しいムーブメントに突き進んでるときはまだよかったんですけど、枝葉が分かれてくると、今度は派閥みたいになっちゃうんですよね。そういうときに跳ねっ返りの連中が暴れたりとかすることはありましたけど……。

——だから、自分のイベントは自分が守る。

須永 そうですね。自分のイベントは自分が守る。でも、そのときだけですよ、それ以外はなかったと思いますよ、もう。他

ビースティ・ボーイズ
元々ハードコア・パンク・バンドで活動していた3人、マイクD、キング・アドロック、MCA（故人）が、ヒップホップへと傾倒し現在の形に。パンクとヒップホップをつなぎ、そして白人3人という構成はシーンに衝撃を与えた。

DEV LARGE
ブッダブランドのMCで、トラックメイカー。ソロ・アーティストとしても活動。トラックメイカーとして、BOBO JAMES名義もあり。

MURO
DJ KRUSHのユニット「クラッシュ・ポッセ」でのMCを務めて、TWIGYらとの「マイクロフォン・ペイジャー」を経て、ソロへ転向。トラックメイカー／プロデューサー／DJとして活躍。セレクトショップ「サベージ！」を運営し、90年代のBボーイにファッション面でも大きな影響を与えた。

ピカソ
西麻布にあった、最初期のクラブ。有名人すらもひっかかったという独自のドレスコードも伝説となっている。運営メンバーが渋谷CAVEや西麻布YELLOWなどを作ったという意味でもクラブ・シーンのルーツといえる箱。

の人に聞いてみないとわかんないですけど（笑）。

——確かに、最近の須永さんってそういうバイオレントな噂は全然聞かないんですよね。

須永 それはオルガンバーっていうクラブを一から立ち上げて、プロデュースっていう立場で7年間関わらせてもらったんですけど、オルガンバーを始めたときにDJ DOC HOLIDAYをやめたんですよ。これからはいい人として生きようって決めたんです。

——あ、そういうことなんですか（笑）。

須永 自分が看板でクラブを始めて、お客さんを守らなきゃいけないし、お客さんに来てほしいじゃないですか。でも、いままでのDOC HOLIDAYのバイオレンスのイメージのままだとちょっとハードルが高いし、ヒップホップもやめてしまったので。ちょうどあることで嫌気がさして、DJを辞めようかなと思ってた時期だったんですよ。

——その「あること」っていうのは？

須永 いや、つまんないことなんですけど。僕が面倒を見ていたラップグループがいたんですけど、結構自腹でやってたんですよ。プロデューサーの楽しさを知ったのは、実はそいつらを育ててからなんですけど。ゆくゆくは周りを見てるとみんなプロダクションをやってて、その中からアーティストを出してとかやってるんで、自分もそういうことやりたいなと思ってたんですけど、レコード会社に出し抜かれたというか……。気がついたら自分の知らないところでレコーディングが完了してたっていう。

——ああ、そういうことでしたか……。

須永 で、本人たちに聞いても、本人たちは怖がるんで黙ってるだけなんですけど、結局はそれを画策した人がいて、それで全部嫌になっちゃって……。大人の世界っていうか、この世界が。それでDJはまったく違うことしようと思って、3年くらい……まあ、DJは先輩に誘われて気になるイベントだとやってましたけど、それ以外はきっぱりやめちゃったんですよね。それでバイトしたりして。

——そんなときにオルガンバーの話が来たから、暴力も卒業したってわけですか（笑）。

須永 そうなんですよ。芝浦インクスティックをやってた人がいて、いまのオルガンバーの社長ですけど。「新しい店やるんだけど、お前、中見てくんない？」ってなって。最初は断ってたんですけど、先輩の頼みでもあるし、やってみましょうかってことで始めたときに、もうヒップホップもほとんどかけてなかったし、DOC HOLIDAYって名乗る必要はないなってことで本名に戻して。そのとき、ついでに禁煙してみようか、みたいな感覚で、暴力やめようか、みたいな。

——暴力卒業宣言（笑）。

須永 うん。あと、いい人になって生きていこうかなと（あっさりと）。いい人って言われるようになりたくて。いい人っていうのに憧れてたっていうのもあるんですよね。

——大幅な方向転換ですよね、それ。

須永 そうですね（笑）。まあ、イメチェンって言えば話は早いんですけど。自分にとっても、いい人になるっていうのがすごく新鮮だったんですよ。それまでみたいに気分のまま人を殴らないとか、そういうのが。

——ダハハハ！ それで、いい人もやってみたら悪いもんでもなかった、と（笑）。

オルガンバー
95年、宇田川町クレタケビルに須永辰緒がオープンしたクラブ。いわゆる小バコと呼ばれる、DJバーに近いスタイルのクラブ。

須永 そうですね。オルガンバーはそれまで東京になかったタイプの店を目指したので、クラブって怖いもんだっていうイメージからちょっと脱却したくて。だからお客さんを守るときはやむなく体を張りますけど、それ以外に関してはとにかくハッピーでピースなプロデューサーになったほうが、お客さんの入れ替えもスムーズにいくんだろうなっていうことで、それに徹したところはありますね。

――そして、それが無事成功して。

須永 そうです。結果、オルガンっていままでのクラブには来なかった客層になったので。優秀なDJばっかり集まってるっていうのもあるんですけど。新しい音楽の発信基地みたいな捉えかたも最初から想定してたんですけど、そのためにはまず第一前提でプロデューサーはいい人じゃないといけない。

――店を変えるにはまず自分から変わって。

須永 そうなんです（笑）。そういうのを自分に課しましてですね。音楽も、そんなお客さんを満足させつつ、みんなでクラブミュージックで新しいムーヴメントを作りたいって思ったんですよ。自分でもいろいろ模索していかなきゃいけないっていう中で、だんだんスタイルも変わっていったって感じですね。

ヤクザの部屋住み体験

――DJでもジャズを使うようになったわけですが、それもパンクの流れなんですよね。

須永 そうですね。全然パンクはパンクなんですよ。ジャズでDJをするってスタイル自体が世界中にほぼいないというか、それをダンスミュージックに仕立てて、ちゃんとミックスしてきちっと積み上げていくスタイルがいないんですよ。そういう姿勢はパンクなんじゃないかなというふうに思ってるというのがひとつあって。パンクが好きなので、そのままDIYの精神のままきてますよね。

――ヒップホップ界でしんどいことがあって辞めようかと思ったって話がさっき出ましたけど、04年ぐらいのインタビューを読んでも、いつも「あと3年ぐらいでDJを辞めて沖縄に行きたい」って言ってましたね。

須永 あ、いまでもそう思ってますよ。ただ辞められない事情がいくつかそのときどきに出てきちゃって。レコード会社に対する義理だったり、自分のために個人事務所を立ち上げてくれた人たちもいたので、その事務所がたちゆくまで続けようとか、子供ができちゃったりとか。まあ、続けていかなきゃなっていうような事情ができちゃうんですよね。

――それがそのまま続いてる感じですか。

須永 そうですね。DJを始めた当初、30歳になったら絶対DJを辞めようと思ってたぐらいで。こんなに楽しいんだから、それが人生の最後まで、一生DJでいられるはずがないと自分に思い込ませたかったんだと思いますけど、30歳になったらDJを辞めるって結構公言してましたね。それ以降、自分のソロアルバムを出したので、もうDJはいいと思ったんだけど辞められなくなっちゃって。要するにDJどころか、育った環境もあると思うんですけど、小さい頃から厭世的なんで。死ぬのとか全然怖くないんですよね。

――特にパンクを通るとそういうのが出ますよね。死んだほうがカッコいい、ぐらいの。

須永 うん。なんかカッコいいまま死にたいっていうか、なん

か死ぬのは怖くないんですよ。だからＤＪを辞めるのも全然怖くない。

――まあ、死ぬのが怖かったら歌舞伎町で暴れられないでしょうしね。

須永 そうですね（笑）。最近、世の中いろいろ嫌な事件とか、痛ましい事故とかは当然としても、インターネットでいらない情報まで入ってきちゃうじゃないですか。そういうことがいちいち自分に刺さるのが嫌なんですよ。それで、さらにまた厭世感が加速して。

――もういいやっていう。

須永 うん。ただ、昔の罪滅ぼしじゃないですけど、死ぬときはなんかスカッとしたいことをして死にたいなっていうのがあるんですけど。交差点で子供が出てったら、ガッと救って自分が轢かれる、みたいな（笑）。

――原作版タイガーマスクですね（笑）。

須永 そうですね。ヒーロー的な。

――「あいつ、ヤンチャだったけどいいヤツだったんじゃないか！」で終わる感じの。

須永 むしろ、ちょっと苦笑されて終わる、みたいな感じで。だから、常に交差点とか電車のホームとかでは目を光らせてますよ。何かあればいつでも行くぞ、みたいな（笑）。

――電車で誰かを助けて死んだとか、あれは死にかたとしては相当カッコいいですよね。

須永 そうなんですよね。ただね、何人かそういう方がいますけど、そもそも育ちがよくてすごく人間ができてる人たちなんですよ、おそらく。あれ、とっさにはできないんですよ。絶対躊躇するはずなのに、みんな躊躇なく行ってるじゃないですか。あれは性格的なものなんで、ある意味天然で。自分の場合、よこしまな考えかたじゃないですか。「あ、きたきた、チャーンス！」っていう（笑）。

――そう考える前に動かなきゃいけないはずだから、それで一瞬遅れそうだし（笑）。

須永 そうなんですよ……。しかも、これが載ってしまうと証拠が残るから……ヤバい！

――ダハハハハ！　まだ引退後は沖縄で生活したいっていう気持ちもあるんですか？

須永 そうですね。宮古島がすごい好きで。たぶん自分に合ってるんですよね。かつて味わったことのないような癒され方をするんですよ。あと、ネットとかそういうものからも全部遮断して、着の身着のまま生きていきたいっていうのが、心の中ではあるんですけど。テレビも観ないからネットも遮断しちゃえば、もうなにも怖いものはないですからね。

――島田紳助以上に宮古島が好きだ、と。

須永 そうですね。宮古島の人に言わせると、結構迷惑らしいですね、あの人は。

――ダハハハハ！　やっぱり（笑）。……（携帯を見て）あ、たったいま情報提供を呼び掛けていたギュウゾウさんからタレコミメールが入りました！「須永は若手ＤＪ時代、地方へ呼ばれてそのまま暴力団の部屋住みにされてベンツを洗わされていた」ってことですけど、なんなんですか、これ（笑）。

須永 いや、とあるイベント会社からスパンク4宛に静岡での出演依頼が来たんですよ。でも、静岡駅に迎えにきてくれたのが、パンチパーマの兄ちゃんの運転する羽根つきシーマで。

――その時点でおかしいですよね（笑）。

須永　そうなんですよ！　しかも、到着した会場は改装中のカラオケ屋で、数時間待たされたのに「やっぱり改装が間に合わねえからイベント中止」って言い出したんですよね。「ふざけんな！」「じゃあ帰りますよ！」とか文句言ってたら、ヌッと現れた主が「せっかく来たんだから2〜3日ゆっくりしていけや」って、そのままサウナへ連行されて。

――危険な匂いしかしないじゃないですか！

須永　僕らもその時点で「これはヤバい！」と気がついたんですけど、もうそのときは全身入れ墨のヤクザにサウナで囲まれて、なぜか僕は組長の背中を流してましたから（笑）。

――うわ〜……。

須永　でも、その組長はジェームス・ブラウンのマニアということで、何となく意気投合したりしつつ殴られたり食事したりを経て、メンバー4人のうち僕ともう1人は若頭の家。残り2人は組長の家に泊まって。早朝5時に起こされて組長の家に集合したら、スケシンは組長のベンツを洗車中ですよ（笑）。

――あ、洗車担当はスケシンさんで（笑）。

須永　「お前ら、ろくに仕事もしねえのにメシばっか食いやがって、泥棒よりタチが悪い」とか罵られつつ、口答えの多い僕は「組長」というあだ名で代表して殴られてましたね。その後は「愛人が経営するスナックでDJをやれ」とのことで連れて行かれて、やりました。ターンテーブル1台でしたけど。

――ダハハハ！　いい話だなあ（笑）。

須永　その日は愛人宅に泊まって高速バスで静岡に戻ったんですけど、そのとき初めて監視の目から逃れられたから、パーキングでみんなに提案したんですよ。「俺が代表して指を詰めて、『これで帰して下さい』って頼むから、お前たちは俺に2万ずつくれ」って。

――安すぎますよ、それ（笑）。

須永　やっぱり人間、切羽詰まるとわけわからなくなりますね（笑）。2万で指を詰める決意をする俺も俺なら、「悪いな」と承諾する仲間も漫画ですよ、漫画！　そこまで覚悟したのに、カラオケ屋に戻ると「あー、お前らもう東京に帰っていいや」って若頭が、ギャラとしてテレカを3枚ずつくれて（笑）。東京に戻ってからはイベント会社をキッチリと締め上げておきましたね（あっさりと）。

――……DJ文化黎明期の恐ろしさと須永さんの恐ろしさが、これでよくわかりました！

ジェームス・ブラウン
ゴッドファザー・オブ・ソウル、ファンクの帝王。鉄壁のグルーヴを兼ね備えたファンク・ナンバーは、ヒップホップ誕生後もたびたびサンプリングされている。06年死去。

俺は相手に対して、殺しの寸前までやるから

安岡力也

YASUOKA RIKIYA/2003年6月25日収録

1947年生まれ。東京都出身。ロックヴォーカリスト、キックボクサー、俳優、タレント。1966年、GSバンドの「シャープ・ホークス」にリード・ヴォーカルとして参加、シングル『遠い渚』でデビュー。解散後は映画界へ進出し、『不良番長』『ボディガード牙』など俳優業をこなす。2006年下旬にギラン・バレー症候群罹患のため入院。長男の提供による生体肝移植手術を受けたが、2012年4月8日に心不全により死去した。

初体験は小学生の時の輪姦

——力也さんは、イタリアでマフィアの首領の次男坊として生まれたんですよね。

力也 そう。お祖父ちゃんの時代から、もうずっと昔っからウチはマフィアなんだよ。

——ただ、ある資料だとお祖父さんは右翼の大物だったとも書かれてたんですけど。

力也 ああ、それはウチのお袋側の方。

——そうでしたか（笑）。そんなサラブレッドだと、早熟になるのも当然でしょうね。

力也 そりゃそうだよ。酒も覚え、煙草も覚え、当然、女の子なんかも早かったね。

——幼稚園時代から二股かけるし（笑）。

力也 イタリアーノっていうのは、やっぱり発展的なんだよな。でも、幼稚園児同士がセックスするわけじゃないからさ（笑）。

——小学校4年で皮がムけて、初体験は12歳だっていうから、ホント早熟ですよねえ。

力也 小学校6年のときだったっけかな。まあ、早熟っていうか、イタリアにいた頃はポーカーやってて相手を撃ち殺しちゃうのとか、俺は子供のときから見てるからさ。

——うわ！　そんなの見てたんですか！

力也 見てる、見てる。だから、大人のそういう世界を見ちゃってるって部分で、その血の燃え方がケンカにもセックスにも入ってっちゃったんじゃねえかな。なにしろ、そっちに対しての興味がハンパじゃないんだよ。タバコを覚えて、大人たち相手にケンカ覚えて、あとは女性だけでしょ？

——それで、中学に入ると授業中に仲間を見張りに立てて、学校の廊下で女子を輪姦するまでになっちゃったわけですね（笑）。

力也 ああ、それは先生を渡り廊下でね。

——……って、相手は先生ですか！

力也 それがひとつの征服感でさ。みんなで囲んだら、女の子は嫌がっちゃって、嫌がっちゃって。まあ、完全にレイプだよ。でもその後、先生とは付き合ってたから。そのままほっとくのは可哀想じゃん。

——まさに飴と鞭ってやつですね（笑）。

力也 その後、シャワー室に連れてって、ちゃんと体も洗ってやったよ。そしたら、また興奮してきて後ろからヤッてさ（笑）。髪の毛が濡れてんのがたまんねえんだよ。やっぱり大人の女は中学、高校生と違うわな。

——そりゃそうですよ（笑）。当時、学生服は白の長ランだったみたいですけど。

力也 うん。それは他の連中はもちろん着れないわけ。総番ってもんになんねえとね。

——そして、中学1年のときには不良グループ「ゴリラ」を結成してたんですね。

力也 なんか、いろんなの作ってたね。だから『アメリカン・グラフィティ』みたいな世界なの。不良少年が集まっちゃ、兄貴がコームとリーゼントで頭コテコテにやってるのを真似して、小学生がやるわけよ。

——ウエスタンブーツを履いて、頭にバターを付けてリーゼントしてたっていう（笑）。

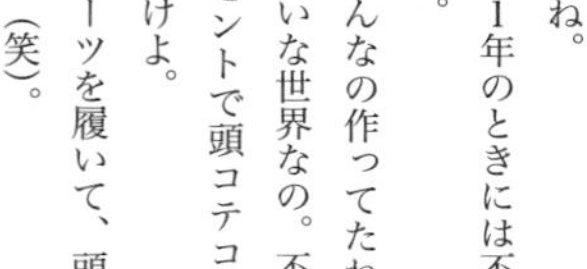

『アメリカン・グラフィティ』 ジョージ・ルーカスが監督、74年に日本公開された青春映画。62年を舞台にしており、劇中には当時のファッションや音楽が登場。60年代のアメリカ文化を再評価する「オールディーズ」ブームを生み出した。

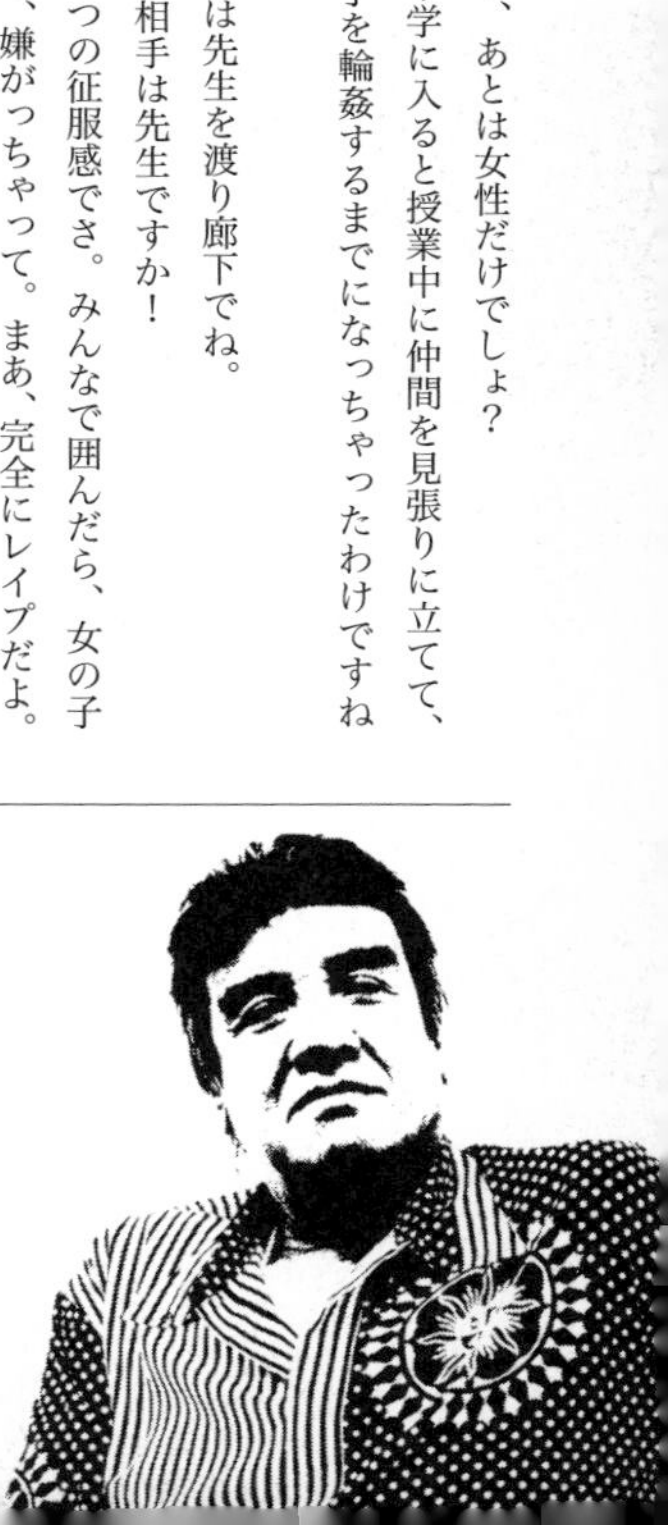

力也 蝿がたかって大変だったよ（笑）。

――もしかして、そんな頃ですか？　トラックを校舎に突っ込ませたっていうのは？

力也 ああ、学校同士のケンカでね。近所の空き地にセメントでできた電柱があっから、それをトラックにかまして、学校の裏庭から校舎に突っ込んでいって、「早く出て来い、この野郎！」ってやったんだよ。

――中1で凶器準備集合罪、中2で初等少年院送りになるのも納得できますね（笑）。

力也 だって、まずどんどんどん相手が俺に向かって来る。俺がその相手を倒すと、また違う相手が来る。それで1日4回ぐらいケンカすることもあったからね。

――1対70のバトルもあったらしいですね。

力也 あった、あった。それはタイマンでやるはずだったんだけども、相手がビビッちゃったんだろうな。道具持ってサシでやろうって話になって、俺はヤッパ持ってってたら、向こうはみんなで来たんだよ。「ケンカにならねえじゃねえか」って、ワーッと来た瞬間に構えたら、相手はベターンと座っちゃったの。それで肩の辺りにヤッパを振り下ろしたら、相手の肩が……（以下自粛）。

――……え？　ホントですか？

力也 そんなのいっぱいあるよ。相手の……（以下、物騒すぎてやっぱり自粛）とかさ。

――そんな力也さんも、アイスピックで脇腹を刺されたりしてきてるんですよね。

力也 それは喫茶店でね。酒とハイミナール飲んで女の子と話してたら、その女の子がバーテンダーの彼女だったんだよ。そのバーテンダーもちょっとラリッてたから、ソーッと来て、いきなりプスッっときたの。あと、俺に中途半端にイジメられちゃったヤツがヤッパ持って来たこともあるんだよ。思わず刃をパッと握っちゃったんだよな。もう片方の手でブン殴ったんだけど、指の筋が切れちゃって骨だけになっちゃった。

――下手したら指が落ちてますよね。

力也 相手の指がブラブラしちゃうことはあったけどな。だから、俺は半端にケンカはやらないの。とことん徹底して相手をブッ刺しちゃうし。ブッ刺しに来るからブッ刺す。斬りに来るから斬る。俺の刀、何人の血を吸ってるかわかんないけどさ（笑）。俺はマフィアだからとことんやるんだよ。変な話、ファミリーのためだったら親戚縁者、子供だろうが爺ちゃんだろうが婆さんだろうが、言葉はキツいかもしんないけど、すべてそのファミリーを抹殺しなきゃいけねえのが、コーザノストラっていうマフィアの鉄則だから。

――『ゴッドファーザー』の世界ですね。

力也 そうなんだよ。だから俺は相手に対して、「これ、殺しまでいっちゃうんじゃねえかな？」っていう寸前までやるから。病院に送り込まれた連中だって、何時間か遅れてたらみんな死ぬようなのばっかりだよ。それだけ怖さを相手が感じてたし、俺の怖さっていうのは周りの人間も見てたから、「力也には近寄るな」って言われたわけだろ。

――力也さんのケンカを止めるのに、警察が拳銃を抜くって伝説もありましたからね。

力也 六本木でな。新宿でもどこでも、俺の行くところ行くところ必ずパトカーが3〜4台ついてきたから。いい護衛だったよ。

『ゴッドファーザー』
イタリアのマフィア・ファミリー「コルレオーネ家」の家族ドラマと抗争を描いた名作映画。72年公開。監督はフランシス・フォード・コッポラ。

――何かのパレードみたいですよね（笑）。

力也 そうだよ。「力也が来たぞ」ってさ。いろんなとこの親分に小遣い貰って、今日はあそこの組織に貰ってとかやってたよ。

――当時は愚連隊の顔役だったんですよね。

力也 いや、愚連隊の親分だったんだよ。そりゃ組織だって欲しがるさ、俺のこと。初めは何十人しかいなかったのが、何百人、何千人の組織になっちゃったわけだから。それの頭がいれば、そっくり準構成員にできるしね。だから、ある組が「力也、新宿で看板出さねえか？」って言ってきたこともあったけど、「力也、お前が組織に入ったら敵味方だから、いままでみたいに付き合うことはできねえよ」って言われてさ。

――それで断念したってわけですか。

力也 だからいまだに俺はどこへ行っても、いろんな親父とか総長に好かれるっていうのはあるよね。どっか旅行行ったら「帰りに遊びに寄ってくれ」ってさ。朝一番の新幹線に乗っても、東京駅に最終で着いちゃうから。九州、四国、広島、岡山、神戸、大阪、京都、名古屋、浜松、横浜、東京って、みんな俺のこと迎えに来てくれるしさ。

――新幹線ぶらり途中下車の旅ですね（笑）。

力也 ホント、「時間がねえ」って言うと「じゃあ駅前で寿司でも」って言われて、それが終わると「いまそっちに向かったよ」って次のヤツに電話入れてるから（笑）。

――ただ、前にヤクザの女に手を出して事務所にさらわれたこともあったそうですね。

力也 さらわれたよ。親分の女だったから。

――あ、親分の女でしたか（笑）。

力也 でも、さらわれて20分後ぐらいかな？　「力也がいねえ」「ヤクザがさらってった」って周りが騒ぎだして、「ヤベエ！」ってなると思うだろ？　逆に「どこの組がさらったんだ？　これは戦争になっちまう」「ウチの組だ」「バカ野郎、早く帰せ！」ってさ（笑）。それから10分も経たねえうちに、拉致された場所まで帰されちゃったよ。

――何事もなかったように（笑）。

力也 俺をさらった人間がいるんだよ？　エンコでも詰めてカッコつけばいいけどさ。いままでにねえ経験だったし、「わかってんのか、こいつは？」とか、「わからしてやろうかな？」とか、逆に「俺って大したことねえな」とか、その20分の間に考えたね。

――俺ももうちょっと頑張ろう、と（笑）。

力也 もともと、俺がその女とホテルにいるときに入って来て連れてかれたんだよ。

――一番いいところで、ですか？

力也 もちろん終わった後だよ（笑）。それで、とりあえずマラがまだ乾かないまま行ってさ。「シャワーぐらい浴びさせろよ」って言ったんだけど。親分の女の周りにいた人間は俺に手を出せなかったんだよな。

モテすぎて大変

――しかし、そんなバイオレンスすぎる人生からよくバンドに移行できましたよね。

力也 元々、俺がパーティーやってたんだよ。パー券を配って、「お前のとこは３００枚、お前は３００枚」って金だけ集めてさ。

――いわゆる架空のパー券販売ですね（笑）。

力也　そしたらアマチュアバンドがえれえモテるんだよ。パーティーにも、またいい女ばっかり来てるしな。俺の周りにいる女は日体大とか体育会の女ばっかりでお嬢さん学校はいねえから、「バンドやるとモテるんかな？」なんて言って。それで、５～６曲コピーできるようになって「じゃあ俺たちでパーティーやろう」ってことで他のバンドも呼んだら、たまたまそのとき東京のプロダクションの人間が見に来たんだよ。

――それで、63年3月結成なのに5月にはいきなりデビューしちゃうわけですね（笑）。

力也　だけど、最初にプロダクションの人間が来たときには「俺たち遊びでやってるから、プロになる気はねえ」と。それで、また次の日パーティーやったら違う事務所の人間が来たのな。俺たちは譜面も読めねえからコピーするしかねえんだけど、やっぱり素質がねえんだよ。だから、ちゃんとしたバックバンドをつけてデビューしてさ。

――それでシャープホークス誕生、と。

力也　デタラメだよ。なにしろ名前は出せないけど俺は某女優と付き合ってたから、『日劇ウエスタン・カーニバル』でデビューする2日前にフジテレビ行って暴れちゃったんだよな。その次の日に日劇がスタートして、「好きなことやっていいよ」って話になったんだよ。だから「よし、これで天下取る！」って。芸能界、ロックンローラーの中でトッぽいヤツ大体リストアップしてるから、そいつら潰せば俺がこのロックの世界でチャンピオンになれると思ってさ。

――完全に番長マンガの世界ですね（笑）。

力也　みんなビビッてたよ。ところが、俺のことを目の敵にするヤツもいるわけだ。

――……で、やっちゃったんですか？

力也　しょうがねえよ、ステージ立ってもラリッてたんだから（笑）。そしたらケンカになっちゃって、緞帳降りちゃって。俺と相手2人と事務所に呼ばれて怒られてさ。

――で、当時は相当モテたんですか？

力也　モテるなんてもんじゃないよ！　そりゃすごい！　地方行けば、泊まってるホテルなんかみんな女の子で予約いっぱいだよ。たとえば1フロアに部屋が20何個あるとするじゃん。3フロアで60何部屋、そこに2人ずつ入ったとして、１００人以上の女の子が泊まってるわけだから。だから、こっちの部屋終わったら、こっちの部屋行ってで、1日何人ヤッたかわかんないよ。

――乱交パーティーもやってたっていう。

力也　そりゃそうだよ！　女も4Pとか5Pとか平気なんだから、デタラメだね。

――ライブじゃ生意気な客は殴るし（笑）。

力也　だから俺、（ガッツ）石松とケンカになりそうになってたんだよな。あいつもケンカが好きで、石松が客席から「この野郎！」かなんか言ってきたから、「なにをこの野郎、上等だ！」って感じになってさ。

――その後、キックボクサーとしてデビューするのも頷ける暴れっぷりですよね。

力也　昔から格闘技好きだったからさ。友だちがキックやってて一緒に練習してるうちに、フォークやディスコが流行ってきちゃって、俺たちのハコがなくなってGSグループがほとんど解散したわけ。俺は解散前からキックの練習に行ってたんだけ

『日劇ウエスタン・カーニバル』
東京・有楽町にあった「日本劇場」（日劇）で、開催されていたライブ・イベント。58年に第1回が開催され、ロカビリーブームを巻き起こす。一時、人気が下がったが、60年代後半からはグループ・サウンズのブームが巻き起こり、連日超満員となった。

ど、キックはギャランティーが安いから辞めて。そのとき、俺が六本木でやってた店に梅宮辰夫……梅宮の兄貴がよく遊びに来てたの。

――それで東映が誇る素晴らしきバカ映画『不良番長』にスカウトされるわけですね。

力也 「お前、バイク乗れるか?」ってね。

――『不良番長』での伝説も、またすごいあるじゃないですか。差し入れのお酒を、全部力也さんが飲んじゃったときの話とか。

力也 ああ、ロケーション行ったとき各部屋に1本ずつ会津誉って日本酒が差し入れであったのね。で、着いた日にとりあえず飯食いながらみんなで飲んだんだよ。そのうちみんな疲れて寝ちゃったけど、俺は寝れねえやな。だから、ある女優が風呂入ってるって聞いて、そのままスッ飛んでって。

――行動が早いですねえ(笑)。

力也 風呂に浴衣で入ってって、濡れネズミで女キャッキャ言わせてさ(笑)。こないだ久々に会ったけど思い出しちゃったよ、あいつの体を。それで部屋に戻ってまた1本飲み干したら、そのうち面白くなくなってきたんだよ。で、廊下を一升瓶ブラ下げて「俺だ!」とか言いながら歩いて、誰かの部屋行っちゃドアを蹴破って中入って、そしたら男優さんがベランダから隣の部屋に行っちゃったりしてさ(笑)。それからいろんな部屋ブッ壊して、兄貴は「寝ろ!」って言うんだけど、言うこと聞かねえんだ。で、風呂場に行ってそこらじゅう蹴飛ばしてたら、足にヒビ入っちゃったんだよ(笑)。

――『不良番長』といえば、梅宮さんが「とりあえずレギュラーの数だけ女を揃えろ」って条件を出すぐらい、共演する女

『不良番長』
全16本も製作された、梅宮辰夫の主演による不良バイカー映画。第1作目『不良番長』は68年に公開され、梅宮演じる神坂弘と彼が率いる暴走族「カポネ団」の生き様を描く新感覚のアウトロー映画としてヒット。シリーズが進むにつれて次第にコメディ色が強くなっていった。力也は「アパッチ」役でシリーズ後半から出演。

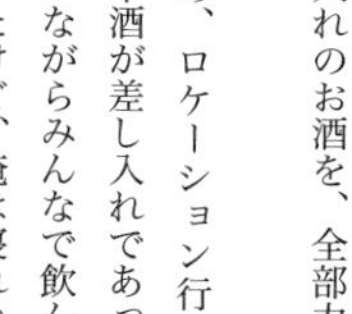

東宝ビデオより発売中

優さんを食いまくってたらしいですね（笑）。

力也 台本なんかどうだっていいんだよ。あんなものはアドリブで全部やるんだからさ。それよりも大変なのは女を揃えること。

──足りないと絶対揉めますからね（笑）。

力也 奪い合いになるんだから。新伍さんと梅宮の兄貴がいるから、俺が行く頃にはみんなが釘打った後なんだよ。俺は三番手あたりなんだけど、待った甲斐があるようなのが来たら完全包囲だよ。誰にも渡さねえ（笑）。だって、ある女優と撮影終わったら飯食いに行く話になってたとき、撮影終わってパッと見たら新伍さんが車に女優を乗っけて連れてっちゃったんだよ？　俺、自転車借りて新伍さんの車を追いかけたもんな。「そりゃねえだろ、バカ！」って。

──ダハハハ！　そういう自由な空気が画面から伝わってきて最高でしたよ！

力也 デタラメだもん、だって。女の事件はいっぱいあるけど、兄貴が富士のロケーション行ったときかな？　俺がいい女だと思ってた女優と照明部が大ゲンカになっちゃって、撮影部も照明部も帰るって言い出したから、その女優に謝らせたの。で、兄貴が酒を出して、つまみを作って、スタッフのために裸踊りまでして和気あいあいとなったんだよ。でも女は泣いてる。これは俺がなだめなきゃ、俺しかできないってことで、女を部屋に送ってなだめてやろうとしたんだけど、俺の部屋で話を聞いてあげてるうちに違うなだめ方になっちゃったの。

──要はヤッちゃったんですね（笑）。

力也 そしたら「力也がいねえ、女もいねえ、どうしちゃったんだ？」「おかしい！」「あいつのことだから……力也の部屋はどこだ！」ってなって、俺が下になって女を乗せてたら兄貴や新伍さんが廊下にビール箱積んで上から覗いてるんだよ（笑）。俺も恥ずかしいからスッと替わって、今度は女の顔が見えるようにしたら、女も気がついて体が硬直しちゃってさ。しょうがないから、出てって俺が謝った。女は泣いてる。喜びと驚きの涙ね（笑）。で、すぐ俺は濡れ場に戻ってもう1回。大変だったよ、ホント。

──すごい世界ですねえ（笑）。

力也 あの頃は写真週刊誌もねえから自由にできたね。その彼女とも付き合ったよ。

アブドーラ・ザ・ブッチャーとの死闘

──そんな力也さんは、男性とヤッたこととかあるって噂を小耳に挟んだんですけど。

力也 ああ、フランスで騙されて酔っ払っちゃってさ。きれいな女だと思ったら、もう整形してアレを取ってて。ニューハーフのショーガールだったんだよ。ちっちゃくて17歳ぐらいにしか見えないから部屋に連れて帰って、コトが終って朝になったらカツラとか置いてあって。でもオッパイもアソコもちゃんとあるから、もう1回ヤッて。

──おかしいと思いながらも（笑）。

力也 まあいいやと思ってさ。で、帰してから「どうだった？」「いや、可愛い子だったよ」「彼女、今日デートしたいって言ってるぞ」って話になって、次の日に会ったらボーイフレンドを連れて来たんだけど、そっちは女なんだよ。オナベだったの。

俺はなんかすごい罪悪感感じちゃってさ、「……これはヤバいから3人で遊ぼう!」って。

――ダハハハ! ポジティブですねえ(笑)。

力也 だって、こっちに本物の女がいるんだよ? オナベであろうが女なんだから、そしたら3Pだよ! ニューハーフの男を泣かして喜ばしてるけど、こいつは自分で感じてねえ部分があるわけだろ? だったら、こいつを感じさせなきゃいけない。本来は女なんだから。そして、ニューハーフの男も、自分の彼氏がレイプされてるみたいなとこを見て興奮してる。なんとも言えねえよ。こっちハメたり、あっちハメたりで、なにがなんだかわからなくなっちゃう。

――ダハハハハ! さすがだなあ(笑)。

力也 さすが俺だよ。こんなの俺ぐらいしかできねえだろ? 普通だったら、おそらく「男? ウェーッ」で終わりだからな。

――ヤギとヤッた男は違いますね(笑)。

力也 ああ、それはレンジャー部隊と一緒に3日間山に入ったときだね。ロープと缶詰とナイフしか持たないサバイバルゲームみたいなもんだったんだけど、2日目あたりはもう食うもんなくなっちゃって、水でも飲むしかねえ。で、なんか捕まえて食おうってことで、火も使えないし生で食えるものは何かって考えたらヘビぐらいしかねえんだよ。それでヘビ捕まえて、牙抜いて、頭を潰して、口で引き裂いて、皮を剥いで、塩振って食うわけ。だけど、そんなんばっかり食ってたら朝勃ちどころじゃなくなっちゃうんだよね。マムシっつったらすげえじゃん! そしたらビンビンになって。

――だけど、行き場がないわけですね(笑)。

力也 行き場がない(笑)。そんなところにヤギがいた! ヤギのケツがこっち向いてる。まるでそっくり。「ロープで縛っちゃえ」って。みんなで1時間ヤッたよ、1時間。

――そこでも輪姦しちゃった、と。しかし、力也さんのアレは内田裕也さんが「パール入り巨大ペニス」と証言してたぐらいなんだから、ヤギも災難でしたね(笑)。

力也 パールじゃねえよ、歯ブラシだから。少年院に入ったとき、何もすることねえから歯ブラシの柄を歯で切って、削って丸くしたわけよ。それ何個か作っといて、竹でチンポに穴を開けたら急いで入れて、隠し持ってた木綿糸と針で縫うわけ。夏場は絶対できねえんだよ、腐っちゃうから。全部で5個ぐらい入れたら、女の子が「痛い、痛い」って言うから2個減らしたけどさ。

――ただでさえデカいんですからね。

力也 デケえんだよ! ホントにトウモロコシの食いかけみてえで、半端じゃねえよ。

――『ひょうきん族』時代、山田邦子さんやビートたけしさんにも見せたそうですね。

力也 みんな「見してくれ」って言うから、「見てえなら見してやる!」って言ってな。

――あと、力也さんが王様ゲームを作ったっていう噂についても聞きたいんですけど。

力也 そんなの大昔だよ! 王様ゲームってみんな騒いでるけど、俺はまず数を数えるゲームを最初に作ったのな。ロンブーがやってるヤツあるだろ、あれと一緒だよ。

――数字を言いながらタバスコをどんどんかけていって、100を言った人が激辛スパゲティを食べさせられるアレですね。

内田裕也
59年に日劇ウェスタンカーニバルで本格的デビュー。GSグループ「内田裕也とフラワーズ」などを経て、ロックヴォーカリスト、俳優、映画監督として活躍。年末に開催される「ニューイヤー・ロックフェス」も主催している。77年に大麻取締法違反、83年に銃刀法違反、11年に住居侵入などで、たびたび逮捕されている。

力也　俺のときは、酒でもなんでも飲まなきゃいけなくてな。そのうちに今度は蕎麦屋の箸の袋に番号書いて、みんなに引かせて遊んでたんだよ。まず、一番偉いのは俺。あと2、3……って書いて、俺の紙を引いたヤツは俺の持ってる権限を使えるから、他のヤツらがなんでも言うこと聞くんだよ。

――つまり、王様ゲームじゃなくて正確には力也様ゲームだったわけですね（笑）。

力也　そう、力也ゲームなんだよ（笑）。それで「何番と何番が王様にキスしろ」とかやって、そこから全てが始まったわけ。

――力也さんが六本木とかで女子と遊ぶことによって、それがどんどん広まって。

力也　いろんな飲み屋で「こういう遊びがあるんだぞ」なんて教えて回ってたんだもん、俺。合コンだって俺は早かったしな。

――ついでにいえば強姦もですけどね（笑）。

力也　そういえば、こないだ早稲田のバカが捕まっちまっただろ？　レイプするにも、ちゃんとやんなきゃダメなんだよな。

――アフターケアをちゃんとしろってことですね（笑）。女子を1000人斬りしてきた力也さんが言うと、説得力ありますよ！

力也　1000人どころか2000人超えてらあ！　AVの男は、金もらってビジネスでやってんだろ？　俺はテクも違うぜ。

――いまでも元気がよすぎて、朝は寝返りが打てないらしいですからね（笑）。

力也　参っちゃうよ、ホントに。寝返り打つと「痛え、痛え」ってさ（笑）。朝勃ちがつっかえ棒になってるから、たまんないよ。

――いちいち完璧ですね（笑）。

力也　現役！

――河崎実監督からは、『豪快さん』のロケのとき地回りの人が来たら力也さんの顔でアッサリなんとかなったって話も聞きましたけど、そっち方面でも現役というか（笑）。

力也　あのときは地回りのヤクザ者が来たから、「ちょっとここで撮影さしてくれるかい？」「何時頃まで？」「わからねえけど、よろしく頼むよ」って、それで終わりだよ。地方行っても、制作の人間が地元のヤクザ者からお呼びかかって俺が「頼むよ」って言ったりさ。そういうの、いっぱいあるよ。

――あと、アブドーラ・ザ・ブッチャーとのストリートファイトについてもぜひ教えて下さい！

力也　ああ。ブッチャーが六本木のビブロスに他の悪役レスラーといたとき、下の方でギャーギャー女の子の声が聞こえるんだよ。女の子が逃げ回ってて、周りの男の連中も止めるに止められねえみたいでな。俺、ビブロスでは一応番長みてえなことやってたから、「どうしたんだ？」って言ったら、女の子が俺の後ろに隠れたんだよ。それで、ブッチャーが俺の襟首を掴みやがったんで、「なんだ、この野郎！」って表に出たの。ちょうど駐車場が工事中でブロックがいっぱい積んであったから、ブロックで頭バカーンって割ったんだけど、一発じゃ倒れねえんだよ。額から血が出てるだけで。

――やっぱり打たれ強いんですねえ。

力也　そのときは他のレスラーも「やめてくれ、やめてくれ」って言ってたんだけど、俺もそのレスラーも酔っ払っててわかんないわけ。なんかあったらブッ刺してやろうと思ったんだけど、刺すものがねえんだ。刺したって、あの腹だとたかが知れてるのに。

アブドーラ・ザ・ブッチャー
「黒い呪術師」の異名を持つ、悪役レスラー。70年に初来日、凶器を使った流血ファイトやジャイアント馬場との抗争などで人気が爆発。近年まで現役を続けており、外人レスラーとして来日回数ナンバー1を誇る。

――刺しても大丈夫そうですか（笑）。

力也　それでもう1回ブロックでバカーンとやったら、その場にズデーン。で、その1週間か2週間後かな？　そいつと東京駅で会ったんだよ。額にデカいバンドエイド貼ってて、「リッキー、覚えてるか？　ここやったのリッキーだよ。俺も悪かったけど、ここまでやることはねえだろ」って（笑）。で、新幹線の中で飲もうってことになって、食堂車で他のレスラーとこっちのスタッフと一緒に飲んでたら、ビールがなくなっちゃったんだよ。しょうがないから名古屋でまたビールのケース入れて、京都までずっと飲みっぱなし。それから、もう親友よ！

――あと、『戦場のメリークリスマス』の撮影に内田裕也さんのボディーガードとして同行して、デヴィッド・ボウイのボディーガードと揉めた話も聞きたいんですけど。

力也　あのときはマネージャー兼ボディーガードもやってたんだよ。そしたら、デヴィッド・ボウイのボディーガードも極真かなんかやってて、ケンカになりそうになっちゃったんだよな。それで腕試しだっていうんで、ハーバーの方にある飲み屋に行って、何かと思ったら向こうの船乗り相手に、ボディーガードと俺と2人でケンカしたんだよ（笑）。それで「リキヤ、すげえ強えんだな」って、すぐ友だちになったよ。それからは、暇さえありゃ道場で一緒に練習してさ。

――あと、H・KさんとM・Yさんのケンカを止めたこともあるんですよね。

力也　うん。あれは誰も止められないよ。

――止められないですよ、そんなの（笑）。

力也　あるとき揉めてるって話で内田裕也が迎えに来たから、2人の仲裁に行ってさ。Aと一緒にいた頃なんだけど。

――H・KさんがI・Aさんと結婚してた頃ですね。

力也　そうそう。それも正月だよ、正月。

――その年の『ニューイヤー・ロックフェス』が終わった途端、「俺の演技をパクッた」みたいなことで揉めてたわけですね（笑）。

力也　そうそう。「似てるの似てねえのって、そんなものは関係ねえだろ」「細けえこと言ってんだったら、俺の目の前でやれ」って。でも、やらなかったよ。「バカ野郎、やらねえんだったら2人ともシメちゃうぞ。俺とやるか？」とか2人に言ってさ（笑）。

――ダハハハハ！　しかし力也さん、話を聞いてると本当にエピソードの宝庫ですよね。

力也　いろんなとこにいるよ、俺は。格闘技の連中もみんな俺のこと好きだからさ。

――スマックガールやキックからＷＷＥまで、いろんな会場にもよく来てますよね。

力也　いま、俺の息子がレスラーになりたがってるんだよ。歌い手や芝居やるのは好きじゃねえって言ってさ。いま柔道部だよ。

――小さい頃から、力也さんが屋上でケンカを教えてきた甲斐がありましたね（笑）。

力也　そうだよ、日曜日は屋上でケンカ教えてたからな。あいつがまた覚えたらすぐ下行って、ケンカしてくるんだよ（笑）。

――息子さんのデビュー、期待してます！

デヴィッド・ボウイ
60年代にデビュー。70年代には『ジギー・スターダスト』が大ヒットし、グラム・ロックの代表的な存在として世界中で大人気となる。83年には大島渚監督の『戦場のメリー・クリスマス』に出演し、俳優としても評価される。

『ニューイヤー・ロックフェス』
「打倒！　ＮＨＫ紅白歌合戦」をテーマとして73年の大晦日に年越しロック・イベント「フラッシュ・コンサート」が開催。以降は恒例化し「ニューイヤー・ロックフェスティバル」として40回以上開催されている。シーナ&ロケッツや白竜がレギュラーメンバーとして参加。故人のジョー山中、桑名正博、力也も毎年参加していた。

俺の息子
安岡力斗。俳優を目指して活動中。10年には力也の肝細胞ガンの治療のため、自らの肝臓の一部を生体肝移植したことでも話題となった。

岩城滉一さん、撮影中に
毘沙門天にさらわれましたね

清水健太郎'06

SHIMIZU KENTARO/2006年12月18日収録

1952年生まれ。福岡県出身。俳優、歌手。学生時代にスカウトされ上京。清水アキラのバックギターが話題となりレギュラー出演が決まった『ぎんざNOW!』（TBS系列）でアイドル的人気を得る。1976年にリリースした『失恋レストラン』が大ヒットを記録し、日本レコード大賞新人賞を受賞。『NHK紅白歌合戦』にも出場。90年代は、『首領への道』『雀鬼』などがヒットし、Vシネマの帝王と呼ばれるまでになった。

未来の大御所を次々殴る

——以前、真樹日佐夫先生と村上和彦先生のパーティーでお見かけして、一緒に写真を撮らせていただいたんですよ。そのときに、「俺も昔は極真空手をやってたんだよ」とか、そういう話を気さくにしてくれて。

清水 ああ、そうですか。30年前、極真の渋谷の道場でやってたんですよ。そのことは取材とかもされたことないですけどね。

——もともと腕っ節は強かったんですか?

清水 赤ん坊の頃から身体が大きかったんですよ。この体が中学2年で出来上がってたんで。大きかったから、小学校の3年生ぐらいで26インチの自転車に乗ってたんです。で、5年生のとき350ccのバイクに乗って無免許で捕まって家裁行って、中1のときにも無免許で捕まって家裁行って。

——よく捕まりますねえ(笑)。

清水 だからプロレスラーになりたかったんですよ。このまま背が伸びたら2メートルになるぞって自分の中で思ってて(笑)。だからプロレスラーに憧れてて、マニアックなところではハリー・レイスが好きで。

——マフィアみたいで最高ですよね! 身体が大きかったせいか成人映画をよく観に行ったとか普通に著書で書いてましたよね。

清水 はい。中学のとき、窓口で「大人1枚」って言ったら「大人しか入れません」って言われて、確かにそうだなって(笑)。で、「ボク、補導員が来たら便所行きなさいよ」って映画館の人に言われて。その映画館、ストリップもくっついてたんですよ。

——じゃあ、もちろんそっちも観て。

清水 はい。それで学校に行って「ホントに観たんだぞ!」って言っても誰も信用してくれなくて。で、今度は友達と2人で行ったら、「ホントすごいのう!」とか言いながら、股に挟まれちゃってね、顔を(笑)。

——ダハハハハ! 大人びてたんですね。

清水 そうですね、初体験が早かったんで。

——それって、おいくつのときですか?

清水 12歳とか(あっさりと)。

——うわぁ〜っ! 昔の著書だと……。

清水 たしか15歳って書いたよね。……それじゃあ15歳にしときましょう。本にはそのとき「輪姦された」って書いてた?

——書いてるわけないですよ! 本に書いてたのは、「女が出産するときには腹を切らなきゃいけない、それが女の性や」って言ってみんなに「こいつは女を知らない」って思われたってエピソードぐらいでしたね。

清水 ああ、それは僕が帝王切開で出てきたからですよ。だから、あそこから出てくるとは思わなかったんです。18歳ぐらいまでお腹を切って出てくるもんだと思ってたから。センズリって言葉も高校卒業するときに保健体育の先生が、「飲む、打つ、買う」っていうのを教えてくれたときに知って。

——そんなの教えてくれるんですか(笑)。

清水 みんなも高校卒業して社会人になると酒を飲む機会もあるし、博打やる機会も女を買う機会もあるだろうからってことでね。それで「お前らセンズリで十分だろうな」とかいう話が出たときに、「センズリってなんなの?」って聞いたら「手で

村上知彦
「M・R・F」(村上ロイヤルファミリー)の盟主。劇画家として『昭和極道史』『東京魔悲夜』などを執筆。また映画監督、プロデューサーとして数々の映像作品にも携わっている。真樹日佐夫先生とは義兄弟の関係であった。

極真空手
大山倍達が創始した空手の流派。直接打撃(フルコンタクト)制を提唱し、空手界に革命を起こした。初期は常軌を逸した修行などで、武闘派集団としても名を馳せた。

ハリー・レイス
世界最高峰といわれたNWAのベルトを8回も獲得した偉大なプロレスラー。ニックネームは「美獣」「ミスタープロレス」。70年代には全日本プロレスに何度も来日し、ジャイアント馬場などと死闘を繰り広げた。

著書
78年にペップ出版から発売された『風知る街角』。

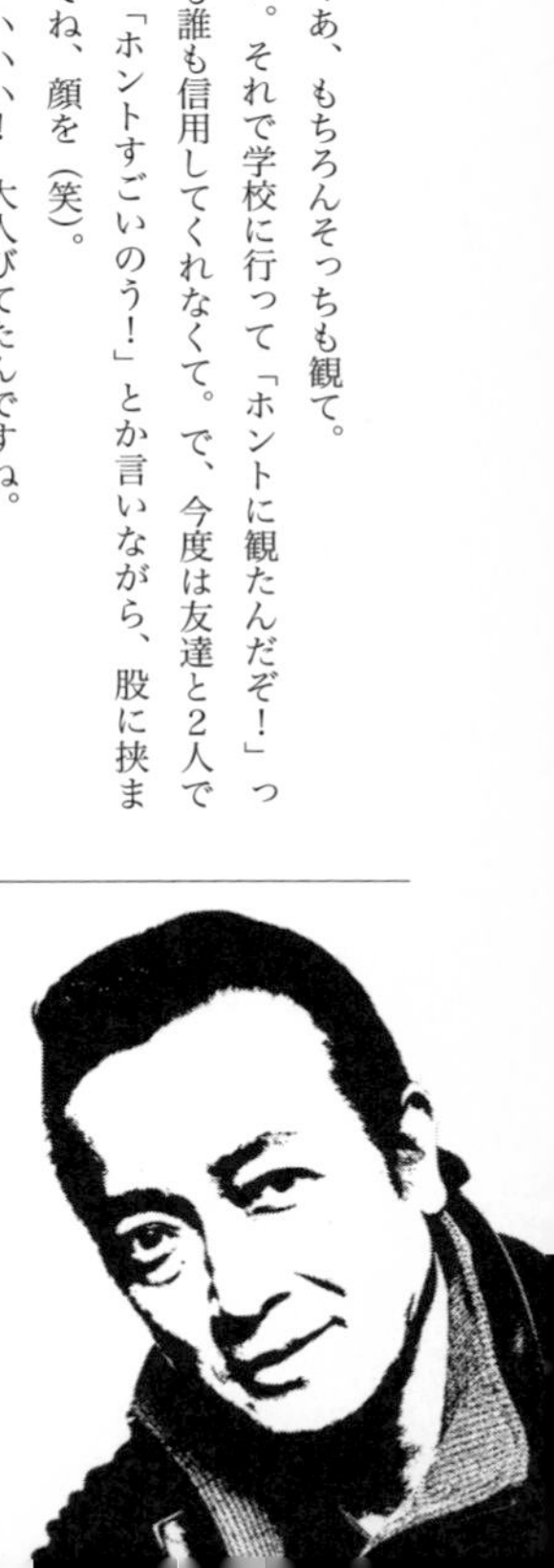

こすったら出る」。「出るわけなかろうが！　出たらビックリするやろ！」って、家に帰ってやったら出たから、これはすごいって（笑）。

――ダハハハハ！　初体験はしていたけれど、それまで知らなかったんですね（笑）。

清水 知らなかった。夢精は知ってましたけど、センズリは知らなかったんですね。

――つまり、しなくても済むような環境だったわけですね。モテたから。さっき「輪姦された」っておっしゃいましたけど。

清水 そうなんですよ、これは確実に。言っていいのかなあ？　高校2年生の女性2人にキャンプに誘われて、川の字になってテントで寝たんですよ。海で遊んでからだったんで、すぐ寝たんですけど、1人の女性が外に出てったら、いじられ始めてね。そのとき気づいて、どうしようって思いながらも、あまりの気持ちよさに……（笑）。

――オナニーも知らない頃ですからね（笑）。

清水 で、そのまま相手が乗っかってきて、何も言えない状態で……犯されたんでしょうね。こっちは上に乗った記憶がないんですよ。で、コトが終わったら女性が出てって、今度はもう1人の女性が入ってきて。

――また犯されちゃったんですか（笑）。

清水 また（笑）。わかったような、わからないようなナイトメアのような朝を迎えて、波打ち際でオチンチンを洗っていたという。

――ダハハハハ！　そういうことがあると女性不信とかにはならなかったですか？

清水 女性は怖いものだなって……。でも、ほら、若い頃はみんな性に興味があるから。

――これはなんなんだろうってだけで。

清水 変則的な3Pだったんでしょうね、初体験が。いま思えばハメられたっていう。

――それだけモテたわけですかね？

清水 結果的にはモテたというか……。まあ、普通ではないでしょうね（あっさりと）。

――そして大学に行くために上京したら、後輩に清水アキラさんがいたんですよね。

清水 それでアキラが後輩で『ぎんざNOW！』の『しろうとコメディアン道場』に出たんだけど、5週目で落とされて。それでまた初めから勝ち抜いて4週目に、僕がギター弾いてアキラがボーカルで出てね。

――最初はなぜか後輩である清水アキラさんの弟として売り出されたみたいですね。

清水 そうですね、アキラがどうしても老けてるから、冗談で「19歳」って書いて。

――それって後でまずバレますよね。

清水 いや、別に芸能人になろうと思ってなかったから。ギャグです、全部ギャグ。ただ出場記念の時計が欲しくてね。質屋に持って行けば９８００円貰えて、出演料が４５００円で。当時、仕送りが2万円だったですから。で、4週目も勝ち抜いて5週目いったとき、ＴＢＳのスタジオに２０００人ぐらいお客さんが入ってて。その頃、ダウンタウン・ブギウギバンドとかキャロルとかが出てたから、今日は誰かスペシャルゲストが来るんだなって思ってたら、その女の子たち、僕が行ったらギャーッて来たわけですよ。それで銀座中を逃げ回ってね。

『ぎんざNOW！』
72年から79年までTBSで放送されていたバラエティ番組。タイトル通り、銀座にあるスタジオから生放送されており、若者に支持された。「しろうとコメディアン道場」には、清水アキラや桜金造が所属していた「ザ・ハンダース」や関根勤、小堺一機、吉村明宏などが出演し、デビューするきっかけともなった。

―そのときは芸能界に入る気もなくて。

清水 ないですね。お芝居もすごい苦手で、人の前でしゃべることも苦手で。だけど記念にね。親父の建築会社の後継ぎだったから、その前に記念で1曲だけと思って。

―で、歌手デビュー前に『ぎんざNOW！』のレギュラーになるわけですか。

清水 いや、レギュラーはもう強制的にならされたんですよね。ちょうど大学を留年しちゃったから、そのときプロデューサーにお話をいただいて、エルヴィス・プレスリーとかビートルズとかの弾き語りとかやってみせたら、「曲も作れるか？」って言われて「はい、作れます」「じゃあ新しいコーナーを作ろう」って、それで出来たのが『男の美学』っていうコーナーなんですけど。

―そこで永ちゃんにインタビューしたり、具志堅用高さんのジムに入門したりして。

清水 そうですね。男っていわれてる人たちに会ってきて、その週に作った歌を歌うっていうコーナーで、観客も男だけでね。

―ヤンチャな人がいっぱい集まってたから、お客さんとも喧嘩したっていう（笑）。

清水 ああ、そうでしたね（笑）。

―母校に帰ったときも、襟を開けてる高校生はブン殴ったらしいじゃないですか。

清水 ああ、そうですね。嫌いなんですよ、襟を外してたりするのは。僕らはそうやって育ったから。長髪で帽子も被ってないし。……なんでそんなの知ってるんですか？

―『ぎんざNOW！』時代、「小堺！」って呼んでるのに「ホラ貝！」と言っていると勘違いして返事しなかった小堺一機さんをブン殴ったって話も聞きましたよ（笑）。

清水 あ、そう（あっさりと）。他に殴ったのは、島田紳助と明石家さんまと……。

―大御所ばっかりじゃないですか！

清水 そうなんだけど、「うるさい！」ってことでね。紳助とは後から和解したんですけど、さんま君はまだ根に持ってるようで。

―じゃあ番組に呼ばれることもまずない。

清水 ないですね。1回、ダウンタウンが番組に呼んでくれたら面白いんですけどね。ど突いてきたら、ど突き返すんで（笑）。

―ダハハハハ！　反射的に（笑）。

清水 1回ガードしてドスンって（笑）。ど突き返してやりたいね。やっぱり体育会系で、礼儀の中で育ったから。芸能界って、売れてる人間が後輩をイジメてるみたいなところがあるんですよね。でも、僕の場合は売れていなくても年が上であれば先輩ですし、売れてても年下ならば後輩ですし。だから売れてる売れてないは関係ないですよ。

―でも、自分のルールを芸能界で通すのはなかなか難しかったんじゃないですか？

清水 そうですね。知らない人にも「おはようございます」って言えってマネージャーに言われたんですけど、知らない人に挨拶できないでしょって（笑）。あと旅番組とかで、最後に「これ、視聴者プレゼント。美味しいんで」って、でも俺、食ってもねえのにそんなこと言えないからね（笑）。

―だったら俺にも食べさせろ、と（笑）。

清水 そうそう。『いい旅夢気分』とかホント冗談じゃないっていうの。いろんなとこ連れ回してね。それはしょうがないけ

『いい旅夢気分』
テレビ東京系列で86年から放送され、12年には通算1200回を迎えた旅番組。現在はタイトルを『にっぽん！いい旅』に変更して放送中。

ど、お世話になった人に「ありがとうございました、こんな素敵な扱いをしてもらって」っていう挨拶もできない状態でどんどん行くんですよ。気持ち悪いですよ、ハッキリ言って。いい旅じゃないんで悪い旅地獄気分ですよ。

――ダハハハハ！　不吉すぎて放送できないですよ、そんなタイトルの番組（笑）。

清水　最後にディレクターに「これを視聴者プレゼントに」って言われて「わかった。でも、美味しいって言うのだけは嫌だ」「いや、どうしても言って欲しい」「じゃあ食べさせてくれる？」「いや、そんな時間はない」。って言い合いになって、結局言わなかったですけど。「これプレゼント」って（笑）。そのへん応用が利かないみたい、自分で。

――頑固ですよね、かなり。

清水　頑固です、ホントに。利き酒やっても、「これ日本酒だ」「これも日本酒だ」「うん、日本酒だ」って感じでね（笑）。で、同行したアナウンサーみたいな人が「まろやかで口の中で広がって」とか言ってたんですけど、「お前そんな嘘がようつけるな」と（笑）。だから、ヨイショもできないですね。

――じゃあ、映画の世界は上下関係がハッキリしてるから居心地も良かったですか？

清水　いまは緩いでしょ。若山富三郎さんはすごかったですけどね。自分が「おはようございます」って立って挨拶して、向こうに行かれたからいいかと思って座ってると、また俺が知らない間に後ろを通るんでしょ。そうすると若い衆が「お前、なんで挨拶しねえんだよ！」ってきますからね。

――挨拶したのに（笑）。若山さんは、恐いけど懐に入るといい人だったらしいですね。

清水　結局、可愛がってくれましたけどね。思い出に残ってるのは、一緒の車に乗せてもらって。甘いもの断ちをずっとしててね。

――あれだけ甘いものが大好きな人が。

清水　やっぱりいけなかったんでしょうね。

――糖尿になっちゃいましたからね。

清水　で、ロケ弁の中に栗きんとんが入ってたんですよ。「健太郎、これはおかずだろ？」って言うから「いやいや、これはおかずじゃないですよ。お菓子でしょ、どう見ても」「弁当にお菓子が入ってるわけねえだろ！」「いや、デザートっていうんですよ」「うるせえ、これはおかずだ！」「じゃあおかずです」「そうだよな」とか言って（笑）。

――映画デビューは岩城滉一さんと共演で。共演者として岩城滉一さんはどうでした？

清水　……コメントするんですか？

――しづらければいいですけど（笑）。岩城さんが一番ヤンチャだった時代でしたよね。

清水　岩城さん、撮影中にさらわれてましたよ、毘沙門天に（あっさりと）。「なんでブラックエンペラー出して俺らを出さないんだ！」って、6時間ぐらいいなくなって。

――それ、岩城さんのせいじゃないのに！

清水　でも、仲良く帰ってきましたけどね。

山口小夜子との恋物語

――役者と歌手ではどっちが好きでした？

清水　ちょうど昨日、聖子ちゃんのディナーショー行ってきた

若山富三郎
俳優。『子連れ狼』シリーズで、拝一刀を演じ、その殺陣と演技は日本だけでなく海外でも評価された。92年に逝去。その人物像は、吉田豪が復刻プロデュースした文庫『おこりんぼ　さみしんぼ』（著　山城新伍）にも描かれている。

毘沙門天
70年代に全国的に有名となった暴走族。「全狂連」（全日本狂走連盟）の加盟チームだった。対立していた暴走族「ブラックエンペラー」は、関東連合に属していた。

聖子
松田聖子。80年に『裸足の季節』でデビューし、現在にいたるまでアイドル歌手として活躍中。『GEDO　外道』は、99年に公開されたアメリカ映画。清水健太郎、松田聖子の他、中条きよし、松方弘樹、ゲイリー・ダニエルズが出演。

んですよ。聖子ちゃんを『GEDO』って映画の中で殺したことがあるんで。10曲ぐらいかな、1時間ちょっとで4万8千円で。うまいですし、やっぱり魅了してますよね。いるだけでいいんですよね、お客さんにとっては。でも、僕は歌が好きだから40分って言われても2時間半ぐらいやっちゃうんですよ（笑）。「5曲でいい」って言われても「いやいや、俺は5曲じゃ歌った気がしねえから15曲は歌う」とか言って。そこはちょっと勉強になったな。写真も撮っちゃダメ、録音もダメだったんですけど、僕は「触ってもいいですよ、バシバシ撮ってください」ってヤツで（笑）。

――気にしないですか（笑）。

清水 全然気にしないです（キッパリ）。

――『レコード大賞』の新人賞も取られて。

清水 あそこにトロフィーがありますけどね。まあ、あの当時は操り人形ですよね。

――事務所に言われるままの。

清水 そうですね。『失恋レストラン』のB面が『アイ・ラブ・ユー・ソー』ってバラードなんですけど、僕をこの芸能界に入れた田辺昭知さんも、田辺エージェンシーに入れたディレクターも「B面でいけ」とって言ってたんですよ。当時、サディスティック・ミカバンドにカラオケ録らせて、つのだ☆ひろが作詞作曲して、それを田辺社長が聴いて「ドラムはポンタ、ベースは後藤、ギターは成毛滋、ピアノは羽田健太郎、これでいけ」って言われて録ったんですよ。

――そうなんですか！　そんな豪華メンバーが録音するだけで、完璧じゃないですか！

清水 完璧ですね、ハッキリ言って。ちょうど萩原健一さんが田辺エージェンシーを出た翌年ぐらいだったんですよ。で、第2のショーケンを作るっていってスペシャルチームが作られて、萩原さんのやってたCMを全部僕に回してたんですね、当時は。だから「お前は天才の後を追って仕事するんだから自重せいよ」って言われてたし、死んだ深作欣二監督にも「お前は気づいてねえだろうけど、お前には特殊な色気がある」とか、あと松田優作さんにも「お前が本気になったらやられちゃうから」って。諸先輩方にいろいろ言っていただいて。

――特殊な色気というか陰はありましたよね。そしたら著書で「これは書くのもつらい、話すのもつらい出来事」ということで、芸能界に入る前の73年2月4日に車で事故を起こして、女性を死に追いやったことを告白していたという。「お通夜に、御葬式に、初七日、四十九日、すべて参列して、自分の犯した罪の重さを心に刻みこみ、ただただ反省する毎日だった。そして、心の中にポッカリ穴があいてしまった。心の底から笑えなくなってしまった。笑っても、ポッカリあいた穴の中を冷たい風邪が吹き抜けるものを感じるようになった」って……。

清水 記録上は前方不注意と安全運転の違反だけで、0対100ではあったんですけど、結果として相手が亡くなったのは事実なんで……。

――芸能界でデビューした後も「ファンの歓声も……まばゆいスポットライトも……音楽でさえも……さらにいっそう、俺の孤独をかきたてる」って書かれてましたけど。

清水 そんなカッコいいもんじゃないですよ。ただ眠たい、1人の時間が欲しい、みたいな。1日3時間ぐらいしかないんですもん。その中でも絵を描いたり詩を書いたりはしていて。手紙はあんまり書いたことないですけど。日記は書いてましたね。

レコード大賞
77年末に発表された第19回日本レコード大賞で清水健太郎は最優秀新人賞を受賞。他に新人賞にノミネートされていた狩人、榊原郁恵、高田みづえ、太川陽介。ちなみに生中継の視聴率は50・8%で、これはTBSの音楽番組で歴代1位を記録。

『失恋レストラン』
清水健太郎のレコード・デビュー作。76年11月にリリースされたが、人気に火が着いたのは77年になってからで、2月にはオリコン1位を記録。つのだ☆ひろが作詞・作曲を手がけている。この曲で清水健太郎は『NHK紅白歌合戦』にも出演。

田辺昭知
グループ・サウンズのバンド「ザ・スパイダース」のドラマーとしてデビュー後、独立。芸能プロダクション「田辺エージェンシー」を設立し、代表取締役社長に就任。有力タレントを多く抱え、芸能界の重鎮として活躍。妻は元所属タレントの小林麻美。

恋人がいたけど、パリコレに行っちゃって。

――それはアメリカ人モデルだったっていう最初の奥さん（バレリー夫人）ですか？

清水 いや、違う。山口小夜子っていう。

――あ！ あの山口小夜子さんですか！

清水 山本寛斎さんとも付き合ってたみたいですけど。「小夜子」って日記がありましたね、「愛しくて愛しくて。なんでお前はパリなんだ」みたいなことを書いて（笑）。1回、パルコ劇場に30日間、1日100本のカサブランカを贈り続けたんですよ。「百合中毒になりそう」って言われてね（笑）。

――その後、83年に大麻で逮捕されて田辺エージェンシーをクビになり、86年には息子さんの1歳の誕生日の夜に大麻取締法違反で再逮捕されちゃうわけですけど……。

清水 正直言って最初は好奇心で。反省はしてたんでしょうけど、やっぱりアメリカ行ったり、近いところにあって手を出してしまったことは確かですね。あと覚醒剤は真剣な話、六本木のサパーで密売されてたんですけど、そこで「元気になる薬がある」「Sっていうんですよ」って言われてね。

――ダハハハハ！ つまりそれがシャブだとはわからず、やたらよく効く栄養剤みたいに受け止めちゃったんですか（笑）。

清水 そう、ホントに知らなかったの。で、ホントにバシーッと元気になって、「これはいいぞ！」「ちょっとこれ買うてこい！」って、毎晩そこに行って。それでもうスーパーマンになっちゃうから、そのうちそれがないとダメになっちゃったんですね。起きられないし。もともと元気がいいんですよ。

――元応援団だし、空手家だし。

清水 いや、基本的な体力が。僕と1週間一緒に生活したら、たぶん倒れますよ。僕、この1週間で寝たのは新幹線の中だけですよ。1日3時間ぐらい。48時間ずっと起きっぱなしってことが1週間に2回あったし。

――誤解されますよ、それ（笑）。

清水 誤解もなにも、これが普通だから。芸能界に入ったときには、新幹線が睡眠の場みたいな感じで。体はもうそれに慣れてるから。で、そのときはVシネマの撮影が2～3本重なってきたりしてたから、そこでスーパーマンになっちゃう薬を知って。

――これは便利だ！ ってことになって。

清水 普通に使うようになったときに、「スピード、これがSなんだよな。他の呼び方あるの？」って聞いたら「覚醒剤です」って言われて、「……えっ？」と思って。というのは、昔、僕の友達で覚醒剤やってたヤツがいて、そいつのところに友達と一緒に乗り込んで、注射針とか覚醒剤とか「ふざけんな！」って目茶目茶にした思い出があって。覚醒剤っていうのは嫌なもんだっていう記憶があるし、そもそも僕、注射が苦手なんですよ。あと言葉のサウンドがよくない、シャブとか覚醒剤って。それを自分の中でSとして受け入れていたっていう現実に驚いたんですけど、そのときにはもう体中が欲しがってる状態で。だからもうどうしようもなかったですね。ハッキリ言ってあれがないと起きてられなかったですから。ベッドから置き上がれなかった。

――それが94年に捕まるまで続いて。

清水 何年かわかんないですけど。

――セカンドバッグを落としたときですね。

清水 ああ、常に吸ってました。15分にいっぺんぐらい。車の

萩原健一
「スパイダーズ」の弟分バンド「テンプターズ」のヴォーカルとしてデビュー。解散後は俳優としても活躍する。83年に大麻不法所持で逮捕。04年には交通事故を起こして業務上過失致傷で逮捕。翌年には恐喝未遂容疑でも逮捕されている。

深作欣二
映画監督。代表作は『仁義なき戦い』シリーズ、『バトルロワイアル』など。前立腺がんに侵されたが、男性機能の低下を懸念して抗癌剤を投与しなかったという。03年に73歳で逝去。

山口小夜子
71年にモデルデビュー。72年にパリコレにアジア人として起用されて世界的な人気となり、日本人初の国際的トップモデルとして活躍。映画や演劇、ダンスなどでも表現の場を広げた。07年に肺炎のため逝去。

運転中も吸ってました。

――それが、薬入りのセカンドバッグを落としたことで、毎晩悩んでいたっていう。

清水 もうパクられるっていうね。いつ来るんだろうっていうのはありましたね。でも、1ヶ月来なかったんですよ。東京サミットがあって、お巡りさんがそれどころじゃなかったらしいんです。「じゃあ来ねえんだ」って思って、自暴自棄ですから、やっちゃえっていう(笑)。こんなこと言ったら反省してないってまた怒られるけど、ホントのことだから言いますよ。でも、やっぱり来まして、そのときは半分助かったなって。

――自分では止められなくなってたから。

清水 うん、これで止めてもらえるって。

――そして実刑判決が出て獄中生活を送るわけですけれど、そのときは完全に芸能界から足を洗うつもりだったんですか?

清水 そうですね。もう使ってもらえないだろうなっていうのはありましたから。

――当時の報道だと、芸能人で3回逮捕されたのは初めてだってことでしたけど。

清水 そうですか。裁判は5回ぐらいやってますけどね(笑)。

――出所後はレストランで皿洗いをしていたらしいですね。

清水 そうですね、皿洗い1ヶ月5万円で。

――食堂関係でバイトすると、絶対に『失恋レストラン』とか言われますよね(笑)。

清水 いや、それはないでしょ(笑)。

覚醒剤はよくない

――復帰のきっかけは、岡崎二朗さんという説と中条きよしさんっていう説があって。

清水 岡崎二朗さんですね。中条きよしさんには気持ち的な部分で助けていただいて、現実に動いてくれたのは岡崎二朗さんです。現場に連れて行かれて、「お前、しゃべれ」「輪の中に入れ」って。その様子を見て「お前は役者なんだから、役者をやれ」って。

――ご本人としても、またいつか役者をやりたいって思いは強かったわけですよね。

清水 いやいや、嫌だったから「もうできないです」って。現実的にはできるんでしょうけど、刑務所に入ってたっていうのは自分の中で……模範囚であろうがなんであろうが、やっぱり烙印を押されて後ろ指さされてるって気持ちがすごくあったんで。人の目を非常に気にしてたしね。まさかカムバックできるとは思ってなかったし。でも、すぐビデオの仕事が来るようになって。

――ものすごい風格がついてましたからね。

清水 ああ……そうですね(笑)。

――この迫力は絶対出せないなって思いましたよ。人生経験がちゃんと役に活きてて。

清水 う〜ん……。それは自分では語れないですね。それから完全に断ち切れた状態で、ずっときてたんですよね。ずっと我慢してて8年目でまたちょっといろいろギクシャクして、そのときにSを求めてしまって……。ただ前回と今回で違うのは、今回はやれば周りの連中がわかるんですよ、僕の場合ハッキリしてるから、「やってるだろ?」と。でも、「はい」とは言えないし、「やってません」とも言えないから、ちょっと不器用な

東京サミット
93年の7月7日から9日まで、東京で開催された第19回先進国首脳会議。開催時は、都内の治安維持が強化されていた。

岡崎二朗
64年に東映に入社、俳優デビューを果たす。67年に日活に移籍。映画、テレビなどで活躍を続ける。清水健太郎とは『愛が泣いているさすらい』(村西とおる監督)などで共演している。

中条きよし
74年にリリースしたシングル『うそ』が150万枚を超える大ヒット。俳優としても活躍する。90年代以降はオリジナルビデオ作品で、存在感のあふれる重厚な演技を披露している。

んで「ええ、はあ」とか言って。

——煙に巻ききれないわけですね。

清水 だから、そう言われたら持ってるもの全部捨てちゃって。常備してたわけでもないし、止めれば止められた、でもやってた、そういう状態ですよね。前回のときは常に吸ってないと落ち着かなかったんで、禁煙した人がタバコ1本吸ったぐらいの感じですよね。でも捕まってよかったですよ。なんてバカなことをしたんだろうって、皆さんもそういう気持ちだろうし、僕自身もそういう気持ちで。そのときはちょっとヤケになってた部分があるんですけど。

——それは家庭のことでですか？

清水 そうですね……。走り続けてたんですよ、負けまいとしてね。思いっきり全力疾走をずっと8年間続けてて。なんかわかんないけど一番になりたいなと思って。今回、先輩たちに言われたのは、「一番になんかならなくていいじゃないか。一番になろうと思ってたから無理をしたんだろ。無理をすれば当然体のバランスが悪くなる。そこで何が起きたのか、言われなくてもわかるだろ。じゃなくて今回お前はどう再生していくか、どうやって信用を取り戻していくのか、どうやって復帰していくか、俺たちはそれを見てるから一歩一歩階段を昇ってけよ。それで振り向いたときにそこがてっぺんだったらそれもいいだろうし、てっぺんじゃなくてもいいだろう」と。そう言ってくれたのが桜井章一さんなんですけど。

——前に捕まったとき自伝を書くって言われてたんですけど、まだ出てませんよね？

清水 はい。『魔物』っていう本を書いてて、だいたい上がってたんですけど、それを読み返すと気持ち悪くなってきて、またやりたくなるんですよ。そういうものと縁を切りたいと思って昔の話をすると、どういう症状だったとか頭の中に甦ってきて、具体的に体の中で反応しちゃう部分があって。

——……じゃあ、今日の取材でもあまりこういう話題はしない方がいいんですかね？

清水 いやいや、いいんですよ、インタビューだから。でも、その『魔物』っていうのを書いてるときに、具体的に書いてると気持ち悪くなって下痢気味になっちゃったり、肉体にまでそういう状態が現れてきてね。それで途中で中止しちゃったんです。でも、今回は自伝を書こうと思ってますね。情けない部分も知ってもらいたいな、と。

——今後はシャブをテーマにした映画も作ってみたいって言われてましたよね。

清水 そうですね。やっぱり脳で考えて判断できない薬だし、その怖さっていうのを若い人、またそういうことで悩んでる父親や母親がたくさんいると思うんで、伝えていきたいなって。ただ「やめなさい」って言うだけで治る病気じゃないんで、一番簡単なのは友達を断ち切ることなんですけど、断ち切るための映画みたいなものを作りたいと思って。文部省とか警察に認定してもらって高校生たちにも是非観てもらいたいですね。まあ、ルックスからしても言ってる内容からしても、どういうわけか人に伝わり方が強いものがどっかあるんで（笑）。

——いまはまだ充電中って感じですかね。

清水 見切り発車じゃなくて、ちゃんと計画性のあるやり方で発車したいと思うし。次やったら死ぬことになってますからね。まあ、焦らないように、人が「もういいじゃないか」って言っても、目安としてる人全員が「もういいじゃないか」って言う

桜井章一
20年間無敗といわれ、「雀鬼」の異名を持つ麻雀師。プロとして第一線を退いたあとは後進の指導に励んでいる。昨今はその人生訓の詰まった書籍を多くリリースし、次々とベストセラーとなっている。

まで我慢するときなんじゃないかな。

――バッシングの声もあると思いますけど。

清水 バッシングされても全然……格闘技もそうですけど、叩かれて強くなるタイプだと思うんですね、自分は。怒られてなんぼですから。怒られて自分の財産がたくさん増えたのは確かだし。大人になって怒られることって少ないんですけど、俺の場合はずっと怒られっぱなしで（笑）。問題児というか危険人物というか、取り扱い注意。いつも冗談で「ちょいワル親父になってください」って言われてますからね。どうやっても大ワル親父になっちゃうから（笑）。

――安岡力也さんが怒ってましたね。「8年前はボコボコにしてシメてやったけど、今回は穴掘って埋めてやる」とか言われてて。

清水 何を言われてもしょうがないですね、ありがたいとしか思えない。受け止める以外ないし。力也先輩もすごい心配してくれてね。自分がいると庇ってくれて。いろんな先輩から「会いに行ってやってくれ」って言われてるんですけど、先輩の方から「ちょっと待ってくれ」と言われてるんで。

――今回、身元引受人が新日本キック・市原ジムの小泉猛会長になった関係で、キックの練習も始められたみたいですよね。

清水 はい。キックのジムにずっと居候させていただいて。楽しいですね、キックは。

――試合やる気になったりしないですか？

清水 試合やりましたよ、武田幸三と（04年4月18日、新日本キックの市原興行でエキジビジョンとして実現）ボコボコにされましたけどね（笑）。いつでもいいですよ。

――いつでもいい！

清水 はい。臨戦体勢ですよ（キッパリ）。

――K-1とかがオファーしてくれたら。

清水 K-1はちょっと（笑）。54歳ですからね。でも、体を鍛えるために始めたつもりだったんですけど、いま足も丸太ん棒ですから。毎日蹴りすぎてスネ毛がなくなっちゃって。これでローキック一発ですよ！

――なぜかマギー司郎さんのもとで手品師の修行中っていう噂も流れてましたよね？

清水 ケンとマギー？ やりましたよ。後ろに立って次の手品の道具を出すんですけど、サングラスかけてやったら気づかないだろうと思ってたら、みんな気付いて。マギーさん以外には立川談志さんもすごいよくしてくれて。「健太郎にもう1回覚醒剤打たせる会」とか言ってて、悪い先輩で（笑）。

――子供の頃からデパートの奇術コーナーに行くのが大好きだったらしいですよね。

清水 手品好きですね。やるのも大好きで、たとえばいま象を出すこともできますよ。

――え、そうなんですか！

清水 ……だけど今日は予定に入ってないんで、それはやめときましょう（笑）。

――ダハハハハ！ マギーイズムだ！

清水 みんなゾーッとしますけど。虎は出ますよ。でも今日はちょっとエサやってないんで、出すとみんなに食いつくかもわからないんで、今日はやめときます（笑）。

小泉猛
98年に伊原信一を代表として設立された新日本キックボクシング協会（SNKA）に所属する、市原ジムの会長。

武田幸三
新日本キックボクシング協会の治政館ジムに所属していたキックボクサー／格闘家。01年にはタイでのタイトルマッチに勝利し、ムエタイ史上4人目の外国人王者となる。03年にK・1デビューして、魔娑斗らと激闘を繰り広げた。10年に現役を引退している。

立川談志
落語界に革命を起こし、思想的にも大きな影響を与えた落語家。テレビや雑誌などでは、切れ味の鋭いブラックジョークで時事問題に切り込むことも多かった。11年に逝去。

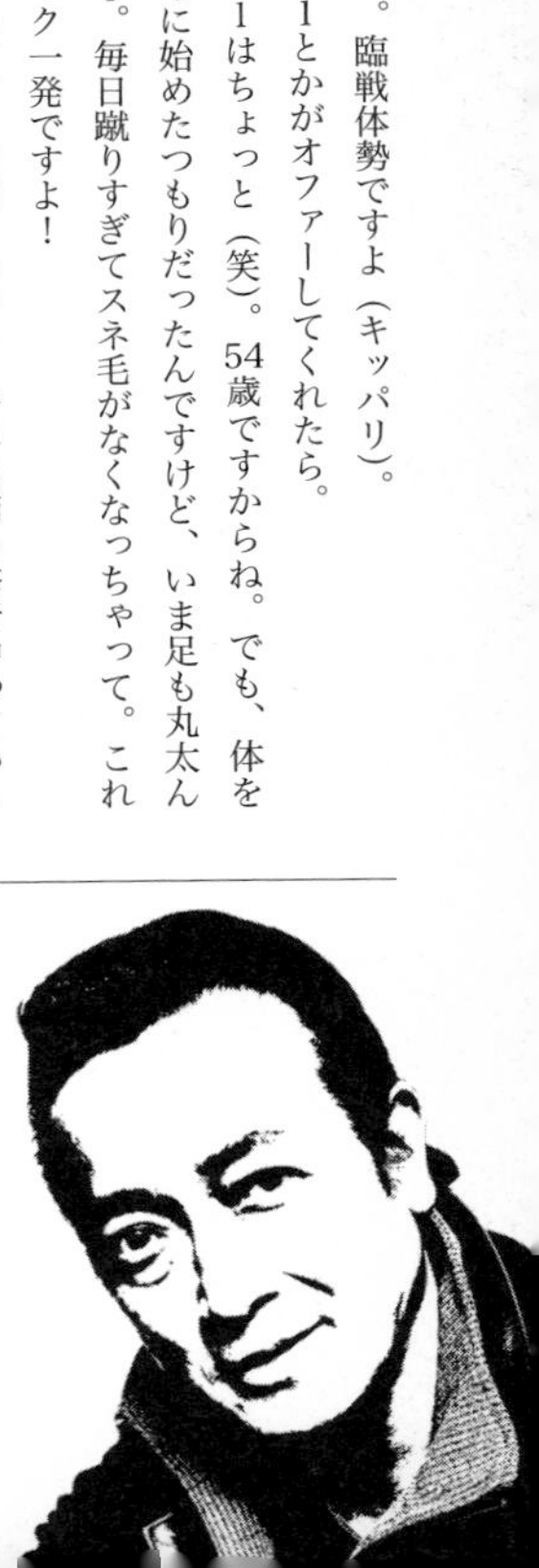

暴走族のヘルメットを
スラッパーで、思いっきり
バチーンとしたら割れた

清水健太郎'12

SHIMIZU KENTARO/2012年10月1日収録

『アウトレイジ』はリアルじゃない

——6年前にも一度、ここ（清水さんの自宅）で取材させていただいて、それから事件があってしばらく会うに会えない状況になってたわけですけど、つい最近『劇画マッドマックス』で『再々々々起を誓う』というインタビューを受けていたのを見て、取材出来そうだったからまた会いに来ました！

清水 そうですか。（獄中で記事を読んで「彼の取材を受けたい」と指名して以来、付き合いが長く、『劇画マッドマックス』の独占取材も、今回の取材ブッキング&カメラマンも担当した鈴木長月氏に）なんだよお前、仕事を一生懸命しようとしちゃって（笑）。

鈴木 気にしないでください。

清水 ゆっくりいこうかと思って。俺の場合これまで覚せい剤で3回捕まったんだけど、1回目はハマッちゃったっていうか、とにかく狂っちゃった。ないと生きていけない。

——最初は全然事情もわからず手を出して。

清水 事情もわからずに。ただ、そのあとはハッキリ言えば法を犯してるのはわかってるから。やっぱり1回味を知ってしまってる人間にとって、そこに行き着くのはすごいたやすいことなのかもしれないね。場所と時間と人と、いろいろ一緒になったときに……。

——真樹日佐夫先生も、ずっと心配してましたよ。そんな真樹先生も亡くなって……。

清水 うん。でも俺ね、薄情なのかもしれないけど、人が亡くなるっていうことに関しては寿命としか思わない。もちろん思い出はいっぱいありますよ。だけど、どっかで断ち切らないといけないじゃないですか。だから、すごい近い人が死んだ悲しみはひと晩で終わらせて。だけどジョー（山中）さんにしても力也さんにしても、桑名（正博）さんはいまは大丈夫だけど、真樹先生にしても、突出した棘のあるっていうかアブノーマルな人たちがどんどん消えていってるのが寂しいです。

——わかります。だから、清水さんにも、またちゃんと活躍できる場が出来て欲しくて。

清水 うん、あればいいよね。

——でも難しいですよね。5年前の時点でさえ、かなり難しかったわけじゃないですか。

清水 うん。いま少しずつ、GEOにしろTSUTAYAにしろ、いろいろ壊れた関係を修復してってっていう段階だけど。まあ、来年だよね。

——暴排条例以降、Vシネ関係はかなり難しい時代になってるとかよくいいますからね。

清水 だったら『アウトレイジ』とかはなんなの？ やっても勝ったらいいんじゃない？

——あそこまでリアルに作っても、映画ならセーフになるのか、やる人次第なのか……。

清水 観る人次第じゃない？ 観たいと思ったら観るだろうし。ただ、『アウトレイジ』はおもしろかったけど、リアルかと言われると……どうなんだろうな？ そうかな？

——あ、そうでもないんですか？

清水 所作に関していえば……。

——リアルなほうだろうけど、まだ違う。

清水 うん。あの中に糖尿病の人とか80パーセントぐらいいる

『劇画マッドマックス』
芸能ゴシップやヤバいお仕事など、裏社会の真実をルポ漫画にて掲載し続けたコアマガジン発行の実話&劇画&裏モノ月刊誌。13年1月号で休刊。姉妹誌は『実話マッドマックス』。

真樹日佐夫
作家、漫画原作者。実兄である梶原一騎の紹介で極真会館に入門、大山倍達と義兄弟の契りを結び、師範代としても活躍。80年には自ら真樹道場を設立する。格闘技興行や、映画のプロデューサーとしても活躍していたが、12年逝去。

ジョー（山中）
69年に内田裕也率いるフラワーズに参加。70年にフラワー・トラベリン・バンド結成。77年に映画『人間の証明』に出演し、主題歌『人間の証明のテーマ』も担当。50万枚の大ヒットとなる。吉田豪によるインタビューが『人間コク宝』（コアマガジン）に掲載されている。11年逝去。

と思うんですよ。だからインスリンを打ってるシーンとか、血糖値を測ってるとか、病院に行かなきゃとか、そういう何気ないヤクザのリアリティみたいなのがあればいいのに、話で全部持ってっちゃってるからもったいないな、と。まあ、それは俺たちが使わせてもらおうかなって。あと、観てるとおもしろかったけど、世の中の流れについていってるのかなっていうと、どうかな。昔でいうVシネマのヤクザ映画ファンが観てるのか、また違う人種が観てるのか、女性が観てるのか。それで今度、『～ビヨンド』がよかったら、もっとああいう映画を観たいっていう別な層が広がるかもしれない。

――そうなればチャンスがありますかね。

清水 チャンス……どれぐらいのチャンス？　期待度は？　もしVシネを出すんだったら金を作ればできるじゃない。じゃなくて、その映画を観た人が『アウトレイジ』ぐらいの感想を持ってくれれば成功ってことでしょ、早い話が。チャンスなんて作れると思うんですよ、お金を作れば。いま映画を作ること自体は容易な作業だけど、それをどこからどこに流通させるっていうことのほうが難しい。で、それが黒字になるかっていうこと、そのへんを1年がかり、来年の夏までに台本を作ってみたいな構想でいまやってるんだけど。

――いまはTSUTAYAがビビッたりで大変だって前に村上和彦先生が言ってました。

清水 うん。だってTSUTAYAの名鑑に俺の名前載ってないもん（あっさりと）。

――そうなんですか！

清水 そう、清水宏次朗は載ってるけど俺の名前はない。いまは有線放送も『失恋レストラン』はかからないから。いま放送禁止。

――うわあ……。

清水 また歌手の活動をし始めたという情報が入れば流すってことで。

――なるほど。きっかけさえあればっていうか、前例があって「あ、いいんだ」っていう空気ができればいいってことなんですね。

清水 そうそうそう。いいんだって思ってもらうのがいいのか……べつにいい人だと思ってもらわなくてもいいんですけどね。このままを思ってくれれば。ヤンチャもやってきてないとは言わないし。だからいま、いろんな仕組みと闘ってるんだよね。映画界の仕組み、Vシネマ界の仕組み、みたいなさ。

――その闘いは大変じゃないですか？　なかなか勝利を得るのは難しそうな気がして。

清水 うーん、どうかな？　世の中の人はみんな俺のことどう思ってるのかわからないけど、バカだとかもったいないだとか、何を考えてるんだとか、4回も刑務所に行って、あの人の人生もう無理だって思ってるかもしれないよ。ただ、どっかで強運なところがあるんですよね。運も実力のうちっていうから。その運を大事にしたいなと思いますね。

暴排条例の影響

――いろんな人たちが、それこそ真樹先生もそうですけど、「健太郎もホントしょうがねえな」って言いながらも、「まあ、来たら許してやろうと思う」みたいなことをみんな言ってたのが、すごいなと思いますもんね。

桑名（正博）
代表曲に『セクシャルバイオレット・ナンバー1』『哀愁トゥナイト』など。阪神大震災をはじめとする現場に出向いて、ボランティア活動をするなど、チャリティー精神に溢れる人物であった。吉田豪によるインタビューが『人間コク宝』（コアマガジン）に掲載されている。12年逝去。

『アウトレイジ』
北野武監督作品。キャッチコピーは「全員悪人」。ヤクザの世界で男たちが生き残りを賭け、裏切りや駆け引きなど壮絶な権力闘争を繰り広げる、本格バイオレンス・アクション。

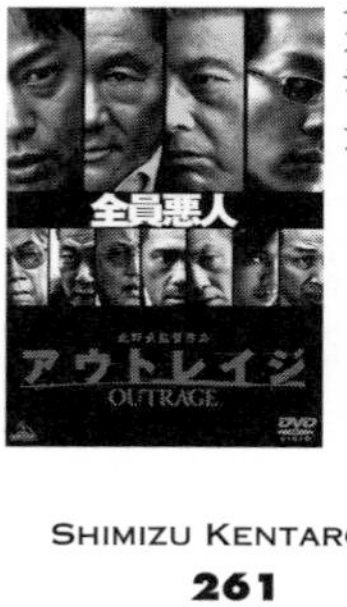

©バンダイビジュアル

清水宏次朗
高校在学中に竹の子族として原宿で踊っていたところをスカウトされ、芸能界入り。映画『ビー・バップ・ハイスクール』での仲村トオルとのコンビ・ヒロシが当たり役となった。その後はVシネマを中心に活動している。

清水　そうだね。こないだ埼玉の居酒屋で、店主の人が俺のすごいファンで、「食べにおいでよ」って言うから行ったら、俺のデビューのときからのファンが30人ぐらい来てて、大盛り上がり大会になっちゃってね。日本中でもう1回やってほしいって、言葉には出さないけど思ってる人はたくさんいるんだなっていうことに応えてあげたい。で、俺は応えないといけない、俺の人生の中で。

――いままでも「もう裏切れない」って言いながら繰り返しドラッグに手を出してきたけど、今回薬物依存離脱指導プログラムを獄中で受けて、今度こそ大丈夫って言ってましたね。

清水　あれは衝撃でしたね、自分の中でも。懲役行ってクサい飯食ってあれだけの報道をされていろいろやられれば、もう絶対にやらないってふつうのように思ってたから、自分でも。だからまたやり始めたとき、ハッと気がついたときにはもう捕まってたっていう。

――リスクはわかっててもまたやっちゃう。

清水　で、そのシャブ教っていう薬物依存離脱指導プログラムを12週間受けて、なるほどなっていう。いままでなんか違うもののせいにしてたのが、じゃなくて必然なんですよね。「こうしてこうしてこうなると、これをやるんです。しかし、こうしてこうしてこうやると絶対やらないんです」っていうものがあるんですよ。だからそれの力を借りてっていうか、出てきてタバコもやめて、べつに吸いたいとも思わないし。でも、「もうやめるよ」とか言葉で言えないし、言っても信用されないし（笑）。あとは見ててもらうしかない。

――同じ「もう絶対にやめる」でも、今回の重みはかなり違うってことなんですよね。

清水　はい。やらない日を1日1日築きます。やめるって言葉より、「ああ、今日もやらなかった」と。そっちのほうが合ってる。

――そういえば、ネットオークションで清水さんの結婚式の引出物を入手したんですよ。

清水　ワイン？

――ワインと石鹸のセットでした。これはちょっと聞きづらいんですけど、元奥さんが覚せい剤で捕まったときはどう思いました？

清水　まだやってたんだって感じですね。

――清水さんから教わったとか供述してて。

清水　そういう話になってたけど……。まあ、クスリは悪いですよ。結論はそこ。ハッパにしろなんにしろ、やっちゃいけないものはやらなければいいんだよ。それだけです。

――出所したら暴排条例が施行されたわけですけど、それについてはどうお考えですか？

清水　これしょうがないでしょ、仕組みがそうなったんだから。ただ墓参りとか、お世話になった……やっぱり僕らの頃って興行っていうのはほとんどそっち関係の人が多かったんで。映画とかでその人の役をやったとかディナーショーとか、そういう人が亡くなったりしたとき、花を贈ったり、目立たないように墓参りしたりするのはいけないことじゃないと思うんですけどね。そこまで規制されてるんですか？　そこまではないでしょ。それ以外は、会っちゃいけないっていうんだから、会ったところを写真に撮られたら認定されるとかっていうことだから。そしたら俺が暴力団になるっていうこと？　違うでしょ？

――密接交際者みたいなことですよね。

清水 それだったらべつにいいですけど。

——あ、それはいい（笑）。

清水 うん、べつに（笑）。俺が暴力団員にされるんじゃ困るけど。だけど応援してくれる人がたくさんいる限り、そういう人たちと直接会って飯食ったりする行為は……。

鈴木 密接交際者みたいに報じられて、世間的にそっち側の人扱いされちゃうと、それはそれでマズくないですか。

——難しいですよね。ああいう役をやって応援してくれる人が大勢いるのはわかるけど。

清水 でも、みんな気にしてくれてるよ。

——ああ、付き合い方を。「おまえに迷惑がかかるんじゃないか」っていう感じで。

清水 そう。だからもう会うこともないし。僕らも仕事で誕生日会だとか、よくあったけど。いまはそういうこともまったくノータッチだし。まあ、慣れてきたらそんなもんだろっていうことになるんじゃないですか？

——島田紳助さんの件はどう思いました？

清水 詳しいことはわからないけど、紳助はもっと悪いことしてるんじゃないですか（あっさりと）？

——ダハハハハ！　かつて清水さんが殴ったことでもお馴染みの紳助さんですが（笑）。

清水 ただ、俺は紳助のことをべつに悪く言うつもりはないんだよ。これでもう出てこないんじゃかわいそうだと思うしね。

——実力はすごいですからね。

清水 うん、すごいと思う。

——前に殴った理由はなんだったんですか？

清水 うるさかった（あっさりと）。

——それだけ（笑）。

清水 だって楽屋、狭いでしょ？

——いつぐらいの出来事ですか？

清水 『ヤングおー！　おー！』とか、あのへんの時代じゃないですか？

——そのとき楽屋で騒いでた、と。

清水 忘れたな、もう。さんまもだけど。

——さんまさんと紳助さんを殴ったのも、紳助さんとは和解したのも聞いてます（笑）。

清水 だから相当うるさかったんだろ。俺あんまりキレないもん。キレたら激しいけど。

——キレるぐらいうるさかった、と。紳助さんとさんまさんが一緒に騒いでたんですか？

清水 いや、別のときですね。で、その後に新千葉サーキットで紳助主催の50ｃｃのバイクのレースがあって、それに出たときにちょっと話して。べつに俺は嫌いとかって思ってないから。まあ、殴られたほうは嫌いになるだろうけど、べつに接点がないから。

——じゃあ、そんなに尾を引かないで。

清水 うん。だけど、さんまさんはまだ尾を引いてんじゃない（あっさりと）？

——みたいですね（笑）。

清水 でも、あんまり覚えてないんだよなあ……。あの頃は暴れん坊だったからさ。

——控室で喧嘩が起きがちだったんですか？

清水 控室じゃなくて六本木とか街で。

——それは相手がタレントさんに限らず。

清水　タレントじゃなくて素人と。

——よくバレなかったですね。

清水　あの頃、ワゴンの花屋が停まってて、そこのオヤジが「隠れろ」って言ってくれたからね。通りの向こうで「♪悲しけりゃ」とかってからかってくるんですよ。ふつう来ないと思うでしょ。俺、行っちゃうから。

——通りの向こうまで！

清水　うん。それで「どういうつもりでやったの？　からかったの？」って聞くと、「すみませんでした」「すみませんでしたっていうことをなんでするの？　俺でよかったけど、ほかの人だったらボコボコにされるかもわかんないよ」って言って、ウェスタンブーツで一発蹴り入れておいたけどさ（笑）。

——ダハハハハ！　ボコボコにはしない。

清水　しないしない！

——でも、そうやってからかってくることって芸能界に入ったら相当あるでしょうね。

清水　喧嘩のチャンスなんていくらでもあったもん。「歌え」とか。で、千円札を投げて、「金払ったら歌うんだろ？　歌えよ」とか。

——それは完全に喧嘩を売ってますよね。

清水　うん。

——どうするんですか？

清水　歌わないよ、そんなの。だから、店の人が止めてたね。……そういやよく殴ってたよな、いろんな人を。思い出してきた。

——ダハハハハ！　そんなにですか（笑）。

清水　気に食わないことがあると手が出てたんじゃないかな、昔は。タレントにじゃなくて、自分の後輩とか後輩の連れの行儀が悪いと。行儀が悪い人、嫌いなんですよ。行儀とか礼儀とか、それは喧嘩が強いとか弱いとか抜きにして一番大切なことだと思ってるから。ただあまりにも行儀がよすぎるのも困るんですよね。ちょっとハチャメチャなところがあったほうがいいなと思うときもあるし。

覚せい剤全盛期

——気はだいぶ長くなってきました？

清水　気ね……どうなんだろうな。そうやって改めて聞かれると。ただ、最近はあんまり怒ったりしないね。これは書かないでほしいんだけど……（以下、酷い目に遭った女の子を救うために身体を張って闘った男らしいエピソードが語られたが、デリケートな問題すぎるので削除）。そういう時代もあったし。六本木で木刀を持って黒人狩りだとか……。

——そんなこともやってたんですか！

清水　やってたな（あっさりと）。

——それは無法な黒人がいたりとかで？

清水　ううん、俺たちの行きつけの店の女の子が黒人にレイプされちゃって。誰だっていうのがわかんなかったから、もう誰でもいいやってなって、ひとりずつ（あっさりと）。

——ダハハハハ！　黒人をどんどんやっていけば誰か当たるだろうっていう（笑）。でも基本、義侠心的なものはあるわけですよね？

清水　義侠心っていうか楽しみだったんだけどな（あっさりと）。そういうのが楽しみだった頃があった。折れるからな、

木刀が。

――えっ！　そんなに激しいんですか。

清水　当たりどころが悪いと折れちゃうんだよな、あれ。（急に部屋の中を探し出して）このへんにあるよ、（スラッパーと呼ばれる革製の武器を見せて）これが俺の凶器。

――うわっ、これは効きそうですね。

清水　こうやって手に巻いて、こういうところ（肘とか膝）にコツンと当てる。これをケツにいつも入れてたの。重たいから、ズボンの片側だけ落ちちゃって。もうこんなもの使う時代じゃないんだけど、これを2本、ベンツのうしろの肘掛のところに隠してたとき、運転しながら携帯電話をかけてて捕まって、車ごと全部調べられたら2本出てきて、蔵前署にそのまま連れかれて、軽犯罪法違反。

――ああ、それも凶器って扱いになって。

清水　うん、調書も書かれて。裁判のときに載ってたね。どこのヤクザだって（笑）。

――腕っぷしが強いことは重々承知の上でしたけど。武田幸三さんと試合したぐらいで。

清水　いやいや、あんなのは。腕っぷしが強いっていうより気合いじゃないですかね。これ（スラッパー）でヘルメット割れますよ。

――えっ！

清水　割ったもん（あっさりと）。ウチに帰ったら、マンションの下がローソンで、そこの駐車場に200人ぐらい暴走族がいて、バイクが100台ぐらいあったんだよね。で、俺の駐車場にまでバイクを停めてたから、帰ってきたときにそのまま車でバイクを4台ぐらいバンバンバンッて倒して、そのまま降りて、「ちょっと頭を出せ」って言ったら7人ぐらい並んだんだよ。それ全部ビンタ入れて、「ホントの頭出せ」と。まだ出さないから、バイクの上にヘルメットが置いてあったの、それをこれで思いっきりバチーンってやったらヘルメットが割れて。で、「いいから俺の駐車場に停めてるあのバイクの持ち主をつくから、出せ」と。出ないんだよな。

――出てこないでしょうね。そりゃあ怖いですよ。俺の頭も割られると思いますもん。

清水　で、チラッと見たら俺の車からラジエーターの水が漏れてるし、痛っと思いながら「ちょっと待ってろ、日本刀を持ってくっから」みたいなこと言って（あっさりと）。

――ダハハハハ！

鈴木　それ一番覚せい剤やってた頃でしょ？

清水　うん。で、こっちにジャックナイフ持ってたんだよね。俺、趣味でそういう危ない系を集めるのが大好きだったんですよ。

――それ、趣味だけじゃなくて実用ですよ！

清水　刺したことはないけど。たまたまもらったんじゃないかな？　結局6人ぐらいぶっ飛ばして、牛乳とかパンとかのくずを全部掃除させて。夜中の2時とか3時だけどマンション中全部出てきてベランダから見てて。

――そりゃあ、自宅の真下で暴走族集団対清水健太郎がやってたら、みんな見ますよ！

清水　それでローソンのお兄ちゃんはこっち向いてこんな（親指を立て）ことやってて。

――「GJ！」と。

清水　仲間だから。で、「おまえらここからバイクを500メートル押せ。そこでエンジンかけて二度と来るな。で、俺の駐車場に停まってるバイク、どっかに持ってってくれ」って言って。でも、ちゃんと考えてたんですよ、殴ってる途中でも。やっぱり後頭部とか、あのへんいくと死ぬっていうのがあるから。

——ヘルメットを割るのも完全にそういうデモンストレーション的なものですからね。

清水 もちろん。バイク潰すのもデモンストレーション。だって、俺の駐車場に入るとこに停めてるんだから当たったってしょうがないでしょ。帰ってきたらみんな拍手ですよ。

——街の人たちは喜んでくれた。

清水 でも、それで俺が捕まったら今度は「あの人は変人、奇人」になっちゃって。

——なってましたね。奇行の人って感じで。

清水 助けてやったのに。奇行の人……。でもね、なんていうかスーパーサイヤ人みたいな状態だもん。あの状態がずっと続いたら怖いでしょ。たぶんもう炎状態なんじゃない？

——覚醒剤によって「奇行の人」とか報じられたことに関してはどういう気持ちでした？

清水 世の中の人はやっぱりそうやって取るんだなって。奇行はしてたもん。映画の中でブルースハープ吹いてくれっていうから、寝る間も惜しんで練習してたら、「あの人、毎晩夜中になるとハーモニカを吹き出す」とかさ。

——それはしょうがなかったわけですね。

清水 なんでも奇行のほうに持ってっちゃうんだよね。実際、持っていかれてたよな。

——ここ何年かの記事を集めたら「全然寝ないからおかしいと思った」的な証言があったんですけど、ボクが前にインタビューしたときにもそれは言ってたんですよね。「俺、覚せい剤止めてすごい元気なんだよ。一緒に行動すればわかる。全然寝ないから」って。

清水 うん。覚せい剤やってないときも寝なかった。萩原さんの言葉に影響されたんじゃないかな、「寝るのはもったいない」って。

——ショーケンさんが言ってたんですか。

清水 うん。「ジジイになったらいくらでも寝れる時間あるじゃん。若いときに寝るなんてもったいない」っていうのを小耳に挟んでさ。だから、いま40代ぐらいの友達と家にいて、「ちょっと外に出ましょうよ」とか連れて行かれて、夜10時ぐらいに「じゃあ、いまからクラブ行きますから」とか言われても、「いやちょっと待ってくれ。俺もう眠たいんだよ」みたいな感じになっちゃったね。

鈴木 完全に還暦のお爺ちゃんじゃないですか！

——いまはもうふつうに寝るんですか？

清水 そうですね、平常だと夜11時には寝ますね。ただ、いまでも寝られないですよ。だから眠剤を飲んで寝てる。俺は大学で建築やってたから、夜中いっつも製図引いてたんですよ。だから製図と麻雀で徹夜にすごい強かったんです。それがまず原点だと思うわ。忙しくなっても1回も倒れたことないし。

体の悩み

——もともと圧倒的に体が強いんですよね。

清水 うん……そうでもないみたいよ。

——そうなんですか？

清水 うん。これは言っていいのか悪いのか考えてるけど、糖

尿病に……。なるわけがないんだけども、どうにも数値が高い。高いから逆に健康に気をつけるようになったな。一時期、食欲がなくて梨がご飯みたいになってたから、それが原因じゃないかって医者は言ってるんだよな。……ところで今日の取材の内容はなんなの？

——こんな感じです。いまの清水さんの状況がどうなってるのかみんなわかってないので、現状報告&昔の話を聞くような感じで。でも、元気そうだったから安心しました。

清水 そうだね。俺も10月11日に60歳になるんだけど、いまの60歳って昔の50歳だと思うんですよね。だからいろんな面でケアしなきゃいけないところはあっても、精神的には50歳になったと思って。そうじゃないと、すぐ70歳が近くなっちゃうから。

——そんなに年の変わらない身近な人が亡くなっていくと、ちょっと考えますよね？

清水 うん。だけど、しょうがないもんね、死ぬのは。死ぬ前にやっておかなきゃってこともあるけど、いろいろやってきたもんね。

——相当やってきてはいますけど。事件のあと、ちゃんとした活動がそんなに出来ないまま亡くなるのって悔しいじゃないですか。

清水 ……そうだね。どうにか映画を撮れたらいいんだけど。……鈴木はたけしさんに話つながらないの？　たけしラインってない？

鈴木 持ってると思います？（苦笑）

——たけしさんの事務所が暴排条例を気にして、『～ビヨンド』には中野英雄さんが出られないはずだっていう説もあったぐらいで。

清水 なんで？

——暴力団との関係があるって説で。

清水 中野が言われてるの？

——だから暴排条例施行のときに、真っ先に「僕は関係ないです」って雑誌のインタビューで宣言したぐらい疑われてたんですよね。

清水 俺はそうは言えないな、たぶん。付き合いがあった人たちは、みんな死んだり辞めたりしちゃったけどさ。昔はヤクザと付き合おうが何と付き合おうが、心と心で付き合うもんだったから。でも今の世の中、心と心でじゃなくて、そういうふうに認定される、データ化されることがあるっちゅうことだから、やらないほうがいいよな。やれない。

——どんどんやりづらくなっていく中で、どうやって映画なりを作っていくかっていう。気持ちとしては音楽よりも映画なんですか？

清水 両方だね。音楽もやりたい。音楽やったほうが手っ取り早いかもしれないけど。ミスターXだろうな、清水健太郎じゃなくて。

——有線に乗れないのであれば。

清水 いまいないもんな、俺たちみたいな歌手は。白竜さんとかもいいんだけどさ……。

鈴木 ジョニー大倉さんは？

清水 ジョニーさんは狂ってんだもん！

——ダハハハハ！　清水さんが言う（笑）。

清水 発想がね。身体鍛えるのに普通ベランダで懸垂はしないじゃない。

——ジョニーさんは、そこから真樹道場に通って黒帯を取る

ジョニー大倉
ロックンロールで一世を風靡した『キャロル』のメンバーで、ギターと作詞を担当した。矢沢永吉と共に曲作りのコンビを組んで、73年には『ファンキー・モンキー・ベイビー』などの大ヒット曲を生み出した。吉田豪によるインタビューが『人間コク宝』（コアマガジン）に掲載されている。

までになりましたけど、清水さんはキックへの熱はいまはないですか？

清水 ないないない。やっぱり武田幸三に蹴られた左足がいまでも痛いぐらいなのよ。

――え！　エキシビジョンでやったときの？

清水 うん、だから当たりどころが悪かったんだろうな。針でもずっと治してたんだけど、そこだけずっと痛い。走るにもなかなか走れない。後遺症だよ。俺はべつに勝つつもりもないんだけど、カーンとゴングが鳴ったら武田幸三が8発連続で回し蹴りとローキック入れてきたから、足がグラグラになっちゃって。「あ、ガードだガードだ」とか思ってるうちに脚に力入らなくなっちゃって。

――武田幸三のローはヤバいですよ！

清水 シャレになんないよな、ホント。謝りに来てたよ、「すみません、カーンと鳴っちゃったら頭の中がパーンとなっちゃって」とか言って。あいつもおかしいよな（笑）。それで2分1ラウンドっていってたのが、終わったらレフェリーが来て、「あともう1ラウンドOK?」とかって言うから、嫌だって言えねえから、「いいよ」って言ってさ。

――でも、もう動けないですよね。

清水 ベコベコだよ。元世界チャンピオンからもらったキックだからな、身に沁みたよ。そういうチャンスももらえないし。

ネット進出計画

鈴木 そういえば武田さん、いま役者やってるから共演できるかもしれないですよ。

――映画はどんなものを作りたいんですか？

清水 卑怯者が生き延びる映画とか……。

鈴木 それ『アウトレイジ』です（笑）。

清水 あっ、そういう意味じゃそうだよな。

――前、自分にしか出来ないリアルなドラッグの映画を作りたいと言われてましたけど。

清水 それはちょっとやめとこう。

鈴木 『その男清水健太郎』にしましょうよ。フェイクドキュメンタリーっぽいのを。『その男ヴァン・ダム』っていうのがあるんですよ。ジャン＝クロード・ヴァン・ダムが落ちぶれて、お金をおろしに行ったら郵便局強盗に巻き込まれて、「俺の人生なんだったんだ」みたいな回想を始めるっていう。

――要は、どうせなら清水さんにしかできないことをやったほうがいいんじゃないかと。

清水 俺ひとりの力じゃどうしようもないと思うんだよ。周りの力を借りてやらないと。

――周りの力がまた難しいんですよ。暴排条例的な関係で、不良とかヤクザ系の雑誌もどんどんなくなってきてるぐらいですから。

清水 『BULL』とかはどうなんだよ。

鈴木 『実話時代BULL』はもうとっくにないです。『実話時報』は残ってますけど、見た目が『週刊実話 ザ・タブー』みたいになっちゃってます。結局もうコンビニとかに置けない状態だから、変えざるをえないんですよ。

――VシネがTSUTAYAが厳しいから変えざるをえないように、どこも流通の問題で引っ掛かってるんですよね。それもシステムとの闘い的な話になっちゃうんですけど。

清水　YouTubeの時代でもないしな。

鈴木　でも、有効ではあると思います。

――YouTube、ニコ生とかなら。

清水　でもさあ、鈴木君はカッコ悪さを出せって言うけど、俺もたまにファンの人と話すと、やっぱりまた前みたいにカッコいい親分をやってくれっていうのが圧倒的なんだよ。

鈴木　それはファンだからですよ。ファンのために作るんだったら同人誌みたいなことでいいわけじゃないですか。内輪で作って内輪で配ったら、それでみんな喜ぶわけで。でもそれって世の中的には何もしてないのと同じだから、それを越えていくにはどうするか。

――それこそネットとかで嘲笑してるような人たちすら取り込むようなものにすべきで。

清水　で、こないだ僕がふざけて言った『シミケンTV』とかはまさにそういう面白がってるヤツらを面白がらせるっていう手法なんですよね。自宅を24時間中継するとか。

――そういうふうに、笑いの方向でイジられることに関しての抵抗はあるんですか？

清水　イジられる？

鈴木　「シミケンどうしようもないけど、やっぱりカッコいいね」って思われるんじゃなくて、「シミケンどうしようもないけど、なんかおもしろいよね」って思われるのは。

清水　……まあ、それはべつに抵抗はないけどね。再起に向けてだったらなんでも。だけど今度、俺の誕生日会をやるにしても、昔は150人軽く集まってたのが30人ぐらいしか声を掛けられないのが現実なんだし、ここからもう1回スタート切るんだ、と。いま、俺の復活のために何千万円か出して映画を作ろうって言ってくれてる人もいるんだけど。

鈴木　それには豪さんとかを支持してるサブカル好きな人たちを取り込む方法を考えたほうがいいと思ったんですよ。安上がりだし。ネットを生活サイクルの一部にしちゃってる人たちはそこにお金をかけないですから。

清水　ネットを利用しようっていうことか。

鈴木　YouTubeで90秒ぐらいの動画がシミケン主演で流れてると、「おもしろいよ」ってYouTubeの再生回数が上がって、そうすると、「シミケンなんかおもしろいことやってるな」っていうのが広まる。そのほうが正しいお金の使い方なのかな、と。

清水　それも一理あるよな。

――テレビとかラジオに出られるようになるのは大変だし、いまはVシネマとかでもレンタルで扱ってもらえなかったりで大変だと思うんですよ、だったら、そうじゃない媒体をどんどん利用して健在をアピールするほうがいいですよね。だったらニコニコ動画辺りがたぶん一番手っ取り早い気がしますけど。月に1回ぐらい清水健太郎がひとり語りで5分ぐらい話してるのとかでも喜んで観ますよ。

鈴木　極端な話、ここにカメラ置いて弾き語りして、それアップするだけでもいいです。

清水　パソコン強いの？

鈴木　そんなに強くないですけど、YouTubeにアップするぐらいならできますよ。

――動画はやったほうがいいと思いますよ。ボク、広める役目はいくらでもしますから。

清水　鈴木は頼りになんねえか。

鈴木 僕なんかに社会的な発言力はないですから。

――でも、彼がやったことをボクが広げることはできるんで。何か動くべきですよ。

鈴木 カラオケのうしろで流れる映像みたいなものを撮るとか。古いカラオケに行くと、真っ黒なときの健太郎さんがプールサイドでたたずんでる映像が流れるんですけど、ああいうのをいま撮ったらおもしろいと思うんですよ。

清水 なるほどな。いま俺が映画を撮ってTSUTAYAに並ぶんだろうか……。

――そこなんですよね、いま大変なのは。

鈴木 でも、もはや並ぶ並ばないっていう時代でもないような気がするんですよ。無料でバンバン流して違う方向からお金を得るっていうスタイルのほうがいいと思うんです。

清水 どっからお金が出るのよ。

鈴木 それを見ておもしろいと思った人からほかのオファーがくるかもしれないし。要はこれって宣伝費みたいなものなんですよ。

――単純に一発目だったら挨拶と1曲歌うだけでも全然ありですよね、「清水健太郎、いろいろありましたが元気です」みたいな。

鈴木 そしたら、それを勝手にネットニュースとかが取り上げてくれるはずなんで。

清水 まだ俺、1回も謝ったことないよ！

鈴木 だから「お騒がせしてます」って言ってジャジャーンッて歌えばいいんですよ。

清水 うん。そこまではわかったんだけど、その行き着く先がわからないんだよな。

――まずはネットレベルかもしれないですけど、徐々に仕事にはつながっていくと思うんですよね。とにかく健在で、これだけちゃんとしゃべれて歌えると、伝える場が必要だし、現状だと、いまどれくらい元気なのかも世間の人は全然わからないわけじゃないですか。

清水 うん。そうだね。いまは血糖値が高かったり、プライベートでもいろいろあってちょっと落ち込んでるけど、まあしょうがないよ。みんな気にしてくれて、夜になったら毎日のように連絡とかくれるしね。ぜんぶストレスから始まったことだから、とりあえずストレスをなくすとこからだね。

鈴木 また覚せい剤やりたくなったら、すぐ僕に電話してくださいね。そしたら、カメラを仕掛けて24時間中継しますから（笑）。

清水 まあ、またミーティングやろう！

もうカッツカツの生活だよ。
家賃払って、わずかな食費で…

岸部四郎

KISHIBE SHIRO/2011年5月18日収録

1949年生まれ。京都府出身。タレント、俳優。ザ・タイガースのタンバリン担当。『ルックルックこんにちは』（日本テレビ系列）の司会やドラマ『西遊記』（日本テレビ系列）などで幅広く活躍。しかし、1998年、連帯保証等による借金で自己破産を申請。2003年に患った脳梗塞の後遺症で視野狭窄となり、歩行が困難に。2013年12月、東京ドームで開かれたザ・タイガースの復活公演最終日に、車いすで出演している。

自律神経をやられ、車イス生活

――岸部さん、御無沙汰です！　しばらく会ってませんでしたけど、最近どうしてます？

岸部　千葉のマンションに引越してきたんですよ。横浜の一戸建ては広すぎるし、古いし、ボロボロやし、家賃は下げてくれないし、どうしようもないわ。あの戸塚らへんで、なにも知らない芸能人がボロ屋に高額な家賃で住まわされてるって噂が飛んでるってぐらいで。

――そんな噂が流れてたんですか（笑）。

岸部　そうそうそう。俺やねん。もっともそこに住むしかない事情があったんだけどね。

――ちょっと前にボクが岸部さんのネガティブなブログを絶賛したことが再ブレイクのきっかけになったって自負はあるんですけど、その結果、岸部さんが大変なことになってしまったという責任感もあるから、また会いに行かなきゃって思ってたんですよ……。

岸部　そうね。神経をやられて、もうえらい痩せたもん。自分でもビックリするもんね。

――ボクもひと目見てそう思いました……。

岸部　ただね、再ブレイク言うてもホントの再ブレイクじゃないから。しっかりした番組持つとかではなくて、『ミヤネ屋』が僕を元気にしてくれようとマメに取材してくれたってとこかな。

――そういえば『ミヤネ屋』が大事な古本を売ったとかで一時話題になってましたけど。

岸部　ああ、「番組が風水で四郎さんの大事な本をブックオフなんかに売った」ってね。それはかわいそうやということで、ブワーッと電話がいって。あの店は値段つかないから15万ぐらいする吉田健一の全集が3800円とかになって。「しまった」と思ったけど風水的には手放した方がいいからあきらめた。

――一時は目がかすんで本が読めなくなったって言ってましたけど、最近はどうなんですか？

岸部　ちょっと読めるようになったんだけど、最近また目がおかしいんだよね……。視界のはじっこにもうひとり誰かが映ってるように見えちゃうのよ。雨合羽を着てるのが。

――酸素カプセルを自宅に設置したりで、多少コンディションもよくなったんですよね。

岸部　だと思うんだけど、酸素カプセルも返品しちゃったんですよ。カプセルは好意で貸してもらってたからね。それで、地震災害でもっとそういうものを必要としてる人がいるので、貸してほしいっていうことで。

――それは断れないですよね。

岸部　断れないでしょ。俺もまだ貸しといてほしかったんだけど。こないだ取りに来て。あんなの高いものだから、代理店の社長も持ってない貴重な1台がここに来てたわけ。

――モニターとして。そういえば地震のとき、お金がないはずの岸部さんが5000円寄付したって記事が週刊誌に出てましたね。

岸部　あれはデマですよ（あっさりと）。

――デマなんですか！

岸部　うそうそ、5000円は大きいもん。

――ダハハハハ！　5000円も無理（笑）。

岸部　いや、ホントに。もうカッツカツの生活だよ。家賃払って、わずかな食費で。でも昨日も自分の番組を見て、お爺さんになっ

『ミヤネ屋』
『情報ライブ　ミヤネ屋』は読売テレビが製作し、07年より全国放送されている情報番組。メイン・パーソナリティーは宮根誠司。日本テレビ系のワイドショーという意味では『ルックルックこんにちは』の系譜を受け継いでいる。

吉田健一
英文学の翻訳家であり、評論や小説の分野でも多数の著作を残した作家。父は第51代内閣総理大臣の吉田茂。

酸素カプセル
カプセル内部を加圧することにより、酸素の濃度を高い状態に保つ大型健康器具。中に入ってしばらく横たわることにより、疲労回復や各部治療などの効果があるとされる。

自律神経失調症
交感神経と副交感神経、2つの自律神経のバランスが崩れた場合に起こる症状。とはいえ、医学界では正式に病気として認められてお

たと思ったな……。首が痩せたんですよ。いまも眠たいから特にしゃべるのも遅いけど、ちょっとロレッたりするともう余計、病み上がりの老人っちゅう感じやから。で、行ってるところが老人クラブみたいなところでしょ。

——どんどん馴染んでいきますよね。

岸部 馴染む馴染む。俺が一番若いんだけどさ。93歳っちゅう人もいるんだけど、みんなは元気よ。お婆さんたちは。俺が一番元気ない。自律神経失調症みたいなことで、なんてことないものができんようになってきた。

——そのせいで一時期、仕事を断ってる状態だったみたいな話を聞いたんですけど……。

岸部 うん、それは完全に休んだ。とりあえず全部やめようっていうふうにして。その頃はもっとひどかったから。もう仕事はしないもんだと思ってた人もいるでしょうけどね。

——休業前、ボクと一緒にTBSラジオに出たときもかなり危うい感じでしたからね。

岸部 あれもそうだ。酸素カプセル入ってからは割と調子はよくて、しゃべってて脳が変になってくるというのはなくなったんだけどね。やっぱり聴き手にテンポよくバンバンバーンとツッコまれると脳が疲れてくるから。

——じゃあテレビ出演はしんどいですよね。

岸部 そうそう。昨日放送された『本番前@控室』（BS11）っていう、あんな企画だったらいいけどね。なにしててもいいっていう、あれはもってこいの番組で。一応、吉田照美さんが仕切り役で出てるんですけど、楽屋で出番を待ってる人間が3人ぐらい集まってダベッてるっていう。

——楽屋だから寝ててもいいし、ぐらいの。

岸部 そう。ああいうのだったらいいわ。

——あとは『ミヤネ屋』ぐらいですか。

岸部 あれ、俺が出ると視聴率がなぜか上がるらしいのよ。観てる人も気にしてるから。

——ちなみに地震のときは大丈夫でした？　前にブログで「次に地震が来たら逃げない」って宣言してたから、大丈夫かと思って。

岸部 それは老人クラブみたいなところで、ちょうどマッサージしてもらってて、終わってベッドに腰かけたところ、急に来たの。横浜の家であれぐらいの来たら潰れてるね。それにしてもキツいなと思った。……吉田さんは最近、面白い本は発見したんですか？

——なんかあったかな？　そういえば古本じゃないですけど、元ザ・タイガースの人見豊さんの本は読みましたよ。面白かったです。

岸部 ああ、ピー。俺も読んだな。

——解散以来、他のメンバーと一切連絡もしないで教師をやってたことで知られる人見さんですけど、ホントに変わり者だったんだなっていうことがすごいわかる本でしたね。

岸部 変わり者よ（あっさりと）。

——そしてよくも悪くも偏屈な人だなって。

岸部 うん。普通、あれほどめいっぱい書かないよ。すごいね。復活のイメージがブワ～ッと頭の中に描かれてるんじゃない？

——20年ぐらい前に永六輔さんが『鶴ちゃんのプッツン5』に出演したときの事実誤認発言を指摘してたのは最高でしたね（笑）。

岸部 人見さんはね、みんなと別れてから別世界の生活が長かったの。60歳過ぎて、タイムスリップして昔のタイガースの頃が鮮明に浮かんでくる気持ちはわかるよ。

らず、疲れやストレス、神経症やうつ病に付随する各種症状を総称したものと捉えられている。

『本番前@控室』
日本BS放送（BS11）で、11年から13年まで毎週放送されていたトークバラエティ番組。メインMCの吉田照美とゲスト数名が、架空の番組の控室という設定でフリートークを繰り広げる。ゲストは40代以上のコクのある人物が多かった。

人見豊
「ザ・タイガース」のドラマー「瞳みのる」として活躍。愛称は「ピー」。バンド解散と共に引退。教員免許を取得し、慶應義塾高等学校の中国語教師として教壇に立つ。芸能界とは距離を置いていたが、38年ぶりにメンバーと再会。11年には自伝『ロング・グッバイのあとでザ・タイガースでピーと呼ばれた男』を上梓する。

永六輔
日本の放送業界の黎明期から活躍する、放送作家、タレント。その圧倒的な知識から繰り出される早口トークは、名人芸の領域。作詞家やエッセイストとしても数々の著名な作品を手がけている。

――ずっと否定していたザ・タイガースの再結成に熱心なわけですよね。

岸部 そういえば、タイガースの再結成というのはなくなったんだよ。

――あ、ないんですか？ みんなで集まってこれから再結成って空気になってたけれど。

岸部 その流れがあったんですよ。にもかかわらず、やらないって人がひとりいるねん。

――加橋かつみさんですか？

岸部 うん。ジュリーも電話して説得しようとしたんだけど、やっぱり出ない。で、他のGSの連中が集まるバンドみたいなのがあるわけよ。それには出てるんだけど、タイガースの復活には出ない。だから結局なくなっちゃった。

――代わりに岸部さんがやる可能性は？

岸部 体調がよければ近場の行けそうなところだったら行くという、ゲスト扱いみたいになるわけよ。あくまでも沢田研二ショーってことで。だからタイガース復活ではない。

――復活というには加橋かつみさんが必要。

岸部 必要なこともないね。……必要だねやっぱり（笑）。

――そうですか（笑）。

岸部 俺も歌は歌えるからさ。ただ、一応オリジナルのメンバーだからね。本人も最初は「やる」と言ってたんだけど、土壇場でね。

――昔のしこりがまだ残ってるんですか？

岸部 しこりってないもんなあ……。

――前に再結成したときは、人見さんは参加しなかったけど加橋さんは参加してたしで。

岸部 そう、やってるもんね。しこりっちゅうもんじゃないよな、なんか不思議なこだわりっていうのか。こだわりもないはずだけどな。やっぱりジュリーが中心になるでしょ。そりゃなるわな、彼でお客さんは入るんだから。ピーはせっかくみんな揃ってやれると思ってて、えらい楽しみにしてたらしいけど。でもゲストとしてサリー、タロー、ピーの3人が全公演に出演するし、タイガースの公演みたいだけどね。

――教師時代の人見さんは、内田裕也さんが職場を訪ねて来ても追い返すぐらいだったっていうのを読んで驚きましたけどね（笑）。

岸部 あ、そう。それは合ってんじゃないの？ 追い返したほうがいいんじゃない？

――ダハハハハ！ 全然関係ないですけど、最近の裕也さんの騒動を見てどうですか？

岸部 まあ、裕也さんらしいっちゃらしい。自分でやっといて、不安になって自分で110番する人だから。でも、樹木希林さんも変わってるとこあるからね。あの人も本が好きなんだけど、いまは片方の目がダメなんでしょ？

――裕也さんもそうですよね、いま。お互い目が悪いってことで、また仲よくなって。

岸部 よくやってるなあ……。俺は目が変な見えかたすると、なんにもできなくなるよ。なんとなくは見えてるからズンズン歩けばいいんだけど、老人の筋肉は1回落としちゃうと戻すのは大変で。だから毎日歩こうと思うんだけど、大雨が降るとついつい休んじゃって。タイガースの再結成があるつもりで、9月までに元気になろうと思ってたんだけど……。

――その目標があるから頑張ろう、と。

岸部 うん、それに向けて歩いて、とにかく舞台裏から表に歩く

加橋かつみ
ザ・タイガースのリードギター、ボーカル担当。愛称は「トッポ」。タイガース解散前後からヒッピー文化に傾倒し、69年にはミュージカル「ヘアー」の東京公演の主演を務める。団塊ジュニア世代には『ひらけ！ポンキッキ』のオープニング曲『青い空 白い雲』でお馴染み。

沢田研二
ザ・タイガース時代からアイドル人気を獲得、ソロ転向後もヒット曲を次々と放ち国民的スターとなる。愛称は「ジュリー」（沢田がジュリー・アンドリュースのファンだったということから命名）。近年も精力的に音楽活動を続けており、ザ・タイガースの再結成でも中心的な存在となっている。

樹木希林
悠木千帆の芸名で女優デビューするが、77年に芸名をオークションで売って樹木希林に改名。73年には内田裕也と結婚。度重なるトラブルにも微動だにせず婚姻関係を続けている。03年には網膜剥離で左目を失明。13年にはガンに侵されていることも公表した。

ぐらいはできなきゃさ。「黒いサングラスして車椅子でもええから出たらええねん」って言う人がいるんだけど。

——亡くなった剛竜馬っていうプロレスラーは、晩年担架で運ばれてリングに上がって、担架で帰ってましたよ、ホントにコンディション悪くて、全然動けないんですけど。

岸部 へぇ〜っ、そりゃ死ぬでしょ。

お金の罰が当たる

——最近はお兄さんとは順調なんですか？

岸部 昨日の番組のときにも会うたのよ。冒頭にちょっと隠れて出演してくれて。まあ、距離が縮まったっていうか。今は世話になってるから頭上がらへんし。何しろ一徳さんは忙しい人だからなかなか会えないのよ。

——人見さんの本で、沢田研二さんがいかにケンカが強いのかっていう話が衝撃だったんですよ。ヤクザとケンカしてKOしたりで。

岸部 ああ、あったね、そのくだり。ケンカしてるところは見たことないけどね。中学校のとき、一番怖い中学校の、一番怖い5〜6人のメンバーの中に入ってたって。無茶苦茶強いのがひとりいて、それと一緒だったから誰も手出さない。でも、卒業してからその強い人は変わっちゃって、自分がジュリーみたいな気になって、わけのわからん歌を歌ってたの。ジュリーも往生したんじゃない？

——最近、あるラジオで「芸能界で一番ケンカが強いのは誰か？」って聞かれて、「いま読んでた元ザ・タイガースの人見豊さんの本で、沢田研二さんがいかにケンカが強いかが書いてあったんですけど、その沢田さんが頭が上がらないのが裕也さんで、裕也さんが頭が上がらないのが樹木希林さんだから、希林さんが最強だ」っていう話をしたんです。

岸部 まあ、当たってるかもね。

——当たってますか（笑）。

岸部 でも裕也さんの弱い面も見てるから。まあ、ジュリーが怖いことは事実よ。彼らと比べたら、俺は元気ないよね。具合悪いから。ひょっとして痩せる病気かも（笑）。ズボン履いたらこんな余ってんだもん。上のボタン留めるの苦労してたのに。

——最近は何してるときが楽しいですか？

岸部 寝てるとき（あっさりと）。

——ああ、目が悪くて娯楽が少ないから。

岸部 そうなんだよね。ちなみに、今度の『ミヤネ屋』は宝くじのネタなんやけどね。スタッフがどうしても俺に当てさせたいって。風水から方角から全部もう1回調べて、どこに買いに行ったらいいかをやるって。

——古本の処分も風水だったんですよね、とにかく岸部さんの運気を変えようっていう。

岸部 そうそうそう。でも、視聴者っていうか世間の人は純粋やね。真剣に電話がかかってくるのはありがたいことやと思うけど。

——いまやりたい仕事とかってあります？

岸部 もうちょっとまともに歩けるようになりたい。まずそこからやね。普通に歩ければ。ごまかしては歩けるけど、サッサッサと歩けないから。『ミヤネ屋』で運送屋さんの役もやったけど、やっぱり元気にならないと話にならない。……あのさ、2、3年前までマネージャー代わりを頼んでた人間がいたんだけど、OKしちゃダメだっていうときにOKしちゃうんだよね。休みたいから休もうって思っても、これぐらいだったらできるんじゃないかって。「今日ですよ、本番は」って、車が迎えに来るわけよ。「俺は救急車

お兄さん
岸部一徳。岸部四郎の実兄。ザ・タイガースのベーシストで、愛称は「サリー」。解散後も「PYG」や「井上堯之バンド」でベースを担当していたが、75年に本格的に俳優に転身。個性的な脇役として数々の作品に出演し続けている。「ザ・タイガース」の再結成前後から、音楽活動も再会し、熟練のベースプレイを披露している。

で病院行くから勘弁してくれ」って言ってるのに。吉田さんも何回か会ったことあるよね?

――はい、あります。

岸部 人当たりはいいんだよ。だから余計、「僕が言えばやります、彼は」っていうような感じになるわけ。全然知らん間に彼が東京まで行って、打ち合わせしてきてるんだよ。

――よかれと思っての行動が、結果的に岸部さんを追い詰めることになったというか。

岸部 よかれ……まあそうだな。仕事はあったほうがいいと単純に考えるだけだったらそうだろうけど。よかればっかりじゃないね。結局、2~3回救急車乗ってんじゃない?

――そうだったんですか!

岸部 うん。全身動かないんだから。(唐突に)俺のタレント本は何冊ぐらい出てるの?

――10冊ぐらいはありますね、確実に。

岸部 俺と一徳さんが3つ4つの頃に、手をつないでふたりで立ってる写真がないのよ。どっかの本に使われてるのかな、と思って。

――ご自分の本は揃ってないんですか?

岸部 ああ、全然揃えてない。いい加減な本ばっかで。だって借金の本なんていい加減だもん。俺の本なのに、先に作ってきよるの。

――取材前に本が出来てる(笑)。青木雄二さんとの対談本とかもありましたよね。

岸部 そうそうそう、青木さんも死んだ。俺も、この先はもう短いね(あっさりと)。

――数年前の時点で、「残りの人生は10年ぐらいだろう」って言われてましたけどね。

岸部 あと10年? でも、癌があるとかそんなんじゃないからね。とにかく栄養失調なのよ。ビタミンCの注射されるだけで違うから。ちょっとしんどい、フラフラッとする。

――前に取材したときは「新たな恋をしたい」とか言ってましたけど、そのテンションになるのもまだ難しいって感じですかね?

岸部 恋は……そういう出会いがあるところへ行かなきゃダメなんだよな……。老人クラブでは、ちょっと無理あるな。若い子もスタッフにいるからチャンスがないわけではないけど、こっち側がもう「ホントにこの人、大丈夫かいな」っていう感じでは、よっぽど物好きな面白い子でも難しいよねえ……。車でも乗れてるとか、ちょっとはお金持ってんだとかいう噂が流れてたらまだいいけど。

――せめて普通にデートできるぐらいのコンディションが欲しいわけですよね(笑)。

岸部 そう。昨日言われたの、蛭子(能収)さんに。「四郎さん、やっぱりいまの若い子はお金を欲しがるから、何もないっていうんじゃ再婚なんかできないよ」って。蛭子さんは漫画の技術があるから。お金もあるしね。

――3年ぐらい前には、突然岸部さんに「バイアグラっちゅうのを飲んでみても大丈夫か?」みたいな相談をされた記憶がありますけど(笑)。

岸部 ああ、それについてはいまは変わったなあ……。絶対に飲まない。俺の友達が闇のバイアグラ飲んで脳しんとう起こして意識不明みたくなりかけたから。「そんなんやめとけ、アホ」って言うてんねんけど、どうしてもヤリたいらしい。俺なんか、そういう気持ちはあっても実際にそんなのに直面したら胸苦しさがグーッとくると思う。でも、60歳でもやめれんって言わはる人もいるわけ。ギラギラのおじさんが。「そりゃ社長はお金あるからできるんですよ」って言うけど。だって高いもんね、そういうものをお金

青木雄二
数々の職業を転々としながらマンガを描きつづけ、90年に45歳で『ナニワ金融道』でデビュー。大ヒットを記録し、もう働かなくても食っていけるとの理由で97年に引退。03年に肺癌のため死去した。岸部四郎との共著として、01年に『銭で成功した奴 失敗した奴 青木雄二VS岸部四郎』(ぶんか社)をリリースしている。

蛭子(能収)
マンガ家として『ガロ』などに寄稿。80年代ごろからは、その特異なキャラクターを活かしてタレントとしても活動。98年には麻雀賭博の現行犯で逮捕され、タレント活動を自粛することとなった。お金に関する独特な哲学がかいまみえる発言も多い。

で解決しようとすると、1万、2万じゃないから。

――5000円でも困る人が、セックスのためにそれだけお金を使えるのかっていう。

岸部 そう。昔だったら10万円でも「あ、10万円?」って軽く言ってただろうけど、もう出せないでしょ、そんな女のために。

――昔は普通にやってたわけですよね。

岸部 昔は10万とか7万とか言われても平気だったし、5万だったら安いなと思ってた。そういうことの罰が当たったわ。70年代後半から80年代は目いっぱい遊んでたけど、90年代の後半はもうダメだったから。

――遊んでたことの満足感ってありますか?

岸部 ないね、それは(キッパリ)。満足感なんかなんにもないよ。自分に対しての嫌悪感しか残ってない。そういうものにお金を使って、一時的に紛らわしたっていうのは。

――「あの頃は楽しかったな」じゃなくて、「なんであんなことしたんだろう?」と。

岸部 ホントに。だって、いくら奢ったところでそれを返してくれる人っていうのは誰もいないんだから。一切そういうもんはない。

――普通、金は天下のまわり物っていうだけあって、奢ったらいつか奢られ返してもらえるものだろうって思っちゃいますけど……。

岸部 そういう仕草をする人もいないね。

――仕草すらも見せない(笑)。

岸部 見せない! やっぱり、いま現在落ちぶれてるとダメ。誰も近づこうとしないもん。吉田さんが近づくぐらいのもんで。

――ダハハハハ! すいません(笑)。

岸部 ……なんでやろ?

――前も言ってましたよね。テレビの収録現場で人が近寄らなくなった、みたいなことを。

岸部 バラエティでね。絶対に俺だったら、「いまの生活どうしてるの?」って聞くよ。暇なんだから、1回ぐらい電車に乗って遊びに行って話でも聞いてみようかと思われてもいいような人も来ないね。やっぱり俺に会っても得するっていうことはありえないから。なんか災いはあるかもしれんけど(笑)。

――災いがあるんですか(笑)。

岸部 いや、ないけど。また何かあるかもしれんしっていう。いまだに俺なんか人の仕事のこととかに、アドバイス的なものがあれば親切にやってるんだけどね。たとえば、モデルとしては一流になれる女の子がいて「どこへ紹介すればいいですか?」って電話してきたりするとさ。その人が誘われてる事務所は、数十万円は必要だって言うんだって。

――あからさまに怪しいですね(笑)。

岸部 だから、俺もそう詳しくはわからないけど「いいところがお金をくれって言うわけがない。ものがいいんでしょ? だったらお金を払ってでも欲しいわけで、それ逆ですよ。絶対に払っちゃダメですよ。そんなのに払うんだったら、俺に払ってください(笑)」と。いまどの事務所が一番大きいんですか?

――事務所的にはオスカーとかなのかなあ。

岸部 伊東美咲がいたところは?『電車男』のときに一緒だったけど。伊東美咲はものすごい金持ちになっちゃったね。年商2600億の男と結婚して。パチンコ業界で2600億っちゅうのはちょっと極端だけど。『電車男』のときにもうちょっと仲よくしておけばよかった。

――ダハハハハ! 彼女と仲良くしても彼女と結婚は出来な

伊東美咲
モデルとしてデビューし、女優としても活躍。05年にテレビドラマ『電車男』に主演し、岸部四郎と共演する。09年にパチンコ機器メーカー京楽産業の社長と結婚。同年に第1子(長女)を出産した。

かったと思いますよ（笑）。

岸部 そうかなあ。結局、女性が一番いいんじゃないですか？ だって嫁さんになるだけでいいんだから。でも、幸せになれるかね？ 俺は米森麻美ちゃんのときも驚いたのよ。

——ああ、お金持ちの息子さんと結婚したけど若くして自殺しちゃったんですよね……。

岸部 『ルックルックこんにちは』で共演してたんだけど、結婚式でヴァレンティノ・ガラバーニのパーティー用のドレス着て、シンデレラ物語かなと思うぐらい可愛くて、こんな幸せな子はいないと思ったもん。結構性格も良かったよ。夫婦揃って帰国子女で、英語で生活してるって言ってた。どういうことがあったのか知らないけど、もう一切表に出ないもんね。お仕事したなと思うと、米森麻美もチャンスあったなとか、伊東美咲もチャンスあったなって思うんやけど……。あつかましいよな（笑）。

——それって俺がイケたのに的な話ですか？

岸部 そう（あっさりと）。

——ダハハハハ！ 無理ですよ！

岸部 ……でも、あの頃はマネージャーとして女房がついてたからね、ずっと。難しいかもね。

——最初にボクがインタビューしたときも、同席していた奥さんがいなくなった隙にすかさず下ネタを聞くって感じでしたからね。

岸部 下ネタは……いくらでもあるけどね。

——いくらでもあるんですか！

岸部 いくらでもあるよ、面白い話が。

——聞かせてくださいよ、いま！

岸部 また別の日に話すよ。

——ダハハハハ！ 引っ張りますか（笑）。

岸部 ウチの嫁さんは意外と興味ないの、そういうことは。男っぽい人ですから。「いろいろ浮気して遊んでるなら、好きにしたらええやん」って、ホントそういうタイプなの。

——理想的な奥さんだったんですね。

岸部 理想的だったの。ほんまに気楽で。一番目の人はその逆。嫉妬の気持ちが強くて、そういうことに関しては一切認めない。

——でも、またそれが一番岸部さんが遊びたくなる時期だから大変だったでしょうね。

岸部 そう。子供を10年育てて。ウチの最初の奥さんは結構ボインだったのね。で、「10年間のあいだに、子供を二人とも母乳で育てた。そのおかげでこんなにペシャったのよ」って俺に突っかかってくるわけよ。

——「あんたのせいだ！」と。

岸部 そう、「どうしてくれんのよ？」と。「どうしてくれんのよ？」って言われてもね。「じゃあ、なんか入れたら？」って。

——それしか言えないですよね（笑）。

岸部 言えないでしょ？

——なかなか責任は取れないですよね。

岸部 うん。だから、よきパパであったらばよかったんだけどね。キチッと『ルックルック〜』の収入もストックして、骨董なんかに金も使わんと。でも、欲しいもんがいっぱいあるんだから。金が回ってくるところには、また手を伸ばしてくる人が多いんですよね、なぜか。「間違いなく500万を3000万にするから、四郎ちゃん」って頼まれたら、1回ぐらいその話に乗ってみようかってなるけど。まあ、まずないね、そんなことは。

——間違いないことはないわけですね。

岸部 まずないね。あとで言われたよ、知ってるちょっと厳しい

米森麻美
89年に日本テレビにアナウンサーとして入社。92年頃には同局のアナウンサーの永井美奈子、薮本雅子とともに「DORA」を結成し、アイドル的な人気を得る。94年に、当時のゴールドマン・サックス証券名誉会長の息子と結婚。01年に長男を出産するが、その3週間後に自殺したと伝えられている。享年34歳。

『ルックルックこんにちは』
日本テレビ系列で79年から01年までの22年間にわたって放送されたワイドショー番組。放送時間やタイトルは何度かマイナーチェンジしている。岸部四郎は84年10月から98年4月までの約14年間もメインの司会を務めた。

人にね。「四郎ちゃん、そういうときは『その話、100%か？　100%やったら出してあげるよ』って聞くと、『……100%ってことはないと思います』って答えるから、『だろ？　そういうものには出せない』って言え」と。なるほどなと思った。そうやって説教されたけどね。

——でも、つい話に乗っちゃうわけですね。

岸部　うん、すぐ返せると思うからね。

——そのペースで稼げてると。

岸部　でも、いまは絶対返せないから。ブローカーは鞄に札束ブワーッと入れて、「岸部さん、これ持ってったらええよ、貸してあげる」って渡すの。で、あとで書類を作って。

——それだけ大金が回ってきてるときって、やっぱり女性も寄って来るもんなんですか？

岸部　俺の場合は歩いてるだけじゃ寄って来ないよ。自分からいかないと。「お願いしまーす」って。歩いてるだけで寄って来る人は得だよ、絶対的に男は。惚れてもらえれば最高ですね。俺、惚れられたことないもん。

——いままで全然ですか？

岸部　「ファンです」とか「好きです」とか、その程度のものはあるけども、借金してまでこいつについてって男にしてやろうっていう人はいない。こういうタイプの顔には、そういう女性はつかない。まあ、「タイガースファンでした」っていう言葉は、ジュリーのファンでしたっていうことだからね。80%以上がジュリーのファンだったんだから。

——お兄さんとか人気あるじゃないですか。

岸部　人気あっても、もう年寄りだから。

——行動には出ないでしょうけど（笑）。系譜として顔は悪くない気がしますよ。それを味わいとして転嫁できるじゃないですか。

岸部　でも、目も悪いし。俺も、もうちょっとモテたらな……。

ブログではよく……。

——女の子がコメントしてますよね。

岸部　そう、女の子やと思ってしまうねん。実際はおばさんでしょ。会うてみりゃ。18歳や19歳の若いギャルはないから。でも、とにかく後悔ばっかりですよ。後悔しても遅いんだけど。もうちょっと俺に分別っちゅうもんがあれば、ここまでお金の苦労せんでもよかったんだよね。ちょっとぐらいのお金は残ってるはずですよ、5000万ぐらいは。

——でも、遊びすぎちゃった。

岸部　完全に5000万から1億ぐらいは捨ててますよね。女の子でも、なんか買ってやりゃ喜ぶけども、その喜びっちゅうのは、俺から金を取ってやろうっていうことだから。で、買ってやらなければ「なんだケチ」みたいなことになってくる。惚れてないでしょ？

——せめて、そうやって使ってたお金が、いい感じで返ってくればいいんですけどね。

岸部　ホントやねえ……バカなことした。

女性カメラマンに食らいつく

——今度、もし宝くじで大金が当たっても、同じようなことは繰り返さないですよね？

岸部　宝くじ当たれば、1億は使おうと思ってるんだけど。3億当たればあと2億ある。それで世話になった人にちょっと返して。姉さんや、悲しい思いをさせた人がたくさんいるから。ただ、宝くじが当たるわけないよ。

——ボクもそう思いますよ。年賀状が相当あっても、全然当たらないじゃないですか。下から2番目すらなかなか当たらない。

岸部 当たらないねえ……。

——年賀状すら当たらないんだから、宝くじで大金が当たるわけないなと思うんですよ。

岸部 あれが当たったらやっぱり気味悪いわ。なんか狙われてるっちゅうか……。

——番組のどっきりとかも疑いますよね。

岸部 うん、『ミヤネ屋』が1億でレギュラーの契約してくれたらいいんだけど。

——ダハハハハ！　なるほど！　宮根さんも結構ギャラもらってますからね（笑）。

岸部 1億なんか知れてるやん。日々50万でいい。それなら可愛い女の子ふたりに抱えてもらいながら大阪に前日入りして。それも夢だよな。女の人が俺みたいなバカみたいなのにね……。吉田豪さんだけが取材してくれはるんですけど、困ったわ。（突然、女性カメラマンに向かって）カッコいいねえ。

女性カメラマン ありがとうございます（笑）。

岸部 女の人でカメラマンかあ。ゴツいの持ってカッコいいね。いいよ、可愛い人で。

女性カメラマン ありがとうございます（笑）。

岸部 でも、彼氏がいるもんね。

女性カメラマン います。

岸部 でしょ？　いる場合はどうしようもないもんね。その彼氏に惚れてるんだから。

——でも、みんな彼氏に不満はありますよ。

岸部 やっぱり別れることもあるよね？

——ありますよ！

岸部 でも、絶対に自分の気持ちがいってる相手がいるよな、若い子は。なんにもいないというのは寂しいよね。ただ、若い女の子がひとりいたほうが元気が出ることは事実よ。

——それは間違いないですね。

岸部 うん。ちょっと余計なことでも言うてみようかいなっていう気になる。だから、やっぱり宝くじが当たることが必要だよ。

——まずはそこですか（笑）。

岸部 うん。やっぱり1億はいろんな人にあげて、1億でいいよ、残れば。1億を小遣いとして持ってたら、もうしばらくはいいよ。

——酸素カプセル買ってもいいし。

岸部 買わない！

——無駄遣いはしない（笑）。

岸部 600万はするからリースでいいよ。経費で落とすから。やっぱり金だよな……。

——最初から金がないのと違って、一時期すごいあった人がなくなると大きいですよね。

岸部 うん、最初からなくてずーっと来れたらいいけども。それもつまらんし、寂しいよな。そういう人多いでしょ、世の中には。ずっと平均的に、金持ちでも貧乏でもないんだけど、さりとて何もないっていう。

——それに比べて、岸部さんはすごい金持ちからすごい貧乏まで味わったわけですけど、だったらせめて散財したときのことが楽しく思えるんだったら幸せな気がしますよね。

岸部 ああ、それをちょうどこないだ思ってたの。いろんなことを思い出すでしょ。いろんな場面がいくらでも作れるわけよ、自分の記憶の中に映像で。「ああ、そういうことがあったなあ。ああ

INTERNATIONAL WRESTLING
ASSOCIATION
JAPAN

いう女の子もいたなあ」とか具体的に映像が出てくるわけよ。でも、なんにもそれは実体がないから、そのぶん僕はバカなことをしたんだなって思うわけよ。それをしなかったらば……ということがドンドン、今度は後悔が出てくる。ますますこっちが弱ってくる。思い出したらいくらくれるっていうんだったら、すぐ思い出しますよ、10個や20個。10個100万ぐらいくれれば。

——ダハハハハ！　高すぎますよ（笑）。

岸部　それほど特異なものだよ。そんじょそこらにあるようなことじゃない。それも元気な、しっかりしゃべれるときにしゃべるけど。いいなあ、カメラマンして彼氏もいて。

——ダハハハハ！　またその話（笑）。

岸部　最高やん！　適当にカッコよくて。幸せだよな、彼氏が。彼氏は70歳ぐらい？

——なかなかそうはならないと思います！

岸部　いいよね、本当。元気だったら、俺はどう？　っちゅうことも考えられるけどね。

——裕也さんぐらい元気だったら。

岸部　うん、いいよな。介護のことで市役所とかの若い子が月に1回は訪ねてくるの。

——そういうのも、やっぱり来るのが若い子だとテンションは微妙に上がるんですか？

岸部　上がるから！　元気になるでしょ？　ただ、元気に接するとダメなのよ。身体が悪いから訪ねて来るわけ。こっちは足も上がらない設定になってるのに、平気で上がっちゃって「おっと、間違った」と。それはえらい違いですよ。

——それぐらい女性は力になる。

岸部　この子が独身だったらなあ……っていうわけないのよね、絶対にいるんだよ、相手が。この人はいないだろうって思ってた人にもいたもんな。……これは書かないでよ！

——重要なのはお金と女性なんですかね。

岸部　そう！　そればっかりで動いてるじゃない、結局。いまやったら原発というふうになるけど、なにもなけりゃ結局お金と女性で世の中がゴチャゴチャゴチャゴチャしてる。こうやって饒舌にしゃべれるようになってきてるのも、彼女（カメラマン）がそこで聞いてるから俺は頑張ってしゃべってるわけ。だからって下心はないですよ。ないけど……。

——活力になるわけですね。

岸部　うん、だからそういう女の子が座ってるっていうのは意味があるわけよ。いなかったらしゃべらない、しんどいからやめとこってなる。女の子の力っちゅうのは偉大だよ。

——大きいですね、確かに（笑）。

岸部　一生懸命しゃべろうと思うから。なんとか上手に、「ひょっとして岸部さんっていい人じゃないかしら？」って思ってもらいたいわけよ。それは間違いなくある（キッパリ）。吉田さんみたいなのが2～3人座ってたって「もういいでしょ？」ってなるから。

——女性カメラマンを使うべきですね。

岸部　そうよ、女のカメラマンはカッコいいよ（キッパリ）。絶対に女のほうが得だわ。

——たとえばテレビに出てたまに嫌なこと言われたりすることもあるとは思うんですけど、それも女性に言われる分にはまだマシだったりするんですか？ブログで「ＡＫＢ48になんか言われて」とか書いてましたよね。

岸部　ＡＫＢ48っちゅうのを知らんかった。あれをやってるのがあの人でしょ？

——秋元康さんです。

岸部 あの人は若い子を育てるのがうまいよね。うまいこと商売してるけど。昔、同じとこに住んでたんだよ。紀尾井町のマンション。時々出会ったくらいだけど。でも、AKBってあんまり知らん。なんも興味ない。

——目の前にいるカメラマンのほうがいい。

岸部 そりゃいいよ！

——ダハハハハ！　やっぱり！

岸部 ただ、奇跡っちゅうのは起きないからね、やっぱり宝くじを当てるしかないね。

——宝くじの奇跡もまず起きないですよ！

岸部 起きたらマズいやろうな。なんか身体に影響を及ぼすね、ショックで。心臓が悪いし。まあ、1億円でも小遣いあればええな。

——なにに使います？

岸部 まず封筒をたくさん買ってきて、10万円ずつ入れる。それを置いとくの。で、ウチに来た人に「吉田さん、今日これ」って。

——遊びに来た人とかにもポンポン10万円を渡すシステムを作る。チップ制みたいな。

岸部 うん。感じいいなと思ったら20万。

——そしたらみんな来ますよ（笑）。

岸部 噂が流れるよな。

——次々と女性カメラマンが来ます（笑）。

岸部 女性カメラマンだとまた他の狙いがあるんだよな。それなんでもなしで10万あげる。でも嫌いなヤツにはあげない。でも、そうなったらコロッと変わるヤツがいるな。

——いますよね、お金が入った瞬間に。

岸部 いたよ、落ちぶれた途端にまず逃げることしか考えないヤツ。なんにも言わへんっちゅうねん。どうしてこう変わるのかなと思った。どれだけいい思いさせたかって言いたかないけど、「頑張ってね」で終わり。

——いつか岸部さんから10万円もらえる日が来るように楽しみに待ってますよ（笑）。

岸部 「なんで10万円くれたんだろう？」と思ったら、宝くじが当たったと思って。

——なるほど、突然渡されたらなにかあったと思えっていう。5000円に困ってた人が急にこんなことをするっていうことは、と。

岸部 うん。10万円もらったらいいよね。普通は絶対くれないで。なんでかなあ？

——ダハハハハ！　また遊びに来ますよ。

岸部 来てください、なんせ暇だから。元気になったら連絡します、調子のいいときに。

——はい、また来ます。

岸部 そのとき会いましょう。

人間コク宝

特別インタビュー

西野みたいに、
好感度低いっていう1コのブームに
乗ろうとしてる感じが俺にはできない

品川ヒロシ

SHINAGAWA HIROSHI/2013年12月3日収録

1972年4月26日生まれ。東京都出身。よしもとクリエイティブ・エージェンシー所属の芸人。東京吉本総合芸能学院（東京NSC）の第1期生。1995年に庄司智春とコンビ「品川庄司」を結成。『アメトーーク！』でプロデュースした「ひな団芸人」の回が話題となり、一ジャンルとして定着。映画監督として『ドロップ』『漫才ギャング』があり、いずれも本人原作。4月1日には、映画『サンブンノイチ』（主演：藤原竜也）が公開予定。この映画には、田中聖も出演している。

一度限りの共演を覚えていた！

品川 あ、どうも御無沙汰してます。以前、『どや顔サミット』でも共演しましたよね？

――そうです！ よく覚えてましたね。

品川 玉置浩二さんのインタビューで、躁鬱で乳を揉んで、みたいな話を覚えてました。

――その後、品川さんがほかの番組でその話をしてたっていう噂も聞きましたけど……。

品川 したことあったかな？「らしいっすね」みたいなことを言ったかもしれない。

――じゃあ、いいです！ ボクの持論で、二世タレントの人にハズレなしっていうのがあって、品川さんは二世タレントと言っていいのかわからないですけど、テレビに出る側だった親のもとで育ったわけじゃないですか。そういう影響って何かあると思います？

品川 ゼロではないと思いますけど、いまの二世タレントと昔の二世タレントって違いますよね。それこそ松方弘樹さんとか堺正章さんとか二世タレントだけど、なんかちょっと意味が違ってきて。特にウチなんか親もたいしたことないし、僕もたいしたことないし。

――実際、お母さんがレオタード姿でテレビに出てる心境っていうのはどうなんですか？

品川 出てましたね。やっぱり嫌でしたよ、子供の頃。ただ、誰もが知ってるスターじゃなくて、特に小学生なんか知らないですよ、マダム路子って言われても。いまの人もマダム路子って知らないと思うんですよ。そこまでの知名度もないから何やってんだろうな、みたいなところですかね。俺の姉ちゃんとかは、離婚して小説家といろいろあって、中吊り広告にバーン、みたいに出てすごい嫌な思いをしたって聞いたことありますけど、俺は2歳か3歳だったんで記憶にないんですよ。

――そのへん調べるとおもしろいですよね。

品川 だからぶっ飛んだ家だなと思うし。

――お母さんとお父さんと、不倫相手だった小説家の人と並んで会見やってたりもして。

品川 ご遺族の方がいるからあれですけど、やっぱりおかしな家でしたね、我が家は。

――嫌でもなんらかの影響は受けると思うんですよね。反発なり何なり。品川さんは小説を書いてるけど、じつは過去に小説を全然読んだことなかったっていうのは、そんな家庭環境と関係してるのかなと思ったんですよ。

品川 そうですね、28歳まで読んでなくて。僕はあまのじゃくというか、要は言い訳から始まってるんだけど、自分なりに作った持論に凝り固まってるところがあって。そもそも勉強が嫌いですから。でも漫画はすごい読んでたんですよ。で、『ジャンプ』とか大人になっても電車で漫画ばっかり読んでるから日本人はどんどんバカになった」とか「想像力がなくなった」っていうけど、小説は文章を読んでるから左脳だけ、でも漫画は絵と文章を同時に見てるから、右脳と左脳を同時に使ってんじゃん。だから俺は小説は読まない、漫画派だみたいなことを言ってたら、たまたまテレビで「一番ボケないのは漫画だ」みたいなことを脳科学者かなんかが言ってて。「ほらみろ」と思って読んでなくて。

――お母さんによると、子供が小説を読むとお小遣いをあげる制度だったんですよね。

品川 そうです。1冊読むと３００円で、ウチの兄貴なんかは年

『どや顔サミット』
浜田雅功司会のトークバラエティ番組。有名人がとっておきのエピソードを紹介し、最後にどや顔をキメる。吉田豪と品川ヒロシが共演したのは、10年の12月に放映されたパイロット版の方。

マダム路子
元モデルの美容師。ダイエットや美容に関する著書を多数出している。引退後は国際魅力学会を設立し、会長に就任。品川ヒロシの母。

間200～300冊、姉ちゃんもみんなめっちゃ本読むんですけど、要は読書感想文みたいなの書かされるんですよ。で、ボクは目次と最後の2～3ページ読んで、なんとなく予想して読書感想文を書いて出してたんですよ。それで300円もらってて。

――昔からそういう器用さがあって。

品川 そっちのほうが役に立った気がしますね。要は予想して、最初と最後だけであたかも全部読んだかのように書くことのほうが。

――じゃあ、一緒に生活していたと、ある大物小説家の人への反発はなかったんですかね。

品川 まったくないです。むしろリスペクトしてますね。二番目の父親はすごく頭のいい人だったし、やっぱりすごく魅力的な人だったんで、反抗心は一切ないです。小学生ながらに、なんて色気のある人なんだろうと思ってました。意味はわからなかったけど、推理小説のトリックでトンネルと双子を使うヤツはダサい、みたいなことを言ってて、なんかカッコいいじゃないですか。俺わかんないけどすごいカッコいい発言してるぞって思ってたんですよ。俺、トンネルと双子はダサいっていうのだけはいまも強烈に覚えてます。

――二世の人って反発でグレるタイプと、うまくイジられ方を習得するタイプと……。

品川 いや言い訳ですよ、反発でグレるって。僕、グレるのに理由なんてなくてファッションだったから。どっちかっていうとモテたいだけで。不良ってすごいセックスの匂いがしたじゃないですか。不良になれば早く童貞捨てられるぐらいの感じだったんで、『ドロップ』とかで書いてるように、喧嘩とか嫌でしたから。モテたくて不良になったのに、やっぱり喧嘩とかあるんだ、嫌だなって。

――嫌だなとは思いながらも喧嘩して。

品川 これが矛盾していて、主人公像として設定がグダグダだし、リアルってそういうもんだからしょうがないと思うんですけど、ビビリでめっちゃ短気なんです。喧嘩なんて全然強くないんですけど、とにかく短気だったんで地元の友達に馴染んだんでしょうね。

――短気さはいまも変わらないわけですか?

品川 変わらないですね。みんなに丸くなったって言われるんですけど、昔は尖ってたっていう意識もないですし、いまが丸くなったともべつに思ってないです。昔のままで。

――『どうした!?品川』と言われたけれど。

品川 わかんないっス（笑）。いま人にやってたことを聞くとやっぱり嫌だなと思うし、俺みたいな後輩が現れたらすごく嫌ですね。

――ボクが最初に品川さんを認識したのが『虎の門』だったんですよ。あのキャリアでふつうにMC席に座って映画に手厳しい発言してるから、不思議なポジションの人だと思って。

品川 なんかトチ狂ってましたね、自信だけはあったんで。ただ、僕は手厳しくないんですよ。井筒（和幸）さんが言ったことを止めてくれって言われたから、どちらかというと僕は当時、井筒監督になに生意気なこと言ってんだ、みたいなことで叩かれてたんです。

――「井筒監督が毒を吐くのがおもしろくて観てるのに邪魔すんな！」みたいな。

品川 止めてくれと言われてここ座ってんだからしょうがねえじゃんと思いましたけど、いまとなってはどうでもいいかな（笑）。

――ただ、世間の見られ方とか、前はかなり気にしてた人だったわけじゃないですか。

品川 100パー気にならない人っていないと思うんですけど、不思議なもんでアンチが爆発して、それは東野さんとかの『アメ

『ドロップ』
06年にリトルモアから刊行された、品川ヒロシの初著作。不良に憧れてた少年が、私立中学から公立中学に転校し、ケンカに明け暮れる不良ライフを描いた小説。07年にキャラクターデザインに高橋ヒロシ、作画に鈴木大を迎えて漫画化。さらに09年には、品川本人が監督・脚本を務めた映画が公開された。

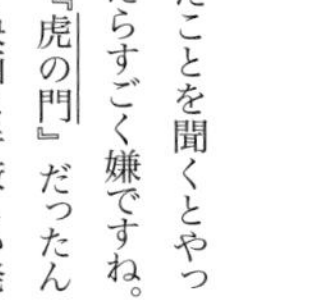

©リトルモア

『虎の門』
01年から08年まで放映された、関東ローカルの生放送バラエティ番組。井筒和幸が自腹で観た映画を辛口評価する「こちトラ自腹じゃ！」は当番組の名物コーナーで、満点である三ツ星が付くことはほとんど無い。

『アメトーーク!』
テレビ朝日で放映されている、雨上がり決死隊が司会の高視聴率トーク番組。ここから生まれた「雛壇芸人」「家電芸人」は、流行語大賞にもノミネートされた。有吉弘行に「おしゃべりクソ野郎」と呼ばれた「おしゃクソ事変」はあまりにも有名。

トーク！』のおかげですけど、『どうした!?品川』とか『好感度低い芸人』とかやると、一方で振り子の原理で、「いや、俺は好きだけどね」っていう嫌われ者擁護派が出てくるんですよ。それに街を歩いてて嫌いだって言われることってないじゃないですか。だからそんなに。まあ、気にしててもしょうがないかって。もう歳ですからね。41歳なんで、さすがに気にならなくなったじゃないけど、それを気に病んでる時間がもったいないなって思いました。あと好感度を得て番組を持ったところで、冠番組をゴールデンでやるっていうのを完全に諦めたから、もういいやって。

——一時期すごいこだわってたはずなのに。

品川　こだわってましたね、それをずっと言ってたし。でも、もう無理だなと思ったんで。

——無理なんですか。それよりも、自分の持ち場でどうやっていくかを考えるっていう。

品川　自分の持ち場でっていうのももはやないですね、責任感すらなくて（キッパリ）。

——えぇーっ！

品川　要は『アメトーーク！』って客としてテレビで観てもおもしろいじゃないですか。それに出て、そこで笑いを取れればそれでいいっていうだけで、べつにテレビの世界で勝ち上がろうと思って、役割がどうとか考えたり、空気を読んでどうのって考えたり、すごい浅はかだったなってちょっと思うんですよ。

——前はそれをすごい考えてましたよね。

品川　すごい考えてました。でも、本末転倒で。そもそも『ガキの使いやあらへんで!!』と『ごっつええ感じ』に憧れてこの世界に入ってきたから、要はものを作るっていうことととトークをするっていう、このふたつさえできればいいなと思ったんですよ。べつにクイズで高得点をとるためとか、どっきりを仕掛けられるためとか、ロケで無茶させられるとか、それでおもしろい人たちは山ほどいるけど、俺はそれに憧れたんじゃないしなと思って。だから憧れていた『めちゃイケ』、『ガキの使い』、『アメトーーク！』とかに呼ばれてればいいかって感じですね。

——昔は冠番組をつかむために、とりあえずスキルを高めていこうとしていたんですか？

品川　僕、ポリシーないんですよ。

——そうなんですか！

品川　言ってることも日替わりなんです。その場でウケりゃいいやと思ってるんで。だから「こないだそれ言ってたじゃないですか」って言われても、そのときはそれがウケる感じだったってだけで。あと、言ってたことに自分が洗脳されちゃって、俺はそういう生き方をすると思い込むところがあって。だからテレビのなかで仕事を増やす、勝ち上がる、そのための戦術はこれだ、みたいなことを自分で考えるのがとにかく好きだった時期はありましたね。でも、いまはほかに興味もいっぱいあるから、そこまでじゃないです。

——『どや顔サミット』で唯一共演したときに品川さんがちょいちょい挟んでくるひと言がオンエアでほぼ使われてるのを見て、やっぱりスキルあると思いましたけどね。

品川　浜田さんは1時間番組を1時間20分ぐらいしか回さない人だから、ウケれば使ってくれるんで。浜田さんを始め浜田さんチームも僕を使ってくれる数少ない人たちですね。

——数少ない（笑）。冠番組が欲しいモードから、何がきっかけで変わったんですか？

品川　映画は大きいですね。映画を自分が指揮して作ることで、ものを作る気持ちよさはそれで結構吐き出せて。もうひとつは、

『27時間トークライブ』っていうのをやったんですけど、それ以降トークライブが楽しくなって、ライブにお客さんを集められる芸人をもう一度目指さないとダメだな、と。だからなんだかんだで月に1～2本はライブやってるんで、そこで満足できちゃうんです。あとは『アメトーーク！』みたいな大きい、これは満足っていう番組が年に何本かあれば。

――最近も『アメトーーク！』の『好感度低い芸人』でのキングコング西野さんとの絡みはホントにすごいよかったですよ。好感度が低い側の先輩としてのアドバイスが完璧で。

品川 あの日も楽しかったですね。これまでイジられるのが苦手っていうか、ヘタだったんです。『どや顔』でいっぱいコメント挟んでたって言ってくれるけど、やっぱりそれって主役ではないし、間を埋める作業だから。自分がテレビで主役になるには痛みを伴わないといけないんですよ。僕はたまたま好感度が低いって言われてますけど、一発屋って言われたり、有吉さんだったら1回地獄を見てるとか、なんか身を削ったり、なんか痛みを伴わないと主役になれないんですよね。だから、あれだけやらなきゃいけないんだなって勉強になりましたね。要はテニスの球とかも、速い球を打ち返したほうが球は速くなるみたいなことだと思うんですけど、飛んでくる球がえげつないんで、それを打ち返したときの笑いの量は自分でもすげえなって思ったんで。これぐらい自分にダメージあるほうがおいしいと思うようになっちゃいましたね。こっちのほうが楽しいしやりがいあるなって。自分がイジリ手側っていうのもいいけど、安全圏内でゴチャゴチャってやって、「はいどうぞ」ぐらいの笑いより、あそこでヒリヒリ削り合う感じっていうのは、あれを味わっちゃうと、またあれを欲するというか。

ダイノジ大谷のセンスが苦手

――品川さんって映画でも小説でもそうですけど、何をやっても器用にある程度のレベルのことができる人だっていう印象があって。

品川 そう言われるんですけどね、計算高いとか戦略家だとか。結局この程度に留まってるから、計算低いんだと思うんですよ。完全に計算高かったらこんなもんじゃないんで。だから悪く言うと計算高いとかズル賢いとか器用貧乏、誉め言葉としては頭の回転が速いとかが多いんですけど、全然ですよ、全然。

――雑学があるように見せる技術から何から、全部そういう器用さが見えるというか。

品川 あれも番組で雑学を勉強してくれって言われただけで、俺、そもそも勉強が嫌いなんですよ。あのときは『雑学王』で優勝するって意地になって頑張って勉強してたけど、いまはまったく勉強してないです。週刊誌もまったく読まないですし、ワイドショーとかも全然興味ないですし、全部仕事で来たから恥かかないようにと思ってやっただけで。やっぱり自信ないですね。

――印象的だったのは、西野さんに「おまえと違って俺は好感度が下がる何かがあったわけじゃない」って言ってたことなんですよ。

品川 それも、いっぱいあるんですよ。これといってないっていうだけで。好感度が低くなるだろうなっていうこともいっぱい言ってるしやってるし。嫌われるなんてこれっぽっちも思ってなかったですけど。ただただ天然であんまり好かれないんだと思います。

キングコング西野
西野亮廣。キングコングのツッコミ。自他ともに認める嫌われ芸人。放送作家・鈴木おさむの小説『芸人交換日記』について、「ちっとも面白くないし、都合よく乗っかる芸人はもっと面白くないですね」と、ツイッター上で批判的な発言をして、物議を醸した。

『雑学王』
07年から11年まで放映された、爆笑問題が司会の雑学クイズ番組。爆笑問題の太田が好き勝手喋るクイズ番組の方式は、現在の『ストライクTV』に引き継がれている。

――もともと喧嘩っ早かった人じゃないですか。1回聞いてみたかったのが、ブログにダイノジの大地さんはよく出てくるけど大谷さんは全然出てこないことで。大谷さんが若い頃によく品川さんと揉めたとか言ってて。

品川 嫌いでしたからね。大谷さんは品川と揉めたってカッコつけて言ってるけど、僕が「嫌いだ」って大きな声で言ってただけで。

――ダハハハハ！　直接言ってたんですか！

品川 言ってました。楽屋に帰ってきてゴミ箱を蹴飛ばして叫んでました、「なんだよあいつよー！」とか、目の前で言ってました。

――何が引っ掛かってたんですか？

品川 いやホントに些細なことですけど、一緒にイベントやってたんですよ。で、品川庄司はガレッジセールと、ダイノジは当時いたチャイルドマシーンと、カッコつけるVTRを撮ってこい、みたいな指令があって。俺らはカッコいいっていうことを振りにして、ちょっとふざけたVTRを撮ったら、ダイノジとチャイルドマシーンはマジでカッコいいのを撮ったんですよ。それでお互いのVTRを観たとき、「なんだよ、これじゃ俺たちが振りじゃねえかよ」とか大谷さんが言うから、「振りもクソもてめえで勝手にカッコいいの撮ってんだろうがよ、おもしろいことやりてえならおもしろいの撮りゃいいだろ、振りとか知らねえんだよバカ！」って言って椅子を蹴飛ばして（笑）。いま考えたら俺が100パー悪いんです、向こうが先輩ですから。

――ですよね（笑）。

品川 100パー悪い。ずっと嫌いだったんですよ、なんかあの感じとか雰囲気とか。

――大地さんとは合って大谷さんとは合わないとか、その線引きがおもしろいですよね。

品川 大地さんは大好きですからね、俺。一晩中、大地さん見て笑ってられますもん。だから大地さんもたいへんだったと思いますよ。そんなに大谷さんの悪口を大地さんに言われてもっていう日々もありましたからね。申し訳ない。でも　それぐらいグツグツして楽しかったですけどね。大谷さんもそうだったと思いますけどね、わかんないけど。

――つかみ合いとかもやってたんですよね。

品川 大地さんが間に入って俺に頭突きされて鼻血出す事件があって、「ヒロシ、クールになれ」って言われて（笑）。「あんた俺のことヒロシって呼んでねえじゃん！」って。だいぶカッコいい止め方するなと思って。

――品川さんも大谷さんも漫画とか映画とかが好きじゃないですか。そのへんのセンスでぶつかる部分もあったりしたんですか？

品川 ありましたね。当時、単館上映作品を知ってるほうが映画好きだ、みたいなノリが大谷さんにあって。いやいやいや、そこは『バック・トゥ・ザ・フューチャー』でしょ、みたいな。『バック・トゥ・ザ・フューチャー』好きって言ってるヤツが映画好きじゃダメ、みたいなノリなんなの気持ち悪い！

――品川さんは漫画でも王道の人ですよね。

品川 でもね、意外とそうじゃないのも見てるんですよ。それで大谷さんがズルいのは、俺が勧めた漫画とかを、さも自分が発見したみたいに、「あれおもしろいよ」とか言うことで。「いや、それ俺が勧めたんですけど」って。あるんですよ、そういうのが。でも、それも俺が撮った映画じゃないし、大谷さんも俺もてんで大間違いというか。「俺が先に見つけた」もクソも、みんなが先に見つけてるし。もっと言えばその才能を見つけた人がいて、お金を出した人がいて、映画が公開された時点でもうだいぶすごいんだ

ダイノジ
大地洋輔と大谷ノブ彦のコンビ。大谷は水曜のオールナイトニッポンを担当しており、世のボンクラ男子に熱いトークを届けている。その中で「サブカル片思い」を自称し、サブカルが好きなのにサブカルからは相手されないと自嘲している。

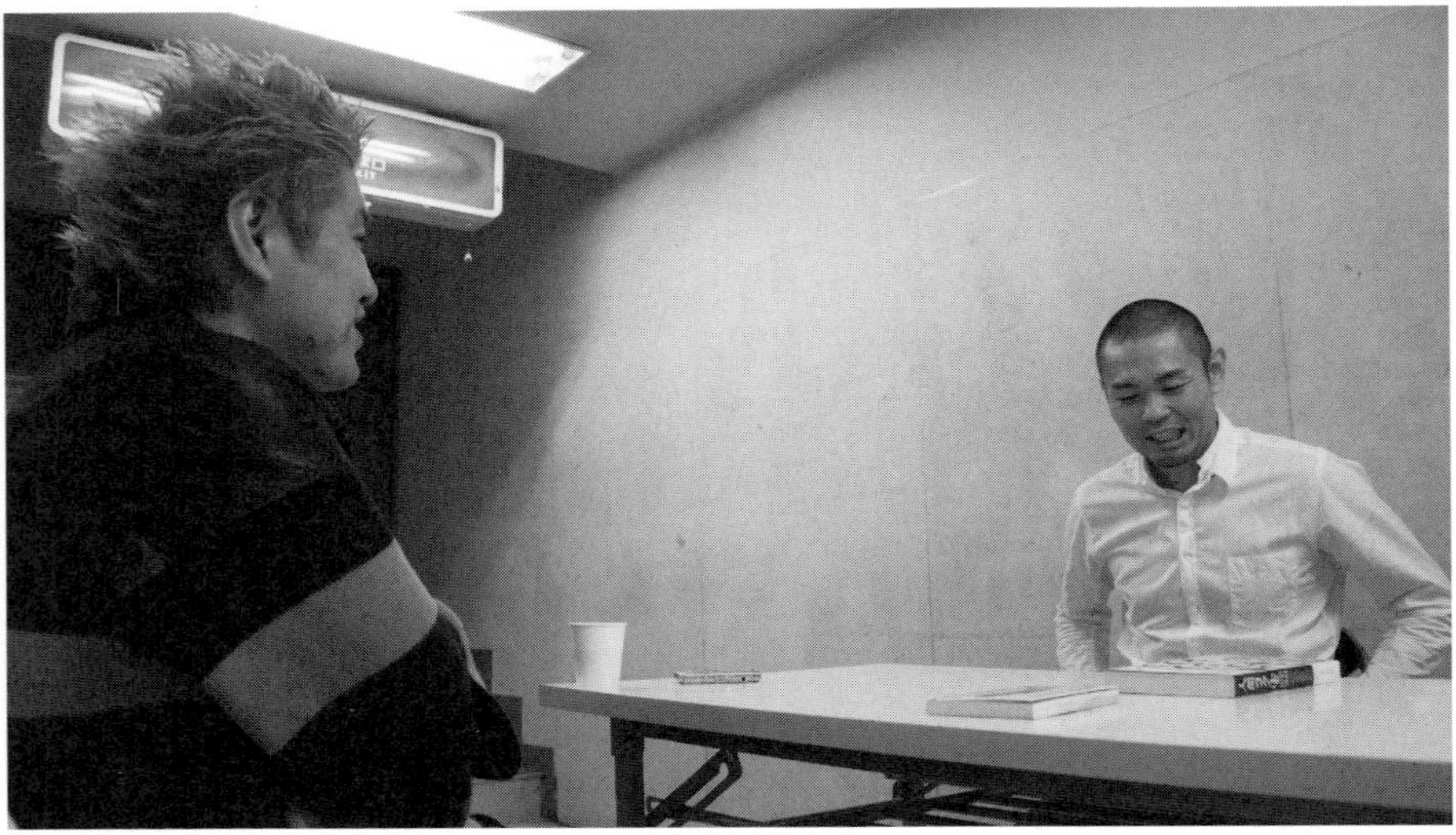

し。そんな感じで、理由もなくムカついてましたね。

――大谷さんはもっとサブカル的なほうに来るわけじゃないですか。漫画でも映画でも。

品川 でも映画とか、いまやサブカルってメジャーみたいな感じですもんね。どんなにサブカルって言われてる映画でもふつうにWOWOWでやってますからね。いまWOWOWがすごいですよ。週に5本ぐらいWOWOWで映画を観てます。あとLiLiCoさんと仲いいんで、定期的におもしろい映画を教えてもらって。LiLiCoさんも年間300本とか400本とか観てるから、ハズレなく映画を見てます。で、いまはちゃんと大谷さんにも聞きますよ。「なんかおもしろい映画あります？」って。

――そこまで素直になったんですか！

品川 うん、あの人のほうが暇で、映画を観る時間いっぱいあるだろうから（笑）。

――ダハハハハ！ 元ヤンで、映画を撮っても小説を書いてもそれなりに結果を出せるっていう意味で、品川さんがタイプ的に近いのは紳助さんなのかなと思ってたんですよ。

品川 ……どうっすかね、紳助さんなんか僕とは比べものにならないぐらい頭いいんで。

――とある芸人さんと品川さんの話になったとき、品川さんは紳助さんになるべきだ、みたいなことをその人が言ってたんですよ。

品川 誰ですか？ めっちゃ気になります！ でも、それ紳助さんに言われたことがありますね。「さんまみたいにああやって輝いてる人がいて、俺はこうやって戦略を考えて勉強してやってきた。おまえみたいなヤツは俺みたいに勉強せなあかん」みたいなことを。

――嫌われたとしても実力でねじ伏せるぐらいの位置に行くべきだっていう話でしたね。

LiLiCo
映画コメンテーター。TBS『王様のブランチ』にレギュラー出演する、浅黒い肌で、かなり個性の強いハーフ女性。

品川 でも全然違うと思いますよ。嫌われてもねじ伏せるってところは、もしかしたらそうかもしれないですけど、羞恥心とか『ヘキサゴン』っていう番組を作ったりとか、そういう秋元康さん的な要素は僕にはないです。だからちょっと違うんじゃないかなと思いますね。そこまで野心もないです。

山里亮太とは生理的に合わない

——前は野心家だったと思うんですよ。

品川 バリバリの野心家でした。人って変わりますよね。いまは昔のブログ本とか読んでても、こんなのやらなきゃよかったなと思いますもん。やっぱり文章って残るから。だからヤンキー上がりのネットなんか知らないバカがあんなこと始めて、ホントに後悔してますね。ブログもそうだし、山里のことも、あれツイッターさえなければ人にいろいろ言われることもないし。たぶん電話して、「おまえコノヤロー、俺の悪口言ってるらしいな！」って言って乗り込んで、「おい！」っていうだけの、バカらしいバカでいられたのに、ツイッターという媒体をひとつ挟んだことに自分のなかでも気持ち悪さがあったんで、だからツイッターもやめたんですけど。

——フェイスブックはいまやってるじゃないですか。あれはツイッターとは違います？

品川 あそこで自分の気持ち的なものは何も発信しないし、写真を撮って「今日はジムに来た」とか、なんの意味もないことを書いてるんですけど。ブログでは自分の思いとか書きすぎてたんで。要は自分の番組がなくて、テレビで自分の思いを発信できる場所がないから文章にしたんですけど、文章ってやっぱりテレビより難しいと思って。「たぶん後で呼んで気持ち悪くなるだろう」って最初から書いてましたけど、ホントに気持ち悪いですね。浮かれてました、みんなに「品川のブログに出してよ」みたいにみんなに言われて。

——宣伝効果があるからってことで。

品川 はい。アイドルとかも「ブログに出してください」みたいになってたから。自分の番組持ってないわけじゃないですか。あれが唯一の発信する場になってたからホントに背伸びしてましたね。ものを書く人は、餅は餅屋じゃないけど、ちょっと違うなって思いました。

——お姉さんもライターだったりで、家系的にはものを書く側の人が多いわけですよね。

品川 『ドロップ』とか『漫才ギャング』のときって、あれを書けば映画にできるってことで、情熱があったんですね。小説ってすごい情熱と力が要るじゃないですか。今は、つい飲みに行っちゃうんですよね……。

——誘惑に負けて（笑）。

品川 特にこの1ヶ月ぐらい、自分でもダメだなと思うんですけど、どうも集中力が欠落してて。バラエティで調子いいとそっちがダメで。映画とかに集中してるとバラエティが疎かになって。バラエティでウケるとやっぱり飲みに行きたくなるじゃないですか。そうすると、そっちがちょっとダメなんですよ。

——ちなみに、いまあらためて振り返ると、山ちゃんとの騒動ってなんだったんですか？

品川 要はあいつがラジオで俺の悪口を言ってたって話で、それもブログでいろいろ書きましたけど、要は人間的に合わないんだろうな、と。山里を嫌いというわけじゃなくて。たとえば、こない

山里
山里亮太。ラジオ番組『山里亮太の不毛な議論』で、とある先輩に「旬でポッと出の人って、滑っても平気なんですね。尊敬します」と執拗にいびられたと喋ったところ、最終的にそれが品川だとバレてしまい、ネットが炎上した。

『漫才ギャング』
09年にリトルモアから刊行された、品川著の小説。留置所の中で二人の男が漫才を組む物語。11年に佐藤隆太と上地雄輔が主演を務め、映画化。『ドロップ』に引き続き、こちらも品川本人が監督・脚本を務めた。

©リトルモア

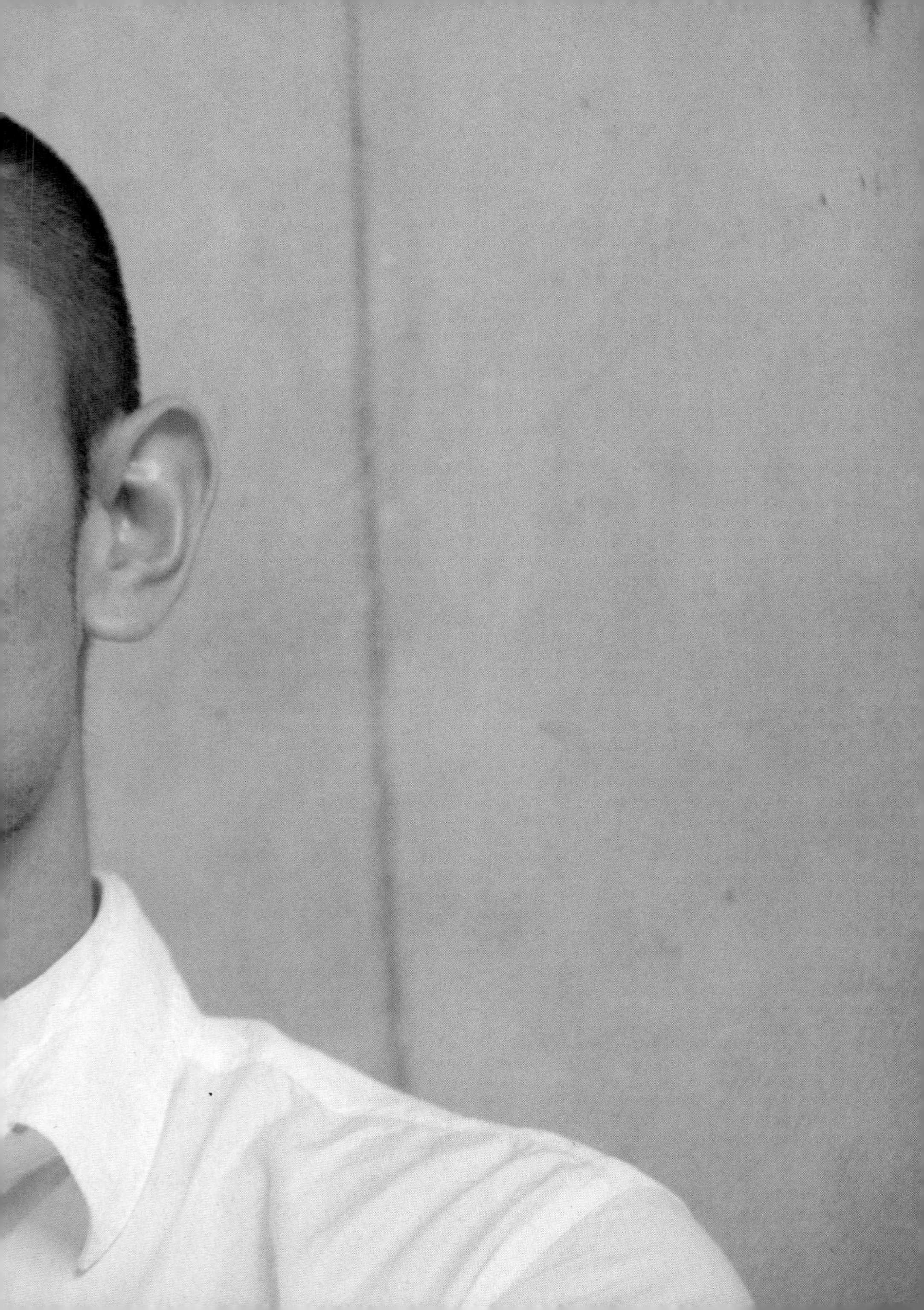

だPOISON GIRL BANDの吉田とタケトと飲みに行って、僕の友達に「M-1でビリのPOISON GIRL BANDの吉田と、ジュニアのコバンザメ」って紹介したんですよ。これってけなしてるけど、『M-1グランプリでビリって、何千組の8位っていうツッコミが用意されてるから、それを言えばいいんですよ。ジュニアのコバンザメも、ジュニアさんに認められてるタケトっていうのを示せるし、後輩がちょっとツッコんで笑いにもなるっていう、僕なりのコミュニケーションの計り方なんですよ。

――相当わかりにくいですけどね（笑）。

品川 僕はまったく覚えてないんですけど、テレビの収録で山里がスベッて終わったときに「こいつM-1出て調子こいてスベりましたね」って言ったらしくて、お客さんも入ってるわけですから、それを収録のカメラが止まってるときに松本さんに言うっていうことは、たぶん僕なりのフォローなんですよ。それを山里はフォローって感じなかったんでしょうね。「何これをフォローって感じない雰囲気出してんの？　スベッたもんな？　スベりましたよね、みんな？」って、この悪循環で。そうなったら僕はしつこいですから、覚えてないけどまあ言ったんでしょうね。まあ、ボクのイジリ方もヘタだったんでしょうね。それを数年後にラジオで言うから、それでムカついて。で、電話してキレて。ラジオだから俺もいないし、お客さんもいないからウケてるように聞えないし。俺は放送を聴いてないんですけど、またそれを文章で見てるから。

――ピー音の代わりに恵方巻きをくわえながらそのときのエピソードを話すっていう、あれも放送とはちょっと違う感じでネットでまとめられちゃったのが問題なんですけどね。

品川 山里は「自分で落としてて、そんなつもりではまったくなかったんですけど」みたいに言ってて。でも、いいやって思ってたら山里が「謝りたい」って言って、向こうのスケジュールで俺が本社に呼び出されたんですよ。「謝りたいときっておまえから来るんじゃねえの？」って思いながら、行ったら社員が2～3人いて、「このたびはすみませんでした」ってなったんです。それでちょっと後輩にキレるのやめようと思ったんですね。俺はいつまでも若手の気持ちのままだから、俺にキレられたところで1コも仕事減らないし、なんにもないんですよ。だから嫌な思いをさせるのが俺の全力の攻撃なんですけど。

――ダハハハハ！　なるほど（笑）。

品川 殴ったらこっちが不利ですからね。「おまえが悪口を言って俺が嫌な思いしたんだから、おまえにも嫌な思いさせる」ぐらいの力しか俺は持ち合わせてないんだけど、社員に呼び出されて、山里が緊張で死ぬぐらいの青い顔して平謝りなんですよ。で、もうやめようと思って。昔みたいに「おまえ！」みたいに軽く小突いて、「じゃあ飲みに行くか」って言って、飲みながら「おまえなぁ」とやって、それを後日漫談にして舞台で話してっていうふうにならないヤツもいるし、ならない立場になっちゃったのかなと思っちゃったんですよね。全部が悪いんですよ。ちょっと不健全だなと思って、ああいうキレ方はやめようってあらためて反省したというか。電話じゃなくてハナからどっか乗り込んだりすればよかったのかなとか思ったりして。

――それはそれで怖そうですけどね（笑）。

品川 それをまたブログでタラタラと自分で書いたのもなんか違うしなと思って。唯一、ラジオ局に行って「謝罪とかやめろ！」って言うのだけが自分っぽいかなと思ったけど、それ以外はあの事件に関しては気持ち悪いですね。こういう本とかだったらいくらだってしゃべってもいいんですよ。これがテレビだと、みんなあの

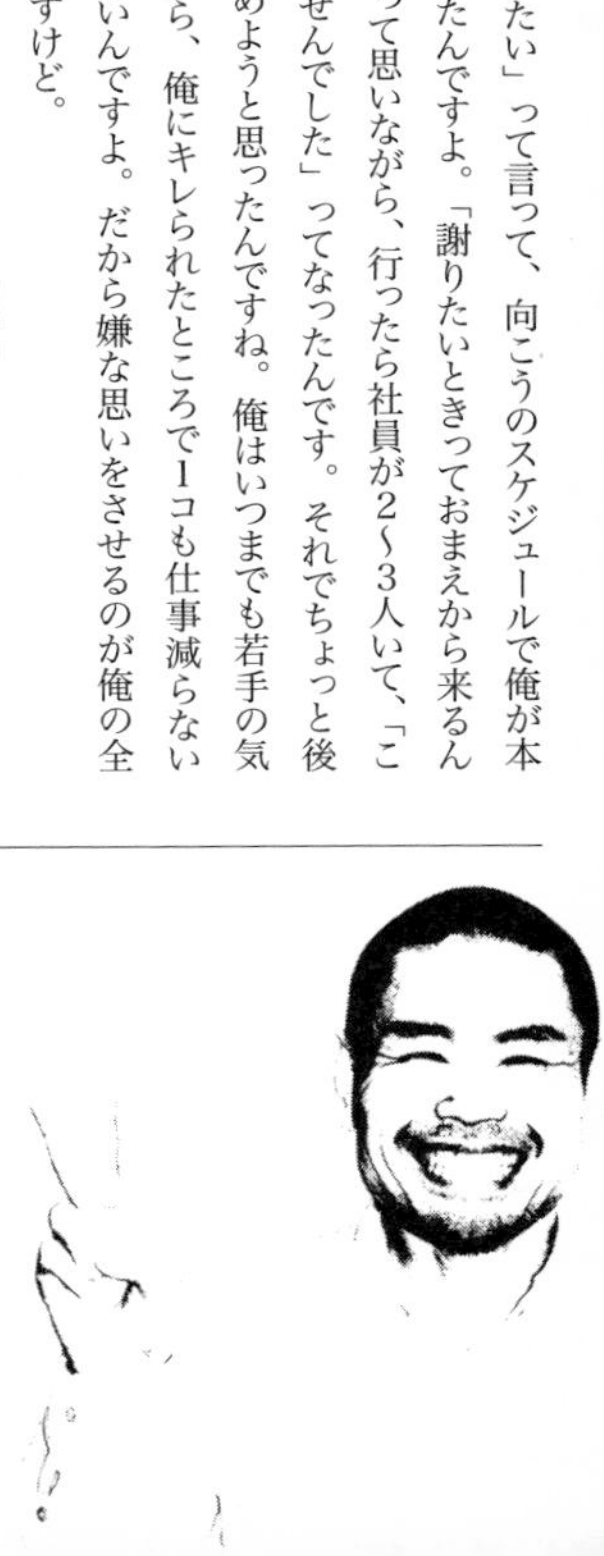

事件のことをイマイチ知らないから、漫談に押し上げるまでにはだいぶ説明が必要でしょ。だから「あのことは語らない」みたいに言われてるんですけど、そうじゃなくてウケないからしゃべってもしょうがないってことで。1回やったんですよ、『行列のできる法律相談所』かなんかで。それで俺は全然よかったんだけど、山里はいまだにその話になっちゃうと顔がバッキバキになって何もしゃべらなくなっちゃうから、そしたらもうイジメてるみたいじゃないですか。

――ヤンキーと弱者っていう図式ができて。

品川　そうなんですよ。キャラ的にも山里が悪い、みたいな感じになっちゃって。少なくとも『行列』のときはそうだったんですよ、そこの雰囲気が。なおさらなんか……むしろ全員が「品川が悪い」ってなって、「なんだよ！」って反論するほうがやりやすいから。

――笑いとしては転がしやすいですよね。

品川　だからやらないですね。さっきの「おい！」みたいなのも、やられる側によっては本気で嫌な人もいるんだろうなと思って。

――さっきもここ（ルミネtheよしもと）に入ってきた早々、品川さんが後輩芸人を殴ったりして「あなたは、またそうやって暴力に訴える！　暴力反対！」とか言われたりの、かわいがりのシーンを目撃しましたけど。

品川　ああいうやり取りってホントに嫌なヤツとかいると思いますよ。でも、あいつは俺に何十万も飯を食わせてもらってますから、文句を言われる筋合いはないと思います（笑）。

――そういうことがコミュニケーションになる人とならない人がいるってことですよね。

品川　そうなんですよ。だから気をつけないといけないですね。山里も返しめっちゃうまいし、おもしろいこと言うのに、1回こうなっちゃったら俺にずっとひとつビビってるから、どうなんですかね。そこイジる人ももういないし。東野さんあたりがもう一回やってくれたら全然対決しますけどね。

――東野さんとかおぎやはぎさんあたりは、イジりたくてしょうがない感じですけどね。

品川　でも、あんまり興味なさそうだな、『どうした!?品川』のときも山里の話は全然出てこなかったから。山里のライブでは東野さん、俺のことめっちゃ言ってたらしいんだけど（笑）。

――ダハハハハ！　好きですからね（笑）。

品川　ドロッとした人間が好きですからね。山里も対照的ではあるけどドロッとしてて、クラスの端と端のドロッとしたヤツだから。

――水と油なんですね。

品川　でも嫌いじゃないんですよ。嫌いじゃないけど合わないヤツっているんですよ。

キングコング西野が嫌な理由

――前に品川さんが言ってたことで印象的だったのが、「芸人というのは自分の個性をデフォルメする」みたいなことで、悪いところもデフォルメして出すものであるっていう。

品川　20代のときに先輩に「おまえ、ここ痛いな」って言われたことで30代でブレイクする人が多くて。たとえばカラテカの入江とかもそうだし、オリエンタルラジオの慎悟のチャラいところもそうだし。「何こいつ?」みたいなところがじつは一番のキャラクターになったりするから。そういうことだと思いますね。

――品川さんも自分のそういうマイナスな面を出していこうっ

て思いはあったんですか？

品川 ただ俺が痛いのは、自分に痛い部分はないって30代のときは信じてたんで。だから気づくのが遅かったんですね。40デビューです。やっと最近、「あ、自分が言ってたことってこういうことか」と思いました。みんな30代で花開くのに、勝手に「俺は痛くねえからな。おまえはここ痛いから、ここもっと伸ばしてったほうがいいよ」とか偉そうに言ってて、自分の痛いところに全然気づいてなかった。「俺痛くねえもん」と思ってたから。

――いま過去のブログを見てわかった。

品川 ブログっていうか、『どうした!?品川』ですね。あれで、あらためてこんなことしてたのかって（笑）。ならず者ですもんね。自分でもひでえなと思いましたけど。

――芸人の世界っていいですよね、そうやって処理してもらうことで生まれ変われて。

品川 生まれ変われるというか、まあカッコいい先輩がいるんでね、東野さんであったり、有吉さんとか。山里問題のとき、極楽とんぼの加藤さんから電話があったんですよ。

――間に入ってくれたんですよね。

品川 そう、それが初めてぐらいの電話で。で、「おまえはキレていいけど、気が短いから絶対に殴るなよ、それだけ。あとは何やってもいいから絶対に殴るな」って電話をくれて。で、あとから山里に聞いたら、山里には「一発殴られてこい」って言ったんですよ。こんな『少年ジャンプ』みたいなカッコいい人いるんだと思って。もちろん加藤さんは昔からカッコいいけど。山里vs品川の泥仕合でただひとつ輝いてたのは加藤さんですよ。

――ひとりだけ男を上げて。

品川 はい。東野さんも『どうした!?品川』が終わったあと、ああいう人なんでこっちもちょっと憎まれ口みたいなメール送ったんですよ、「いつか『どうした東野』をやらせてください」って。そしたら東野さんから、「それはいつか品川庄司の番組でやってください」って1行だけ返事が来たんですよ。

――またカッコいい返しですね。

品川 もうね。たぶん吉田さんが東野さんのとこ行って、「品川がこんなこと言ってましたよ」って言ったら、「いや、そんな意味ちゃいますよ。あいつが勝手に美談にしてるだけです」って言うと思うんですよ。でも俺はちょうどいい湯加減のすげえカッコいい1行だなと思って。そういうホントにカッコいい人たちって、自分で語らないんですよね。

――品川さんの反省としては、「俺は自分で語りすぎる」って言ってましたよね（笑）。

品川 そう。『クローズ』好きですか？「たかだか最強が最高の男に勝てるわけない」っていうのが一番の名ゼリフだと思ってて、これ主人公の坊屋春道のことを言ってるんだけど、言ってるのはゼットンじゃないですか。加藤さんも東野さんも松本さんも、こういうカリスマの人たちのいい話を僕は結構好きでするんですけど、カリスマ本人は自分の美談を語ったりしない。周りが語るんですよ。でも、後輩は品川祐の話を全然しないんです（笑）。俺もまあまあいいこと言ってるときあると思うんですけど、全然言わないから自分で自慢しちゃって。噂が広まるのを待ってられないんですよね。噂をちょっと聞こうもんならうれしくて、東野さんみたいなやり取りとかのが全然なくて、「そのあと俺なんて言ったと思います？」とか付け足しちゃうから、全然カリスマ性とかが生まれてこないんだと思います。でももうそれでいいやと思って。カリスマ性はもう無理ですね、あれは生まれ持ってのもんだから。

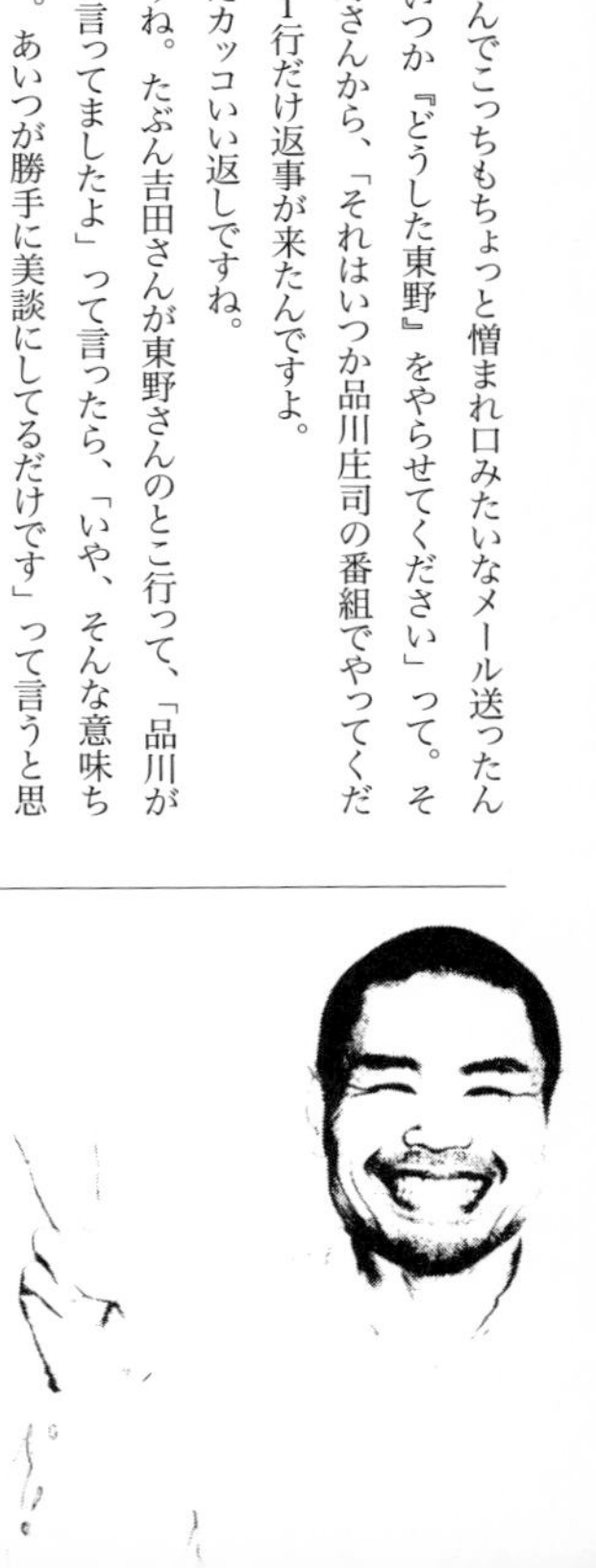

『クローズ』
高橋ヒロシによる大人気不良マンガ。90年から98年まで『月刊少年チャンピオン』にて連載されていた。単行本の累計発行部数は4500万部を超えている。

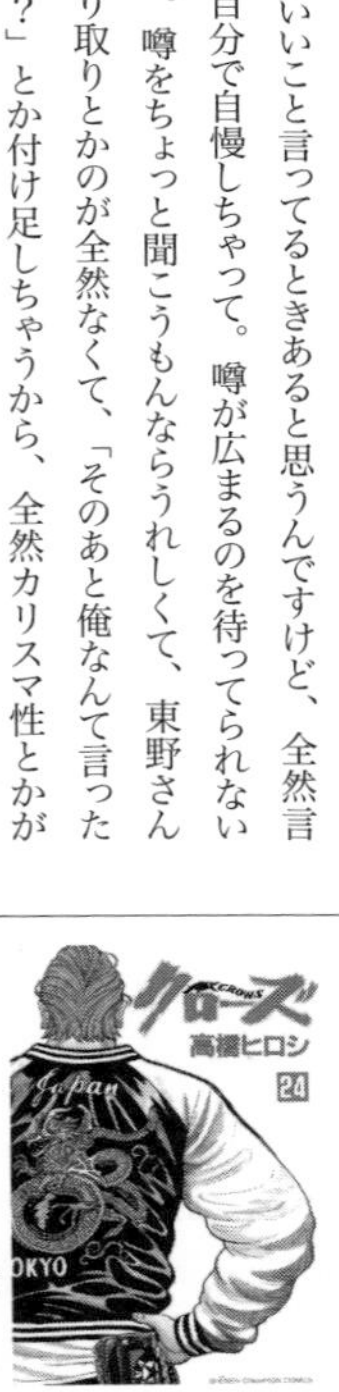

©高橋ヒロシ（月刊少年チャンピオン・秋田書店）

――ボク、山里さんに「どうすればカリスマ性が持てますか？」って相談されたことあるんですよ。「それを聞く時点で無理」って答えましたけど、そこは似てますよね（笑）。

品川 しがみつかないほうがいいですよ、ホントに。若いときって戦国武将にたとえるんですよ。松本さんが信長で、家康がさんまさんで、秀吉が紳助さん、若手だと淳さんだなとか。俺は明智光秀とか真田幸村とかいいなって言ったりしてたんですけど、いま俺のやってることって、山に住んでて石とかで落ち武者狩りしてる山賊で、その刀を持ち帰って金品に替えて酒を飲む、みたいな。「今日も金になったなぁ、ギャッハッハ」ぐらいのほうが向いてるんじゃないかと思って。そっちのほうが楽しいし、いいかなと思って。

――前は天下獲りを目指していたけれど。

品川 でも道玄坂って、道玄っていう有名な山賊が出た坂じゃないですか。渋谷の道玄坂になれるんだったらいいかな、そっちにしよう、みたいな感じですかね。あとカリスマ性がある人って髪型を変えないんですよ。松本さんでしょ、紳助さん、さんまさん、タモリさん。たけしさんは一時金髪とかしたけど、基本ベースあの髪型じゃないですか。今田さんとか東野さんも一緒でしょ、強烈におもしろい人って。甲本ヒロトさんとか、カリスマ性ある人って絶対髪型を変えないんですよ、なんでかわかんないけど。あの姿でいることが象徴なんでしょうね。それができないんですよ。俺が坊主にしたのって『どうした!?品川』の収録中でしたけど、そのまま坊主でい続けるのは、そのブームに乗ったって思われたくないんですよね。ここはおかしな性格で。やっときゃいいんですよ、なんだったらもう坊主のままやればいいのに、嫌だなと思って1回伸ばして。でも坊主にしたいって気持ちはあるんです。そろそろ世間的に俺に坊主を求めてないよなって頃に坊主にする。

――その面倒くさい部分はなんなんですか？

品川 だから西野が好感度低いとか、いまツイッターで言ってるじゃないですか。好感度低いっていう1コのブームに乗ろうとしてる感じが俺にはできないです。好感度低いっていうのを喜んでやってますっていうのは絶対ダメだし。とにかく嫌なんです。それが嫌な時点で売れないんですよ。「品川です」って挨拶も昔ちょっと流行ってすぐやめたんですけど、そのときも宮迫さんに飲みながらめっちゃ言われて。「おまえ、やり続けなあかんねん。そんなの恥ずかしいとか言ってる場合ちゃうねん、やらなあかんねん」みたいな。でもできないんですよね。庄司とか「ミキティー！」ってずっと言ってるじゃないですか。すっかり味なくなってからもう一回味してきたりするから、すげえ、おもしろいなと思うけど。

――やり続ければ味が出てきて。

品川 そうそう。でも俺が「品川です」ってずっとやるのは、やっぱり耐えられないっていうかできないですね。もし俺にお坊ちゃん要素があるとしたら、そこぐらいじゃないですか。「『品川です』やれよ」とか言われるのも全然いいですし、「坊主にしろ」って言われれば全然するけど、自分からはしないしっていう、その微妙な変な線引きがあって。

――そこはすごいわかりにくいですよ。

品川 わかんないでしょ？ だからいま坊主なんです、ちょうど『どうした!?品川』から1年経ったんで。僕、『どうした!?品川』の前、1年ぐらい『アメトーーク！』に出てないんですけど、プロデューサーの加地さんに「前髪切りなよ。前髪がある間は俺の番組出さないから」って言われたんですよ。そうなったら絶対切れないですよ。それで1年ぐらい『アメトーーク！』に出てないんですよ。『どうした!?品川』の前に、東野さんがテレビでそのプレゼンやって。俺、脚折ってたんで。加地さんが俺ん家に来て、『どうした!?品川』やりたいって言ってるけどどうする? 俺はすごいおもしろいと思うんだけど」と言われて。それでも俺はまだ不貞腐れてますから、「逃げたと思われたくないんで行きますけどー」みたいな、全然ノリノリではなくて。で、出てみたらああいう感じになって。

――ただ、前から気合いを入れたいときはとりあえず坊主にするとか言ってましたよね。

品川 そうです。よく覚えてますね。今回は『好感度低い芸人』が終わったあとだったんで、「やったー!」みたいなことで身体がポカポカしてて、ちょっと熱くなってやった、みたいなところがあるかもしれないですね。

――好感度を上げたい欲はもうないですか?

品川 人間ですから、嫌われたいとは思わないですけど、好感度ってよくわかんなくて。それに振り回されるのはちょっと嫌だな、好かれようとするのはちょっと嫌だなとは思います。それよりウケりゃいいや、みたいな。好感度が低すぎてウケなくなったら地獄でしょ。だからウケてるうちはまあいいかって思いますし、前より笑いも取りやすくなったんで。ホント『アメトーーク!』のおかげですけど。どこに行っても、嫌なこと言っても笑いは前より取りやすくなったんで。でも全然仕事は増えてないです。『好感度低い芸人』に出てた芸人も全員レギュラー番組ありますからね。俺だけですから、レギュラー番組ないの。こっちは完全フリーランスですから、背負ってるものが違うんですよ! 「おまえら帰ったら羽根を休めるホームがあるじゃないか、ここで嫌われようが、好感度が低いと言われようが、慰めてくれる仲間がいるだろ」と。こっちはひとりで闘ってるのに。

――そもそも、その『アメトーーク!』にすら滅多に呼ばれないっていう(笑)。

品川 そうですよ。でも、じゃあこれが楽しいから月に1回『どうした!?品川』とか『好感度低い』級のことをやったら飽きますからね、お客さんも僕も。やっぱり溜めに溜めてズボッという感じで。『めちゃイケ』もホントはもっと呼んでほしいと思ってた時期もあったけど、やっぱり年に2~3回ぐらい……江頭さんみたいになってくるな(笑)。

――レギュラーよりも伝説を残す(笑)。

品川 僕、大阪の番組でバーッと暴れて、東野さんとかに「吉本辞めたら一番にブチ殺してやるからな」って暴れ回ったんですよ。暴れてるうちに、「こんなはずじゃなかったんだけどな」と思って。ダウンタウンさんに憧れて入ったのに。

――もうちょっと知的なことやるはずが。

品川 大暴れしてましたね、気づいたら。

――わかんないもんですね。

品川 それが合ってるんでしょうね(笑)。

町山智浩の総括!!

with 水道橋博士

皆さん、いかがでしたか？　あとがきにかえまして、
サブカル有識者・町山智浩さんにまとめていただきましょう。
インタビューされた方にとっては、これぞ大きなお世話!?
なんと水道橋博士さんも対談に加わってくれました♪

1962年生まれ。東京都出身。映画評論家。カリフォルニア州ベイエリア在住。早稲田大学法学部卒。 JICC出版局、宝島社、洋泉社にて雑誌編集を勤め、1995年に『映画秘宝』を創刊。現在、『週刊文春』『サイゾー』『anan』『クーリエ・ジャポン』などに連載中。TBSラジオ『たまむすび』毎週火曜レギュラー。主な著書に、『〈映画の見方〉がわかる本』『ブレードランナーの未来世紀』『アメリカ人の半分はニューヨークの場所を知らない』『トラウマ恋愛映画入門』『本当はこんな歌』『教科書に載ってないUSA語録』など。

13年11月28日、青山円形劇場で開催されたイベント『山里亮太の360』に出演し、打ち上げにも出席した直後の深夜0時、水道橋博士も同席したままこの取材は始まりました！

——前に『バンドライフ』という本を出したとき、連載時の大槻ケンヂさんのインタビューを単行本用には載せず、代わりに本の総括をやってもらったことがあるんですよ。今回の町山さんの役割は、そんな感じです！

博士 だけど俺に総括なんかできるかなあ？

——そこは気にせず自由に話してください！ まずは『進撃の巨人』の**諫山創先生**です！

町山 ああ、彼はとにかくすごいよね。

——完全に町山チルドレンじゃないですか。

町山 彼に限らず、漫画家の先生はラジオ聴いてる人が多いんですよ。特に1時すぎ頃に作業場に集まって漫画を描くから、昼のラジオ聴いてるんだって。漫画を描きながらテレビは観れないしね。でもニッポン放送とか聴いても、（林家）たい平とかがしゃべってるわけじゃん。

——たい平が（笑）。

町山 漫画とは何も接点ないよね（笑）。

——TBSラジオの人気は強いですよね。

町山 だって文化放送で大竹まことの話を聴きながら漫画は描けないもん。それは大竹さんが悪いわけじゃなくて、大竹さんは親和性がないんだと思うよ、漫画的なものと。

——ちょうど『ストリーム』辺りから聴き始めて、『キラ☆キラ』～『たまむすび』と流れていくような感じで。だから諫山先生の中で町山さんの評価がすごく高いんですよね。諫山先生ってボクとかにまで緊張したりしてましたから。

町山 そうでしょ。諫山さんって若いしね。

——すごい若くてイケメンだけど女性経験はほぼない感じなのが好感持てますね（笑）。

町山 だってまだ20代だもんね。モテるかモテないか試す前にデビューしちゃってるから。それは早すぎたよね。

博士 すでに世界を手にしてるから怖いよ。

町山 でも、俺はコメントできないなー……。ていうのは、12月6日に『進撃の巨人』の映画化が発表されるんだけど、俺、シナリオ書いてるんだよ。

——え、町山さんがシナリオ？ 実写？

町山 この1年間ぐらいずっとやってたんだよ。でも、まだこの時点でどうなるかわからない。めちゃくちゃ書き直してるし。最初は中島哲也監督だったんだけど、うまくいかなくて。じゃあ誰がシナリオ書くんだってことで俺の名前が出て。

博士 それはまあ、意気に感じるでしょ。

町山 うん。諫山先生はすごく売れてもネガティブなのがおもしろいよ。いくら誉めても全部否定しちゃうからね。あれはすごいよなー。

——漫画家特有のものなんでしょうかね。

町山 漫画家でも傲慢なのいるよ！ ハッキリ書いていい！ 弘兼憲史とか！

——ダハハハハ！ いろいろこじらせてる漫画家も多いけど、諫山先生のあのルックスでこじらせてる感じが興味深いですよね。

町山 彼自身は自分がイケメンなんて思ったことないんじゃない？

——作品について話してても、「いや、それは町山さんのパクリ

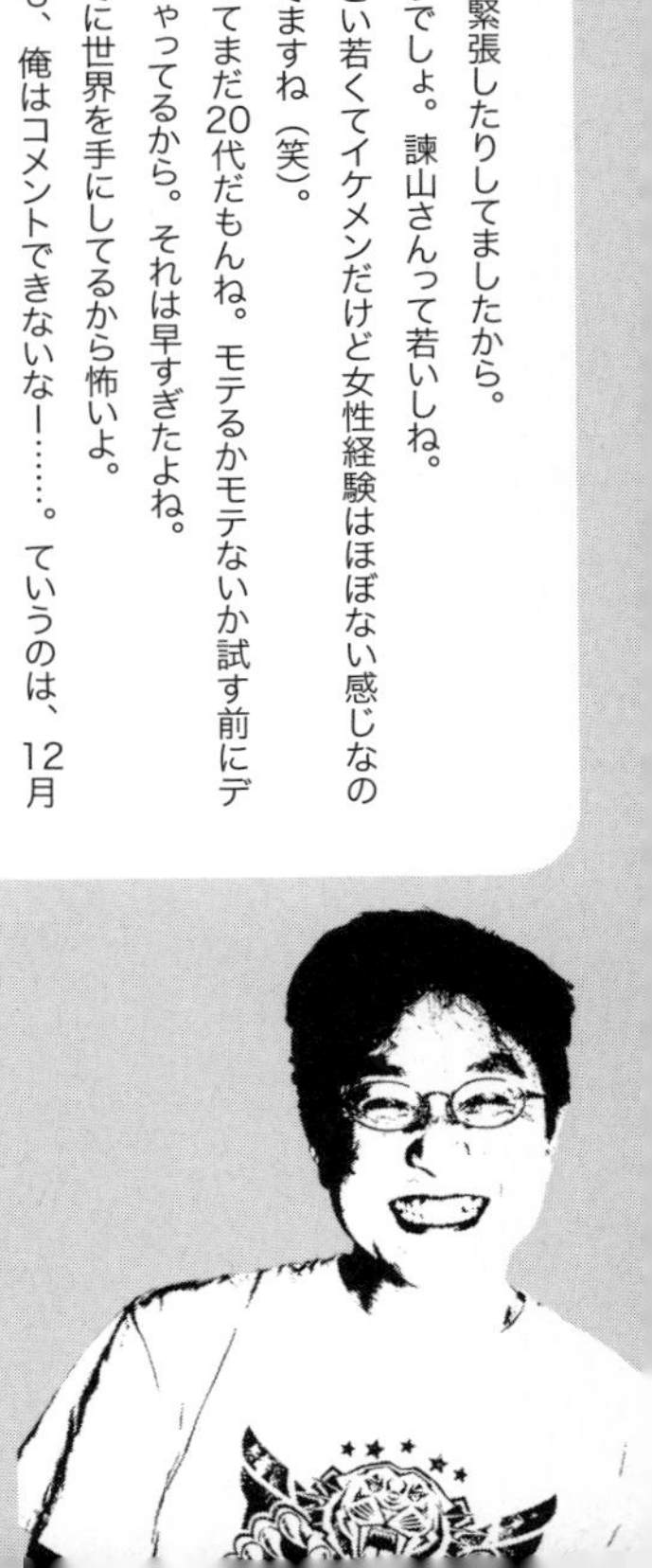

で」とか「それは『ウィークエンド・シャッフル』で聴いた話で」とか、元ネタを平気でバラすじゃないですか。

町山 全部「私はたいしたことない」って方向に向かっていくんだよね。『進撃の巨人』の謎もたいした秘密じゃないんですよ」とか言っちゃうんだけど、それが謙遜じゃなくて、本気でそう思ってるのがおもしろいよね。『進撃の巨人』にボツ出した集英社っていうのはホントにしょうがねえなと思うけど。

――ああ、最初は『ジャンプ』に持ち込みしたけれど引っ掛からなかったんですよね。

町山 そう。ひどかったなと思うのは、連載1回目が始まったとき、とにかくすごいインパクトで圧倒的だったんだけど、じつは彼はハッキリ言って『別冊少年マガジン』でもバクチだったんだよね。メインは雷句誠の『どうぶつの国』で、そのための新雑誌みたいなもんだったから。もうひとつのバクチは『惡の華』。他はジャンプ系や萌え系やRPG系だった。ところが異端だった『進撃』と『惡の華』が当たっちゃった。ホント大逆転だね。

――いまや講談社の救世主になって。

町山 そう、あれはすごいな。諫山先生は全然自信ないんだよね、「僕は絵もうまくないし」とか言って。でも彼自身のことなんだよ、『進撃の巨人』って。壁に囲まれた街でもう行き場がないって話だけど、あれは彼の生まれ故郷のことなんだよ。山に囲まれて行き場がなくて、将来どうしたらいいかわからないっていう。読んでる人はわからないかもしれないけど、彼自身の素朴な心情だから。面白いのは『惡の華』も山に囲まれた田舎町の話なんだよね。そっちも著者が育った桐生市のことで。この2本は『別冊少年マガジン』の中でも絶対にウケそうにない漫画だった。ほかは結構アニメ化されようなヤツばっかりだったのに。

――ところがその2作がアニメ化されて。

町山 他は要するに『ドラゴンボール』とか『ワンピース』みたいなものばっかりにして、キャラがかわいくて、ポップでアニメ化しやすそうなのを集めた雑誌が『別冊少年マガジン』だったんだけど、『進撃の巨人』と『惡の華』が飛び抜けたんで、やっぱり世の中捨てたもんじゃないと思ったよね。どっちも作者自身の本気の話だからね。

――田舎の窮屈さを描いたりで。

町山 マーケティングで作られた『ジャンプ』的な漫画じゃない。講談社は『ジャンプ』みたいな商品になる漫画が少ないせいで、会社自体がかなりヤバくなってたでしょ。無理やり『FAIRY TAIL』をデッチあげたけど。『FAIRY TAIL』は完全に『ジャンプ』的な、二次著作物が売れるものを作ろうとしたんだよね。どう考えても。でも、そういう戦略によって作られてない『進撃の巨人』と『惡の華』が大ヒットしたのは、すごくいいことだと思う。

日本人は乙武洋匡に嫉妬している

――次の**乙武君**と町山さんは接点ないですよね?

町山 ないない。

――興味あります?

町山 すごいあるよ。やっぱり俺も差別されて育ったから。彼はすごく明るく楽しくやってるけど、心のなかにはものすごい憎しみや怒りを秘めてると思う、ハッキリ言って。

――本人はそういうのを一切出さないけど。

※町山智浩の半生に迫ったインタビューは、諸事情の関係で、収録してません。

町山 出さないけど、それ自体が攻撃なんだよ。「おまえらの攻撃なんて屁でもないぞ」って、ふざけた顔を見せることが。俺だってそうだよ。だから彼はものすごい闘志の人だと思うよ。

博士 リベラルさのなかに取り込まれていかない闘志の持ち主だなって思いますよね。

町山 そうそうそう。だから弱者の権利みたいなことをわざと言わないじゃん、彼は。

――特に本がヒットしたときそっち側に引っ張られそうになったのを頑なに固辞して、いまでもふざけた側にちゃんといますからね。

町山 そうでしょ。いままですべての差別されてきた人たちが弱者の権利みたいなものに取り込まれて失敗してきてるから、それに対する闘いなんだと思うよ。

博士 俺の子供の恩師だよ。小学校の先生。俺は乙武先生がいるからその学校に入れて、乙武先生と交流させたの。だから、俺にとっては永遠に自分の子供を見てもらった先生。当然、俺は結構好きっていうか……また乙武先生のことを持ち上げると偏るじゃん。だからそれはあまり言わないようにしてるけど。

町山 ハッキリ言って世間は乙武が何か失敗するのを待ってるんだもん、どう考えても。それに対して彼はのらりくらりと交わし続けるんだろうけど、とにかく彼が何か失敗したり傲慢なことをしたときに、日本中のヤツらはホントに叩きたくてしょうがないんだよ！

――銀座のレストランの入店騒動があそこまで騒がれたのは絶対そういうことですよね。

町山 もっとハッキリ言っちゃうと、ふつうの五体満足な日本人は身体障害者を妬んでるから。バカにしたり差別したりじゃなくて、本当は妬んでるんだよ。彼らがうらやましいの。「腕がない、脚がない、目が見えないからって偉そうに」って思ってるの。実は。少なくとも、自分には何もない、と思っている人たちはそう思ってる。だからすごい憎んでるし嫉妬してるんだよ！

――在日批判とかにもつながる話ですよね。

町山 まったくそう。実は蔑視じゃなくて嫉妬なんだよ。世の中すべて嫉妬だから。乙武君はそれがホントにそれわかってると思う。だから、そんな嫉妬や嫉みに対して笑顔で対応する。あの笑顔は何もない人たちの妬みや嫉妬に対する攻撃だから。あの笑顔は何も優しさじゃない、攻撃だよ！　何も持たない人は、あの笑顔を見て屈辱的な気持ちになる。「俺は手足があるのに何もできない。だけど彼はこんなに勝利の笑顔を！」って。

――では次、**枡野浩一さん**。

町山 どういうインタビューだった？

――離婚クヨクヨ話と、3Pやりたい話と。

町山 俺が枡野君に前に言ったのは、とにかく離婚のことでいつまでもグルグル回ってるから、「もう全部断ち切ったほうがいいんじゃないの？」ってこと。「誰も枡野君を知らないところに行けばいいんじゃないの？」って言ったんだけど、全然行こうとしないからなあ……。

――最近は芸人宣言して芸人になろうとしたりとか、新しいことをやろうとしてますけどね。

町山 そうなんだ。でも枡野君はけっしていい人じゃないからね。彼は、新興宗教にわざと勧誘されて新興宗教のヤツを論破するとか、いい人のやることじゃない。なんだろうね、あのいい人ぶってる感じ。

――見た目が柔らかい感じだから、その落差があるんですよね。

ただ、いい人じゃない感じは、もう伝わってると思うんですよ。面倒くさい人っていうのがメインのイメージで。

町山 とにかく何にも頑なで、何に対しても負けないから、ホントはすごく頑固で強いヤツなのに柔らかい、弱いフリしてるのがとんでもないよね！　じつはものすごく強いヤツだから。ものすごく強いくせに弱いフリしてるのが許せないよ！

——前に映画『ブルーバレンタイン』の公開を記念した、町山さんの公開説教がすごい話題になったじゃないですか。枡野さんもボヤいてましたけど、「町山さんに言われるのはいいけど、あれを見た人が『僕もそう思ってた』って言うのがホントに腹が立つ」って。

町山 だってズルいんだもん！『結婚失格』を読むと枡野が弱い人のように書いてあるけど、そんな人じゃないじゃん！　クヨクヨしてるのは間違いないけど、論争とかで誰にも負けないし、強いんだよ。それを弱い振りしてさ。結局、自分は強くて間違ってないって気持ちが全然壊れないから何も変わらないんで。

——だから反省にならない。

町山 負けないから反省するわけないじゃん。だから「どっか旅に出ないとダメなんじゃない？」って言ったのに行かないから、自分は間違ってないと思ってるんだよね。たとえ腕力でボコボコにされても枡野は「こいつは腕力は強いけど腕力だけのヤツだ」みたいに思って、すべて自分の勝利に結びつけちゃうから。

——『ブルーバレンタイン』の公開説教が初めての敗北に近いものだったと思いますよ。いろんな人が見てる前で町山さんが口だけでボコボコにする状態だったじゃないですか。

町山 普通は、女房に逃げられたら「自分のどこが悪かったんだろう……」って思うのに、自分のどこが悪かったか教えてくれなかった女房が悪いって思う枡野はマジでどうかしてるよ！

——枡野さんは完全に他人の考え方が理解できない病なわけじゃないですか。得できない人生を送っちゃってると思うんですよね。

町山 得してるんじゃない？　あんなポジションでふつうやっていけないじゃん。なんだかんだいって続けて本も出してるし、ホントに弱い人はあんな出せないよ。でもね、決定的に彼が強すぎるからみんな共感できないんだよ。ハッキリ言うけど俺があれだけ叩いても全然めげないし何も変わらないんだもん。

——めげはしたんですけどね。

町山 でも、何も変わらないよね。それって最強じゃん。枡野は地上最強って俺は思ってるよ。

——めげてはいましたけど、たしかに強いと思います。合気道的な強さがあるというか。

町山 うん、合気道的な強さ。『ガキの使いやあらへんで』の山崎さんみたいに、ボコボコにされたら、痛がらなきゃいけないわけじゃん。「ひどいですよー！」って言わなきゃいけないのに、枡野ってイメージとして、ボコボコになりながら、スッと立ち上がって「あ、終わりました？　じゃあ帰ります」みたいなことをやっちゃうヤツなんだよね。そうすると絶対共感を得られないんだよ。

——本人はそれなりに傷ついてるんですけど、それがまったく伝わらないんですよね。

町山 伝わらないんだよね。あれは、カミさんにも伝わってないんだよ。「あの野郎、全然わかってねえ！」ってカミさんは思ってるはずだよ。何やっても、どんなにボコボコにやっても、しれっと「結構いまの痛かったですよ」とか言ったりするようなヤツだから。「この野郎、殺してやる！」って渾身のパンチを出しても、「あ、いまの効いたかもしれないですね」みたいなことを言うヤツなの。最悪なんだよ！

――ダハハハハ！　殴りがいがないというか、殴ってるほうがだんだん疲れてくる。

町山 だから観客も、「もういいや、よそに行こう」みたいな話になっちゃうんだよな。それは本人わかってないんだろうけど。いいリアクションを取るために上島竜兵さんとか参考にしたほうがいいと思うよ。

男が男に惚れるのは男にとって大事なこと

――では次、**穂積隆信さん**です。

町山 すごいね、インタビューしたんだ。

――しましたよ。おもしろかったです。

町山 だってあの人、何もかも失ったでしょ？　女を作ってたいへんなことになって。

――そんな『積木くずし』を書いた人が積木を崩していた話をいっぱい聞いたんですよ。

博士 そうそう、美談の陰にこんな悪い話があるのかっていう落差がすごいのよ（笑）。

町山 俺、穂積隆信さんの印象は、『飛び出せ！　青春』なんだよね。ホントに悪い教頭先生で、柳生博とふたりで陰謀をめぐらせて、村野武範を陥れる男として出てきて。だから『積木くずし』のときは、「えっ、あの悪い教頭先生が？」みたいな印象だったんだよ。あの人は声優としての能力がまたものすごく高くて、NHKの『恐竜家族』っていうアメリカのドラマの吹き替えで上司のトリケラトプス役やってて、バツグンにうまいんだよ！　天才的だよ、あの人。でも『積木くずし』ってちょうど俺なんかと同世代なんだよね。

博士 『積木くずし』によって、出演者を含めて、どんだけ人生を変えられたかという。

――主演女優が積木をくずしましたからね。

町山 高部知子ね。高部知子なんて全身にピアス入れてSMになっちゃったじゃない。一番怖いのが、高部知子のニャンニャン写真をリークした元恋人が謎の死を遂げてて。あれはハッキリ言って、欽ちゃんが「ちょっとひとり困ったヤツがいるんだけど」って言うとコニタンが行くっていう世界だったんじゃないの？

――なんですかそれ！

町山 だってあきらかに偽装殺人じゃん！　あれは沢田研二に喧嘩を売った人が謎の死を遂げたのに非常に近いものがあるよ。

――ありましたね、イモジュリー事件。

博士 そういう話を聞くたびに、俺27年芸能界にいて、よく生きてるなって思うもん。基本的に師匠以外には従順じゃないから、なんでこんなに生きてるんだろうって思うな。

町山 俺のことも目の上のタンコブみたいにイラついてる人、絶対いると思う。宝島社の社長なんて俺のこと殺したいと思ってるはずだよ！

――じゃあ次いきます。アニメの監督の**山本寛さん**。宇多丸さんと揉めた人ですね。

町山 全然わかんないわ。どう揉めたの？

――この人が監督した『私の優しくない先輩』っていう映画があって、ボクは大好きなんですけど、宇多丸さんが酷評して、監督がブログで宇多丸さんに反論したりして。町山さんが見てどう

判断するか知りたいですね。

町山 一般的にはファンがいるの？

——むしろアンチが多いですね。『涼宮ハルヒの憂鬱』のシリーズ演出を経て、『らき☆すた』とか、最近町山さんが揉めた東浩紀さんと『フラクタル』を作ったりした人です。

町山 俺べつに揉めてないよ。ただ、猪瀬直樹の応援演説やったじゃない。そのこと自体は問題ないけど、そのあと猪瀬が不正な金を借りたときに、「私は猪瀬直樹を信じてます、これは何かの間違いです」みたいに擁護するんだったらわかるけど、「私はなんの責任も感じません」「謝る必要もないし」みたいなことを書いてたんだよね。

——「こういうことで叩かれるんだったら誰の応援もできないじゃないですか」的な。

町山 でも、そりゃ全然違うだろ！ 彼を信じたから投票した人がいるわけだから、そこには責任が絶対にあるんだよ。だったら「私はこの人を応援しますけど、なんの責任も取りません」って最初に言わなきゃいけないと思うよ。それってどんな応援だ？と思うけど。

博士 東浩紀と猪瀬さん、3～4日前、『ビブリオバトル』でずっと隣にいた。東浩紀は大学生が書評バトルしてるあいだ、ずっとツイッターやってるの。見られてないと思ってるけど、俺は見てるから。まあ、話は聞いてるんだろうけど、その感じがどうもダメで。

町山 博士とか俺ってたけしさんとか見てるからっていうのもあるけど、ちゃんとしたリーダーシップを見てるじゃない。そこで学んでるでしょ、これはやっちゃいけない、これはやっていいって。彼らにはそういう自分のルールがないんだよ。

博士 ホントそれは思う。

町山 要するにセックスしたりドラッグやったり、反社会的なことはいくらやってもいいけど、これだけはやっちゃいけないってことがあるじゃない。カリスマ性とは何かってことを考えたことがないんだろうね。それを意識して行動しないとすごく恥ずかしいことになる。でもそれは上から下に引き継がれていくものだよね。たけしさんには圧倒的にカッコ悪いところが少ないんだよ。たとえばたけしさんは威張らないし、相手が格下や無名の人でも会ったときには礼儀正しく接してくれるでしょ。そういう時に男が男に惚れるんだよね。で、勉強するんだよね。

博士 よくわかる！

町山 あるでしょ？ たけしさんが威張らないのは謙虚なんじゃなくて、威張るのはカッコ悪いからなんだよね。そのへんのバランスっていうのがたけしさんは絶妙なのよ。タモリさんもそう。

博士 さんまさんも。

町山 そうそう、絶妙なの。ところがそれを全然見てないからわからない人がいて。だから東浩紀のカリスマ性のなさっていうのは、ガキ大将になれなさなんだよ。たぶん過去になったこともないし、そういうかたちでリーダーシップを取ったこともないと思うんだ。

——かわいげはあるんですけどね。

町山 かわいげはあるよ。でも、男が男に惚れる瞬間っていうのを経験したことが1回もないんだと思う。ハッキリ言って彼の思想とか言ってることはもうどうでもいい！ 男が男に惚れる瞬間を見て、それを真似しようと思ったことが1回もない人は一生どうにもならないと思う。これは猪瀬もそう。俺とか博士はそれを見てるんだよ。枡野とかもそんなこと何も考えてないわけ。俺が前、枡野に「なんでもいいけど、つらくても痩せ我慢することだし、重い荷物があったら自分が持つことで、それはカッコつけだけでいいんだけど、それをやることだよ」って言ったら、枡野は「やらない」って言ったんだよね。でもそれは、ホントにカッコいい人になりたいって気持ちがあるかどうかなんだ。枡野はたぶんカッコいい人になろうとすることはイコール嘘をつくことで、よくないと思ってるんだろうね。

――それよりも正しさを追求しちゃうんですよね。「あなたはいま僕よりも体力あるんだから、あなたが持つべきです」みたいな。

町山 そうそう、論理的には正しいの。それでも意味なくても痩せ我慢して「俺がいくよ」ってやることは、自分のなかからは出てこない。過去にやってみせた人がいるかどうかなの。俺の親父はそういう人じゃなかったんだけど、会社に入ってから、『宝島』編集長の関川（誠）さんとか石井（慎二）さんとか、たけしさんとか清志郎さんとか見てきたから、男が男に惚れる瞬間っていうのを何度も何度も経験してきたんで、自分は器じゃないのに無理して真似しようとしてるだけなの。真似しきれてないんだけど、でも真似しよう真似しようと思って一生懸命頑張るの。無理しない限り人間はどんどんダメになる。東浩紀もそう、枡野浩一もそう。枡野浩一には具体的にそれ説明したよ、でも彼はできないんだよ。これはホントに壁みたいなもので、そういうことを頑張ろうと思わない人はなれないんだよね。俺、よく喧嘩するけど、でも喧嘩したあとに握手するわけ。本当はマジで悔しいけど、「いいよ、もう」って。

――「ノーサイドでいこうぜ！」と。

町山 なんでやるかっていうと……。

――やってたカッコいい人がいたんですね。

町山 そう。みうら（じゅん）さんもそうだよ。それカッコいいもん。そういう「あの人の真似をしたい」って気持ちがない限り、男も女もどうにもならないよ。自分は自分のままでいいって言う人はいっぱいいるんだけど、それじゃ何も変わらない。とにかくカッコいいと思う人を見つけなきゃダメだわ。

――ヤマカン監督と宇多丸さんの論争も「いいパンチだったぜ」がないですからね。

町山 ないんだ。俺、喧嘩してもすぐ仲直りするじゃん、誰でも。そのほうがカッコいいじゃん。たけしさんだってタモリさんだって、昔はすごいいろんな人を叩いてたよ。とにかくガンガン叩くんだけど仲良くなるじゃん。

――町山さんの謝れる能力はすごいですよ。

町山 あれはたけしさん、タモリさんを見てるからだよ。俺と博士のたけしさん、タモリさんに対する信奉の仕方っていうのは、ふつうにラジオ聴いてたのとは違うから。放送日にテープに録ると、その翌日から次の放送日までずっと何度も何度も聴き続けてるんだから。CMまで覚えるくらい聴くのよ。やっぱり人間、歴史だから。好きな人がいて尊敬して、それこそマッカーサーがシーザーを尊敬して、シーザーが誰を尊敬してとかずっと続いてるの。それから断ち切られたら、人間っていうのは誰でも生まれてきたときはたいしたことないけど、誰かを尊敬することで一段上がれるんだよ、その人みたいになろうと上に乗るから。

――その人みたいになろうと努力して。

町山 だからロックもそうだけど、結局それまであった長いロックミュージックの歴史と無関係にゼロから始めたらこれぐらいの高さしかないけど、ずっと積み重ねられたロックミュージックの歴史の上に乗せていくから、さらに高くいけるんだよ。誰か尊敬

する人を見て、その人を真似する。その人みたいになりたいと思うことってホントに大事だと思う。それがいま世の中にないの。だからテレビ観ててポルノグラフィティとか聴いてると、「なんなのこれ!」とか思うもん。

——でも喧嘩は強いらしいですよ。

町山 喧嘩なんかどうでもいいよ!

——ダハハハ! すいません!

町山 これはないだろって思うわけ。リップスライムなんてヒップホップとかいうから、聴いてみたら、なんだこれって思うわけ。エミネムとか自分の人生を削って歌ってるのに。漫画でも同じで、なぜ日本の漫画がここまですごくなったかっていうと、手塚治虫がいて石ノ森章太郎がいて藤子不二雄がいたから。

——梶原一騎や小池一夫もいて。

町山 それを尊敬しながらそれと闘うっていうことがあったから。プロレスもそうじゃん。力道山がいて猪木、馬場がいたからだよ。ところが今は、そういう歴史の積み重ねを知ろうとしない世の中になってしまって、怖いなと思うよ。でもさ、俺はたけしさんやタモリさんのどの点を尊敬するかっていうと、芸とかじゃないんだよ。俺は芸人じゃないから。たけしさんやタモリさんはカッコよさの先生なんだよ。

博士 よくわかる!

町山 ホントに。それが弟子とかにならなくても全然平等にくるわけ。たけしさんとかタモリさんのすごいところは、誰に対しても接し方が同じなんだよ。これは吉本の芸人に対するアンチテーゼになるけど。絶対に威張らないし、誰に対しても敬語だし。

——腰低いんですよね。

町山 腰低い。あれも自意識なんだけど、すごいカッコいいんだよね。それがなくなった人って、傲慢になって好き勝手やって失敗してるじゃん。みのもんたとかもそうだから。タモリさんとたけしさんのすごいところは、恥じらいを持ち続けるところなんだよね。これやったら恥ずかしい、これ言ったらみっともない、これやったら傲慢だ、これ言ったら天狗だと思われるっていうことを常に意識してて、それは絶対にやらないの。あと無理する。枡野とか絶対無理しないから!

——男はどこかで無理しないとダメですね。

町山 そう、男でも女でも無理しないとカッコ悪いんだよね。でも、最近はそういう美学がなくなっちゃってるのかなっていうね。

上杉隆の名前でヒートアップ!

——おもしろいんですけど、ちょっとスピードアップしていきます。次は**宇川直宏君**。

町山 ああ、俺は昔から大好きだよ。

——『映画秘宝』のデザインもしてきて。

町山 うん。でも、頭おかしいよ。昔、彼ん家に行ったらVHSのビデオがブワーッといっぱいあるわけ。怪獣ビデオが山積みになってるんだけど同じのが2本も3本もあって。「これ買ってないと思って間違ってまた買っちゃった」とか、ものすごくいい加減な男なんだよ。

——ボクも同じことやってます(笑)。

町山 あ、そうなんだ。俺、ニューヨークで中古ビデオ屋に行ったら、『クレクレタコラ』のアメリカ版VHSっていうのが置いてあってさ。ちゃんと英語のパッケージもあるの。こんなもん正式

※クレクレタコラ

に出たのかよと思って、宇川君に話したら、「あ、あれ俺が作ったんです」って言われて（笑）。パッケージも全部作って、正式に発売された『クレクレタコラ』のビデオに見せかけて流通させたんだよ、彼。勝手に。ひどくねえ？

――好きすぎたんですね（笑）。

町山 狂ってるよね。でも、あれでアメリカで『クレクレタコラ』ってすごく有名になったんだよ。シュールなドラッギーなものとして。そういうことやってる人だよね。宇川君はああいうことやってるけど、根本（敬）さんが大好きなんだよね。根本さんが根底にあるっていうのはやっぱりすごい。俺もそうだけど、根底に根本さんとみうらさんがあって。

――博士もそうだし、ボクもそうですけど、みんな根本さんがベースにありますよね。

町山 商業ベースのほうにいこうとしたときに根本さんがブレーキかけてくれるよね。根本さんはそんなことやらないぞって。そこは大事だよね。それがないとどんどんダメになってく。人間、「あの人だったらやらない」って思ったらやらないってことは必要だと思うよ。みうらさんは「自分は『ボブ・ディランだったらやらないだろうな』と思うことはやらない。それだけで相当選択が楽になるよ」って言ったの。園子温とか俺はジョン・レノンがやらないことはやらないって考え方があって。それで人生、何かに迷った時に選択がすごく楽になるんだよ。たけしさんがやらないことはやらないとか。

――では次、**宮崎吐夢さん**。交流あります？

町山 ……誰だっけ？

――大人計画の。

町山 ああ！　松尾スズキさんとか大人計画とか宮崎吐夢さんとか、嫌いだったんだよね。松尾さんがやってたママさんコーラスに「お米券」って歌わせたりとか、宮崎吐夢がやってたオマーン国がどうこうとか、ホントに嫌んなっちゃうんだよね……。

――笑いのセンスの問題ですか（笑）。

町山 ものすごい困っちゃうっていうのが一番的確だな。40過ぎてそりゃねえだろっていうさ。特に俺はここでハッキリと言うと、俺は『本人』って雑誌に呼ばれて、要するに自分のことを赤裸々に書くっていう「縛り」だったから、俺の親父のことを書いて。それは、みんながそういうことを書き合う場なんだと思ったけど、そういうきついこと書いてるのって俺と、刑務所の看守やってた人。

――天久聖一さん。

町山 彼以外はどうでもいいことしか書いてないわけ。特にそのコンセプトを出したのは松尾スズキさんだったんだよね。

――松尾さんも自分のことを書こうとしたけど、ちょうど離婚に至るゴタゴタの時期だから全部書けなくなっちゃったんですよね。

町山 『クワイエットルームにようこそ』っていうのも、あれ自分のことなんだよね。

――完全にそうです。

町山 彼は書くチャンスがあって、しかも自分でその舞台を設定したにもかかわらず、非常につらかったっていうのと、奥さんのことがあるから書けなかったっていうことだよね。その辛さは今となっては俺もよくわかるんだけどさ（笑）。そのときは雑誌のコンセプトをマジにとってホントに自分のことを書いてた俺は、すごく騙されたと思ったんだよ。これは詐欺だと思った。突撃！　って言われて捨て身で突っ込んで後ろを見たら、隊長以下誰も来てない、みたいな。松尾さんは、編集者が何度も口説いていま現在の彼について書かせようとしたけど、彼は逃げ続けたんだよね。

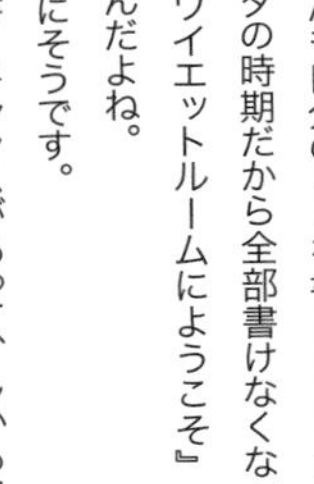

※『本人』

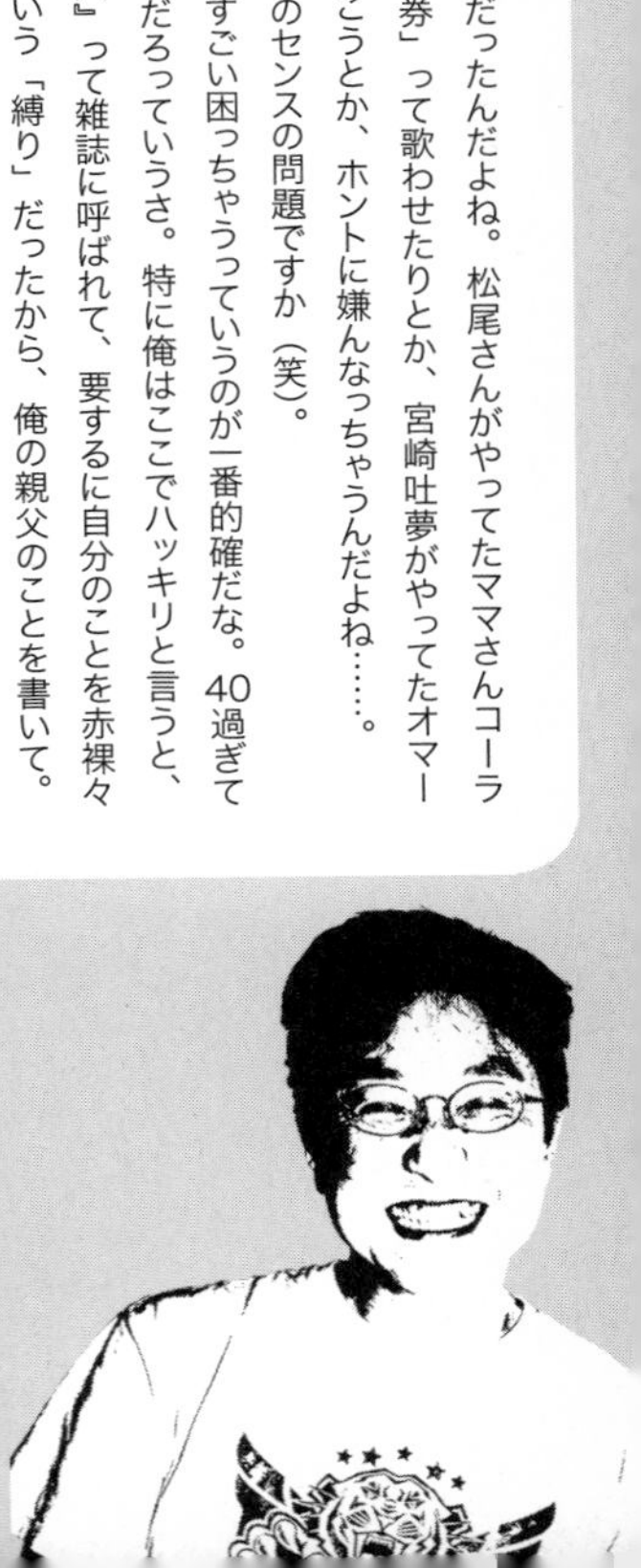

松尾さんは奥さんに対しての責任があったから書けないことはあったかもしれないけど、でも彼は書き手たちに対しても責任があったんだよ。書けって言ったんだから。それをなんとかしてほしかったよ。それと、やっぱり『本人』でみうらさんも自分のことを徹底的に書けって言われて「いろいろあるけど書けないよ」って言い方をしたの。

――みうらさんに日記を頼んだんですよね。

町山 そう。みうらさんもそのとき離婚問題を抱えてたんだよね。だから松尾さんはものすごいハードな枠を設定しちゃったんだと思うの。そんな雑誌のなかで一番くだらないものを書いてたのが宮崎吐夢だった、思い出した！

――ダハハハハ！　思い出し怒り（笑）。

町山 漫画を描いてて、本当にくだらないんだよ！　つまんねえと思った。そのときに、俺がこんな一生懸命自分のこと書いていれば、今はつまんないこと書いてる連中も自分を恥じて、赤裸々に自分を見つめた原稿を書くんだろうなと思ったの。そしたら誰もやらないんだよ！　なんで俺だけこんなことやらなきゃいけないの？って思ったわ。

博士 俺の人生の真っ当さは、こういう発言を受けてのものなんですよ。というのは、いとうせいこうもデーモン小暮もみうらじゅんさんも、みんな家庭がメチャクチャになるじゃない。だから俺は自分の真っ当さをやる。どんな誘惑にも負けない自分って大事じゃん、子供3人いるから。壊してもいいけど、多くの俺の先生がみんな苦労してるから。

町山 たけしさんでも苦労してる。

博士 でもたけしさんは奥さんと添い遂げるっていう、これは談志からたけしさんに受け継がれてる美学で、それは俺にもあるのよ。

町山 たけしさんの歌で『夜につまずき』っていうのがあるんだけど、たけしさんが歌詞を書いててさ。「はげしく生きぬく根性もなく、孤独に死んでく勇気もなしに」って歌詞で、たけしさんは世間からは激しく生き抜いてると思われてるんだけど、たけしさん自身は全然それに満足してなくて、「俺はまだまだ日和ってる、俺はまだまだ甘い道を行ってる」と思ってるんだよね。あれはすごいなと思った。たけしさんは、「俺よりももっと激しく生きてるヤツがいるんじゃないか、俺はたいしたことない」って思ってるんだよ。

――あの域にまでいってるのに。

町山 たけしさん以外の芸人って愛人がいたりいろいろして、「俺たちはメチャクチャやってる」って思ってるだろうけど、たけしさんは「俺はたいしたことない」「俺はサラリーマンと変わらないんだ」って思い続けてる。そこがすごいと思ったの。外国の映画祭でいくら賞を獲ったところで、たけしさんは「俺は凡人だ」って思い続けてるんだよ。だからたけしさんって批判に対してすごく敏感なわけ。あの位置にいっても敏感なのは、自分は凡人だっていまでも思ってるんだよ。ハッキリ言うけど宮崎吐夢！　おまえ何それ？

――吐夢さんは真面目な人なんですよ。このインタビューのあとでも一番ヘコんでて。

町山 ……なんで？

――「すみません、おもしろいこと全然言えなくて……」みたいなヘコみ方をしてて。

町山 おもしろくない理由っていろいろあると思うけど、手っ取り早く戦場でも行ったらいいじゃん。戦場行くか男娼になるかシヤブ中になればいいんじゃない？　つまんねえ！

――ひどい！　じゃあ、あと10人ぐらいいるんでガンガンいきます。次は、元『実話ナックルズ』編集長の**久田将義さん**です。

町山　俺、1回も会ってないんだよ。なんで知り合ったんだっけな？　……あ、**上杉**か！

――ああ、上杉隆さんの関係でツイッター上でやり取りするようになったんですよね。

町山　そうそう。まあ、上杉っていうのはハッキリ言ってサイコパスだと思ってるんで。

――うわー！

町山　サイコパスってべつに差別用語じゃないよ。精神病じゃないし。銃が正常に機能すると人を殺すように、サイコパスは通常運転で嘘をつくんだよ。どうしてみんな気がつかないんだろうって思う。あきらかにサイコパスだから。

――震災前はセーフだったのに震災後はアウトになったのはなんなんだろうと思ってて。

町山　俺が潰したからだよ。

――ダハハハハ！　そうなんですか！

町山　決まってんだろ、そんなもん！　だって決定的な嘘をついてるのに誰も気がつかないからさ。ビックリするよね。NHK局員とかさ。上杉の場合、俺はラッキーな場所にいてさ。『キラ☆キラ』をクビになったのは震災の原発事故について批判したからだって彼は主張してたけど、震災前にスタッフが上杉をやめさせるかやめさせないかって困ってる現場にいたんだよ、俺。

――お互いレギュラーだったから。

町山　あれじつは『週刊ポスト』で上杉がTBS批判をやったんだよ。自分の口がすべったのに全部TBSのせいにしたんで、上のほうがキレたんだよ。震災も原発も関係なかった。でもそれなのに、いつの間にか原発問題になってるじゃん。原発関係ないもん、上杉の降板は。

――時期が違いますからね。

町山　そう。それで完全にこいつは嘘つきだって一発でわかったから、あれに関しては一点突破だよね。こんな嘘つきっているのかなと思ってビックリしちゃった。普通の人は、事実関係知ってる人が聴いてる場所では嘘つかないよね。でも上杉は平気でやっちゃう。これはすごいと思った。

博士　俺、あの論争のあと上杉さんに会いにMXテレビに行ってるんですよ。そこで上杉さんに激高されて。「俺はどんだけあんたかばったんだよ」って思いながら、机バーンとやって説明する姿を見てたんだけど。それ以降は上杉さんと何もしゃべってない。

町山　あれはバカだったよ。上杉も枡野と非常に近いところがあって、リーダーシップの取り方に対してまったく考えてないんだよね。絶対に卑怯者とは呼ばれたくないって気持ちがない人なんだよ。だって、ここで謝れば卑怯者と呼ばれないで済むんだったら、恥かいてもいいから謝るじゃん、俺たちは。彼らはできないんだよ。枡野もできないし、上杉もそうだけど。彼らにとっては謝らないことのほうが大事なんだ。

――上杉さんのいいところは、この単行本再掲載を「全然いいです」と即答したことで。

町山　ああ……俺はダメ出ししたもんね。

――そこは上杉さんの勝ちです！　次は**小西克哉さん**。

町山　最高だよ！　あんなおもしろい人いないもん。ヒーヒー喜んでくれて。あんなに俺の話にウケてくれる人いないよ。タガの外れ方っていうことで考えると、小西さんってホントに外れてる

から。

——あの位置でああいうことを生業にしてる人とは思えない外れ方をしてますよね。

町山 そう思えないぐらい無防備。

——『ストリーム』がおもしろかったのはそこですよね。無邪気に、「あ、そこノッちゃうんだ」ってとこにも乗るじゃないですか。

町山 そう！　小西さんは天才的な笑い屋だったよね。何か話せばワーッと笑うし、スケベな話するとウッヒャー！　って喜ぶ。『キラ☆キラ』は博士が最初それやってくれなかったから、たいへんだったんだよ！　ちょっとエロな話をすると、博士は黙っちゃうんだもん。

博士 あのね、小島さんが支配してるんですよ、あの空間を。それはしょうがないというより、当時の俺は小島さんを盛り立てる役をやってて。いまならやらないよ、あのときキャッチャー役をやった俺を後悔してるから。

——もっと破壊的な方向でやればよかった。

博士 うん。いまはそんなことやらないよ、どこ行ったってやらない。俺は俺だし。

町山 俺もマイケル・ジャクソン追悼のときはホントに困ったよ。博士、黙っちゃうんだもん。

——最高でしたよ、あれ（笑）。

町山 黙んないでよー！

博士 あれは全体のトーンが決められてて。

——番組として追悼モードになってて。そしたら同じ話を2回も3回もしましたからね。

町山 そう。俺、マイケル・ジャクソンが白くなると清原が黒くなるって言ったんだよ。

——で、反応がないからまた言って（笑）。

町山 そうそうそう。なんで黙ってるんだ？　と思ってもう一回同じことを言ったの。

——あの日、スタジオにいたマキタスポーツさんが本気で困ったって言ってましたよ。

町山 ホントに？　あれは「やめなさい！」って言えばよかっただけなのに。小西さんだったらヒーヒー言いながら喜んでたよ！

博士 あのとき俺はスタジオ内ではボケをやってるから、「やめなさい」は小島さんがやるべきなんだよ。あのへんの齟齬っていうのは浅い人間関係が起こしてる齟齬なのね。あの日に何が起きてたかっていうと、まず西寺郷太君を呼んで、マイケルのことはからかわない、お笑いはやらないって基本方針を決めたら、町山さんだけが知らずにどんどんやっていって、俺と小島さんが見合いながら誰も口にしないって感じなんですよ。また町山さんはその前の番組のトーンを知らないから。

「マイケルはマスコミにひどい扱いされたけど天才だったんです」みたいなモードでやってるときにヒャハヒャハ笑いながらやって（笑）。

博士 そう。いまだったらそこに被せるぐらいだけど、あのときは俺のなかでは、小島さんがコントロールし、小島さんが自分の番組を作ってるって感じだったんですよ。小島慶子っていう存在もよくわからなくて、町山さんが子供として存在してるから、俺としては迷惑っていうか、たいへんでしたけどね。

——ちなみにこの単行本に小島さんを載せたいって編集者が言ったら、「それは過去の話だから」ってことで断られたみたいです。

町山 そうなんだ。

——同じ女性でもマッピーは理解できますよ。

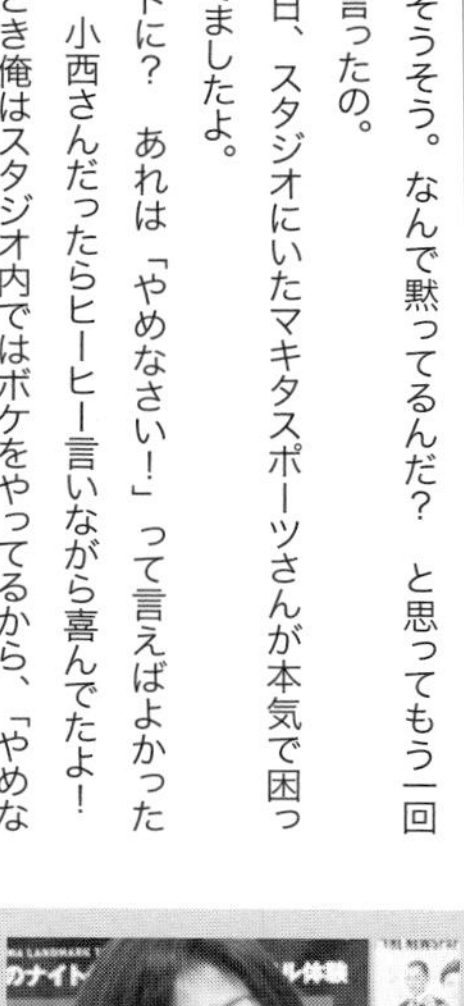

※小島慶子

町山 そうそう。松本ともこさんはおもしろかった。だって俺がくだらないギャグを言うと、まず小西さんがヒーッて笑って、松本さんがイヤーンって言う。あれ最高の展開だったのよ。絶妙のキャッチボールだったの。

博士 その最高のレベルを知ってて、そこまで行きたい理想があるから。だけど、小島慶子は町山智浩を理解しない、著作も読まなければ、勧めた映画も観ないってなかでやってるから衝突しちゃう。でも、彼女も毎日の帯番組やっていて、しかも子育てもあるから仕方ないんだけどね。時間がなかった。そこは悩んでいたよ。

――『たまむすび』は観てくれますからね。

町山 で、小島さんはこっちが下品なこと言うと、あきらかに軽蔑してるんだよね。

博士 ボクは当時、小島慶子の官房長官でやってたからかばうけど、ポジション的にはもうやらない。

近所で人気者だった力也一家

――では次、TBSの**安東弘樹アナ**。

町山 俺、会ってるかな。どういう人?

――『ライムスター宇多丸のウィークエンドシャッフル』でもその異常性があきらかになった、拳銃と車以外興味がない人ですね。

町山 ああ、『トップ5』で会ってるわ!

――インタビューはほぼTBS批判で。

博士 あと育ちが過酷なんだよね。

町山 ちゃんとした人だったけどね。

――しゃべりすぎて怒られたっぽいんですけど、単行本に載せていいことに驚きました。

町山 偉いなあ。

――では次、**神足裕司さん**。

町山 俺、直接会ったことないんだよ。

――否定的でしたよね。ボクが『キラ☆キラ』忘年会の神足さんが異常におもしろかった」って書いたら、『金魂巻』以降、神足裕司はおもしろいものを一切残してない」みたいな感じで。

町山 本人のキャラがおもしろいのは西原の本とか読めばわかるんだよ。だけど、彼が書いてるものはおもしろくないんだよね。だから、あの人は書く人じゃなくて書かれる人なの。でも本人は自分が書く人だと思ってるんだろうな。あ、さっき宮崎吐夢について面白くないなら戦場でも行けばって言ったけど、すごい人生の人が作る作品が面白いとは限らないし、本人が面白い人の作品が面白いとも限らないから難しいなあ、ほんと。

博士 俺は『これは事件だ』っていう神足さんの『SPA!』の連載を全部まとめて読んでる。こんなの俺だけしかいないと思う。

――それだけやってるのに神足さんは博士への理解も何もなかったですからね(笑)。

博士 何もない。『これは事件だ』も、俺にはおもしろいところがたくさんあったのに、本人にそう言ったら「覚えてねえや」って。

町山 そこだよ。誰に対しても興味がないっていう傲慢さがすごい強くて。たけしさんもたしかにほかの人のこと知らないけど、それに対する申し訳ないって態度がある。でも、神足さんはまったくないんだよ。これは書いていい、すごい重要なことだから。常にほかの人に対して脅威を持ち続けること。たけしさんは常に

脅威を持ってて、ほかの人に嫉妬もするし、手塚治虫もそうなんだよね。あれは傲慢なようでいて違うんだよ。だから新しいものに挑戦するし、変化し続ける。

――大友克洋とかにも嫉妬してましたからね。

町山 神足さんも、元『週刊文春』の花田（紀凱）さんもそうだけど、おまえら人生にピーク1回だろって思うよ。花田なんて過去に『文春』で成功した以降、20年間もヒットないのに、よくそれだけで名編集者とか名乗ってるなと思うよ。長い編集者人生にヒット一回こっきりってそれ、はっきり言って全然無能だよ。神足さんも『金魂巻』が80年代にヒットしただけで、それ以降それをずっと引っ張ってきてさ。

――『恨ミシュラン』がありますよ。

町山 あれ自分の力じゃねえじゃん！

博士 俺、出版業界全体にそれを感じる。

町山 死ねばいいんだよ。1回成功するとその成功で生きていこうとするからどんどん縮小再生産でつまんなくなる。一回死んで過去の成功は捨てて生まれ変わればいい。あ、だから神足さんは死んで生まれ変わったからいいんだ。たけしさんは今まで何度死んで生まれ変わったか。それをやらない限りダメだよ。

――ちなみに神足さん、原稿チェックもすごくて、「頭の3行読んだら、おまえはちゃんとしてると思ったから見てない」ってことで直しゼロ。その潔さもすごかったです。次の**YOU THE ROCK☆**は知ってます？

町山 彼のラジオ番組に出たけど、すっごくいい人だったよ。いま何してるの？

――もう活動を再開されてるんですけど、これは大麻で捕まる前のインタビューですね。

博士 ベッキーと司会やってるときは天才だったけどね。RECと話し方似てるよね。

町山 めちゃくちゃ似てる。どっちも性格いいし。

――話すと天才的におもしろいですよ。では次、DJの**須永辰緒さん**は面識あります？

町山 わかんない。

――オシャレなDJの人なんですけど、主に話してるのが昭和のDJの修行がいかにひどいのかって話で、拳銃で撃たれた話とか。

町山 えぇっ！　いまどこでやってる人？

――もともとDJ DOC HOLIDAYとしてメジャーフォースとかにいて、そこからジャズとかのほうにいったんですけど。

町山 あ、そっち系なんだ。

――知らないならいいです。では**力也さん**。

町山 俺がカミさんと門前仲町に住んでたときがあって、近所に力也さんがいつもウロウロしてたなあ。

――内田裕也さんにナンパされた奥さん。

町山 そうそう。力也さんは近所の人たちにお酒を配ったりしてた。すごくかわいい息子さんがいて。

――力斗君。

町山 うん。ちっちゃい頃、すっごいかわいかったんだよ。近所のみんなにかわいがられてて、いつも家族3人で歩いてて。息子さんはみんなから「かわいいね、かわいいね」って言われて、力也さんがみんなに「ありがとう、ありがとう」みたいな。ホントに近所の人として会ってたことはあって、すごいよかったけどね。

――次、**清水健太郎さん**。接点はゼロ？

町山 俺は『ぎんざNOW！』ずっと観てたから。『男のバイブル』っていうコーナーでレイバンのサングラスでずっと弟分である少年たちに向かって男の生きざまを語ってたんだよね。それですごい人気だったんだけど、その世代だったから。『ぎんざNOW!』文化ってすごくて、近田春夫さんのハルヲフォンもそこから出てきてるんだよ。

——キャロルとかもそうですよね。

町山　キャロルっていうか、クールスだよね。クールスのキーボードを近田さんがやってて、日本の不良ロックみたいなものを紹介する番組だったんだけど、関根勤さんもあそこから出てきたりして。『ぎんざNOW!』文化ってすごかったよ。俺が中学の頃、一番のカリスマだったのが清水健太郎だもんな。

——その後、仕事的な接点は全然ないまま。

町山　ないよね。でも、すごいよな、人生って。最近だと、『失恋レストラン』を『あまちゃん』がネタにしてたのはすごいと思ったよ。NHKでヤバいんじゃないの？　って思ったけど。たぶん気の強い人ではないんだろうけど。気の強い人って薬やらないからな。

——次、**岸部四郎さん**。

町山　岸部四郎ってタイガースに入ったとき、楽器も歌もできなかったという。すごいよね、なんにもしてないのに入っちゃったって。

——洋楽に詳しいっていうだけで（笑）。

町山　破産したあとどうしてるの？

——1回再ブームがきたんですよ。ブログがネガティブすぎておもしろいってボクがいろんなところで騒いでたら、それが発展して。

博士　それで『ミヤネ屋』でコーナーみたいなのができて。吉田豪が延命してるんです。

町山　昔、青春刑事ドラマ『刑事くん』かなんかに出てたときは殴り魔の役で、道端に女の人が歩いてたら、通り魔でいきなり殴るって役をやってたんだけど、ものすごく怖かったよ！　ホントにやりそうなんだもん！

博士　自分の本でも1章割いたけど、ホントに敬意を込めて書けないから、豪ちゃんが拾ってるのも偉いなと思うよ。本当は尊敬させてほしいんだよ。この人って頭いいだけじゃないんだなとか、10代の人にホントにメッセージを与えてるんだなっていうふうに。

町山　岸部四郎って作品を残してないしね。

——『ルックルックこんにちは』が代表作ですね。あと『西遊記』とマンモス西です。

町山　いまどうやって暮らしてるんだろう？

——かなりギリギリで。家も売っちゃって、いまアパートの1室で寂しそうでしたよ。寂しいって聞いたから会いに行ったんですよ。

博士　3億円を貯める本みたいなの書いて、人生は順風満帆にいくんだと思ってた人が、これほど破滅するんだなって思ったよね。

町山　俺もするかもよ。というかその可能性高くて……。

——では最後、品川庄司の**品川さん**です。

町山　全然知らないわ。

——博士はご存知ですよね。

博士　人が言うほど悪く思ってない。

町山　悪く言われてる人なんですか？

博士　言う。俺の担当編集者なんかめっちゃ悪く言う。たしかに彼はサブカルを何も知らない。何も知らないうえで知ったかぶりしてるだけだって。古本でも買えばいいじゃんって思う。俺なんか自分が興味を持った人は過去に遡って、この人は誰かっていうのを理解しようとするよ。いましか理解しないでこなしていく人

の技術に対して悲しいなと思う。品川君は象徴的だよ。あれだけ能力があって……。

——ひな壇芸人的な能力はすごいですよね。

博士 器用だから、なんのベンチャービジネスやったって成功するよ。だけど本質をやらない。やればいいじゃんって思うのに。

——とりあえず、町山さんが品川さんになんの興味もないのはよくわかりました！

町山 「こっちこそ、お前のことなんか知らん！」って言われるよね。

博士 だけど映画は悪くないんだよ。ただ、彼の浅はかさが嫌いなんだっていうだけ。

町山 ……え、何？

——映画を2～3本撮ってるんですよ。

町山 へぇ～っ……。

——もう町山さんの体力切れたみたいなので、今日はどうもありがとうございました！

町山 いえいえ、ごめんなさい！

End

発行日
2014年3月5日
初版第一刷発行

著者
吉田豪

発行人
寺島知裕

発行所
株式会社コアマガジン
〒171-8553
東京都豊島区高田3-7-11
☎03-5952-7832（編集部）
☎03-5950-5100（営業部）

印刷・製本
凸版印刷株式会社

©Yoshida Go 2014 / Printed in Japan

造本には充分注意しておりますが、落丁・乱丁の場合はお取り替えいたしますので、小社営業部までお送り下さい。送料は小社が負担いたします。

本書の写真・記事の無断転写・複製・転載は著作権法上の例外を除き、禁じられています。